기본기를 다지는

문제기본서 하이 매쓰

Hi Math

기하

수학의 자신감

역시! 믿고 보는 아샘 하이매쓰와 함께...

※ **대표저자 :** 이창주(前 한영고, EBS·강남구청 강사, 7차 개정 교과서 집필위원), 이명구(한영고, 수학의 샘, 수학의 뿌리-3점짜리 시리즈, 전국 모의고사 집필위원)
※ **편집 및 연구 :** 박상원, 전신영, 신혜미, 김윤희, 장혜진, 정흥래, 권유림, 김지민, 김세리
※ **일러스트 출처 :** 1쪽_좌, 2쪽, 3쪽_상, 4쪽_상 designed by freepik.com

Hi Math

기하

“아름다운 샘 Hi Math는?”

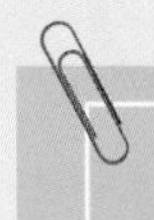

Hi Math의 특징

수학의 기본을 다지는 문제기본서

처음으로 문제집을 공부하거나 기본기가 부족하다고 생각하는 학생을 위한 교재입니다. 기본 연산의 충분한 반복 연습, 알기 쉽게 체계적으로 분류된 유형별 문항 연습이 가능합니다.

기본 문제 수가 많은 문제기본서

이 교재의 구성은 [개념 정리] + [기본 문제] + [유형 문제]입니다.
특히, [기본 문제]를 많이 수록하여 확실한 계산 연습과 정확한 개념 이해에 도움을 줄 수 있도록 하였습니다.

내신 성적을 책임지는 문제기본서

학교 시험 및 모의고사 등에 자주 출제되는 문제들을 분석하여 그 문제들을 위주로 수록한 교재입니다. 효율적인 문제 유형별 해법을 제시하여 시험 대비에 적합하며 시험에 대한 자신감을 갖게 합니다.

> 수학의 기본 실력을 탄탄히 쌓아 고등 수학에 자신감을 가질 수 있도록
> **기본 개념을 많이 연습할 수 있는 문제**
> **학교 시험을 완벽 대비할 수 있는 문제**
> 들을 수록하여 충분히 문제 연습을 할 수 있도록 만든 문제기본서입니다.

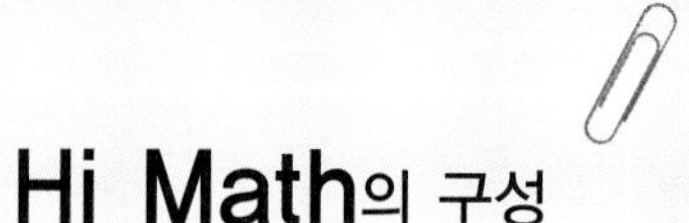

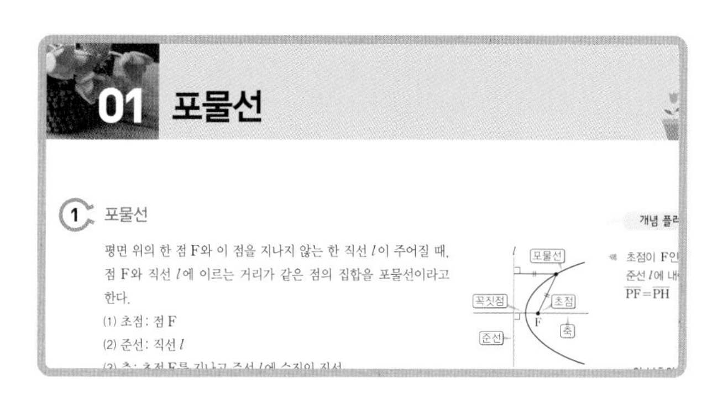
01 포물선

1 포물선

평면 위의 한 점 F와 이 점을 지나지 않는 한 직선 l이 주어질 때, 점 F와 직선 l에 이르는 거리가 같은 점의 집합을 포물선이라고 한다.

(1) 초점: 점 F

(2) 준선: 직선 l

● 개념 정리

교과서 내용을 꼼꼼하게 분석하여 각 단원의 중요 핵심 개념을 한눈에 볼 수 있도록 정리하였습니다. 보충설명이 필요한 부분은 개념플러스에서 추가하여 제시하였습니다.

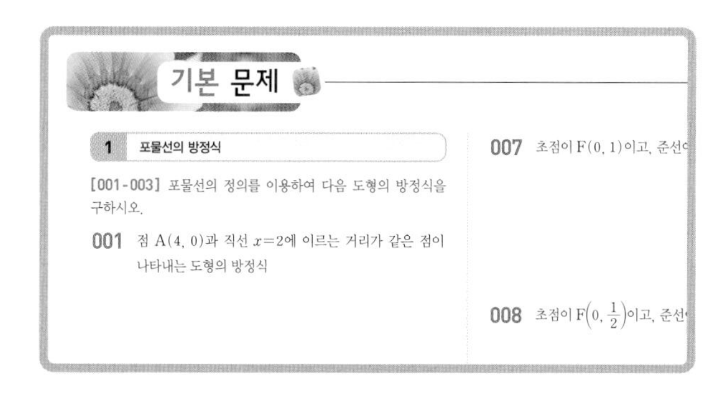
기본 문제

1 포물선의 방정식

[001-003] 포물선의 정의를 이용하여 다음 도형의 방정식을 구하시오.

001 점 A(4, 0)과 직선 $x=2$에 이르는 거리가 같은 점이 나타내는 도형의 방정식

007 초점이 F(0, 1)이고, 준선

008 초점이 $F\left(0, \frac{1}{2}\right)$이고, 준선

● 기본 문제

수학의 기본을 다지는 계산 문제, 개념 이해 문제입니다. 단원의 핵심 개념에 해당하는 문제들을 충분히 반복 연습할 수 있도록 많은 문제들을 수록하였습니다.

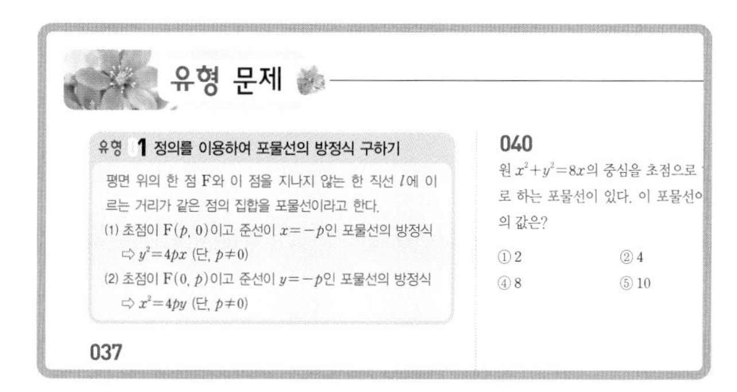
유형 문제

유형 1 정의를 이용하여 포물선의 방정식 구하기

평면 위의 한 점 F와 이 점을 지나지 않는 한 직선 l에 이르는 거리가 같은 점의 집합을 포물선이라고 한다.

(1) 초점이 F(p, 0)이고 준선이 $x=-p$인 포물선의 방정식
⇨ $y^2=4px$ (단, $p\neq0$)

(2) 초점이 F(0, p)이고 준선이 $y=-p$인 포물선의 방정식
⇨ $x^2=4py$ (단, $p\neq0$)

037

040 원 $x^2+y^2=8x$의 중심을 초점으로 하는 포물선이 있다. 이 포물선의 값은?

① 2 ② 4
④ 8 ⑤ 10

● 유형 문제

학교 시험의 출제 경향을 치밀하게 분석하여 그 유형을 분류한 후, 해법을 제시하였습니다. 다양한 문제를 연습할 수 있도록 구성하였고, 시험에서 출제 비율이 높은 문항에는 '중요' 표시를 하였습니다.

※ 이 교재는 「수학 Ⅰ」의 내용(삼각함수 등)을 학습하였음을 전제로 하여 문제를 구성하였습니다.

차례

• [   ]은 기본 + 유형의 문항 수입니다.

01 포물선

제 목		문항 번호	문항 수	확인
기본 문제		001~036	36	
유형 문제	01. 정의를 이용하여 포물선의 방정식 구하기	037~042	6	
	02. 포물선의 초점과 준선	043~051	9	
	03. 포물선의 정의와 선분의 길이	052~060	9	
	04. 선분의 길이의 최솟값	061~063	3	
	05. 포물선과 원	064~066	3	
	06. 포물선의 정의의 활용	067~073	7	
	07. 포물선의 실생활에서의 활용	074~075	2	

01 포물선

1 포물선

평면 위의 한 점 F와 이 점을 지나지 않는 한 직선 l이 주어질 때, 점 F와 직선 l에 이르는 거리가 같은 점의 집합을 포물선이라고 한다.

(1) 초점: 점 F

(2) 준선: 직선 l

(3) 축: 초점 F를 지나고 준선 l에 수직인 직선

(4) 꼭짓점: 포물선과 축의 교점

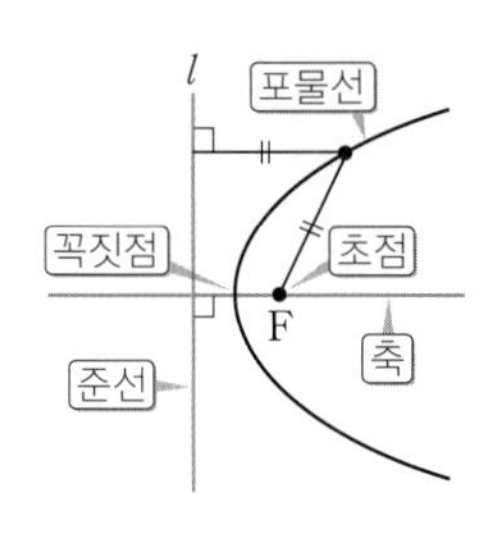

개념 플러스

초점이 F인 포물선 위의 점 P에서 준선 l에 내린 수선의 발을 H라 하면 $\overline{PF}=\overline{PH}$

2 포물선의 방정식

(1) 초점이 $F(p, 0)$이고 준선이 $x=-p$인 포물선의 방정식 ➡ $y^2=4px$ (단, $p\neq0$)

(2) 초점이 $F(0, p)$이고 준선이 $y=-p$인 포물선의 방정식 ➡ $x^2=4py$ (단, $p\neq0$)

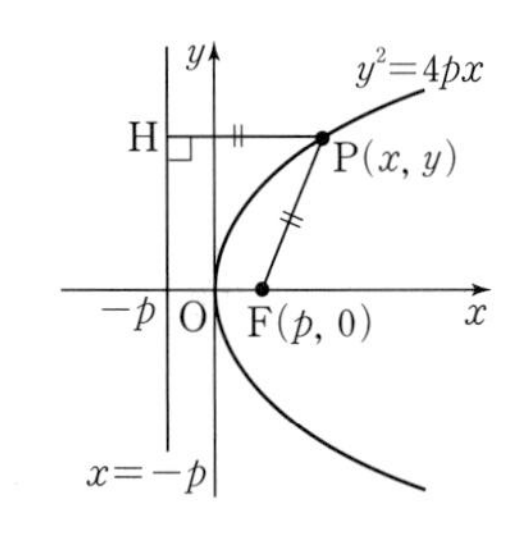

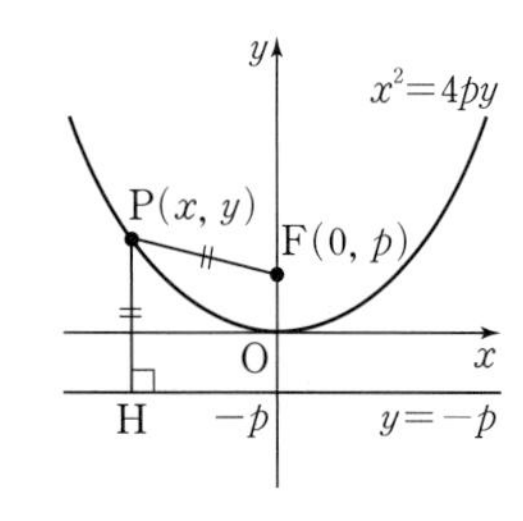

p의 부호와 포물선의 방향

(1) $y^2=4px$

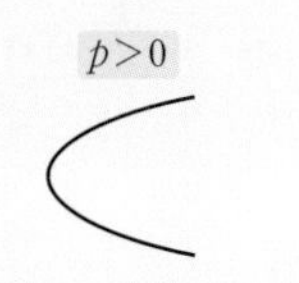

(2) $x^2=4py$

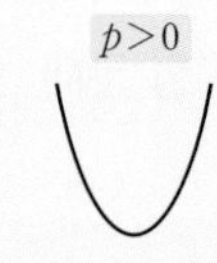

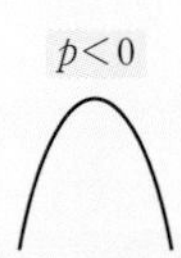

이차함수 $y=ax^2+bx+c$의 그래프는 $x^2=4py$ 꼴의 포물선이다.

3 포물선의 평행이동

(1) 포물선 $y^2=4px$를 x축의 방향으로 m만큼, y축의 방향으로 n만큼 평행이동한 포물선의 방정식

➡ $(y-n)^2=4p(x-m)$

(2) 포물선 $x^2=4py$를 x축의 방향으로 m만큼, y축의 방향으로 n만큼 평행이동한 포물선의 방정식

➡ $(x-m)^2=4p(y-n)$

(1) 포물선 $(y-n)^2=4p(x-m)$

⇨ 꼭짓점의 좌표: (m, n)

초점의 좌표: $(p+m, n)$

준선의 방정식: $x=-p+m$

(2) 포물선 $(x-m)^2=4p(y-n)$

⇨ 꼭짓점의 좌표: (m, n)

초점의 좌표: $(m, p+n)$

준선의 방정식: $y=-p+n$

4 포물선의 방정식의 일반형

(1) $y^2+Ax+By+C=0$ (단, $A\neq0$)

➡ $(y-n)^2=4p(x-m)$ 꼴로 변형

(2) $x^2+Ax+By+C=0$ (단, $B\neq0$)

➡ $(x-m)^2=4p(y-n)$ 꼴로 변형

기본 문제

정답 및 해설 02쪽

1 포물선의 방정식

[001-003] 포물선의 정의를 이용하여 다음 도형의 방정식을 구하시오.

001 점 $\mathrm{A}(4,\ 0)$과 직선 $x=2$에 이르는 거리가 같은 점이 나타내는 도형의 방정식

002 점 $\mathrm{A}(-2,\ 0)$과 직선 $x=4$에 이르는 거리가 같은 점이 나타내는 도형의 방정식

003 점 $\mathrm{A}(0,\ 3)$과 직선 $y=-3$에 이르는 거리가 같은 점이 나타내는 도형의 방정식

[004-009] 다음 포물선의 방정식을 구하시오.

004 초점이 $\mathrm{F}(1,\ 0)$이고, 준선이 $x=-1$인 포물선

005 초점이 $\mathrm{F}(3,\ 0)$이고, 준선이 $x=-3$인 포물선

006 초점이 $\mathrm{F}(-4,\ 0)$이고, 준선이 $x=4$인 포물선

007 초점이 $\mathrm{F}(0,\ 1)$이고, 준선이 $y=-1$인 포물선

008 초점이 $\mathrm{F}\left(0,\ \frac{1}{2}\right)$이고, 준선이 $y=-\frac{1}{2}$인 포물선

009 초점이 $\mathrm{F}(0,\ -1)$이고, 준선이 $y=1$인 포물선

[010-015] 다음 포물선의 초점의 좌표와 준선의 방정식을 구하시오.

010 $y^2=8x$

011 $y^2=2x$

012 $y^2=-20x$

013 $x^2=8y$

014 $x^2=6y$

015 $x^2=-2y$

2 포물선의 평행이동

[016-018] 다음 포물선을 x축의 방향으로 2만큼, y축의 방향으로 1만큼 평행이동한 도형의 방정식을 구하시오.

016 $y^2=4x$

017 $y^2=-x$

018 $x^2=y$

[019-024] 다음 포물선의 초점의 좌표와 준선의 방정식을 구하시오.

019 $(y-5)^2=4(x+2)$

020 $(y+1)^2=x-4$

021 $(y+2)^2=-2(x-3)$

022 $(x-4)^2=4(y+1)$

023 $(x+2)^2=y-1$

024 $(x-1)^2=4y-12$

3 포물선의 방정식의 일반형

[025-030] 다음 포물선의 방정식을 $y^2=4px$ 또는 $x^2=4py$ 꼴로 나타내시오.

025 $y^2-4y-4x+8=0$

026 $y^2-8x-2y+9=0$

027 $y^2-2y+x+2=0$

028 $x^2+2x-y=0$

029 $x^2+4x+4y=0$

030 $x^2+2x-4y+9=0$

[031-036] 다음 포물선의 꼭짓점의 좌표, 초점의 좌표, 준선의 방정식을 구하시오.

031 $y^2-2y-4x+9=0$

032 $y^2+2y-4x+5=0$

033 $y^2-4y-2x+10=0$

034 $x^2-2x-4y+1=0$

035 $x^2-4x+8y+28=0$

036 $x^2-6x-2y+7=0$

유형 문제

유형 01 정의를 이용하여 포물선의 방정식 구하기

평면 위의 한 점 F와 이 점을 지나지 않는 한 직선 l에 이르는 거리가 같은 점의 집합을 포물선이라고 한다.

(1) 초점이 $F(p,\ 0)$이고 준선이 $x=-p$인 포물선의 방정식
⇨ $y^2=4px$ (단, $p\neq0$)

(2) 초점이 $F(0,\ p)$이고 준선이 $y=-p$인 포물선의 방정식
⇨ $x^2=4py$ (단, $p\neq0$)

037

그림은 꼭짓점이 원점이고, 초점이 $F(1,\ 0)$인 포물선이다. 포물선 위의 한 점 P에서 직선 $x=-2$에 내린 수선의 길이가 6일 때, 선분 PF의 길이를 구하시오.

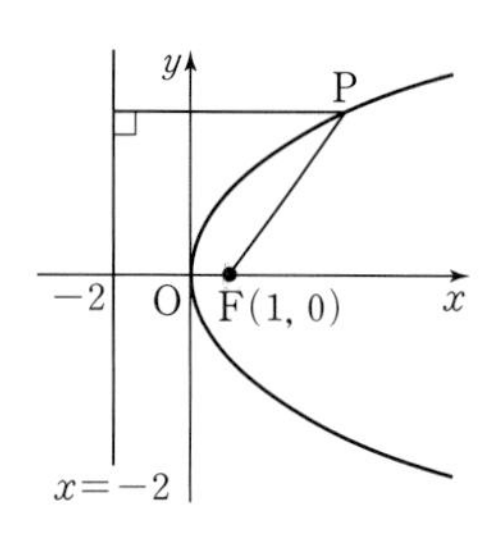

중요 038

점 $(0,\ -2)$와 직선 $y=4$로부터 같은 거리에 있는 점의 자취와 직선 $x=-6$의 교점의 좌표가 $(a,\ b)$일 때, ab의 값은?

① 6　② 8　③ 10　④ 12　⑤ 14

039

꼭짓점이 원점이고 준선의 방정식이 $y=-2$인 포물선이 점 $(8,\ a)$를 지날 때, a의 값은?

① 5　② 6　③ 7　④ 8　⑤ 9

040

원 $x^2+y^2=8x$의 중심을 초점으로 하고 직선 $x=-4$를 준선으로 하는 포물선이 있다. 이 포물선이 점 $(k,\ -8)$을 지날 때, k의 값은?

① 2　② 4　③ 6　④ 8　⑤ 10

중요 041

평면 위의 한 점 $F(1,\ 2)$와 직선 $x=-2$에 이르는 거리가 같은 점을 $P(x,\ y)$라 하면 점 P가 나타내는 방정식이 $ax^2+y^2+bx+cy+d=0$일 때, 상수 $a,\ b,\ c,\ d$에 대하여 $a^2+b^2+c^2+d^2$의 값을 구하시오.

042

포물선 $y^2+4y=4x-8$은 포물선 $y^2=4x$를 x축의 방향으로 m만큼, y축의 방향으로 n만큼 평행이동한 것이다. $m+n$의 값은?

① -2　② -1　③ 0　④ 1　⑤ 2

유형 02 포물선의 초점과 준선

(1) 포물선 $(y-n)^2=4p(x-m)$
⇨ 초점의 좌표: $(p+m,\ n)$,
준선의 방정식: $x=-p+m$
(2) 포물선 $(x-m)^2=4p(y-n)$
⇨ 초점의 좌표: $(m,\ p+n)$,
준선의 방정식: $y=-p+n$

043

포물선 $x^2=16y$의 초점을 A, 포물선 $y^2=-12x$의 초점을 B라 할 때, 선분 AB의 길이를 구하시오.

중요
044

포물선 $y^2=8x$ 위의 한 점 P에서 이 포물선의 초점까지의 거리는 10이다. 점 P에서 y축에 내린 수선의 길이를 구하시오.

045

포물선 $y^2=12x$와 만나지 않는 한 직선이 있다. 이 직선 위의 임의의 점 A에서 수선을 그어 포물선과 만나는 점을 P라 할 때, $\overline{AP}=\overline{FP}$를 만족시키는 직선의 방정식은?

(단, 점 F는 포물선의 초점이다.)

① $x=-3$ ② $x=-1$ ③ $x=3$
④ $y=-3$ ⑤ $y=3$

046

포물선 $y^2=4x$ 위의 점 $P\left(\frac{1}{4},\ -1\right)$과 초점 F를 지나는 직선이 이 포물선 위의 점 Q에서 다시 만난다고 할 때, 점 F는 선분 PQ를 $a:b$로 내분한다. $\frac{b}{a}$의 값을 구하시오.

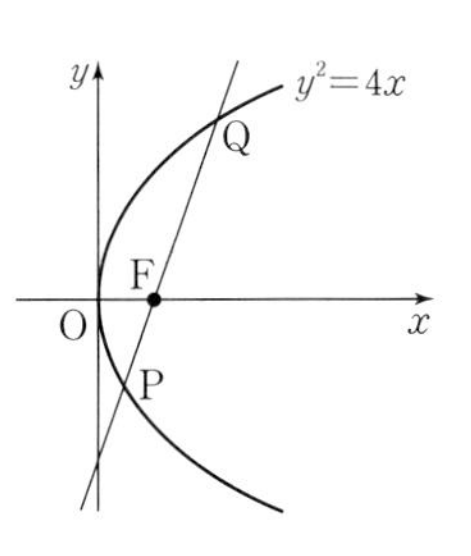

중요
047

포물선 $y^2=4px$를 x축의 방향으로 a만큼, y축의 방향으로 b만큼 평행이동하였더니 초점의 좌표가 $(4,\ 2)$이고, 준선의 방정식이 $x=0$이 되었다. abp의 값을 구하시오.

048

포물선 $(y-3)^2=8(x+1)$에 대한 다음 설명 중 옳지 않은 것은?

① 축의 방정식은 $y=3$이다.
② 초점의 좌표는 $(1,\ 3)$이다.
③ 준선의 방정식은 $x=-1$이다.
④ 꼭짓점의 좌표는 $(-1,\ 3)$이다.
⑤ 포물선 $y^2=8x$를 x축의 방향으로 -1만큼, y축의 방향으로 3만큼 평행이동한 것이다.

049

포물선 $y^2-4y-12x-8=0$의 초점과 원점 사이의 거리는?

① $\sqrt{2}$ ② 2 ③ $2\sqrt{2}$
④ 4 ⑤ $4\sqrt{2}$

050

중요

두 포물선 $(y-2)^2=a(x-1)$, $(x-3)^2=b(y+1)$의 초점이 일치할 때, 두 상수 a, b에 대하여 $a+b$의 값을 구하시오.

051

두 포물선 $y^2+4y-4x+k=0$, $x^2+6x-4y+13=0$의 초점이 원점에 대하여 대칭일 때, 상수 k의 값은?

① 9 ② 10 ③ 11
④ 12 ⑤ 13

유형 03 포물선의 정의와 선분의 길이

포물선 $y^2=4px$에 대하여

(1) 포물선 위의 임의의 점 $\mathrm{P}(x_1, y_1)$에서 초점 $\mathrm{F}(p, 0)$까지의 거리와 준선 $x=-p$까지의 거리는 서로 같다. 즉,
$\overline{\mathrm{PF}}=p+x_1$

(2) 포물선의 초점 F를 지나는 직선이 포물선과 만나는 두 점을 각각 A, B라 하고, 두 점 A, B에서 준선 $x=-p$에 내린 수선의 발을 각각 H, H′이라 하면
$\overline{\mathrm{AB}}=\overline{\mathrm{AF}}+\overline{\mathrm{BF}}=\overline{\mathrm{AH}}+\overline{\mathrm{BH'}}$

052

포물선 $y^2=4px$ $(p>0)$의 초점 F를 지나는 직선이 포물선과 만나는 두 점을 각각 $\mathrm{P}(x_1, y_1)$, $\mathrm{Q}(x_2, y_2)$라 할 때, 다음 중 선분 PQ의 길이와 같은 것은?

① x_1+x_2+p ② x_1+x_2+2p
③ $\dfrac{x_1+x_2}{2}+p$ ④ x_1x_2+p
⑤ $\dfrac{x_1x_2+p}{2}$

053

포물선 $y^2=8x$와 직선 $y=x+a$의 두 교점을 각각 A, B라 하고, 이 포물선의 초점을 F라 할 때, $\overline{\mathrm{AF}}+\overline{\mathrm{BF}}$의 값은?
(단, a는 상수이다.)

① $10-a$ ② $12-2a$ ③ $12-3a$
④ $14-a$ ⑤ $14-2a$

054

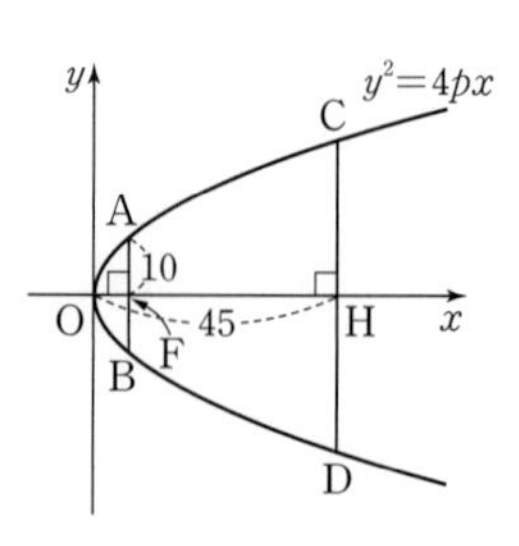

그림과 같이 초점이 F인 포물선 $y^2=4px$ $(p>0)$가 있다. 점 F를 지나고 y축에 평행한 직선이 포물선과 만나는 두 점을 각각 A, B라 하고, $\overline{\mathrm{OH}}=45$를 만족시키는 x축 위의 점 H를 지나고 y축에 평행한 직선이 포물선과 만나는 두 점을 각각 C, D라 하자. $\overline{\mathrm{AF}}=10$일 때, 선분 CD의 길이를 구하시오.

055

포물선 $y^2=4x$의 초점 F를 지나는 직선이 포물선과 만나는 두 점을 각각 A, B라 하고, 두 점 A, B에서 y축에 내린 수선의 발을 각각 C, D라 하자. $\overline{AB}=12$일 때, $\overline{AC}+\overline{BD}$의 값을 구하시오.

중요

056

포물선 $x^2=4y$ 위에 있는 두 점 A, B의 중점의 좌표가 M(1, 2)이다. 포물선의 초점을 F라 할 때, $\overline{AF}+\overline{BF}$의 값을 구하시오.

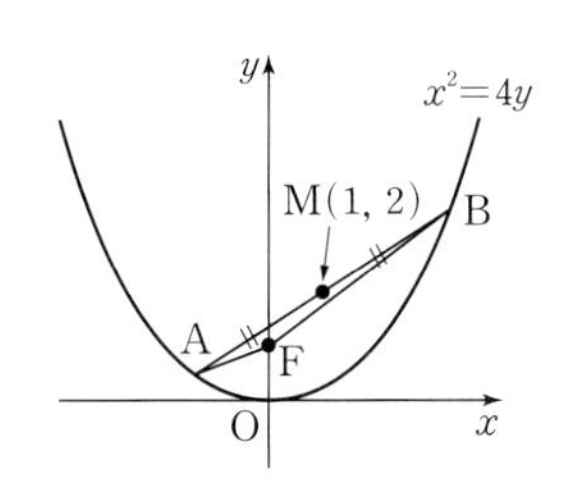

057

그림과 같이 포물선 $y^2=4x$의 초점 F를 지나는 직선 l이 포물선과 만나는 두 점을 각각 A, B라 하자. $\overline{AF}:\overline{BF}=3:1$일 때, 직선 l의 기울기는?

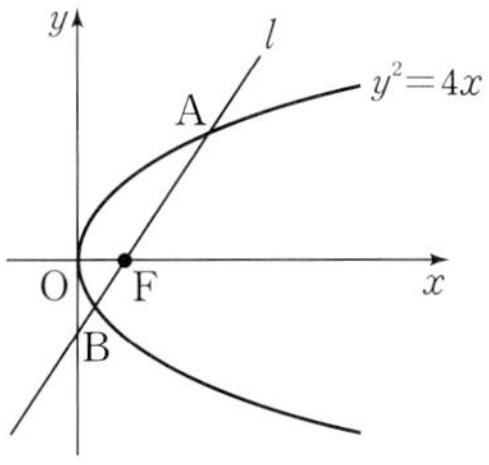

① 1　② $\sqrt{2}$
③ $\sqrt{3}$　④ 2
⑤ $\sqrt{5}$

058

포물선 $y^2=4x$와 점 (1, 0)을 지나는 직선 $y=m(x-1)$이 두 점 P, Q에서 만나고 선분 PQ의 중점 R의 x좌표가 $\frac{3}{2}$일 때, 선분 PQ의 길이를 구하시오. (단, m은 상수이다.)

중요

059

포물선 $y^2=x$와 직선 $y=x+k$가 만나는 두 점을 각각 A, B라 할 때, $\overline{AB}=2$가 되게 하는 상수 k의 값은?

① $-\frac{3}{2}$　② -1　③ $-\frac{3}{4}$
④ $-\frac{1}{2}$　⑤ $-\frac{1}{4}$

060

그림과 같이 포물선 $y^2=12x$ 위에 세 점 A(a_1, b_1), B(a_2, b_2), C(a_3, b_3)이 있다. 점 F는 이 포물선의 초점이고 $\overline{AF}+\overline{BF}+\overline{CF}=27$일 때, 삼각형 ABC의 무게중심의 x좌표를 구하시오.

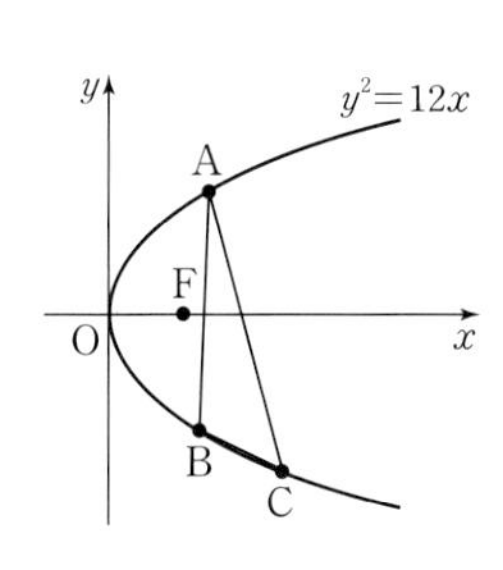

유형 04 선분의 길이의 최솟값

포물선 $y^2=4px$ $(p>0)$ 위의 점 P에서 준선 $x=-p$에 내린 수선의 발을 H라 하면 $\overline{PF}=\overline{PH}$이므로 세 점 Q, P, H가 한 직선 위에 있을 때, $\overline{PF}+\overline{PQ}$의 값이 최소가 된다.

⇨ $\overline{PF}+\overline{PQ}=\overline{PH}+\overline{PQ}\geq\overline{QH'}$

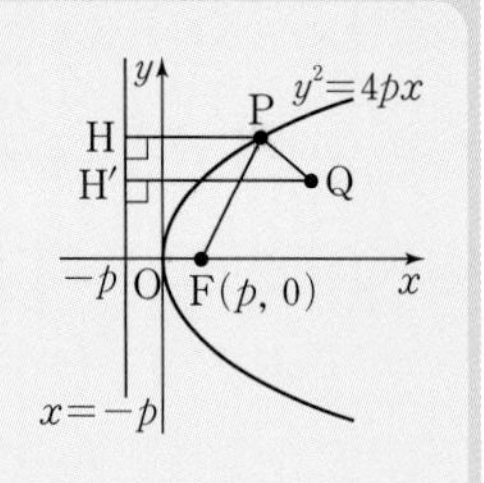

061

두 점 A$(1, 0)$, B$(3, 2)$와 포물선 $y^2=4x$ 위의 임의의 점 P에 대하여 $\overline{AP}+\overline{BP}$의 최솟값을 구하시오.

062

점 A$(10, 6)$에서 출발하여 포물선 $y^2=12x$ 위의 임의의 점 P를 거쳐 초점 F에 이르는 거리가 최소일 때, 선분 AP의 길이는?

① 6 ② 7 ③ 8 ④ 9 ⑤ 10

중요 **063**

그림과 같이 초점이 F인 포물선 $y^2=4x$ 위의 임의의 점 P와 점 Q$(5, 3)$에 대하여 삼각형 PFQ의 둘레의 길이의 최솟값을 구하시오.

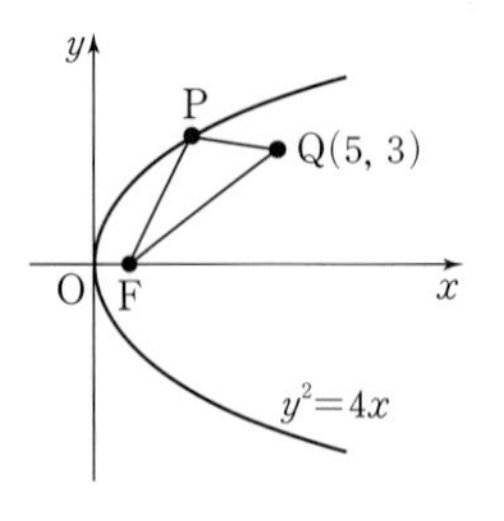

유형 05 포물선과 원

포물선 $y^2=4px$의 초점의 좌표는 $(p, 0)$, 준선의 방정식은 $x=-p$이고, 원 $(x-a)^2+(y-b)^2=r^2$의 중심의 좌표는 (a, b), 반지름의 길이는 r이다.

064

점 $(2, 0)$을 지나는 직선이 포물선 $y^2=8x$, 원 $(x-2)^2+y^2=2$와 제1사분면에서 만나는 점을 각각 P, Q라 하고, 점 P에서 직선 $x=-2$에 내린 수선의 발을 H라고 할 때, $\overline{PH}-\overline{PQ}$의 값을 구하시오.

중요 **065**

포물선 $y^2=4x$와 원점을 중심으로 하고 포물선의 초점 F를 지나는 원이 두 점 A, B에서 만난다. 점 A의 x좌표를 a라 할 때, 사각형 AOBF의 둘레의 길이는?

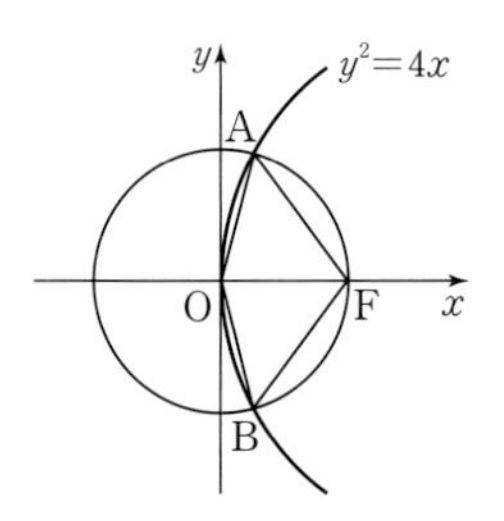

① $2a$ ② $2a+1$ ③ $2a+2$ ④ $2a+3$ ⑤ $2a+4$

066

그림과 같이 포물선 $y^2=12x$ 위의 점 P에서 원 $(x-3)^2+y^2=1$에 그은 접선의 접점을 Q라 할 때, 선분 PQ의 길이의 최솟값을 구하시오.

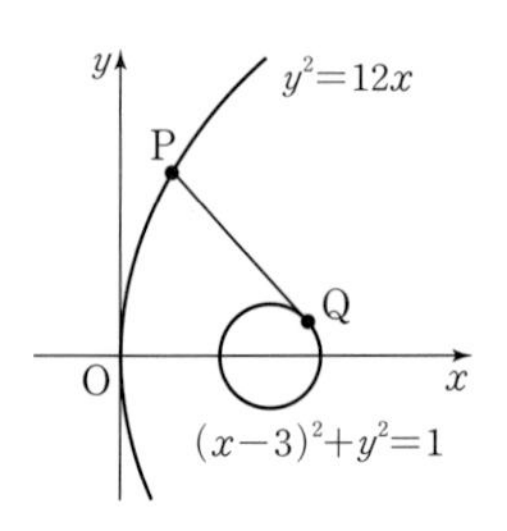

유형 06 포물선의 정의의 활용

포물선 위의 임의의 점에서 초점까지의 거리와 준선까지의 거리가 서로 같음을 이용하여 푼다.

067

그림과 같이 점 F가 초점이고 직선 l이 준선인 포물선이 있다. 이 포물선 위의 점 P에 대하여 $\angle \mathrm{FPH}=50°$일 때, $\angle \mathrm{PFH}$의 크기를 구하시오.

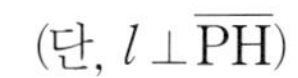
(단, $l \perp \overline{\mathrm{PH}}$)

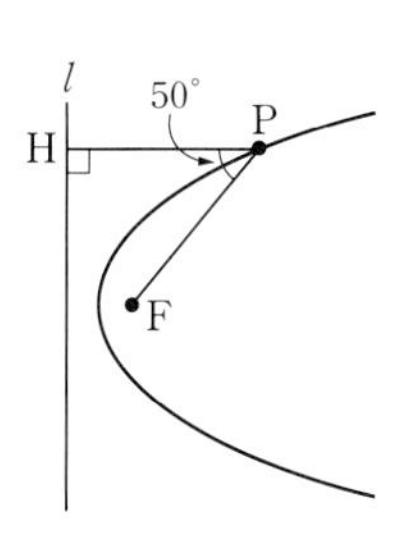

068

그림의 포물선 α와 직선 l에 대하여 두 점 F, O는 각각 포물선의 초점, 꼭짓점이다. 초점 F를 지나는 직선이 포물선과 만나는 두 점을 각각 A, D라 하고, 세 점 A, F, D에서 직선 l에 내린 수선의 발을 각각 B, P, C라 하자. $\overline{\mathrm{FO}}=\overline{\mathrm{OP}}$, $\overline{\mathrm{FD}}=1$, $\overline{\mathrm{AF}}=2$일 때, 사각형 ABCD의 넓이를 구하시오.

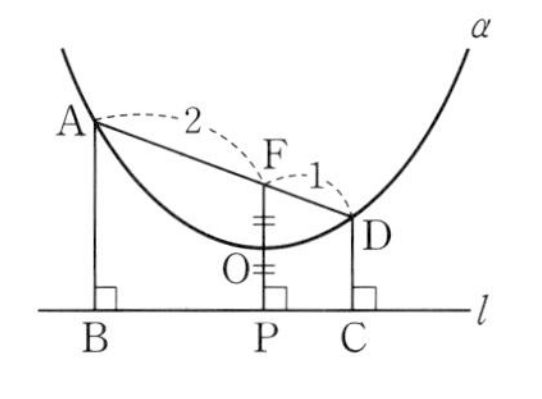

069 (중요)

포물선 $y^2=8x$의 초점 F에서 거리가 6인 이 포물선 위의 두 점을 각각 A, B라 할 때, 삼각형 ABF의 넓이는?

① $4\sqrt{2}$ ② $6\sqrt{2}$ ③ $8\sqrt{2}$
④ $10\sqrt{2}$ ⑤ $12\sqrt{2}$

070

그림과 같이 포물선 $y^2=4px$ $(p>0)$의 초점 F를 지나고 x축에 수직인 직선이 포물선과 만나는 두 점을 각각 A, B라 하자. 삼각형 OAB의 넓이가 8일 때, 포물선의 초점과 준선 사이의 거리를 구하시오.

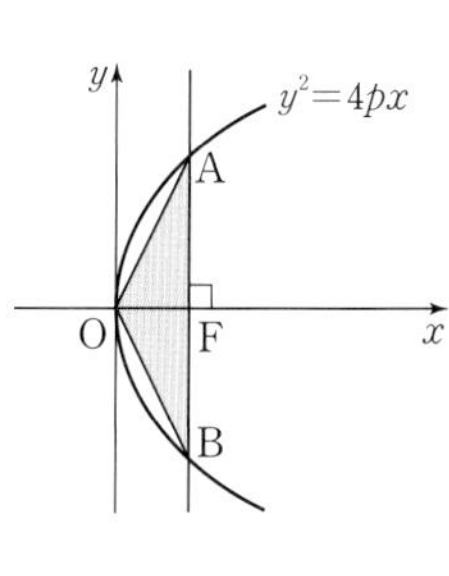

071 (중요)

초점이 F인 포물선 $y^2=4x$ 위의 점 P와 x축 위의 점 Q에 대하여 $\overline{\mathrm{PF}}=\overline{\mathrm{PQ}}=5$인 삼각형 PFQ의 넓이를 구하시오.
(단, 점 P는 제1사분면 위의 점이다.)

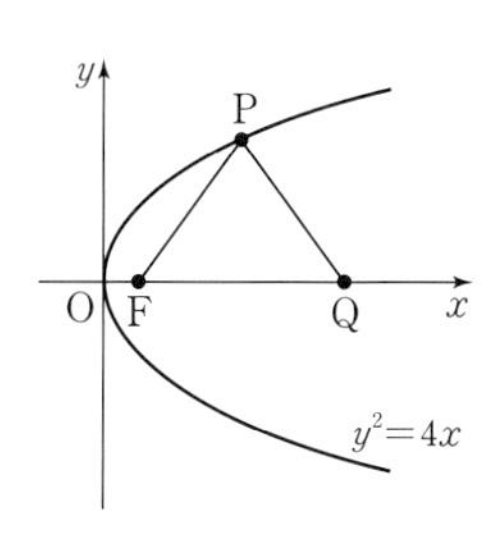

중요
072

그림과 같이 포물선 $y^2=4px$ $(p>0)$와 x축에 내접하는 두 정사각형 A, B를 만들 때, A와 B의 넓이의 비는?
(단, 포물선의 초점 F는 정사각형 A의 한 꼭짓점이다.)

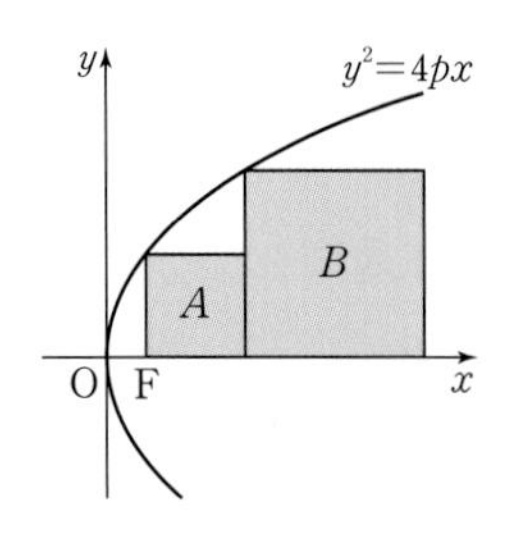

① 1 : 2 ② 1 : 3
③ 2 : 3 ④ 1 : p
⑤ 1 : p^2

073

그림과 같이 두 포물선 $y^2=-4x$, $y^2=4x$의 초점을 각각 F, F′이라 하고, x축에 평행한 직선을 그어 두 포물선과 만나는 점을 각각 P, Q라 하자. 사다리꼴 PFF′Q의 둘레의 길이가 6일 때, 이 사다리꼴의 넓이를 구하시오. (단, 점 Q는 제1사분면 위의 점이다.)

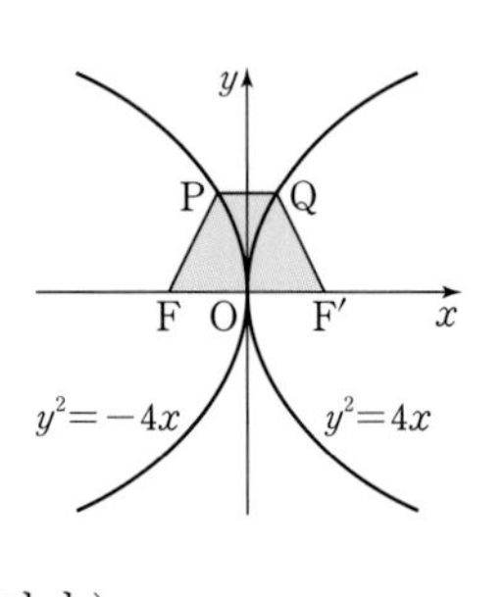

유형 07 포물선의 실생활에서의 활용

주어진 상황에서 포물선의 초점과 준선을 찾아 포물선의 정의를 이용한다.

중요
074

그림과 같이 등대를 초점으로 하는 포물선 궤도 위를 배가 움직이고 있다. 배가 등대로부터 100 m 떨어져 있을 때, 배와 등대를 연결한 직선이 포물선의 축과 이루는 예각의 크기는 60°이다.
이 배가 등대에 가장 가까워졌을 때, 등대로부터 배까지의 거리는?
(단, 배와 등대의 크기는 무시한다.)

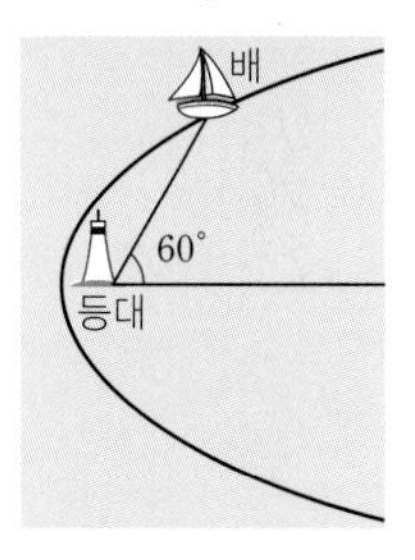

① 20 m ② 25 m ③ $25\sqrt{3}$ m
④ 50 m ⑤ $50\sqrt{2}$ m

075

그림은 포병 부대의 훈련 모습이다. 높이가 600 m인 산꼭대기의 관측장교가 목표물을 관측한 다음 그 위치를 무전으로 알려 준다고 한다. 포병이 쏜 포탄이 포물선을 그리며 날아가 목표물을 정확하게 맞추었다. 그런데 포탄이 지나간 포물선의 초점은 산꼭대기이고 관측장교가 있는 산꼭대기와 대포까지의 직선 거리가 1 km라 할 때, 포탄은 산꼭대기 위쪽 몇 m 상공을 지나갔는지 구하시오. (단, 대포의 크기는 무시한다.)

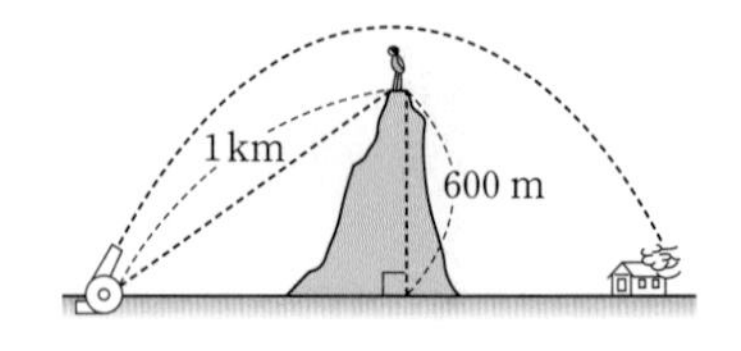

02 타원

제 목		문항 번호	문항 수	확인
기본 문제		001 ~ 036	36	
유형 문제	01. 정의를 이용한 타원의 방정식 구하기	037 ~ 042	6	
	02. 타원의 초점과 장축, 단축	043 ~ 051	9	
	03. 평행이동한 타원의 초점과 장축, 단축	052 ~ 054	3	
	04. 타원의 정의와 선분의 길이	055 ~ 062	8	
	05. 타원의 정의의 활용	063 ~ 068	6	
	06. 길이 및 넓이의 최대 · 최소	069 ~ 071	3	
	07. 타원의 자취의 방정식	072 ~ 074	3	
	08. 타원의 실생활에서의 활용	075 ~ 076	2	

02 타원

1 타원

평면 위의 서로 다른 두 점 F, F′으로부터의 거리의 합이 일정한 점의 집합을 타원이라고 한다.

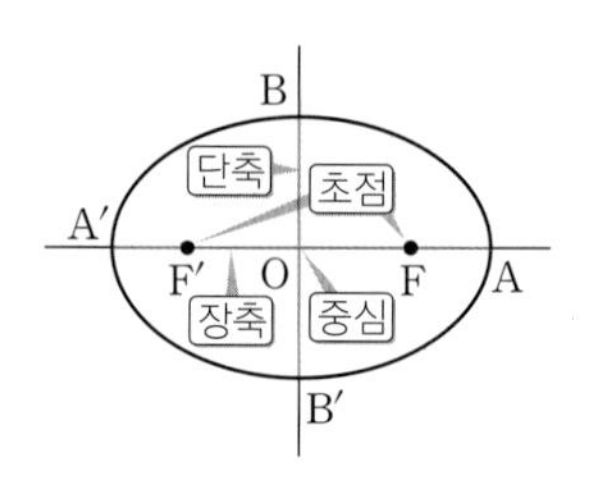

(1) 초점: 두 점 F, F′

(2) 꼭짓점: 초점을 잇는 직선(직선 FF′)과 타원의 교점 A, A′, 초점을 잇는 선분의 수직이등분선과 타원의 교점 B, B′

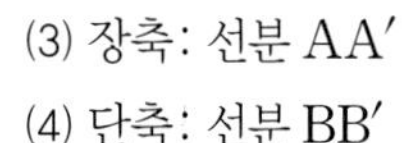

(3) 장축: 선분 AA′

(4) 단축: 선분 BB′

(5) 중심: 장축과 단축의 교점

> 개념 플러스
> 타원의 두 초점은 장축 위에 있고, 타원의 중심은 선분 AA′의 중점이다. 또 타원은 장축, 단축 및 중심에 대하여 각각 대칭이다.

2 타원의 방정식

(1) 두 초점 $F(c, 0)$, $F'(-c, 0)$에서의 거리의 합이 $2a$인 타원의 방정식

➡ $\dfrac{x^2}{a^2}+\dfrac{y^2}{b^2}=1$ (단, $a>b>0$, $b^2=a^2-c^2$)

① 초점의 좌표: $F(\sqrt{a^2-b^2}, 0)$, $F'(-\sqrt{a^2-b^2}, 0)$

② 장축의 길이: $2a$

③ 단축의 길이: $2b$

(2) 두 초점 $F(0, c)$, $F'(0, -c)$에서의 거리의 합이 $2b$인 타원의 방정식

➡ $\dfrac{x^2}{a^2}+\dfrac{y^2}{b^2}=1$ (단, $b>a>0$, $a^2=b^2-c^2$)

① 초점의 좌표: $F(0, \sqrt{b^2-a^2})$, $F'(0, -\sqrt{b^2-a^2})$

② 장축의 길이: $2b$

③ 단축의 길이: $2a$

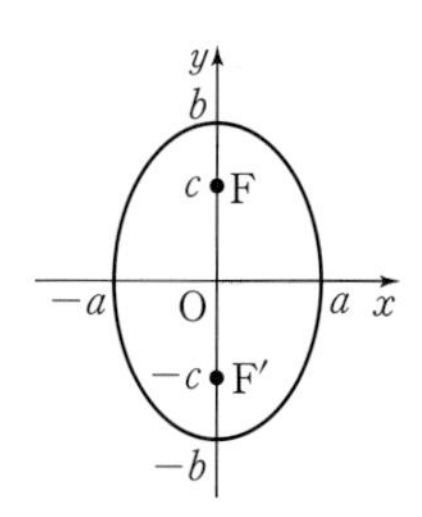

> 타원의 꼭짓점의 좌표는
> $(a, 0)$, $(-a, 0)$, $(0, b)$, $(0, -b)$

3 타원의 평행이동

타원 $\dfrac{x^2}{a^2}+\dfrac{y^2}{b^2}=1$을 x축의 방향으로 m만큼, y축의 방향으로 n만큼 평행이동한 타원의 방정식 ➡ $\dfrac{(x-m)^2}{a^2}+\dfrac{(y-n)^2}{b^2}=1$

> 타원을 평행이동하여도 장축과 단축의 길이는 변하지 않는다.

4 타원의 방정식의 일반형

$Ax^2+By^2+Cx+Dy+E=0$ (단, $AB>0$, $A\neq B$) 꼴의 타원의 방정식을 완전제곱식으로 만든 후 우변의 값이 1이 되도록 양변을 적당히 나누어 $\dfrac{(x-m)^2}{a^2}+\dfrac{(y-n)^2}{b^2}=1$ 꼴로 변형한다.

기본 문제

정답 및 해설 09쪽

1 타원의 방정식

[001-002] 타원의 정의를 이용하여 다음을 구하시오.

001 두 점 $F(1, 0)$, $F'(-1, 0)$에서의 거리의 합이 4인 점들이 나타내는 도형의 방정식

002 두 점 $F(0, \sqrt{5})$, $F'(0, -\sqrt{5})$에서의 거리의 합이 6인 점들이 나타내는 도형의 방정식

[003-010] 다음 타원의 방정식을 구하시오.

003 두 초점의 좌표가 $F(2, 0)$, $F'(-2, 0)$이고 장축의 길이가 6인 타원

004 두 초점의 좌표가 $F(1, 0)$, $F'(-1, 0)$이고 장축의 길이가 $2\sqrt{5}$인 타원

005 두 초점의 좌표가 $F(8, 0)$, $F'(-8, 0)$이고 단축의 길이가 12인 타원

006 두 초점의 좌표가 $F(3, 0)$, $F'(-3, 0)$이고 단축의 길이가 8인 타원

007 두 초점의 좌표가 $F(0, 3)$, $F'(0, -3)$이고 장축의 길이가 10인 타원

008 두 초점의 좌표가 $F(0, 12)$, $F'(0, -12)$이고 장축의 길이가 26인 타원

009 두 초점의 좌표가 $F(0, 4)$, $F'(0, -4)$이고 단축의 길이가 6인 타원

010 두 초점의 좌표가 $F(0, 1)$, $F'(0, -1)$이고 단축의 길이가 4인 타원

[011-014] 다음 타원의 초점의 좌표와 장축, 단축의 길이를 구하시오.

011 $\frac{x^2}{25}+\frac{y^2}{9}=1$

012 $\frac{x^2}{4}+\frac{y^2}{3}=1$

013 $\dfrac{x^2}{5}+\dfrac{y^2}{9}=1$

014 $\dfrac{x^2}{4}+\dfrac{y^2}{13}=1$

2 타원의 평행이동

[015-018] 타원 $\dfrac{x^2}{16}+\dfrac{y^2}{9}=1$을 다음과 같이 평행이동한 도형의 방정식을 구하시오.

015 x축의 방향으로 -3

016 y축의 방향으로 5

017 x축의 방향으로 2, y축의 방향으로 -4

018 x축의 방향으로 -1, y축의 방향으로 -7

[019-024] 다음 타원의 초점의 좌표와 장축, 단축의 길이를 구하시오.

019 $\dfrac{(x+1)^2}{25}+\dfrac{(y-3)^2}{9}=1$

020 $\dfrac{(x+2)^2}{4}+(y+1)^2=1$

021 $\dfrac{(x-1)^2}{9}+\dfrac{(y+2)^2}{4}=1$

022 $\dfrac{(x+1)^2}{4}+\dfrac{(y-4)^2}{5}=1$

023 $\dfrac{(x-3)^2}{12}+\dfrac{(y+3)^2}{16}=1$

024 $(x-2)^2+\dfrac{(y-5)^2}{4}=1$

3 타원의 방정식의 일반형

[025-030] 다음 타원의 방정식을 $\frac{x^2}{a^2}+\frac{y^2}{b^2}=1$ 꼴로 변형하시오.

025 $x^2+17y^2=17$

026 $16x^2+25y^2=400$

027 $2(x-1)^2+4(y+1)^2=8$

028 $9x^2+y^2=9$

029 $25x^2+9y^2=225$

030 $9(x-2)^2+(y+3)^2=36$

[031-036] 다음 타원의 중심의 좌표, 초점의 좌표, 장축, 단축의 길이를 구하시오.

031 $7x^2+16y^2=112$

032 $(x-1)^2+4y^2=4$

033 $4x^2+9y^2-36y=0$

034 $5x^2+4y^2=20$

035 $5(x+3)^2+3(y-2)^2=30$

036 $4x^2+3y^2-16x-32=0$

유형 문제

유형 01 정의를 이용한 타원의 방정식 구하기

타원 $\frac{x^2}{a^2}+\frac{y^2}{b^2}=1$ ($a>0$, $b>0$)에서

(1) 초점이 x축 위에 있으면
⇨ (두 초점으로부터의 거리의 합)$=2a$

(2) 초점이 y축 위에 있으면
⇨ (두 초점으로부터의 거리의 합)$=2b$

중요 037

두 초점 $F(4, 0)$, $F'(-4, 0)$으로부터의 거리의 합이 10인 타원의 방정식이 $\frac{x^2}{a^2}+\frac{y^2}{b^2}=1$일 때, a^2+b^2의 값은?

(단, $a>b>0$)

① 23 ② 34 ③ 41 ④ 50 ⑤ 52

038

두 점 $F(0, 2)$, $F'(0, -2)$에 대하여 $\overline{PF}+\overline{PF'}=8$을 만족시키는 점 P가 나타내는 도형의 방정식을 구하시오.

039

그림과 같이 두 점 F, F′을 초점으로 하는 타원에서 $\overline{FF'}$의 연장선이 두 점 Q, Q′에서 타원과 만난다. 타원 위의 두 점 P, P′에 대하여 사각형 PF′P′F의 둘레의 길이가 24일 때, 선분 QQ′의 길이는?

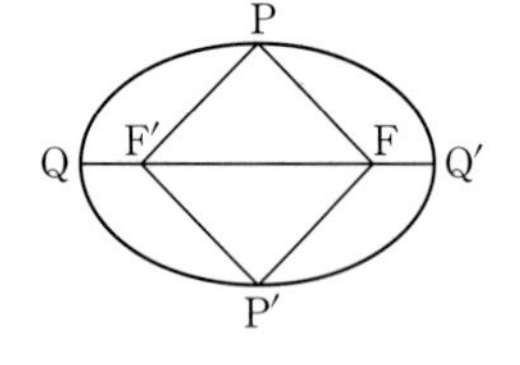

① 9 ② 10 ③ 11 ④ 12 ⑤ 13

중요 040

그림과 같이 삼각형 ABC에서 세 선분 AB, BC, CA의 길이가 각각 5, 4, 3일 때, 원점을 중심, 두 점 B, C를 초점으로 하고 점 A를 지나는 타원의 방정식을 구하시오.

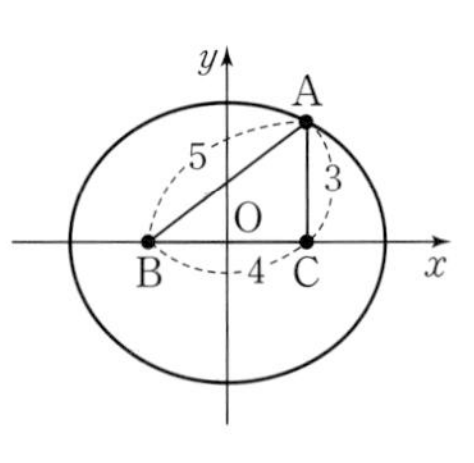

041

두 점 $(\sqrt{2}, 0)$, $(-\sqrt{2}, 0)$으로부터의 거리의 합이 일정하고 점 $(\sqrt{5}, 2)$를 지나는 타원의 방정식을 구하시오.

042

좌표평면에서 점 $P(x, y)$로부터 두 점 $A(0, 0)$, $B(4, 0)$에 이르는 거리의 합이 8일 때, 점 P가 나타내는 도형의 방정식은?

① $2(x-2)^2+y^2=24$
② $(x-2)^2+2y^2=24$
③ $3(x-2)^2+4y^2=48$
④ $4(x-2)^2+3y^2=48$
⑤ $3(x-2)^2+5y^2=48$

유형 02 타원의 초점과 장축, 단축

타원 $\frac{x^2}{a^2}+\frac{y^2}{b^2}=1$에 대하여

	$a>b>0$일 때	$b>a>0$일 때
초점의 좌표	$(\pm\sqrt{a^2-b^2},\ 0)$	$(0,\ \pm\sqrt{b^2-a^2})$
장축의 길이	$2a$	$2b$
단축의 길이	$2b$	$2a$

043

다음 중 타원 $\frac{x^2}{16}+\frac{y^2}{9}=1$에 대한 설명으로 옳지 않은 것은?

① 초점의 좌표는 $(\sqrt{7},\ 0)$, $(-\sqrt{7},\ 0)$이다.
② 타원의 중심은 원점이다.
③ 장축의 길이는 8이다.
④ 단축의 길이는 6이다.
⑤ x축과의 교점의 좌표는 $(3,\ 0)$, $(-3,\ 0)$이다.

044

초점이 y축 위에 있고 중심은 원점이며 장축의 길이가 10, 단축의 길이가 8인 타원의 방정식을 구하시오.

045

장축의 길이가 10이고 단축의 길이가 8인 타원의 두 초점 사이의 거리는?

① 4 ② 5 ③ 6
④ 7 ⑤ 8

046

그림과 같이 지름의 길이가 8인 원과 접하고, 지름의 양 끝 점을 두 초점으로 하는 타원의 장축의 길이를 구하시오.

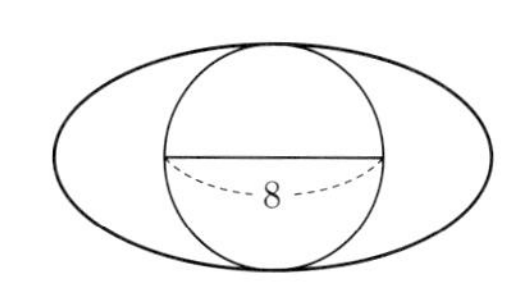

047

점 $A(0,\ 5)$를 지나고 두 초점이 $F(0,\ 4)$, $F'(0,\ -4)$인 타원이 있다. 이 타원이 x축의 양의 부분과 만나는 점 B의 좌표가 $(a,\ 0)$일 때, a의 값은?

① 1 ② 2 ③ 3
④ 4 ⑤ 5

048

타원 $4x^2+9y^2=36$과 두 초점을 공유하고, 점 $(4,\ 0)$을 지나는 타원의 방정식은?

① $9x^2+14y^2=144$ ② $9x^2+16y^2=144$
③ $11x^2+14y^2=176$ ④ $11x^2+16y^2=176$
⑤ $13x^2+14y^2=208$

049

타원 $\frac{x^2}{10}+\frac{y^2}{5}=1$과 초점이 같고 장축의 길이와 단축의 길이의 차가 2인 타원에서 장축의 길이를 구하시오.

050

그림과 같이 원점을 중심으로 하는 타원의 한 초점을 F라 하고, 이 타원이 y축의 음의 부분과 만나는 한 점을 A라 하자. 직선 AF의 방정식이 $y=\frac{2}{3}x-2$일 때, 이 타원의 장축의 길이를 구하시오.

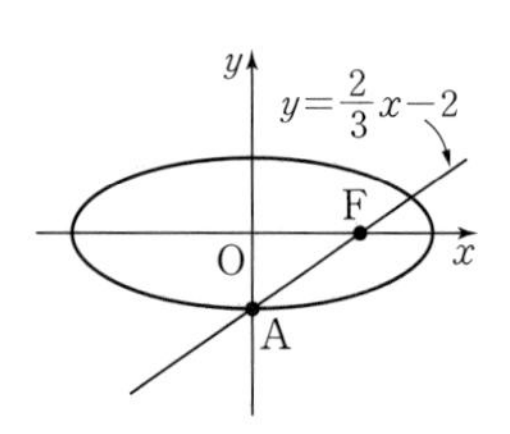

051

중요

두 타원이 점 F를 한 초점으로 공유하고 서로 다른 두 점 P, Q에서 만난다. 두 타원의 장축의 길이가 각각 9, 18이고 두 타원의 나머지 초점을 각각 F_1, F_2라 할 때, $|\overline{PF_1}-\overline{PF_2}|+|\overline{QF_1}-\overline{QF_2}|$의 값을 구하시오.

유형 03 평행이동한 타원의 초점과 장축, 단축

타원 $\frac{x^2}{a^2}+\frac{y^2}{b^2}=1$ $(a>b>0)$을 x축의 방향으로 m만큼, y축의 방향으로 n만큼 평행이동하면

$$\frac{(x-m)^2}{a^2}+\frac{(y-n)^2}{b^2}=1$$

(1) 초점의 좌표: $(\sqrt{a^2-b^2}+m,\ n)$, $(-\sqrt{a^2-b^2}+m,\ n)$

(2) 장축의 길이: $2a$

(3) 단축의 길이: $2b$

052

타원 $\frac{(x+4)^2}{16}+\frac{(y-3)^2}{9}=1$의 중심의 좌표는 (p, q)이고, 장축의 길이는 r, 단축의 길이는 s라 할 때, $p+q+r+s$의 값을 구하시오.

053

중요

타원 $4x^2+16y^2-24x-64y+99=0$에 대한 〈보기〉의 설명 중 옳은 것만을 있는 대로 고른 것은?

보기

ㄱ. 장축은 y축과 평행하다.

ㄴ. 중심의 좌표는 $(3, 2)$이다.

ㄷ. 두 초점 사이의 거리는 $\frac{\sqrt{3}}{2}$이다.

① ㄱ　② ㄴ　③ ㄱ, ㄷ　④ ㄴ, ㄷ　⑤ ㄱ, ㄴ, ㄷ

054

타원 $(x-a)^2+\frac{(y-b)^2}{4}=1$은 중심이 제1사분면에 있으면서 x축, y축과 동시에 접한다. 두 상수 a, b에 대하여 $10a+b$의 값을 구하시오.

유형 04 타원의 정의와 선분의 길이

타원 $\frac{x^2}{a^2}+\frac{y^2}{b^2}=1$ 위의 점 P와 두 초점 F, F′에 대하여

(1) $a>b>0$일 때, $\overline{FP}+\overline{F'P}=2a$

(2) $b>a>0$일 때, $\overline{FP}+\overline{F'P}=2b$

055

그림과 같이 타원의 두 초점 F, F′을 지나고 장축에 수직인 두 선분 AB, CD의 길이는 각각 10이다. 두 초점 사이의 거리가 12일 때, 이 타원의 장축의 길이는?

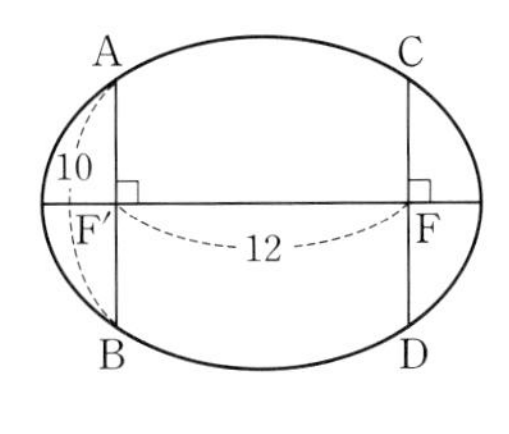

① 10 ② 12 ③ 18 ④ 22 ⑤ 24

056

그림과 같이 타원 $\frac{x^2}{16}+\frac{y^2}{12}=1$ 위에 서로 다른 세 점 P, Q, R가 있다. 두 점 A(2, 0), B(−2, 0)에 대하여 $\overline{PA}+\overline{QA}+\overline{RA}=15$일 때, $\overline{PB}+\overline{QB}+\overline{RB}$의 값을 구하시오.

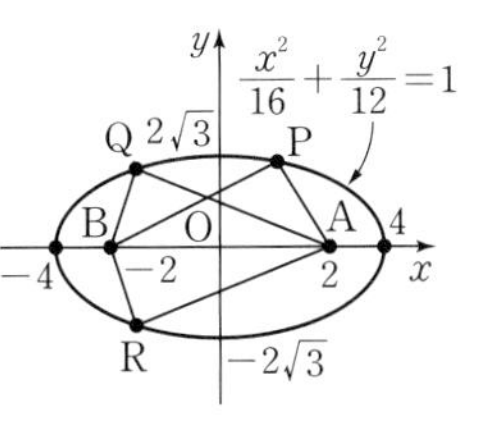

중요
057

타원 $\frac{x^2}{9}+\frac{y^2}{5}=1$ 위의 x좌표가 정수인 12개의 점을 각각 $A_1, A_2, A_3, \cdots, A_{12}$라 하고 이 타원의 한 초점을 F라 할 때, $\overline{FA_1}+\overline{FA_2}+\overline{FA_3}+\cdots+\overline{FA_{12}}$의 값을 구하시오.

058

그림과 같이 장축의 길이가 6인 타원의 두 초점 F, F′과 타원 위의 두 점 P, Q에 대하여 사각형 PF′QF는 넓이가 8인 직사각형이다. 이 타원의 두 초점 사이의 거리는?

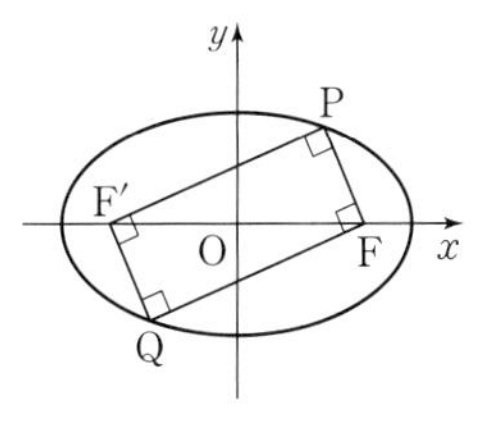

① $2\sqrt{3}$ ② 4 ③ $2\sqrt{5}$ ④ $2\sqrt{6}$ ⑤ $2\sqrt{7}$

중요
059

점 A(1, 0)을 지나고 기울기가 $\sqrt{5}$인 직선 l이 타원 $\frac{x^2}{4}+\frac{y^2}{3}=1$과 만나는 두 점을 P, Q라 하자. 세 점 B(−1, 0), P, Q를 꼭짓점으로 하는 삼각형 PBQ의 둘레의 길이를 구하시오.

060

그림과 같이 타원 $\frac{x^2}{25}+\frac{y^2}{9}=1$ 위를 움직이는 점 P와 두 초점 F, F′에 대하여 $\angle$F′PF$=90°$일 때, $|\overline{PF}-\overline{PF'}|$의 값은?

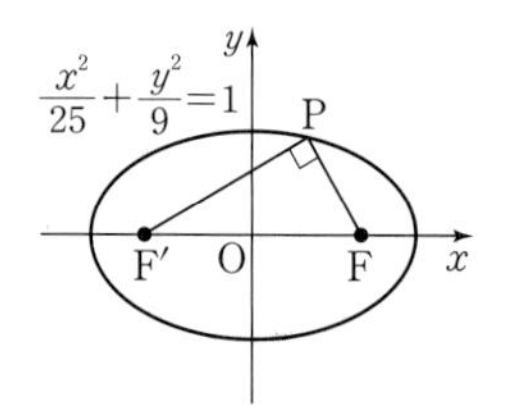

① $\sqrt{5}$ ② 3 ③ 4
④ $3\sqrt{3}$ ⑤ $2\sqrt{7}$

061

그림과 같은 타원 $\frac{x^2}{a^2}+\frac{y^2}{b^2}=1$에서 타원 위의 한 점 P에 대하여 삼각형 APA′의 넓이는 삼각형 FPF′의 넓이의 2배이고 삼각형 FPF′의 둘레의 길이가 6일 때, a^2+b^2의 값을 구하시오. (단, F, F′은 타원의 초점이고 A, A′은 꼭짓점이다.)

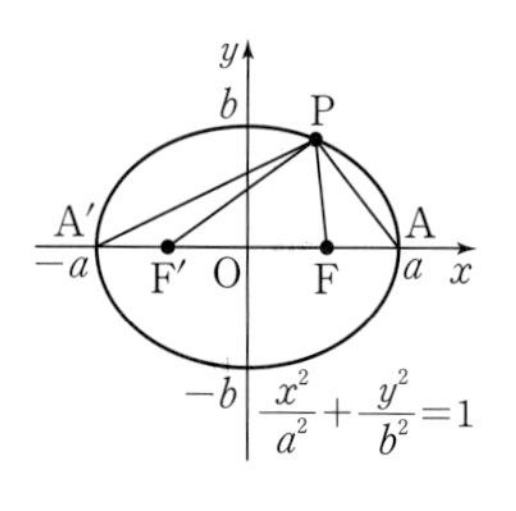

062

그림과 같이 타원 $\frac{x^2}{9}+\frac{y^2}{5}=1$과 포물선 $y^2=8x$의 교점 A에서 점 B$(-2,\ 0)$을 지나고 y축에 평행한 직선에 내린 수선의 발을 C라 하자. $\overline{AB}+\overline{AC}$의 값은?

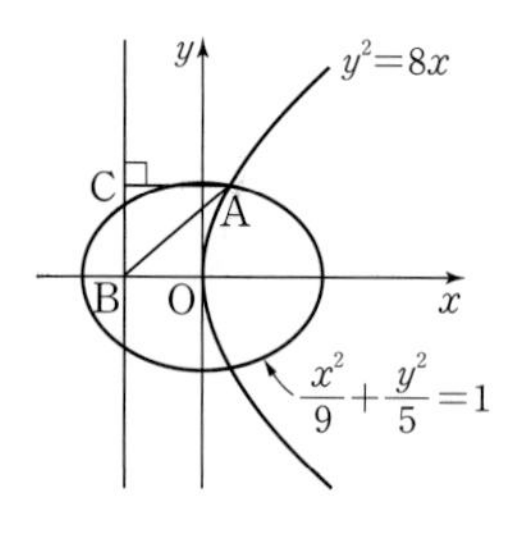

① 5 ② 6 ③ 7
④ 8 ⑤ 9

유형 05 타원의 정의의 활용

임의의 점 P와 두 초점 사이의 거리를 a, b라 하고 문제에 주어진 조건을 이용하여 식을 세운 후 도형의 넓이를 구한다.

063

그림의 타원에서 두 점 F, F′은 초점이고 점 P는 타원 위의 점이다. $\angle$F′PF$=90°$일 때, 삼각형 PFF′의 넓이는?

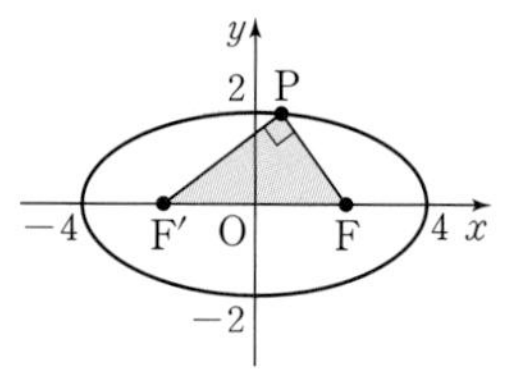

① 4 ② 6
③ 8 ④ 10
⑤ 12

064 (중요)

타원 $\frac{x^2}{a^2}+\frac{y^2}{b^2}=1$ 위의 한 점을 P, 두 초점을 F, F′이라 하면 $\overline{FF'}=2\sqrt{5}$, $\angle$FPF′$=90°$이고, 삼각형 PFF′의 넓이가 4이다. 이 타원의 장축의 길이를 구하시오. (단, $a>b>0$)

065

타원 $\frac{x^2}{16}+\frac{y^2}{12}=1$과 y축의 교점을 A, B라 하고 이 타원의 두 초점을 각각 F, F′이라 할 때, 사각형 AF′BF에 내접하는 원의 넓이는?

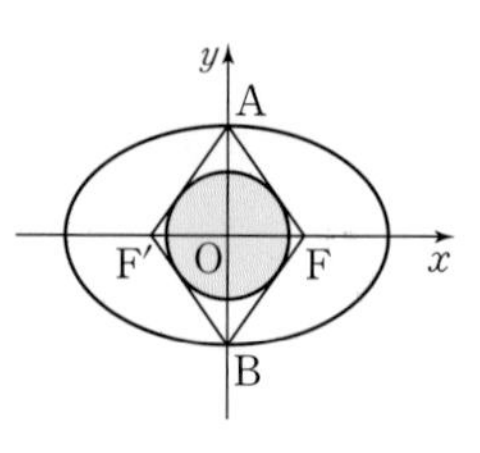

① π ② 2π ③ 3π
④ 4π ⑤ 5π

중요

066

그림과 같이 원점을 중심, 두 점 F, F′을 초점으로 하고 장축의 길이가 10인 타원과 선분 FF′이 지름이고 중심이 원점인 원이 있다. 이 원이 y축의 양의 부분과 만나는 점을 A, 타원과 제1사분면에서 만나는 점을 B라 하면 삼각형 FAF′의 넓이가 16이다. 삼각형 FBF′의 넓이는?

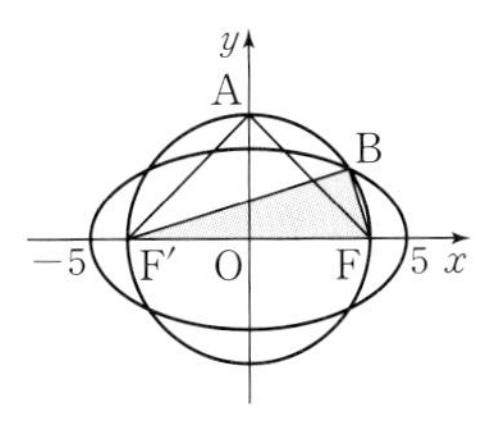

① 8 ② 9 ③ 10 ④ 11 ⑤ 12

067

두 점 F(0, 3), F′(0, −3)을 초점으로 하고, 장축의 길이가 10인 타원의 네 꼭짓점을 A, B, C, D라 할 때, 사각형 ABCD의 넓이를 구하시오.

068

타원 $\frac{x^2}{25}+\frac{y^2}{16}=1$의 한 초점 F를 중심으로 하고 반지름의 길이가 1인 원 C가 있다. 타원 위의 점 P를 중심으로 하고 원 C에 외접하는 원이 다른 초점 F′을 중심으로 하는 원 C'에 내접한다. C'의 넓이는?

① 49π ② 64π ③ 81π ④ 100π ⑤ 121π

유형 06 길이 및 넓이의 최대 · 최소

타원 $\frac{x^2}{a^2}+\frac{y^2}{b^2}=1$ $(a>b>0)$ 위의 점 $P(x_1, y_1)$과 두 초점 F, F′에 대하여

$$\frac{{x_1}^2}{a^2}+\frac{{y_1}^2}{b^2}=1,\ \overline{PF}+\overline{PF'}=2a$$

임과 산술평균과 기하평균의 관계를 이용한다.

069

그림과 같이 타원 $\frac{x^2}{25}+\frac{y^2}{16}=1$ 위의 점 $P(a, b)$에서 x축에 내린 수선의 발을 H라 할 때, 삼각형 OPH의 넓이의 최댓값은?

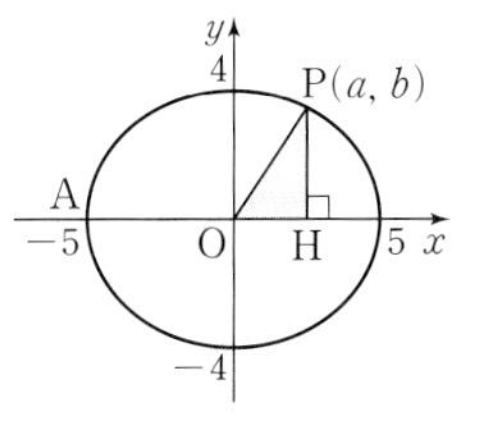

① 1 ② 2 ③ 3 ④ 4 ⑤ 5

070

타원 $\frac{x^2}{3}+y^2=1$ 위의 점 중 $x\geq0$인 범위에 있는 한 점을 P라 하자. 점 A(0, −1)에 대하여 선분 AP의 길이의 최댓값은?

① 2 ② $\frac{4\sqrt{2}}{3}$ ③ $\frac{3\sqrt{2}}{2}$ ④ $\frac{5\sqrt{2}}{3}$ ⑤ $2\sqrt{2}$

071

타원 $\frac{x^2}{9}+\frac{y^2}{4}=1$에 내접하는 직사각형의 넓이의 최댓값을 구하시오.

유형 07 타원의 자취의 방정식

① 움직이는 점의 좌표를 (x, y)로 놓는다.
② 주어진 조건을 만족시키는 x, y 사이의 관계식을 구한다.

072

길이가 4인 선분 AB의 양 끝 점 A, B가 각각 x축, y축 위를 움직일 때, 선분 AB를 $2:1$로 내분하는 점 P의 자취의 방정식을 구하시오.

073

중요

원 $x^2+y^2=9$ 위를 움직이는 점 P가 있다. 점 P에서 x축에 내린 수선의 발을 H라 할 때, 선분 PH를 $1:2$로 내분하는 점 Q의 자취의 방정식은?

① $\frac{x^2}{4}+\frac{y^2}{9}=1$ ② $\frac{x^2}{9}+\frac{y^2}{4}=1$ ③ $\frac{x^2}{16}+\frac{y^2}{9}=1$
④ $\frac{x^2}{9}+\frac{y^2}{16}=1$ ⑤ $\frac{x^2}{25}+\frac{y^2}{16}=1$

074

두 점 $A(-1, 0)$, $B(1, 0)$과 타원 $4x^2+9y^2=36$ 위를 움직이는 점 $P(a, b)$를 이은 삼각형 ABP의 무게중심의 자취의 방정식은?

① $x^2+2y^2=1$ ② $2x^2+y^2=1$ ③ $9x^2+4y^2=4$
④ $4x^2+9y^2=4$ ⑤ $9x^2+4y^2=1$

유형 08 타원의 실생활에서의 활용

주어진 문제에서 타원의 초점, 장축의 길이, 단축의 길이 등을 찾아 타원의 방정식을 세운다.

075

그림의 다리는 길이가 20 m이고, 아치는 반타원형 모양이다. 타원의 중심 O에서 아치까지의 높이가 6 m일 때, 중심 O에서 5 m 떨어진 지점 A에서 아치까지의 높이를 구하시오.

(단, 아치와 다리의 두께는 무시한다.)

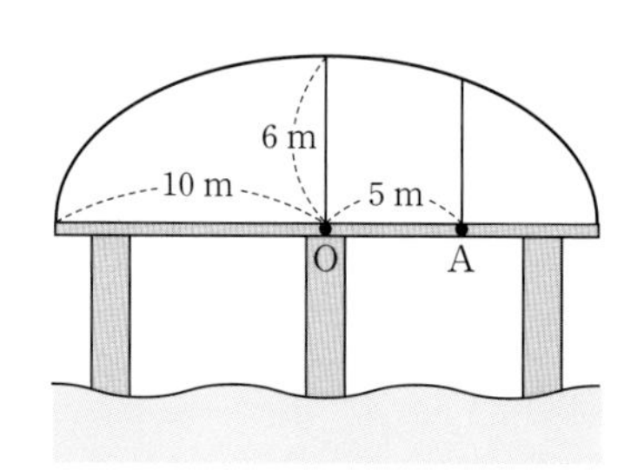

076

그림과 같이 행성 A가 항성 B를 한 초점으로 하는 타원 궤도를 돈다고 한다. 항성 B에서 행성 A까지의 거리가 가장 가까울 때와 멀 때의 거리가 각각 2, 8이라 할 때, 이 타원의 단축의 길이는? (단, 거리의 단위는 AU이고, 항성과 행성의 거리는 두 중심으로부터의 거리이다.)

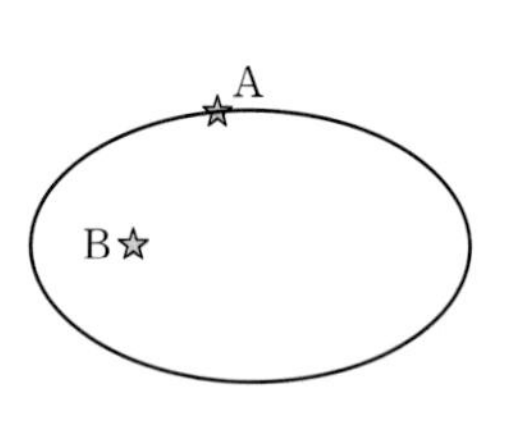

① 5 ② 6 ③ 7
④ 8 ⑤ 9

03 쌍곡선

제 목		문항 번호	문항 수	확인
기본 문제		001 ~ 034	34	
유형 문제	01. 정의를 이용하여 쌍곡선의 방정식 구하기	035 ~ 040	6	
	02. 쌍곡선의 초점과 점근선의 방정식	041 ~ 046	6	
	03. 평행이동한 쌍곡선의 초점과 점근선의 방정식	047 ~ 049	3	
	04. 쌍곡선과 원 또는 타원	050 ~ 052	3	
	05. 쌍곡선의 정의와 선분의 길이	053 ~ 060	8	
	06. 쌍곡선의 정의의 활용	061 ~ 065	5	
	07. 쌍곡선의 자취의 방정식	066 ~ 068	3	
	08. 쌍곡선의 실생활에서의 활용	069 ~ 070	2	
	09. 이차곡선	071 ~ 073	3	

03 쌍곡선

1 쌍곡선

평면 위의 서로 다른 두 점 F, F′에서의 거리의 차가 일정한 점들의 집합을 쌍곡선이라고 한다.

(1) 초점 : 두 점 F, F′

(2) 꼭짓점 : 초점을 잇는 직선(직선 FF′)과 쌍곡선의 두 교점 A, A′

(3) 주축 : 선분 AA′

(4) 중심 : 선분 AA′의 중점

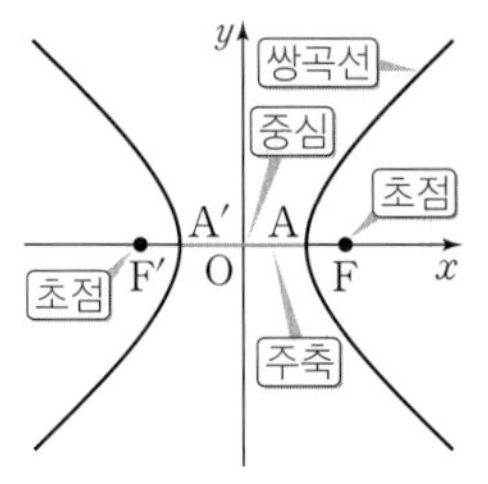

2 쌍곡선의 방정식

(1) 두 초점 $F(c, 0)$, $F'(-c, 0)$에서의 거리의 차가 $2a$인 쌍곡선의 방정식 ➡ $\frac{x^2}{a^2}-\frac{y^2}{b^2}=1$ (단, $c>a>0$, $b^2=c^2-a^2$)

① 초점의 좌표 : $(\sqrt{a^2+b^2}, 0)$, $(-\sqrt{a^2+b^2}, 0)$

② 꼭짓점의 좌표 : $(a, 0)$, $(-a, 0)$

③ 주축의 길이 : $2a$

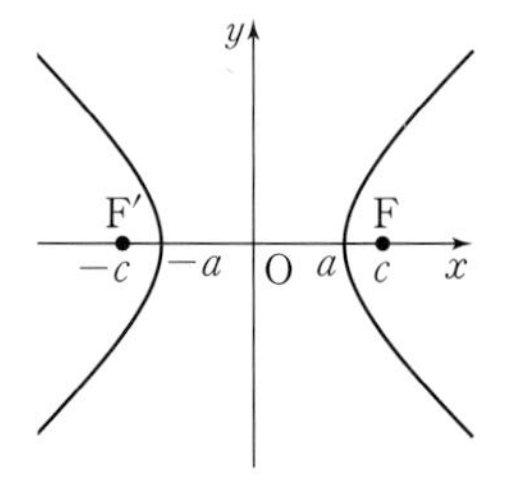

(2) 두 초점 $F(0, c)$, $F'(0, -c)$에서의 거리의 차가 $2b$인 쌍곡선의 방정식 ➡ $\frac{x^2}{a^2}-\frac{y^2}{b^2}=-1$ (단, $c>b>0$, $a^2=c^2-b^2$)

① 초점의 좌표 : $(0, \sqrt{a^2+b^2})$, $(0, -\sqrt{a^2+b^2})$

② 꼭짓점의 좌표 : $(0, b)$, $(0, -b)$

③ 주축의 길이 : $2b$

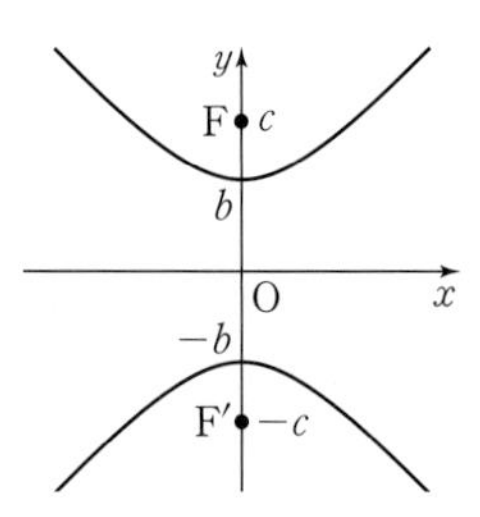

3 쌍곡선의 점근선의 방정식

쌍곡선 $\frac{x^2}{a^2}-\frac{y^2}{b^2}=\pm1$의 점근선의 방정식 ➡ $y=\frac{b}{a}x$, $y=-\frac{b}{a}x$

4 이차곡선

원, 타원, 포물선, 쌍곡선은 모두 x, y에 대한 이차방정식으로 나타내어진다. 일반적으로 계수가 실수인 두 일차식의 곱으로 인수분해되지 않는 x, y에 대한 이차방정식

$$Ax^2+By^2+Cxy+Dx+Ey+F=0$$

으로 나타내어지는 곡선을 이차곡선이라고 한다.

개념 플러스

- 쌍곡선은 주축의 연장선, 주축의 수직이등분선 및 중심에 대하여 각각 대칭이다.

- **쌍곡선의 평행이동**
  쌍곡선 $\frac{x^2}{a^2}-\frac{y^2}{b^2}=\pm1$을 x축의 방향으로 m만큼, y축의 방향으로 n만큼 평행이동한 쌍곡선의 방정식은
  $\frac{(x-m)^2}{a^2}-\frac{(y-n)^2}{b^2}=\pm1$

- **쌍곡선의 방정식의 일반형**
  $Ax^2+By^2+Cx+Dy+E=0$
  (단, $AB<0$) 꼴의 쌍곡선의 방정식을 완전제곱식으로 만든 후 우변의 값이 1 또는 -1이 되도록 양변을 적당히 나누어
  $\frac{(x-m)^2}{a^2}-\frac{(y-n)^2}{b^2}=\pm1$
  꼴로 변형한다.

- $Ax^2+By^2+Cxy+Dx+Ey+F=0$은 $x^2+y^2=0$ (한 점), $x^2-y^2=0$ (두 직선) 등과 같은 특수한 경우를 제외하면 원, 타원, 포물선, 쌍곡선 중의 어느 하나를 나타낸다.

기본 문제

1 쌍곡선의 방정식

[001-004] 쌍곡선의 정의를 이용하여 다음을 구하시오.

001 두 점 $\mathrm{F}(3,\ 0)$, $\mathrm{F'}(-3,\ 0)$에서의 거리의 차가 4인 점들이 나타내는 도형의 방정식

002 두 점 $\mathrm{F}(5,\ 0)$, $\mathrm{F'}(-5,\ 0)$에서의 거리의 차가 6인 점들이 나타내는 도형의 방정식

003 두 점 $\mathrm{F}(0,\ 2)$, $\mathrm{F'}(0,\ -2)$에서의 거리의 차가 2인 점들이 나타내는 도형의 방정식

004 두 점 $\mathrm{F}(0,\ 5)$, $\mathrm{F'}(0,\ -5)$에서의 거리의 차가 8인 점들이 나타내는 도형의 방정식

[005-010] 다음 쌍곡선의 방정식을 구하시오.

005 두 초점의 좌표가 $\mathrm{F}(4,\ 0)$, $\mathrm{F'}(-4,\ 0)$이고 주축의 길이가 6인 쌍곡선

006 두 초점의 좌표가 $\mathrm{F}(5,\ 0)$, $\mathrm{F'}(-5,\ 0)$이고 주축의 길이가 4인 쌍곡선

007 두 초점의 좌표가 $\mathrm{F}(\sqrt{14},\ 0)$, $\mathrm{F'}(-\sqrt{14},\ 0)$이고 주축의 길이가 $2\sqrt{5}$인 쌍곡선

008 두 초점의 좌표가 $\mathrm{F}(0,\ 3)$, $\mathrm{F'}(0,\ -3)$이고 주축의 길이가 2인 쌍곡선

009 두 초점의 좌표가 $\mathrm{F}(0,\ \sqrt{13})$, $\mathrm{F'}(0,\ -\sqrt{13})$이고 주축의 길이가 4인 쌍곡선

010 두 초점의 좌표가 $\mathrm{F}(0,\ 4)$, $\mathrm{F'}(0,\ -4)$이고 주축의 길이가 $4\sqrt{3}$인 쌍곡선

[011-016] 다음 쌍곡선의 초점의 좌표, 꼭짓점의 좌표, 주축의 길이를 구하시오.

011 $\dfrac{x^2}{16}-\dfrac{y^2}{9}=1$

012 $\dfrac{x^2}{16}-\dfrac{y^2}{20}=1$

013 $\dfrac{x^2}{12}-\dfrac{y^2}{4}=1$

014 $\dfrac{x^2}{7}-\dfrac{y^2}{9}=-1$

015 $\dfrac{x^2}{40}-\dfrac{y^2}{9}=-1$

016 $\dfrac{x^2}{144}-\dfrac{y^2}{25}=-1$

2 쌍곡선의 점근선의 방정식

[017-020] 다음 쌍곡선의 점근선의 방정식을 구하시오.

017 $\dfrac{x^2}{9}-\dfrac{y^2}{4}=1$

018 $\dfrac{x^2}{25}-\dfrac{y^2}{36}=1$

019 $\dfrac{x^2}{4}-\dfrac{y^2}{25}=-1$

020 $\dfrac{x^2}{2}-y^2=-1$

[021-023] 다음 그림과 같은 쌍곡선의 방정식을 구하시오.

021

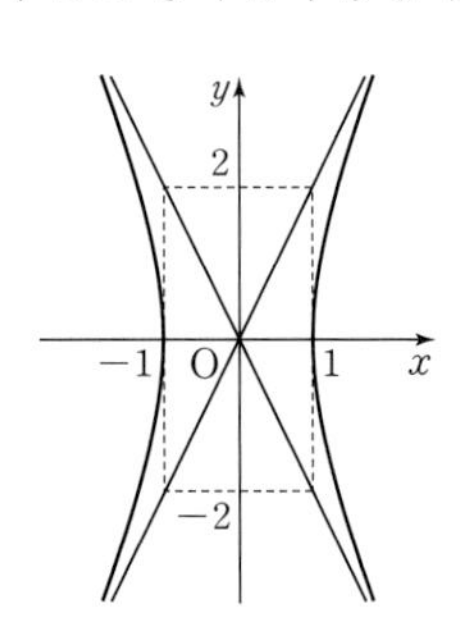

022

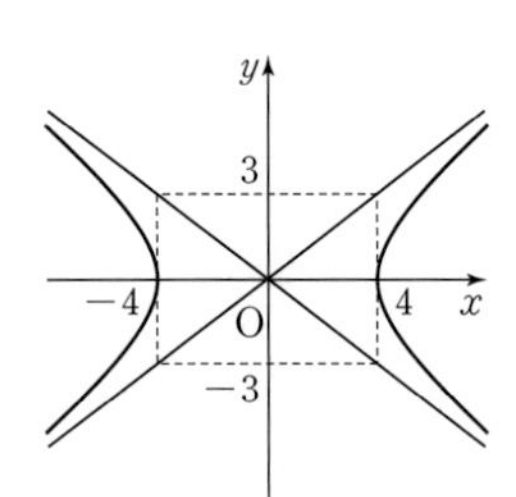

023

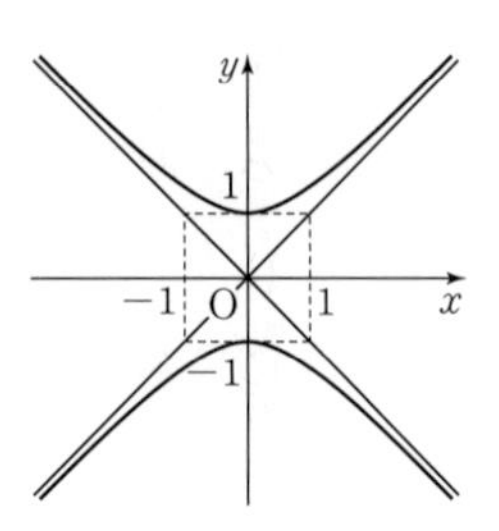

3 쌍곡선의 평행이동

[024-027] 다음 쌍곡선의 초점의 좌표, 꼭짓점의 좌표, 주축의 길이를 구하시오.

024 $(x-1)^2-\frac{(y+2)^2}{3}=1$

025 $\frac{(x+1)^2}{4}-\frac{(y-4)^2}{5}=1$

026 $\frac{(x-3)^2}{7}-\frac{(y-1)^2}{9}=-1$

027 $\frac{(x+2)^2}{11}-\frac{(y+3)^2}{25}=-1$

4 쌍곡선의 방정식의 일반형

[028-030] 다음 쌍곡선의 초점의 좌표, 꼭짓점의 좌표, 주축의 길이, 점근선의 방정식을 구하시오.

028 $x^2-4y^2+16=0$

029 $x^2-y^2-2x=0$

030 $x^2-2y^2+8y-12=0$

5 이차곡선

[031-034] 다음 방정식이 나타내는 도형을 말하시오.

031 $x^2-2x+y^2-3=0$

032 $y^2-2y+x=0$

033 $x^2+3y^2-9=0$

034 $x^2-2y^2+4=0$

유형 문제

유형 01 정의를 이용하여 쌍곡선의 방정식 구하기

(1) 두 초점 $F(c, 0)$, $F'(-c, 0)$에서의 거리의 차가 $2a$ $(c>a>0)$인 쌍곡선의 방정식

⇨ $\frac{x^2}{a^2}-\frac{y^2}{b^2}=1$ (단, $b^2=c^2-a^2$)

(2) 두 초점 $F(0, c)$, $F'(0, -c)$에서의 거리의 차가 $2b$ $(c>b>0)$인 쌍곡선의 방정식

⇨ $\frac{x^2}{a^2}-\frac{y^2}{b^2}=-1$ (단, $a^2=c^2-b^2$)

035

좌표평면 위의 두 점 $A(0, 4)$, $B(0, -4)$에 대하여 $|\overline{PA}-\overline{PB}|=6$을 만족시키는 점 P가 나타내는 도형의 방정식은 $\frac{x^2}{a^2}-\frac{y^2}{b^2}=-1$이다. $3a^2+2b^2$의 값은?

① 16 ② 36 ③ 39
④ 50 ⑤ 93

중요
036

초점이 $(5, 0)$, $(-5, 0)$이고 주축의 길이가 8인 쌍곡선의 방정식은?

① $9x^2-16y^2=144$ ② $16x^2-9y^2=-144$
③ $9x^2-25y^2=225$ ④ $25x^2-9y^2=-225$
⑤ $9x^2-49y^2=441$

037

점 $F(2, 0)$을 한 초점으로 하고, 두 점 $A(1, 0)$, $B(-1, 0)$을 꼭짓점으로 하는 쌍곡선의 방정식을 구하시오.

038

점 $F(3, 0)$과 직선 $x=\frac{4}{3}$로부터의 거리의 비가 $3:2$인 점 P가 나타내는 도형의 방정식은?

① $\frac{x^2}{3}-\frac{y^2}{6}=1$ ② $\frac{x^2}{3}-\frac{y^2}{6}=-1$
③ $\frac{x^2}{4}-\frac{y^2}{5}=1$ ④ $\frac{x^2}{4}-\frac{y^2}{5}=-1$
⑤ $\frac{x^2}{5}-\frac{y^2}{4}=1$

중요
039

두 점 $F(3, -1)$, $F'(-1, -1)$에서의 거리의 차가 2인 쌍곡선의 방정식을 구하시오.

040

두 초점의 좌표가 $(0, 0)$, $(8, 0)$이고 주축의 길이가 6인 쌍곡선의 방정식이 $\frac{(x-a)^2}{c}-\frac{(y-b)^2}{d}=1$일 때, $a+b+c+d$의 값은? (단, a, b, c, d는 상수이다.)

① 17 ② 18 ③ 19
④ 20 ⑤ 21

유형 02 쌍곡선의 초점과 점근선의 방정식

(1) • 쌍곡선 $\frac{x^2}{a^2}-\frac{y^2}{b^2}=1$의 초점의 좌표

⇨ $(\sqrt{a^2+b^2},\ 0)$, $(-\sqrt{a^2+b^2},\ 0)$

• 쌍곡선 $\frac{x^2}{a^2}-\frac{y^2}{b^2}=-1$의 초점의 좌표

⇨ $(0,\ \sqrt{a^2+b^2})$, $(0,\ -\sqrt{a^2+b^2})$

(2) 쌍곡선 $\frac{x^2}{a^2}-\frac{y^2}{b^2}=\pm1$의 점근선의 방정식

⇨ $y=\pm\frac{b}{a}x$

041

쌍곡선 $\frac{x^2}{4}-\frac{y^2}{5}=1$의 초점의 좌표를 (a, b), (c, d), 주축의 길이를 e라 할 때, $|a|+2|b|+|c|+2|d|+e$의 값은?

① 10 ② 12 ③ 14
④ 16 ⑤ 18

중요 042

쌍곡선 $\frac{x^2}{a^2}-\frac{y^2}{b^2}=-1$ $(a>0,\ b>0)$의 두 초점 사이의 거리가 주축의 길이의 2배일 때, $\frac{a}{b}$의 값을 구하시오.

043

두 직선 $y=3x$, $y=-3x$를 점근선으로 하고, 점 $(2, 3)$을 지나는 쌍곡선의 방정식을 구하시오.

044

원점을 중심으로 하고, 두 초점이 x축 위에 있는 쌍곡선이 있다. 두 초점 사이의 거리가 10이고, 쌍곡선의 점근선이 x축의 양의 방향과 이루는 각 θ에 대하여 $\tan\theta=\pm2$일 때, 주축의 길이는?

① 4 ② $2\sqrt{5}$ ③ 6
④ 8 ⑤ $4\sqrt{5}$

045

두 쌍곡선 $\frac{x^2}{3}-\frac{y^2}{a}=1$, $\frac{x^2}{a}-\frac{y^2}{12}=-1$의 점근선이 일치할 때, 네 초점을 꼭짓점으로 하는 사각형의 넓이는? (단, $a>0$)

① $16\sqrt{2}$ ② $17\sqrt{2}$ ③ $16\sqrt{3}$
④ $17\sqrt{3}$ ⑤ $18\sqrt{2}$

046

그림과 같이 쌍곡선 $x^2-2y^2=4$ 위의 임의의 점 P에서 두 개의 점근선에 내린 수선의 발을 각각 Q, R라 하자. $\overline{PQ}\times\overline{PR}$의 값은?

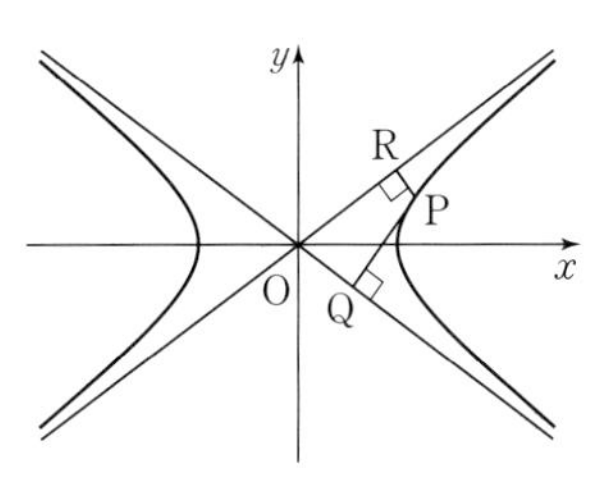

① 1 ② $\frac{4}{3}$ ③ $\frac{5}{3}$
④ 2 ⑤ $\frac{7}{3}$

유형 03 평행이동한 쌍곡선의 초점과 점근선의 방정식

(1) • 쌍곡선 $\frac{(x-m)^2}{a^2}-\frac{(y-n)^2}{b^2}=1$의 초점의 좌표

⇨ $(\sqrt{a^2+b^2}+m,\ n)$, $(-\sqrt{a^2+b^2}+m,\ n)$

• 쌍곡선 $\frac{(x-m)^2}{a^2}-\frac{(y-n)^2}{b^2}=-1$의 초점의 좌표

⇨ $(m,\ \sqrt{a^2+b^2}+n)$, $(m,\ -\sqrt{a^2+b^2}+n)$

(2) 쌍곡선 $\frac{(x-m)^2}{a^2}-\frac{(y-n)^2}{b^2}=\pm1$의 점근선의 방정식

⇨ $y=\pm\frac{b}{a}(x-m)+n$

047

쌍곡선 $\frac{(x-1)^2}{9}-\frac{(y+2)^2}{7}=1$에 대한 다음 설명 중 옳지 않은 것은?

① 중심의 좌표는 $(1,\ -2)$이다.
② 꼭짓점의 좌표는 $(4,\ -2)$, $(-2,\ -2)$이다.
③ 초점의 좌표는 $(5,\ -2)$, $(-3,\ -2)$이다.
④ 주축의 길이는 6이다.
⑤ 점근선의 방정식은 $y=\frac{7}{9}x-\frac{25}{9}$, $y=-\frac{7}{9}x-\frac{11}{9}$이다.

048 (중요)

쌍곡선 $3x^2-5y^2+12x+10y-8=0$은 쌍곡선 $\frac{x^2}{a^2}-\frac{y^2}{b^2}=1$을 x축의 방향으로 m만큼, y축의 방향으로 n만큼 평행이동한 것이다. a^2+b^2+m+n의 값을 구하시오.

049

쌍곡선 $x^2-2kx-y^2=0$의 두 초점 사이의 거리가 6이 되도록 하는 상수 k에 대하여 k^2의 값은?

① 3　② $\frac{7}{2}$　③ 4
④ $\frac{9}{2}$　⑤ 5

유형 04 쌍곡선과 원 또는 타원

(1) 원 위의 한 점 P와 쌍곡선의 두 초점 F, F′에 대하여 $\overline{\mathrm{FF'}}$이 원의 지름이면

$\angle\mathrm{FPF'}=90°$

(2) • 타원 위의 한 점 P와 두 초점 F, F′에 대하여

$\overline{\mathrm{PF}}+\overline{\mathrm{PF'}}=$(장축의 길이)

• 쌍곡선 위의 한 점 P와 두 초점 F, F′에 대하여

$|\overline{\mathrm{PF}}-\overline{\mathrm{PF'}}|=$(주축의 길이)

050

그림과 같이 쌍곡선 $\frac{x^2}{4}-\frac{y^2}{5}=1$의 두 초점을 F, F′이라 하고 F와 F′을 지름의 양 끝 점으로 하는 원과 쌍곡선이 제1사분면 위에서 만나는 점을 P라 할 때, 선분 PF′의 길이를 구하시오.

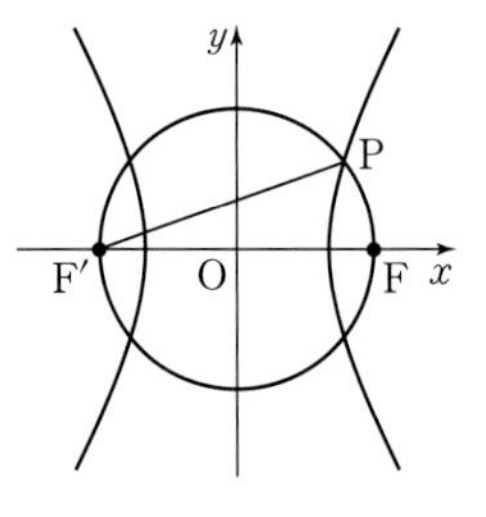

051 (중요)

그림과 같이 타원 $\frac{x^2}{9}+y^2=1$과 이 타원의 두 초점 F, F′을 공유하는 쌍곡선과의 교점 중 제1사분면 위의 점 P에 대하여 $\overline{\mathrm{PF}}\times\overline{\mathrm{PF'}}=5$가 성립할 때, 이 쌍곡선의 주축의 길이를 구하시오.

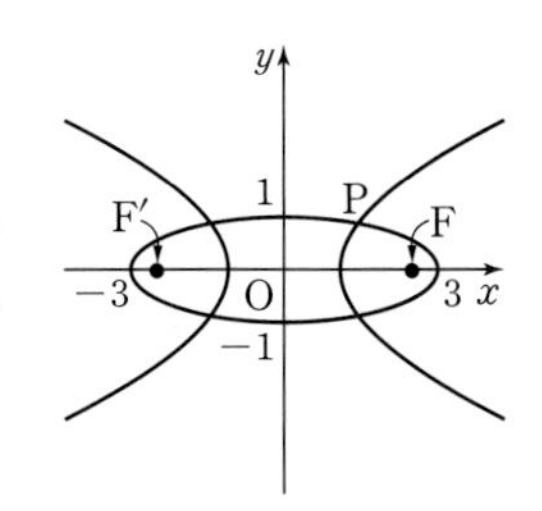

052

그림과 같이 쌍곡선 $x^2-\frac{y^2}{4}=1$과 이 쌍곡선의 두 초점 F, F′을 공유하는 타원 $\frac{x^2}{a^2}+\frac{y^2}{b^2}=1$ $(a>b>0)$

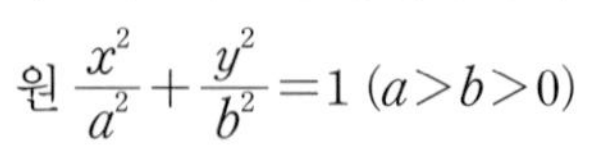

은 점 P에서 만나고 $\overline{\mathrm{PF'}}+\overline{\mathrm{PF}}=6$이다. $\frac{\overline{\mathrm{PF'}}}{\overline{\mathrm{PF}}}$의 값은? (단, $\overline{\mathrm{PF'}}>\overline{\mathrm{PF}}$)

① 1　② 2　③ 3
④ 4　⑤ 5

유형 05 쌍곡선의 정의와 선분의 길이

쌍곡선 $\frac{x^2}{a^2}-\frac{y^2}{b^2}=1$ 위의 한 점 P와 두 초점 F, F′에 대하여
$|\overline{PF}-\overline{PF'}|=2a\ (a>0)$

053

그림과 같이 쌍곡선 $\frac{x^2}{9}-\frac{y^2}{7}=1$의 두 초점을 F, F′이라 하고, 이 쌍곡선 위의 두 점 P, Q에 대하여 $\overline{PF}=2$, $\overline{QF}=5$가 성립할 때, $\overline{PF'}+\overline{QF'}$의 값을 구하시오. (단, $\overline{PF'}>\overline{PF}$, $\overline{QF'}>\overline{QF}$)

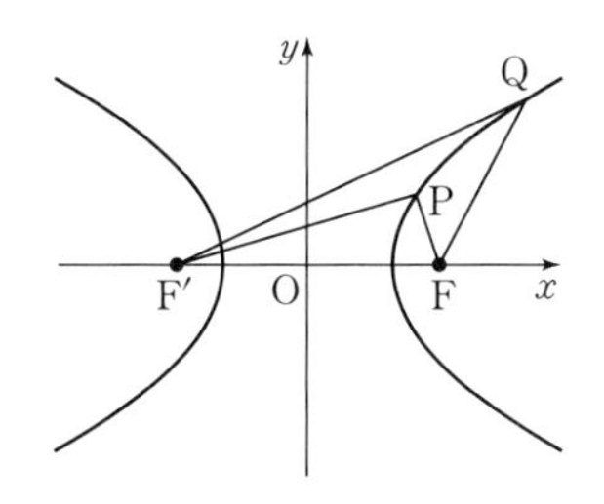

054

그림과 같이 쌍곡선 $\frac{x^2}{3^2}-\frac{y^2}{4^2}=1$ 위의 한 점 P와 두 초점 F, F′에 대하여 $\overline{PF}=m$, $\overline{PF'}=n$이라 하자. $mn=10$일 때, m^2+n^2의 값은?

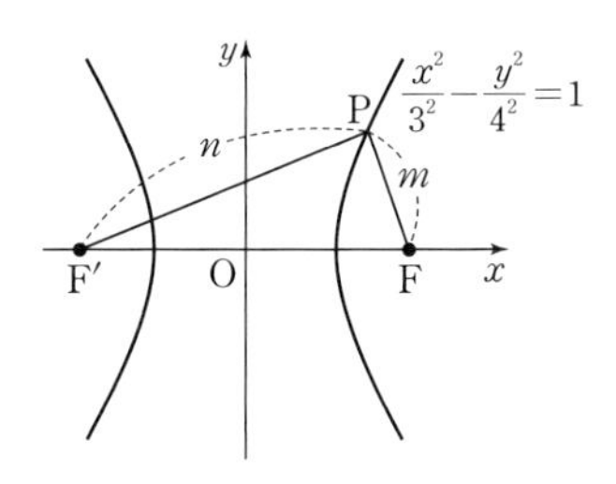

① 40 ② 42 ③ 46
④ 48 ⑤ 56

055

두 초점 F, F′ 사이의 거리가 10인 쌍곡선 위의 한 점 P를 잡았더니 $\angle FPF'=90°$, $\overline{PF'}=2\overline{PF}$가 되었다고 한다. 이 쌍곡선의 두 꼭짓점 사이의 거리는?

① $2\sqrt{5}$ ② $3\sqrt{3}$ ③ 6
④ 8 ⑤ $6\sqrt{2}$

중요 056

그림과 같이 쌍곡선 $\frac{x^2}{16}-\frac{y^2}{9}=1$의 두 초점을 F, F′이라 하자. 이 쌍곡선 위의 한 점 P에 대하여 $3\overline{PF}=5\overline{PF'}$일 때, 삼각형 PFF′의 둘레의 길이를 구하시오.

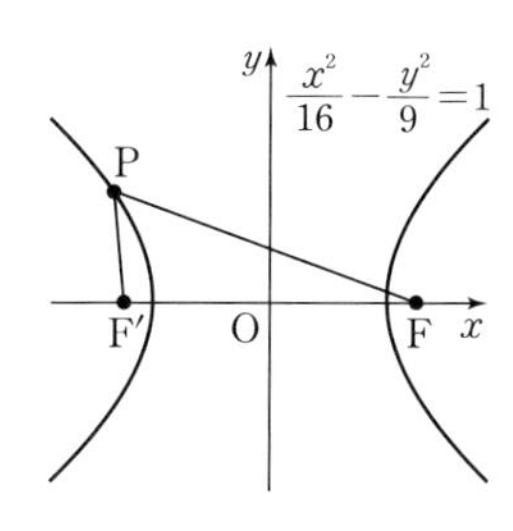

057

점 (2, 0)을 지나는 직선이 쌍곡선 $x^2-\frac{y^2}{3}=1$의 $x\geq0$인 부분과 두 점 A, B에서 만난다고 하자. 두 점 A, B와 점 C(−2, 0)을 꼭짓점으로 하는 삼각형 ABC의 둘레의 길이가 26일 때, 두 점 A, B 사이의 거리를 구하시오.

058

그림과 같은 쌍곡선 $\dfrac{x^2}{9}-\dfrac{y^2}{16}=1$의 제1사분면 위의 임의의 점 P와 쌍곡선의 두 초점 F, F′에 대하여 $\overline{\mathrm{PF}}$, $\overline{\mathrm{FF'}}$, $\overline{\mathrm{PF'}}$의 길이가 이 순서대로 등차수열을 이룰 때, 선분 PF′의 길이를 구하시오.

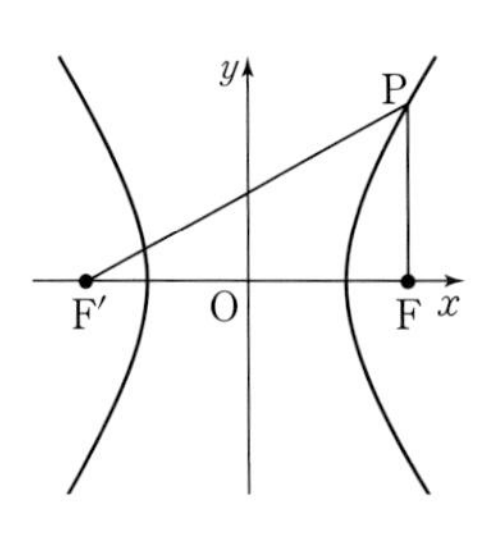

059

중요

그림과 같이 두 점 C, D를 초점으로 하는 쌍곡선 $\dfrac{x^2}{4}-\dfrac{y^2}{5}=1$ $(x>0)$과 직선 $y=m(x-3)$이 만나는 두 점을 각각 A, B라 하자. $\overline{\mathrm{AB}}=6$일 때, 두 점 A, B와 점 C$(-3,\ 0)$을 꼭짓점으로 하는 삼각형 ABC의 둘레의 길이를 구하시오. (단, m은 상수이다.)

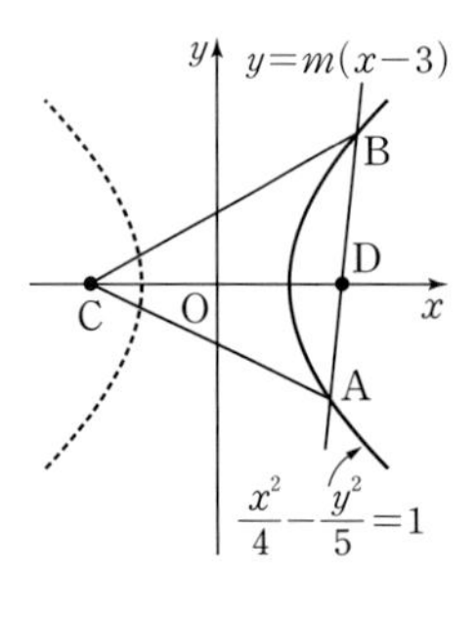

060

좌표평면 위의 점 P$(x,\ y)$로부터 두 점 F$(2,\ 0)$, F′$(-2,\ 0)$에 이르는 거리의 차가 $2\sqrt{3}$이 되는 점 P의 집합을 A로 나타내기로 하자. 점 Q$(0,\ 1)$로부터 집합 A에 속하는 점 $(x,\ y)$에 이르는 거리의 최솟값은?

① $\sqrt{3}$　② $\dfrac{\sqrt{13}}{2}$　③ $\dfrac{\sqrt{14}}{2}$　④ $\dfrac{\sqrt{15}}{2}$　⑤ 2

유형 06 쌍곡선의 정의의 활용

(1) 쌍곡선 $\dfrac{x^2}{a^2}-\dfrac{y^2}{b^2}=1$ 위의 한 점 P와 두 초점 F, F′에 대하여

$|\overline{\mathrm{PF}}-\overline{\mathrm{PF'}}|=2a$ $(a>0)$

(2) 쌍곡선 $\dfrac{x^2}{a^2}-\dfrac{y^2}{b^2}=-1$ 위의 한 점 P와 두 초점 F, F′에 대하여

$|\overline{\mathrm{PF}}-\overline{\mathrm{PF'}}|=2b$ $(b>0)$

061

쌍곡선 $\dfrac{x^2}{5}-\dfrac{y^2}{20}=1$의 두 초점을 F, F′이라 하자. 쌍곡선 위의 한 점 P에 대하여 $\angle\mathrm{FPF'}=90^\circ$일 때, 삼각형 PFF′의 넓이는?

① 16　② 18　③ 20　④ 22　⑤ 24

062

중요

쌍곡선 $x^2-y^2=2$의 두 초점 F, F′에 대하여 점 F를 지나고 x축에 수직인 직선이 쌍곡선과 만나는 두 점을 각각 A, B라 할 때, 삼각형 AF′B의 넓이는?

① 4　② $4\sqrt{2}$　③ 6　④ 8　⑤ $6\sqrt{2}$

063

그림과 같이 쌍곡선 $\frac{x^2}{3}-y^2=-1$의 두 초점을 F, F′이라 하고, 각 초점을 지나고 주축에 수직인 직선이 쌍곡선과 만나는 점을 각각 A, B, C, D라 할 때, 사각형 ACDB의 넓이를 구하시오.

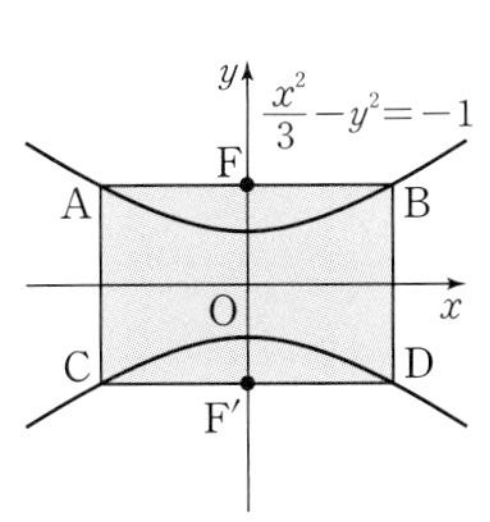

064

중요

쌍곡선 $\frac{x^2}{9}-\frac{y^2}{16}=1$과 원 $x^2+y^2=25$의 네 교점 중 한 점을 P라 하자. 또 원 $x^2+y^2=25$와 x축과의 두 교점을 각각 A, B라 할 때, 삼각형 PAB의 넓이는?

① 12 ② 16 ③ 20
④ 24 ⑤ 32

065

점 $(4, 6)$을 지나며 주축은 x축 위에 있고 중심은 원점인 쌍곡선 $\frac{x^2}{a^2}-\frac{y^2}{b^2}=1$의 한 점근선의 방정식이 $y=3x$이다. 이 쌍곡선의 두 꼭짓점과 쌍곡선 $\frac{x^2}{a^2}-\frac{y^2}{b^2}=-1$의 두 꼭짓점을 이은 사각형의 넓이는?

① 24 ② 36 ③ 48
④ 60 ⑤ 72

유형 07 쌍곡선의 자취의 방정식

움직이는 점을 (x, y)로 놓고, 주어진 조건을 이용하여 x, y 사이의 관계식을 구한다.

066

중심이 O인 원 외부에 한 점 F가 있다. 원 위의 한 점 P에 대하여 선분 PF의 수직이등분선 l이 직선 PO와 만나는 점을 X라 하자. 점 P가 이 원 위를 한 바퀴 돌 때, 점 X가 그리는 자취는?

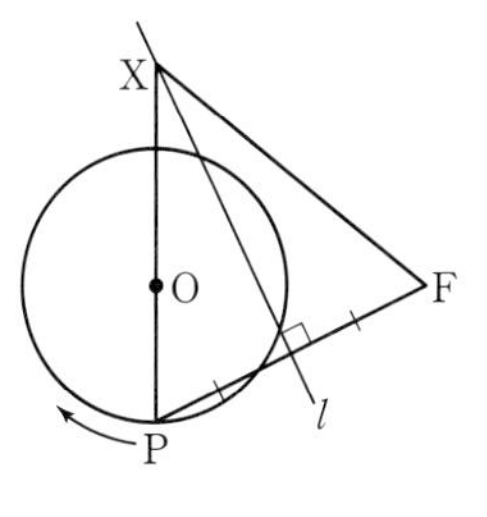

① 원 ② 타원 ③ 선분
④ 쌍곡선 ⑤ 포물선

067

중요

좌표평면 위에 한 점 A(1, 0)이 있다. 점 P(x, y)에서 x축에 평행한 직선을 그어 y축과 만나는 점을 Q라 할 때, $\overline{AQ}=\overline{PQ}$를 만족시키는 점 P의 자취의 방정식은?

① $x^2-2y^2=1$ ② $x^2-2y^2=-1$ ③ $x^2-y^2=1$
④ $x^2-y^2=-1$ ⑤ $2x^2-y^2=1$

068

쌍곡선 $x^2-y^2=1$ 위의 점 P와 점 A$(0, 2)$를 연결한 선분의 중점의 자취의 방정식을 구하시오.

유형 08 쌍곡선의 실생활에서의 활용

주어진 조건에서 쌍곡선의 초점을 찾아 쌍곡선 위의 한 점에서 두 초점까지의 거리의 차는 주축의 길이와 같음을 이용한다.

069

쌍곡선 모양인 거울의 한 초점을 향하여 입사한 빛은 반사되어 다른 초점으로 향한다. 이러한 성질은 먼 천체에서 오는 희미한 빛을 포착하기 위한 천문 관측용 반사 망원경 등에 이용되고 있다. 그림과 같은 쌍곡선 모양인 거울의 꼭짓점 P에서 초점 F′까지의 거리를 구하시오.

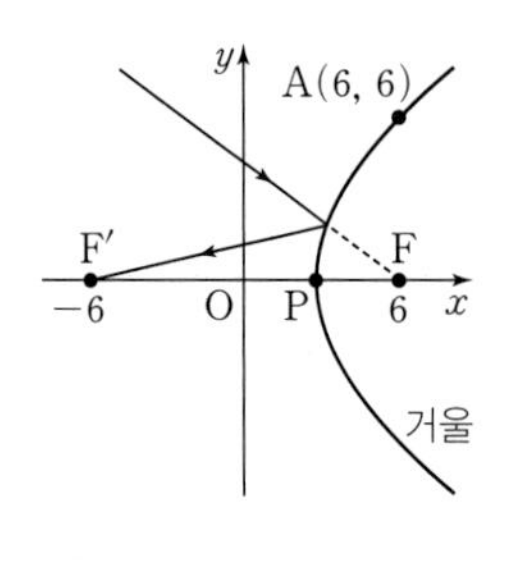

070

중요

그림과 같이 바다 위의 두 섬에 각각 관제 센터 A, B가 200 km 떨어져 있다. 조난당한 어떤 배가 보낸 조난 신호를 두 관제 센터가 받은 시각은 2초의 차이가 났다. 배에서 보낸 조난 신호가 1초에 50 km를 간다고 할 때, 조난 신호를 보낸 배의 위치가 될 수 있는 지점을 그림으로 나타낸 도형의 방정식이 $\frac{x^2}{a^2}-\frac{y^2}{b^2}=1$이라고 한다. b^2-a^2의 값을 구하시오.

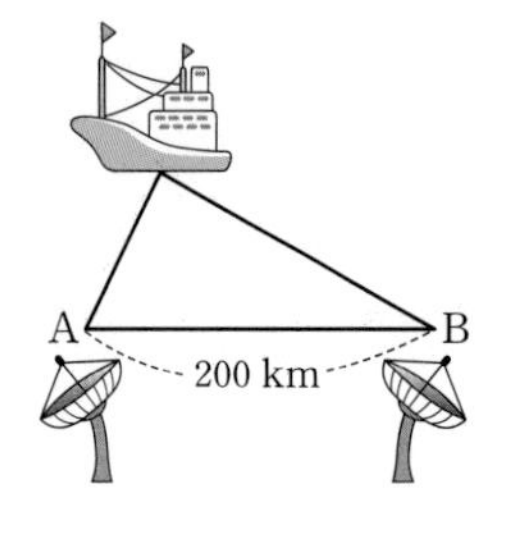

유형 09 이차곡선

이차방정식 $Ax^2+By^2+Cx+Dy+E=0$
(A, B, C, D, E는 상수)으로 나타내어지는 곡선에서
(1) $A=0$, $BC\neq0$ 또는 $B=0$, $AD\neq0$ ⇨ 포물선
(2) $AB>0$, $A\neq B$ ⇨ 타원
(3) $AB<0$ ⇨ 쌍곡선

071

이차곡선 $2x^2+3y^2+4x-2y+1+k(x^2-5y^2)=0$이 나타내는 도형이 포물선이 되도록 하는 모든 실수 k의 값의 합은?

① $-\frac{7}{5}$　② -1　③ $-\frac{1}{5}$
④ $\frac{1}{5}$　⑤ $\frac{7}{5}$

072

이차곡선 $kx^2+3y^2+4k-1=0$이 나타내는 도형이 타원이 되도록 하는 실수 k의 값의 범위를 구하시오.

073

이차곡선 $x^2+(k-2)y^2+4x+6y+4=0$이 쌍곡선이 되도록 하는 실수 k의 값의 범위를 구하시오.

04 이차곡선의 접선

제 목		문항 번호	문항 수	확인
기본 문제		001～037	37	
유형 문제	01. 포물선과 직선의 위치 관계	038～040	3	
	02. 포물선의 접선의 방정식(1) – 기울기가 주어질 때	041～043	3	
	03. 포물선의 접선의 방정식(2) – 접점의 좌표가 주어질 때	044～048	5	
	04. 포물선 밖에서 포물선에 그은 접선의 방정식	049～050	2	
	05. 타원과 직선의 위치 관계	051～053	3	
	06. 타원의 접선의 방정식(1) – 기울기가 주어질 때	054～056	3	
	07. 타원의 접선의 방정식(2) – 접점의 좌표가 주어질 때	057～061	5	
	08. 타원 밖에서 타원에 그은 접선의 방정식	062～063	2	
	09. 쌍곡선과 직선의 위치 관계	064～066	3	
	10. 쌍곡선의 접선의 방정식(1) – 기울기가 주어질 때	067～069	3	
	11. 쌍곡선의 접선의 방정식(2) – 접점의 좌표가 주어질 때	070～072	3	
	12. 쌍곡선 밖에서 쌍곡선에 그은 접선의 방정식	073～074	2	

04 이차곡선의 접선

1 이차곡선과 직선의 위치 관계

- 포물선 $y^2=4px$
- 타원 $\dfrac{x^2}{a^2}+\dfrac{y^2}{b^2}=1$
- 쌍곡선 $\dfrac{x^2}{a^2}-\dfrac{y^2}{b^2}=\pm1$

과 직선 $y=mx+n$

에서 y를 소거한 이차방정식의 판별식을 D라 할 때

(1) $D>0 \Longleftrightarrow$ 서로 다른 두 점에서 만난다.

(2) $D=0 \Longleftrightarrow$ 한 점에서 만난다.(접한다.)

(3) $D<0 \Longleftrightarrow$ 만나지 않는다.

2 포물선의 접선의 방정식

(1) 기울기가 m인 포물선의 접선의 방정식

포물선 $y^2=4px$에 접하고 기울기가 m인 접선의 방정식은

$$y=mx+\frac{p}{m}\ (\text{단, } m\neq0)$$

(2) 포물선 위의 한 점에서의 접선의 방정식

포물선 $y^2=4px$ 위의 점 $\mathrm{P}(x_1, y_1)$에서의 접선의 방정식은

$$y_1y=2p(x+x_1)$$

3 타원의 접선의 방정식

(1) 기울기가 m인 타원의 접선의 방정식

타원 $\dfrac{x^2}{a^2}+\dfrac{y^2}{b^2}=1$에 접하고, 기울기가 m인 접선의 방정식은

$$y=mx\pm\sqrt{a^2m^2+b^2}$$

(2) 타원 위의 한 점에서의 접선의 방정식

타원 $\dfrac{x^2}{a^2}+\dfrac{y^2}{b^2}=1$ 위의 점 $\mathrm{P}(x_1, y_1)$에서의 접선의 방정식은

$$\frac{x_1x}{a^2}+\frac{y_1y}{b^2}=1$$

4 쌍곡선의 접선의 방정식

(1) 기울기가 m인 쌍곡선의 접선의 방정식

쌍곡선 $\dfrac{x^2}{a^2}-\dfrac{y^2}{b^2}=1$에 접하고, 기울기가 m인 접선의 방정식은

$$y=mx\pm\sqrt{a^2m^2-b^2}\ (\text{단, } a^2m^2>b^2)$$

(2) 쌍곡선 위의 한 점에서의 접선의 방정식

쌍곡선 $\dfrac{x^2}{a^2}-\dfrac{y^2}{b^2}=1$ 위의 점 $\mathrm{P}(x_1, y_1)$에서의 접선의 방정식은

$$\frac{x_1x}{a^2}-\frac{y_1y}{b^2}=1$$

개념 플러스

- 포물선과 직선

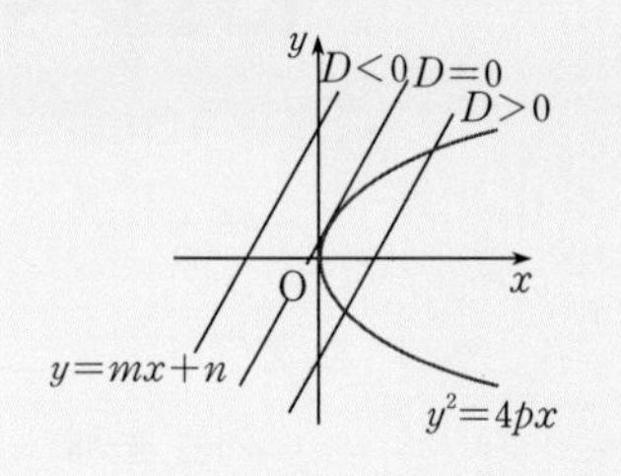

- 타원과 직선

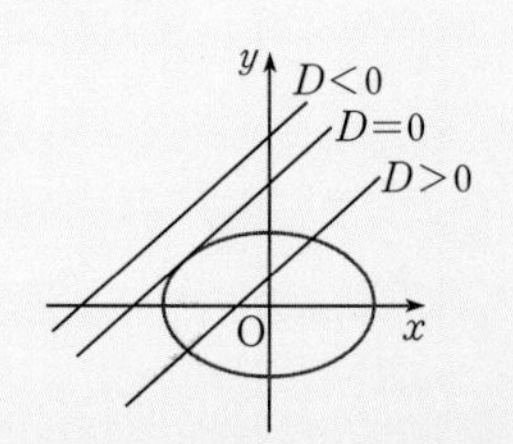

- 쌍곡선과 직선

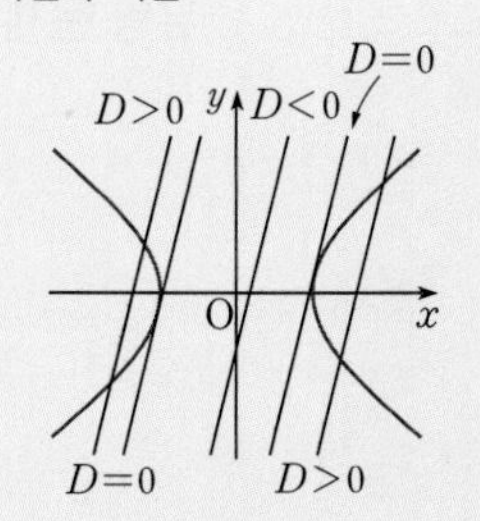

- 이차곡선 밖의 점에서의 접선의 방정식은 다음과 같은 순서로 구한다.
  ① 접점의 좌표를 (x_1, y_1)로 놓고 접선의 방정식을 구한다.
  ② 접선이 주어진 점을 지나고, 접점이 이차곡선 위의 점임을 이용하여 x_1, y_1의 값을 구한다.
  ③ ②에서 구한 x_1, y_1의 값을 ①에 대입하여 접선의 방정식을 구한다.

- (1) 쌍곡선 $\dfrac{x^2}{a^2}-\dfrac{y^2}{b^2}=-1$에 접하고 기울기가 m인 접선의 방정식
  $y=mx\pm\sqrt{b^2-a^2m^2}$
  (단, $b^2-a^2m^2>0$)
  (2) 쌍곡선 $\dfrac{x^2}{a^2}-\dfrac{y^2}{b^2}=-1$ 위의 점 $\mathrm{P}(x_1, y_1)$에서의 접선의 방정식
  $\dfrac{x_1x}{a^2}-\dfrac{y_1y}{b^2}=-1$

기본 문제

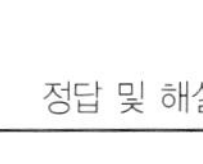

1 포물선과 직선의 위치 관계

[001-003] 포물선 $y^2=4x$와 다음 직선의 위치 관계를 조사하시오.

001 $y=x$

002 $y=x+1$

003 $y=x+2$

[004-006] 포물선 $y^2=12x$와 직선 $y=x+k$의 위치 관계가 다음과 같을 때, 실수 k의 값 또는 그 값의 범위를 구하시오.

004 서로 다른 두 점에서 만난다.

005 접한다.

006 만나지 않는다.

2 포물선의 접선의 방정식

[007-010] 다음 접선의 방정식을 구하시오.

007 기울기가 2이고 포물선 $y^2=8x$에 접하는 접선

008 기울기가 -1이고 포물선 $y^2=4x$에 접하는 접선

009 포물선 $y^2=12x$에 접하고 직선 $y=x+2$에 평행한 접선

010 포물선 $x^2=4y$에 접하고 직선 $y=2x+1$에 수직인 접선

[011-013] 다음 포물선 위의 점에서의 접선의 방정식을 구하시오.

011 $y^2=2x$, $(2, 2)$

012 $y^2=-12x$, $(-3, 6)$

013 $x^2=4y$, $(-6, 9)$

3 타원과 직선의 위치 관계

[014-016] 타원 $\frac{x^2}{6}+\frac{y^2}{3}=1$과 다음 직선의 위치 관계를 조사하시오.

014 $y=x+1$

015 $y=x+3$

016 $y=x+5$

[017-019] 타원 $x^2+4y^2=8$과 직선 $y=mx-2$의 위치 관계가 다음과 같을 때, 실수 m의 값 또는 m의 값의 범위를 구하시오.

017 서로 다른 두 점에서 만난다.

018 한 점에서 만난다.

019 만나지 않는다.

4 타원의 접선의 방정식

[020-022] 다음 접선의 방정식을 구하시오.

020 타원 $\frac{x^2}{6}+\frac{y^2}{5}=1$에 접하고 기울기가 2인 직선

021 타원 $\frac{x^2}{3}+\frac{y^2}{4}=1$에 접하고 기울기가 $-\sqrt{3}$인 직선

022 타원 $3x^2+2y^2=18$에 접하고 직선 $x+y=3$에 평행한 직선

[023-025] 다음 접선의 방정식을 구하시오.

023 타원 $\frac{x^2}{6}+\frac{y^2}{3}=1$ 위의 점 $(2, 1)$에서의 접선

024 타원 $\frac{x^2}{3}+y^2=1$ 위의 점 $(0, -1)$에서의 접선

025 타원 $3x^2+4y^2=16$ 위의 점 $(-2, 1)$에서의 접선

5 쌍곡선과 직선의 위치 관계

[026-028] 쌍곡선 $\frac{x^2}{8}-\frac{y^2}{4}=1$과 다음 직선의 위치 관계를 조사하시오.

026 $y=x+1$

027 $y=x+2$

028 $y=x+3$

[029-031] 쌍곡선 $\frac{x^2}{9}-\frac{y^2}{7}=1$과 직선 $y=x+k$의 위치 관계가 다음과 같을 때, 실수 k의 값 또는 그 값의 범위를 구하시오.

029 서로 다른 두 점에서 만난다.

030 접한다.

031 만나지 않는다.

6 쌍곡선의 접선의 방정식

[032-034] 다음 쌍곡선의 접선의 방정식을 구하시오.

032 쌍곡선 $\frac{x^2}{3}-\frac{y^2}{2}=1$에 접하고 기울기가 2인 직선

033 쌍곡선 $\frac{x^2}{4}-y^2=1$에 접하고 직선 $y=2x-1$에 평행한 직선

034 쌍곡선 $7x^2-3y^2=-21$에 접하고 직선 $x+y=0$에 평행한 직선

[035-037] 다음 쌍곡선 위의 점에서의 접선의 방정식을 구하시오.

035 $\frac{x^2}{4}-\frac{y^2}{3}=1$, $(4, 3)$

036 $2x^2-y^2=1$, $(-1, -1)$

037 $\frac{x^2}{3}-y^2=-1$, $(-3, 2)$

유형 문제

유형 01 포물선과 직선의 위치 관계

포물선 $y^2=4px$와 직선 $y=mx+n$에서 y를 소거한 이차 방정식의 판별식을 D라 할 때

(1) $D>0 \Longleftrightarrow$ 서로 다른 두 점에서 만난다.

(2) $D=0 \Longleftrightarrow$ 한 점에서 만난다. (접한다.)

(3) $D<0 \Longleftrightarrow$ 만나지 않는다.

038

포물선 $x=4y^2$과 직선 $y=m(x+1)$이 접할 때, 상수 m의 값은?

① ±2 ② ±1 ③ $\pm\frac{1}{2}$

④ $\pm\frac{1}{4}$ ⑤ $\pm\frac{1}{6}$

039

포물선 $y^2=-x$와 직선 $y=x+k$가 서로 만나지 않도록 할 때, 다음 중 상수 k의 값이 될 수 없는 것은?

① -3 ② -2 ③ -1

④ $-\frac{1}{2}$ ⑤ 0

040

중요

포물선 $y^2=-4x$와 직선 $y=2x+n$이 서로 다른 두 점에서 만날 때, 실수 n의 값의 범위는?

① $n>-\frac{1}{2}$ ② $n>-1$ ③ $n<-\frac{1}{2}$

④ $n<-1$ ⑤ $-\frac{1}{2}<n<0$

유형 02 포물선의 접선의 방정식 (1) – 기울기가 주어질 때

포물선 $y^2=4px$에 접하고 기울기가 m인 접선의 방정식

⇨ $y=mx+\frac{p}{m}$ (단, $m\neq0$)

041

포물선 $y^2=-8x$에 접하고 직선 $y=3x+1$에 수직인 접선의 y절편을 구하시오.

042

점 $(0, a)$에서 포물선 $y^2=3x$에 그은 접선이 x축의 양의 방향과 이루는 각의 크기가 $60°$일 때, a의 값은?

① $\frac{1}{4}$ ② $\frac{\sqrt{2}}{4}$ ③ $\frac{\sqrt{3}}{4}$

④ $\frac{1}{2}$ ⑤ $\frac{\sqrt{3}}{2}$

043

포물선 $y^2=4x$ 위의 점과 직선 $x-y+5=0$의 최단 거리는?

① $2\sqrt{2}$ ② $3\sqrt{2}$ ③ $2\sqrt{3}$

④ $3\sqrt{3}$ ⑤ $4\sqrt{2}$

유형 03 포물선의 접선의 방정식 (2) – 접점의 좌표가 주어질 때

포물선 위의 점 $P(x_1, y_1)$에서의 접선의 방정식
(1) $y^2=4px \Rightarrow y_1y=2p(x+x_1)$
(2) $x^2=4py \Rightarrow x_1x=2p(y+y_1)$

044

포물선 $y^2=4x$ 위의 두 점 $A(4, 4)$, $B(1, -2)$에서 그은 두 접선의 교점의 y좌표는?

① 1 ② 2 ③ 3
④ 4 ⑤ 5

045

포물선 $x^2=-8y$ 위의 점 $(-4, a)$에서의 접선의 방정식이 $y=mx+n$일 때, $m+n$의 값은? (단, m, n은 상수이다.)

① 6 ② 3 ③ 1
④ -3 ⑤ -6

046 (중요)

포물선 $y^2=12x$ 위의 점 $P(3, 6)$에서의 접선이 x축과 만나는 점을 Q라 하고 이 포물선의 초점을 F라 할 때, 선분 QF의 길이는?

① 4 ② 5 ③ 6
④ 7 ⑤ 8

047 (중요)

포물선 $y^2=4x$ 위의 점 $(1, 2)$에서의 접선을 l이라 하자. 이 포물선의 초점과 접선 l 사이의 거리를 구하시오.

048

포물선 $y^2=4x$ 위의 점 $P(4, 4)$에서의 접선이 준선과 만나는 점을 R, 점 P에서 준선에 내린 수선의 발을 Q라 할 때, 삼각형 PQR의 넓이는?

① 5 ② $\frac{25}{4}$ ③ 7
④ $\frac{15}{2}$ ⑤ 8

유형 04 포물선 밖에서 포물선에 그은 접선의 방정식

포물선 밖의 점에서 포물선에 그은 접선의 방정식은 다음과 같은 순서로 구한다.

① 접점의 좌표를 (x_1, y_1)로 놓고 접선의 방정식을 구한다.
② 접선이 주어진 점을 지나고, 접점이 포물선 위의 점임을 이용하여 x_1, y_1의 값을 구한다.
③ ②에서 구한 x_1, y_1의 값을 ①에 대입하여 접선의 방정식을 구한다.

049

점 $(-1, 1)$에서 포물선 $y^2=8x$에 그은 접선의 방정식이 $y=ax+b$, $y=x+c$일 때, abc의 값은?

(단, a, b, c는 상수이다.)

① 4 ② 2 ③ 0
④ -2 ⑤ -4

050

포물선 $y^2=12x$에 접하고 점 $\mathrm{P}(-1, 2)$를 지나는 두 접선과 y축으로 둘러싸인 삼각형의 넓이를 구하시오.

유형 05 타원과 직선의 위치 관계

타원 $\frac{x^2}{a^2}+\frac{y^2}{b^2}=1$과 직선 $y=mx+n$에서 y를 소거한 이차방정식의 판별식을 D라 할 때

(1) $D>0 \Longleftrightarrow$ 서로 다른 두 점에서 만난다.
(2) $D=0 \Longleftrightarrow$ 한 점에서 만난다. (접한다.)
(3) $D<0 \Longleftrightarrow$ 만나지 않는다.

051

타원 $2x^2+y^2=6$에 대하여 직선 $y=x+4$와의 교점의 개수를 m, 직선 $y=x-2$와의 교점의 개수를 n이라 할 때, $m+n$의 값을 구하시오.

052

직선 $y=mx+3$이 타원 $x^2+4y^2=4$와 만나지 않을 때, 정수 m의 값을 구하시오.

053

타원 $\frac{x^2}{4}+y^2=1$ 위의 점 (x, y)에 대하여 $x+y$의 최댓값을 M, 최솟값을 m이라 할 때, $M-m$의 값은?

① 2 ② $\sqrt{5}$ ③ $2\sqrt{2}$
④ 4 ⑤ $2\sqrt{5}$

유형 06 타원의 접선의 방정식 (1) - 기울기가 주어질 때

타원 $\frac{x^2}{a^2}+\frac{y^2}{b^2}=1$에 접하고, 기울기가 m인 접선의 방정식은
$y=mx\pm\sqrt{a^2m^2+b^2}$

054
타원 $x^2+3y^2=9$에 접하고 직선 $y=x$에 수직인 접선의 방정식은?

① $y=-x\pm\sqrt{3}$　② $y=-x\pm2\sqrt{3}$
③ $y=-x\pm3\sqrt{3}$　④ $y=x\pm\sqrt{3}$
⑤ $y=x\pm2\sqrt{3}$

055
타원 $x^2+2y^2=2$에 접하고 기울기가 2인 두 접선과 y축의 교점을 각각 A, B라 할 때, 선분 AB의 길이를 구하시오.

056
타원 $\frac{x^2}{6}+\frac{y^2}{3}=1$ 위의 점 $P(a, b)$에서 직선 $y=x+7$에 이르는 최단 거리는?

① 2　② $2\sqrt{2}$　③ 4
④ $2\sqrt{3}$　⑤ 6

유형 07 타원의 접선의 방정식 (2) - 접점의 좌표가 주어질 때

타원 $\frac{x^2}{a^2}+\frac{y^2}{b^2}=1$ 위의 점 $P(x_1, y_1)$에서의 접선의 방정식
⇨ $\frac{x_1x}{a^2}+\frac{y_1y}{b^2}=1$

057
타원 $ax^2+5y^2=17$ 위의 점 $(2, 1)$에서의 접선의 방정식이 $6x+by=17$일 때, $a+b$의 값은? (단, a, b는 상수이다.)

① 2　② 4　③ 6
④ 8　⑤ 10

058
타원 $4x^2+y^2=8$ 위의 점 $(1, -2)$에서의 접선에 수직이고 점 $(-4, 3)$을 지나는 직선의 방정식이 $ax+by-2=0$일 때, 두 상수 a, b에 대하여 $a+b$의 값은?

① 3　② 4　③ 5
④ 6　⑤ 7

중요
059

타원 $\frac{x^2}{12}+\frac{y^2}{16}=1$ 위의 점 $(3, 2)$에서의 접선과 x축, y축으로 둘러싸인 삼각형의 넓이는?

① 12 ② 14 ③ 16
④ 18 ⑤ 20

060

타원 $\frac{x^2}{16}+\frac{y^2}{12}=1$ 위의 두 점 $\mathrm{A}(2, 3)$, $\mathrm{B}(2, -3)$에서의 두 접선이 만나는 점을 C라 할 때, 삼각형 ABC의 넓이를 구하시오.

061

타원 $\frac{x^2}{3}+\frac{y^2}{6}=1$ 위의 점 $\mathrm{A}(1, 2)$에서의 접선을 l, 타원 위의 임의의 점을 P라 할 때, 직선 l과 점 P 사이의 거리의 최댓값은?

① $2\sqrt{2}$ ② $2\sqrt{3}$ ③ $3\sqrt{2}$
④ $4\sqrt{2}$ ⑤ $3\sqrt{3}$

유형 08 타원 밖에서 타원에 그은 접선의 방정식

타원 밖의 점에서 타원에 그은 접선의 방정식은 다음과 같은 순서로 구한다.
① 접점의 좌표를 (x_1, y_1)로 놓고 접선의 방정식을 구한다.
② 접선이 주어진 점을 지나고, 접점이 타원 위의 점임을 이용하여 x_1, y_1의 값을 구한다.
③ ②에서 구한 x_1, y_1의 값을 ①에 대입하여 접선의 방정식을 구한다.

중요
062

점 $(4, 2)$에서 타원 $3x^2+4y^2=16$에 그은 접선의 방정식이 $ax+by=8$, $y=c$일 때, $a+b+c$의 값은?

(단, a, b, c는 상수이다.)

① -2 ② -1 ③ 1
④ 2 ⑤ 3

063

타원 $\frac{x^2}{4}+y^2=1$ 밖의 한 점 $(4, 0)$에서 이 타원에 그은 두 접선이 y축과 만나는 점을 각각 A, B라 할 때, 선분 AB의 길이는?

① $\frac{4\sqrt{3}}{3}$ ② $\frac{5\sqrt{3}}{3}$ ③ 3
④ $\frac{5\sqrt{2}}{2}$ ⑤ $\frac{7\sqrt{2}}{2}$

유형 09 쌍곡선과 직선의 위치 관계

쌍곡선 $\frac{x^2}{a^2}-\frac{y^2}{b^2}=\pm1$과 직선 $y=mx+n$에서 y를 소거한 이차방정식의 판별식을 D라 할 때

(1) $D>0 \Longleftrightarrow$ 서로 다른 두 점에서 만난다.

(2) $D=0 \Longleftrightarrow$ 한 점에서 만난다. (접한다.)

(3) $D<0 \Longleftrightarrow$ 만나지 않는다.

064

다음 중 쌍곡선 $x^2-y^2=1$과 서로 다른 두 점에서 만나는 직선의 방정식은?

① $y=2x+3$　② $y=2x+1$　③ $y=2x+\frac{1}{2}$

④ $y=2x-1$　⑤ $y=2x-\frac{3}{2}$

중요 065

쌍곡선 $\frac{x^2}{3}-\frac{y^2}{2}=1$에 직선 $y=x+n$이 접할 때, 모든 실수 n의 값의 곱은?

① -2　② -1　③ 0

④ 1　⑤ 2

066

점 $(0, 3)$을 지나고 기울기가 m인 직선이 쌍곡선 $3x^2-y^2+6y=0$과 만나지 않는 m의 값의 범위는?

① $m\le-3$ 또는 $m\ge3$　② $m\le-3$ 또는 $m\ge\sqrt{3}$

③ $m\le-\sqrt{3}$ 또는 $m\ge\sqrt{3}$　④ $-\sqrt{3}\le m\le\sqrt{3}$

⑤ $-3\le m\le3$

유형 10 쌍곡선의 접선의 방정식 (1) - 기울기가 주어질 때

(1) 쌍곡선 $\frac{x^2}{a^2}-\frac{y^2}{b^2}=1$에 접하고, 기울기가 m인 접선의 방정식은

$$y=mx\pm\sqrt{a^2m^2-b^2} \text{ (단, } a^2m^2-b^2>0)$$

(2) 쌍곡선 $\frac{x^2}{a^2}-\frac{y^2}{b^2}=-1$에 접하고, 기울기가 m인 접선의 방정식은

$$y=mx\pm\sqrt{b^2-a^2m^2} \text{ (단, } b^2-a^2m^2>0)$$

중요 067

직선 $x+y-5=0$에 수직이고 쌍곡선 $7x^2-9y^2=63$에 접하는 두 직선 사이의 거리는?

① 2　② 4　③ 6

④ 8　⑤ 10

068

직선 $y=3x+5$가 쌍곡선 $\frac{x^2}{a}-\frac{y^2}{2}=1$에 접할 때, 쌍곡선의 두 초점 사이의 거리는? (단, a는 상수이다.)

① $\sqrt{7}$　② $2\sqrt{3}$　③ 4

④ $2\sqrt{5}$　⑤ $4\sqrt{3}$

중요 069

쌍곡선 $9x^2-5y^2=45$에 접하면서 기울기가 3이고, y절편이 양수인 직선과 x축 및 y축으로 둘러싸인 부분의 넓이를 구하시오.

유형 11 쌍곡선의 접선의 방정식 (2) – 접점의 좌표가 주어질 때

쌍곡선 위의 점 $P(x_1, y_1)$에서의 접선의 방정식

(1) $\frac{x^2}{a^2}-\frac{y^2}{b^2}=1 \Rightarrow \frac{x_1x}{a^2}-\frac{y_1y}{b^2}=1$

(2) $\frac{x^2}{a^2}-\frac{y^2}{b^2}=-1 \Rightarrow \frac{x_1x}{a^2}-\frac{y_1y}{b^2}=-1$

중요
070

쌍곡선 $2x^2-y^2=1$ 위의 점 $(-1, 1)$에서의 접선에 수직이고 점 $(2, 3)$을 지나는 직선의 방정식이 $y=ax+b$일 때, $a+b$의 값을 구하시오. (단, a, b는 상수이다.)

071

쌍곡선 $5x^2-ay^2=2$ 위의 점 $(2, 3)$에서의 접선의 방정식이 $bx-3y=c$일 때, $a+b+c$의 값은? (단, a, b, c는 상수이다.)

① 2　② 4　③ 6　④ 8　⑤ 10

중요
072

쌍곡선 $x^2-4y^2=-12$ 위의 점 $(2, 2)$에서의 접선과 x축, y축으로 둘러싸인 부분의 넓이는?

① $\frac{1}{2}$　② $\frac{3}{2}$　③ $\frac{5}{2}$　④ $\frac{9}{2}$　⑤ $\frac{11}{2}$

유형 12 쌍곡선 밖에서 쌍곡선에 그은 접선의 방정식

쌍곡선 밖의 점에서의 접선의 방정식은 다음과 같은 순서로 구한다.

① 접점의 좌표를 (x_1, y_1)로 놓고 접선의 방정식을 구한다.

② 접선이 주어진 점을 지나고, 접점이 쌍곡선 위의 점임을 이용하여 x_1, y_1의 값을 구한다.

③ ②에서 구한 x_1, y_1의 값을 ①에 대입하여 접선의 방정식을 구한다.

073

점 $(1, 0)$에서 쌍곡선 $x^2-4y^2=4$에 그은 두 접선의 방정식이 $ax+by=1$, $cx+dy=1$일 때, $a+b+c+d$의 값은?

(단, a, b, c, d는 상수이다.)

① $\sqrt{3}$　② 2　③ 3　④ $2\sqrt{3}$　⑤ $2+\sqrt{3}$

074

점 $P(1, 2)$에서 쌍곡선 $x^2-y^2=-4$에 그은 접선들과 y축으로 둘러싸인 부분의 넓이를 구하시오.

05 벡터의 연산

제 목		문항 번호	문항 수	확인
기본 문제		001~022	22	
유형 문제	01. 벡터의 뜻	023~025	3	
	02. 벡터의 덧셈, 뺄셈	026~031	6	
	03. 벡터의 실수배	032~037	6	
	04. 두 벡터가 서로 같을 조건	038~040	3	
	05. 두 벡터의 평행	041~043	3	
	06. 세 점이 한 직선 위에 있을 조건	044~046	3	
	07. 벡터의 연산과 도형	047~052	6	
	08. 벡터의 연산과 크기	053~058	6	

05 벡터의 연산

1 벡터

(1) 점 A에서 점 B로 향하는 방향과 크기가 주어진 선분 AB를 벡터 AB라 하며, 이것을 기호로

$\overrightarrow{AB}$

와 같이 나타낸다.

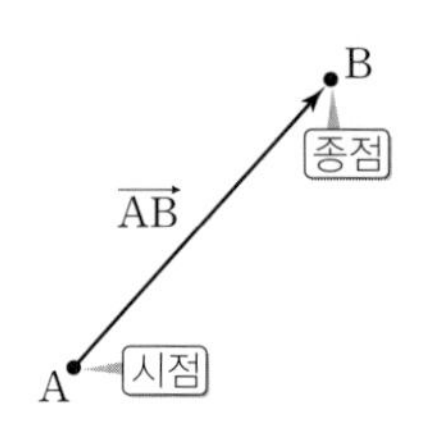

(2) 벡터의 크기 : 벡터 $\overrightarrow{AB}$에서의 선분 AB의 길이 ($|\overrightarrow{AB}|=\overline{AB}$)

(3) 단위벡터 : 크기가 1인 벡터

(4) 영벡터 ($\vec{0}$) : 시점과 종점이 일치하는 벡터

2 서로 같은 벡터

두 벡터 $\vec{a}$, $\vec{b}$의 크기와 방향이 각각 같을 때, $\vec{a}$, $\vec{b}$는 서로 같다고 하며, 이것을 기호로

$\vec{a}=\vec{b}$

와 같이 나타낸다.

3 벡터의 덧셈과 뺄셈

(1) 벡터의 덧셈

① $\vec{a}=\overrightarrow{AB}$, $\vec{b}=\overrightarrow{BC}$일 때, $\vec{a}+\vec{b}=\overrightarrow{AB}+\overrightarrow{BC}=\overrightarrow{AC}$

② 평행사변형 ABCD에서 $\vec{a}=\overrightarrow{AB}$, $\vec{b}=\overrightarrow{AD}$일 때, $\vec{a}+\vec{b}=\overrightarrow{AB}+\overrightarrow{AD}=\overrightarrow{AC}$

(2) 벡터의 뺄셈

$\vec{a}=\overrightarrow{AB}$, $\vec{b}=\overrightarrow{AC}$일 때, $\vec{a}-\vec{b}=\overrightarrow{AB}-\overrightarrow{AC}=\overrightarrow{CB}$

4 벡터의 실수배

실수 k와 벡터 $\vec{a}$에 대하여

(1) $\vec{a}\neq\vec{0}$일 때

① $k>0$이면 $k\vec{a}$는 $\vec{a}$와 방향이 같고 크기는 $k|\vec{a}|$인 벡터이다.

② $k=0$이면 $k\vec{a}=\vec{0}$

③ $k<0$이면 $k\vec{a}$는 $\vec{a}$와 방향이 반대이고 크기는 $-k|\vec{a}|$인 벡터이다.

(2) $\vec{a}=\vec{0}$일 때, $k\vec{a}=\vec{0}$이다.

5 벡터의 평행

영벡터가 아닌 두 벡터 $\vec{a}$, $\vec{b}$에 대하여

$\vec{a}\,/\!/\,\vec{b} \Longleftrightarrow \vec{b}=k\vec{a}$ (단, k는 0이 아닌 실수)

개념 플러스

- 화살표의 방향은 벡터의 방향을 나타낸다.
- **호도법과 육십분법 사이의 관계**
  1라디안$=\frac{180^\circ}{\pi}$, $1^\circ=\frac{\pi}{180}$라디안
- 영벡터의 크기는 0이고 방향은 생각하지 않는다.
- 벡터는 시점의 위치에 관계없이 크기와 방향만으로 정해지므로 한 벡터를 평행이동하여 포개지는 벡터는 모두 같은 벡터이다.
- 벡터 $\vec{a}$와 크기가 같고 방향이 반대인 벡터를 기호로 $-\vec{a}$와 같이 나타낸다.
- **벡터의 덧셈에 대한 연산법칙**
  임의의 세 벡터 $\vec{a}$, $\vec{b}$, $\vec{c}$에 대하여
  (1) 교환법칙 : $\vec{a}+\vec{b}=\vec{b}+\vec{a}$
  (2) 결합법칙 : $(\vec{a}+\vec{b})+\vec{c}=\vec{a}+(\vec{b}+\vec{c})$
- **벡터의 실수배에 대한 연산법칙**
  실수 k, l과 벡터 $\vec{a}$, $\vec{b}$에 대하여
  (1) 결합법칙 : $k(l\vec{a})=(kl)\vec{a}$
  (2) 분배법칙 : $(k+l)\vec{a}=k\vec{a}+l\vec{a}$, $k(\vec{a}+\vec{b})=k\vec{a}+k\vec{b}$
- $\overrightarrow{AB}\,/\!/\,\overrightarrow{AC}$
  $\Longleftrightarrow \overrightarrow{AB}=k\overrightarrow{AC}$ (단, k는 0이 아닌 실수)
  $\Longleftrightarrow$ 세 점 A, B, C는 한 직선 위에 존재한다.

기본 문제

1 벡터

[001-006] 그림에서 $|\vec{a}|=2$일 때, 다음을 만족시키는 벡터를 모두 찾으시오.

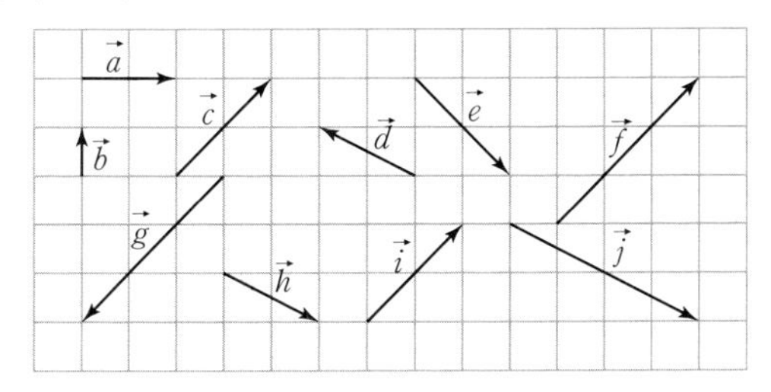

001 방향이 같은 벡터

002 크기가 같은 벡터

003 크기와 방향이 같은 벡터

004 크기가 같고 방향이 반대인 벡터

005 단위벡터

006 크기가 $\sqrt{5}$인 벡터

2 벡터의 덧셈과 뺄셈

[007-008] 두 벡터 $\vec{a}$, $\vec{b}$가 다음과 같을 때, $\vec{a}+\vec{b}$를 그림으로 나타내시오.

007

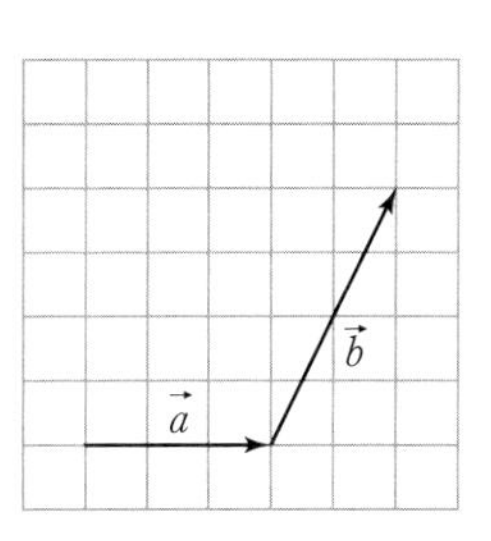

008

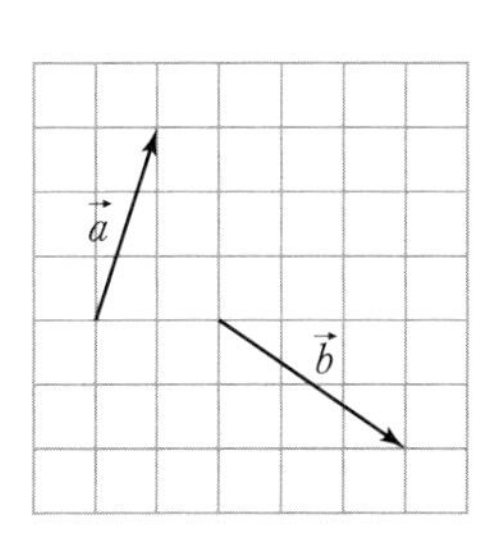

[009-010] 두 벡터 $\vec{a}$, $\vec{b}$가 다음과 같을 때, $\vec{a}-\vec{b}$를 그림으로 나타내시오.

009

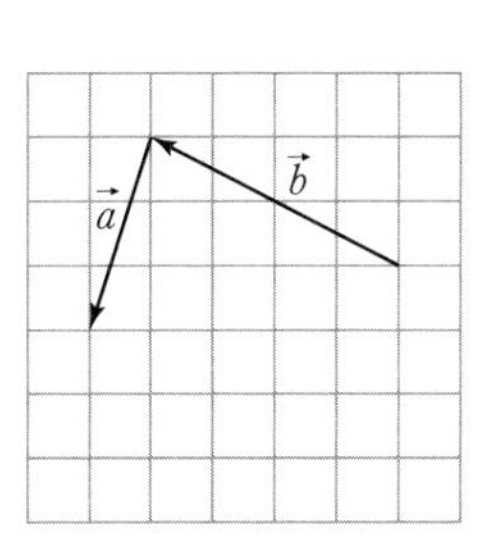

010

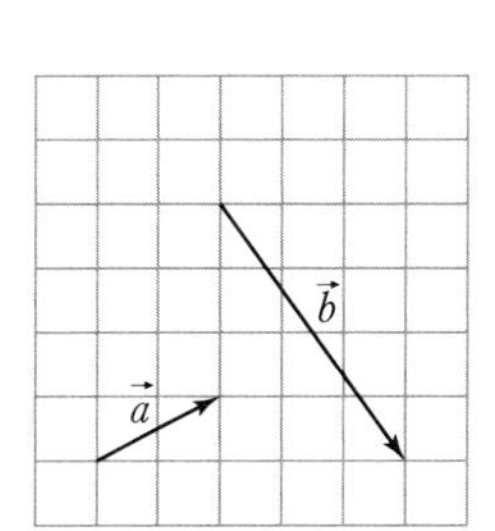

[011-013] 다음을 간단히 하시오.

011 $\overrightarrow{AB}+\overrightarrow{BC}$

012 $\overrightarrow{BC}+\overrightarrow{AB}+\overrightarrow{CD}$

013 $\overrightarrow{OB}-\overrightarrow{OA}+\overrightarrow{BA}$

[014-016] 그림과 같은 마름모 ADCB에서 두 대각선의 교점을 O라 하고 $\overrightarrow{OA}=\vec{a}$, $\overrightarrow{OB}=\vec{b}$라 할 때, 다음을 두 벡터 $\vec{a}$, $\vec{b}$로 나타내시오.

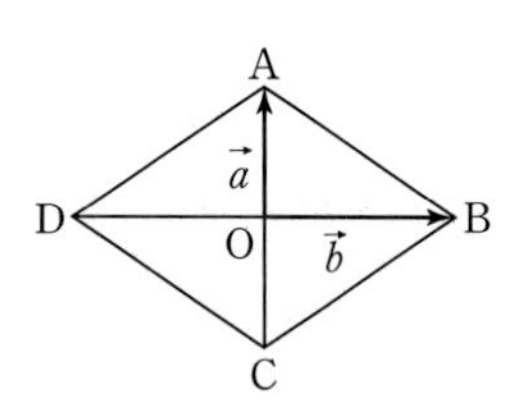

014 $\overrightarrow{CB}$

015 $\overrightarrow{AB}$

016 $\overrightarrow{BC}$

3 벡터의 실수배

[017-019] 다음을 간단히 하시오.

017 $2(\vec{a}-4\vec{b})+3(\vec{a}+2\vec{b})$

018 $3(2\vec{a}-3\vec{b})+2(\vec{a}-2\vec{b})$

019 $\frac{1}{2}(\vec{a}+2\vec{b}+3\vec{c})-\frac{3}{2}(\vec{a}-2\vec{b}+3\vec{c})$

[020-022] 다음 등식을 만족시키는 벡터 $\vec{x}$를 두 벡터 $\vec{a}$, $\vec{b}$로 나타내시오.

020 $\vec{a}+\vec{x}=2\vec{b}-2\vec{a}$

021 $4\vec{a}+\vec{b}-3\vec{x}=\vec{a}+4\vec{b}$

022 $3(\vec{a}-2\vec{x})=-3\vec{x}+\vec{b}$

유형 문제

유형 01 벡터의 뜻

(1) 시점의 위치에 관계없이 두 벡터 $\vec{a}$, $\vec{b}$의 크기와 방향이 같을 때 두 벡터는 서로 같다. ⇨ $\vec{a}=\vec{b}$

(2) 벡터 $\vec{a}$와 크기는 같지만 방향이 반대인 벡터를 기호로 $-\vec{a}$와 같이 나타낸다.

(3) 벡터 $\overrightarrow{AB}$의 크기는 선분 AB의 길이와 같다.
⇨ $|\overrightarrow{AB}|=\overline{AB}$

023

그림은 어떤 정육면체의 전개도이다. $\overrightarrow{AB}=\vec{a}$, $\overrightarrow{AN}=\vec{b}$, $\overrightarrow{AC}=\vec{c}$라 할 때, 다음 벡터를 세 벡터 $\vec{a}$, $\vec{b}$, $\vec{c}$로 나타내시오.

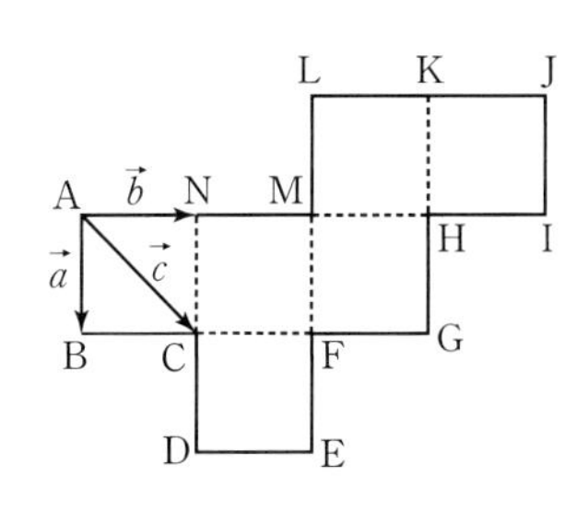

(1) $\overrightarrow{CE}$ (2) $\overrightarrow{FG}$
(3) $\overrightarrow{HK}$ (4) $\overrightarrow{HL}$

024 (중요)

그림과 같이 한 변의 길이가 2인 정육각형의 세 대각선 AD, BE, CF의 교점을 O라 할 때, 〈보기〉에서 옳은 것만을 있는 대로 고른 것은?

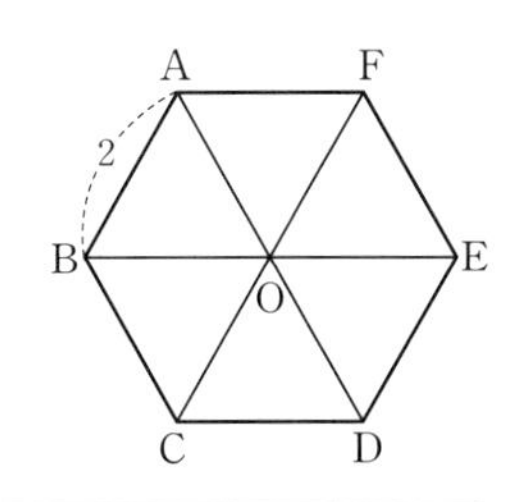

보기

ㄱ. $\overrightarrow{AB}=\overrightarrow{DE}$
ㄴ. $-\overrightarrow{OA}=\overrightarrow{OD}$
ㄷ. $|\overrightarrow{BE}|=4$
ㄹ. $|\overrightarrow{AE}|=2\sqrt{3}$

① ㄱ, ㄴ ② ㄴ, ㄷ ③ ㄷ, ㄹ
④ ㄱ, ㄷ, ㄹ ⑤ ㄴ, ㄷ, ㄹ

025

그림에서 벡터 $\overrightarrow{OP}$가 북풍 3 m/s인 풍속을 나타낼 때, 다음 중 남동풍 $2\sqrt{2}$ m/s를 나타내는 벡터는?

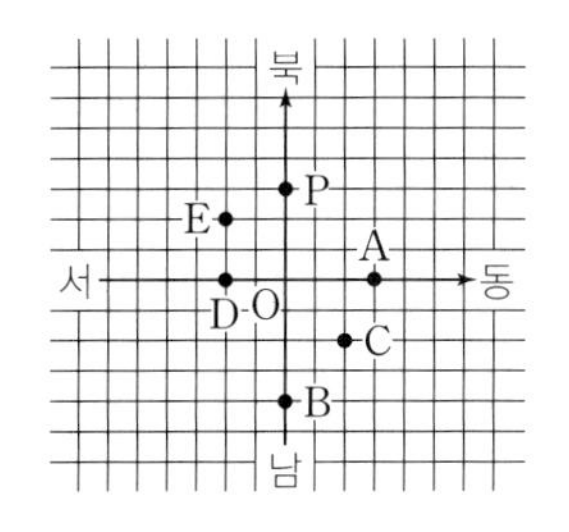

① $\overrightarrow{OA}$ ② $\overrightarrow{OB}$
③ $\overrightarrow{OC}$ ④ $\overrightarrow{OD}$
⑤ $\overrightarrow{OE}$

유형 02 벡터의 덧셈, 뺄셈

(1) $\vec{a}=\overrightarrow{AB}$, $\vec{b}=\overrightarrow{BC}$일 때, $\vec{a}+\vec{b}=\overrightarrow{AB}+\overrightarrow{BC}=\overrightarrow{AC}$

(2) $\vec{a}=\overrightarrow{AB}$, $\vec{b}=\overrightarrow{AC}$일 때, $\vec{a}-\vec{b}=\overrightarrow{AB}-\overrightarrow{AC}=\overrightarrow{CB}$

(3) 임의의 세 벡터 $\vec{a}$, $\vec{b}$, $\vec{c}$에 대하여
① $\vec{a}+\vec{b}=\vec{b}+\vec{a}$ (교환법칙)
② $(\vec{a}+\vec{b})+\vec{c}=\vec{a}+(\vec{b}+\vec{c})$ (결합법칙)

026

그림과 같이 한 변의 길이가 1인 정사각형들로 이루어져 있는 도형이 있다. $\overrightarrow{AB}=\vec{a}$, $\overrightarrow{AC}=\vec{b}$라 할 때, 벡터 $\overrightarrow{AD}$를 두 벡터 $\vec{a}$, $\vec{b}$로 나타내면?

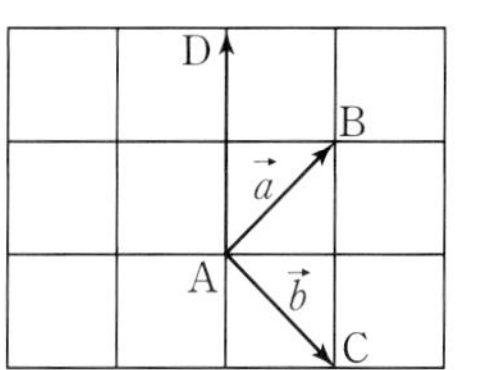

① $\vec{a}+\vec{b}$ ② $\vec{a}-\vec{b}$
③ $\vec{b}-\vec{a}$ ④ $2\vec{a}$
⑤ $2\vec{b}$

027 (중요)

서로 다른 다섯 개의 점 A, B, C, D, E에 대하여 다음 중 벡터 $\overrightarrow{CE}$와 같은 벡터는?

① $\overrightarrow{AB}+\overrightarrow{BC}+\overrightarrow{CD}+\overrightarrow{DC}+\overrightarrow{DA}$
② $\overrightarrow{BC}+\overrightarrow{BD}+\overrightarrow{CB}+\overrightarrow{DB}+\overrightarrow{AC}$
③ $\overrightarrow{CA}+\overrightarrow{AB}+\overrightarrow{BD}+\overrightarrow{DE}+\overrightarrow{ED}$
④ $\overrightarrow{CD}+\overrightarrow{DA}+\overrightarrow{AB}+\overrightarrow{BD}+\overrightarrow{DB}$
⑤ $\overrightarrow{CD}+\overrightarrow{DE}+\overrightarrow{CB}+\overrightarrow{BA}+\overrightarrow{AC}$

028

서로 다른 네 점 A, B, C, D에 대하여 다음 중 벡터 $\overrightarrow{AB}+\overrightarrow{CD}-\overrightarrow{CB}-\overrightarrow{AD}$와 항상 같은 벡터는?

① $\vec{0}$ ② $\overrightarrow{AD}$ ③ $\overrightarrow{BC}$
④ $\overrightarrow{CB}$ ⑤ $\overrightarrow{DA}$

중요 029

그림과 같은 정육각형 ABCDEF에서 세 대각선 AD, BE, CF의 교점을 O라 할 때, 〈보기〉에서 옳은 것만을 있는 대로 고른 것은?

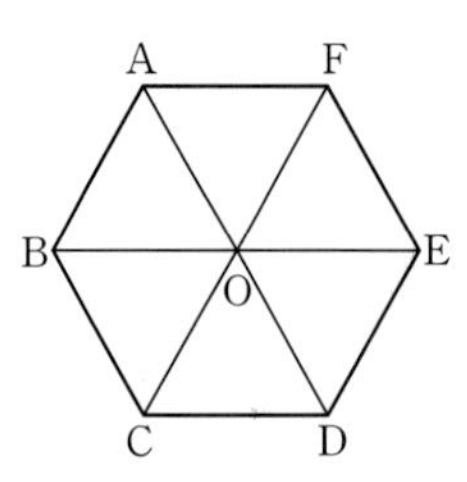

보기

ㄱ. $\overrightarrow{AB}-\overrightarrow{ED}=\vec{0}$
ㄴ. $\overrightarrow{BC}-\overrightarrow{ED}=\overrightarrow{AF}$
ㄷ. $\overrightarrow{AC}-\overrightarrow{ED}-\overrightarrow{AO}=\vec{0}$

① ㄱ ② ㄷ ③ ㄱ, ㄴ
④ ㄴ, ㄷ ⑤ ㄱ, ㄴ, ㄷ

030

한 변의 길이가 1인 정사각형 ABCD에서 $\overrightarrow{AB}=\vec{a}$, $\overrightarrow{AC}=\vec{b}$, $\overrightarrow{AD}=\vec{c}$일 때, $\vec{a}+\vec{b}+\vec{c}$의 크기는?

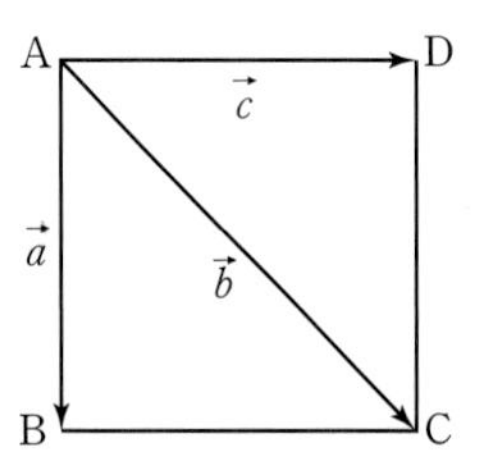

① 2 ② $\sqrt{5}$
③ $\sqrt{6}$ ④ $2\sqrt{2}$
⑤ $2\sqrt{3}$

031

그림과 같이 $\overline{AB}=3$, $\overline{AD}=5$인 직사각형 ABCD가 있다. 점 P가 변 AB 위를 움직일 때, $|\overrightarrow{BP}-\overrightarrow{BC}|$의 최솟값을 구하시오.

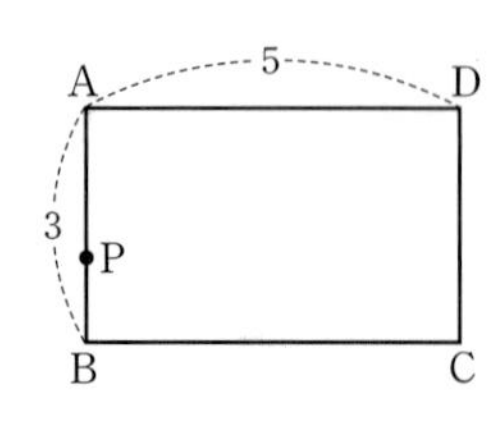

유형 03 벡터의 실수배

두 실수 k, l과 두 벡터 $\vec{a}$, $\vec{b}$에 대하여
(1) 결합법칙: $k(l\vec{a})=(kl)\vec{a}$
(2) 분배법칙: $(k+l)\vec{a}=k\vec{a}+l\vec{a}$
$k(\vec{a}+\vec{b})=k\vec{a}+k\vec{b}$

참고 벡터의 실수배에 대한 연산은 벡터를 하나의 문자로 생각하면 수와 식의 연산과 같은 방법으로 가능하다.

032

네 벡터 $\vec{x}$, $\vec{y}$, $\vec{a}$, $\vec{b}$에 대하여 $2\vec{x}-\vec{y}=2\vec{a}+3\vec{b}$, $\vec{x}-2\vec{y}=3\vec{a}+\vec{b}$일 때, 벡터 $\vec{x}+\vec{y}$를 두 벡터 $\vec{a}$, $\vec{b}$로 나타내면?

① $-\vec{a}-2\vec{b}$ ② $-\vec{a}+2\vec{b}$ ③ $-\vec{a}+6\vec{b}$
④ $\vec{a}-4\vec{b}$ ⑤ $\vec{a}-2\vec{b}$

033

등식 $2\vec{x}+3\vec{y}=2\vec{a}$, $2\vec{x}-\vec{y}=4\vec{a}$를 만족시키는 두 벡터 $\vec{x}$, $\vec{y}$에 대하여 $\vec{y}=k\vec{x}$가 성립할 때, 실수 k의 값을 구하시오.

중요 034

두 벡터 $\vec{a}$, $\vec{b}$에 대하여 $\vec{a}=3\vec{x}+2\vec{y}$, $\vec{b}=\vec{x}-\vec{y}$일 때, $\vec{x}+4\vec{y}=m\vec{a}+n\vec{b}$가 성립한다. $m-n$의 값을 구하시오.

(단, m, n은 실수이다.)

035

그림과 같이 일정한 간격의 평행선으로 이루어진 도형이 있다. $\overrightarrow{OA}=\vec{a}$, $\overrightarrow{OB}=\vec{b}$라 할 때, 벡터 $\overrightarrow{PQ}$를 두 벡터 $\vec{a}$와 $\vec{b}$로 나타내면?

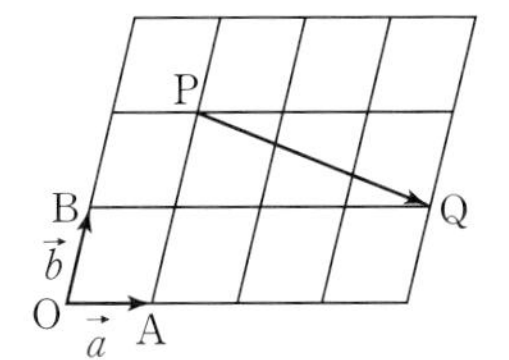

① $-\vec{a}+3\vec{b}$　② $\vec{a}-\vec{b}$
③ $\vec{a}+3\vec{b}$　④ $3\vec{a}-\vec{b}$
⑤ $3\vec{a}+\vec{b}$

036

중요

그림과 같이 같은 크기의 평행사변형으로 된 모눈종이에서 벡터 $\vec{z}$를 두 벡터 $\vec{x}$, $\vec{y}$로 나타내면?

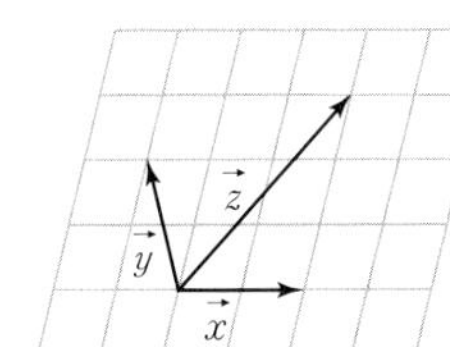

① $\frac{7}{4}\vec{x}+\vec{y}$　② $\frac{7}{4}\vec{x}+\frac{3}{2}\vec{y}$
③ $2\vec{x}+\frac{1}{2}\vec{y}$　④ $2\vec{x}+\frac{3}{2}\vec{y}$
⑤ $2\vec{x}+\frac{5}{2}\vec{y}$

037

그림과 같이 일정한 간격의 모눈종이 위에 네 점 A, B, C, D가 있다. $\overrightarrow{AD}=m\overrightarrow{AB}+n\overrightarrow{AC}$를 만족시키는 두 상수 m, n에 대하여 mn의 값은?

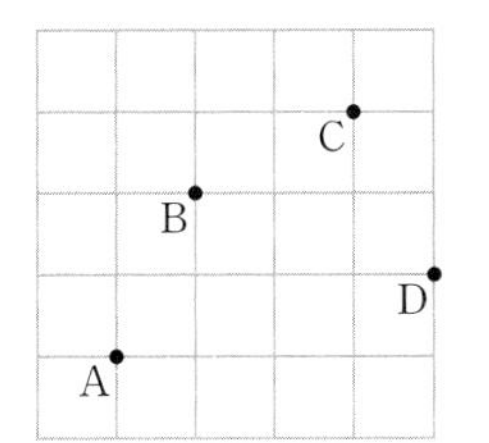

① $-\frac{11}{3}$　② -5
③ $-\frac{17}{3}$　④ $-\frac{19}{3}$
⑤ -7

유형 04 두 벡터가 서로 같을 조건

m, n, m', n'이 실수이고, 영벡터가 아닌 두 벡터 $\vec{a}$, $\vec{b}$가 서로 평행하지 않을 때

(1) $m\vec{a}+n\vec{b}=\vec{0} \Longleftrightarrow m=0,\ n=0$

(2) $m\vec{a}+n\vec{b}=m'\vec{a}+n'\vec{b} \Longleftrightarrow m=m',\ n=n'$

038

중요

영벡터가 아닌 두 벡터 $\vec{a}$, $\vec{b}$가 서로 평행하지 않을 때,

$$(3k+2l)\vec{a}+(k-l-2)\vec{b}=(k-l)\vec{a}+(l+5)\vec{b}$$

를 만족시키는 두 실수 k, l에 대하여 $k+l$의 값은?

① -2　② -1　③ 1
④ 2　⑤ 3

039

$\vec{c}=3\vec{b}$가 성립하는 영벡터가 아닌 세 벡터 $\vec{a}$, $\vec{b}$, $\vec{c}$에 대하여 다음 식을 만족시키도록 상수 k의 값을 정할 때, k^2의 값을 구하시오.

(단, $\vec{a}$와 $\vec{b}$는 서로 평행하지 않다.)

$$\frac{1}{3}(8\vec{a}+\vec{b}+\vec{c})-\frac{2}{3}\left(\vec{a}+\frac{1}{2}\vec{b}+\frac{3}{2}\vec{c}\right)=2\vec{a}+k\vec{b}$$

040

서로 평행하지 않고 $\vec{a}\neq\vec{0}$, $\vec{b}\neq\vec{0}$인 두 벡터 $\vec{a}$, $\vec{b}$에 대하여 $\overrightarrow{OA}=\vec{a}$, $\overrightarrow{OB}=2\vec{a}+\vec{b}$, $\overrightarrow{OC}=2\vec{a}+m\vec{b}$이고 $\overrightarrow{AC}=\overrightarrow{AB}$일 때, 실수 m의 값은?

① 0　② 1　③ 2
④ 3　⑤ 4

유형 05 두 벡터의 평행

영벡터가 아닌 두 벡터 $\vec{a}$, $\vec{b}$에 대하여
$\vec{a} /\!/ \vec{b} \Longleftrightarrow \vec{b}=k\vec{a}$ (단, k는 0이 아닌 실수)

041

두 벡터 $\vec{p}$, $\vec{q}$가 각각 $\vec{p}=2\vec{a}-\vec{b}$, $\vec{q}=k\vec{a}+3\vec{b}$이고 $\vec{p}$와 $\vec{q}$가 서로 평행할 때, 실수 k의 값은?

(단, $\vec{a}\neq\vec{0}$, $\vec{b}\neq\vec{0}$이고 $\vec{a}$와 $\vec{b}$는 서로 평행하지 않다.)

① -6 ② -3 ③ -2
④ 2 ⑤ 3

042 (중요)

$\overrightarrow{OA}=\vec{a}+3\vec{b}$, $\overrightarrow{OB}=2\vec{a}+\vec{b}$, $\overrightarrow{OC}=3\vec{a}+k\vec{b}$에 대하여 두 벡터 $\overrightarrow{AB}$와 $\overrightarrow{AC}$가 서로 평행할 때, 실수 k의 값을 구하시오.

(단, $\vec{a}\neq\vec{0}$, $\vec{b}\neq\vec{0}$이고 $\vec{a}$와 $\vec{b}$는 서로 평행하지 않다.)

043

$\vec{a}\neq\vec{0}$, $\vec{b}\neq\vec{0}$이고 서로 평행하지 않은 두 벡터 $\vec{a}$, $\vec{b}$에 대하여 $\vec{p}=5\vec{a}-4\vec{b}$일 때, 다음 <보기> 중에서 서로 평행한 벡터끼리 짝지어진 것은?

보기

ㄱ. $\vec{a}-\vec{p}$ ㄴ. $\vec{a}+\vec{p}$
ㄷ. $\vec{b}-\vec{p}$ ㄹ. $\vec{b}+\vec{p}$

① ㄱ, ㄴ ② ㄱ, ㄷ ③ ㄱ, ㄹ
④ ㄴ, ㄷ ⑤ ㄴ, ㄹ

유형 06 세 점이 한 직선 위에 있을 조건

서로 다른 세 점 A, B, C가 한 직선 위에 있다.
$\Longleftrightarrow \overline{AB} /\!/ \overline{AC}$
$\Longleftrightarrow \overrightarrow{AC}=k\overrightarrow{AB}$ (단, k는 0이 아닌 실수)

044 (중요)

$\overrightarrow{OA}=2\vec{a}+\vec{b}$, $\overrightarrow{OB}=\vec{a}-\vec{b}$, $\overrightarrow{OC}=4\vec{a}+k\vec{b}$라 할 때, 세 점 A, B, C가 한 직선 위에 있기 위한 실수 k의 값은?

(단, $\vec{a}\neq\vec{0}$, $\vec{b}\neq\vec{0}$이고 $\vec{a}$와 $\vec{b}$는 서로 평행하지 않다.)

① 1 ② 2 ③ 3
④ 4 ⑤ 5

045

$\overrightarrow{OA}=\vec{a}$, $\overrightarrow{OB}=\vec{b}$일 때, 다음 조건을 만족시키는 네 점 C, D, E, F 중에서 직선 AB 위의 점인 것만을 고르시오.

(단, $k\neq-1$인 실수이다.)

(가) $\overrightarrow{OC}=\vec{a}-2\vec{b}$ (나) $\overrightarrow{OD}=3\vec{a}-2\vec{b}$
(다) $\overrightarrow{OE}=\dfrac{1}{k+1}\vec{a}+\dfrac{k}{k+1}\vec{b}$ (라) $\overrightarrow{OF}=\dfrac{1}{5}\vec{a}-\dfrac{6}{5}\vec{b}$

046

평면 위의 사각형 ABCD의 두 대각선의 교점을 P라 하자.
$\overrightarrow{AC}=\dfrac{1}{2}\overrightarrow{AB}+\dfrac{4}{5}\overrightarrow{AD}$이고
$\overrightarrow{AP}=k\overrightarrow{AC}$를 만족시킬 때, 실수 k의 값을 구하시오.

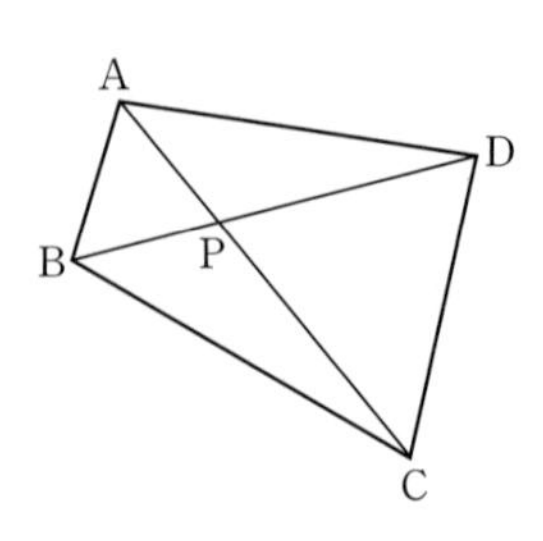

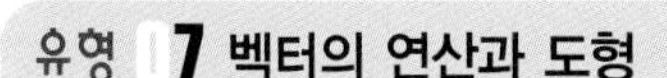

유형 07 벡터의 연산과 도형

주어진 벡터의 시점과 종점을 도형의 꼭짓점을 이용하여 나타낸다.

중요

047

그림과 같이 두 개의 정육각형이 한 변을 공유하고 있다. $\overrightarrow{OA}=\vec{a}$, $\overrightarrow{OB}=\vec{b}$라 할 때, 벡터 $\overrightarrow{OC}$를 두 벡터 $\vec{a}$, $\vec{b}$로 나타내면?

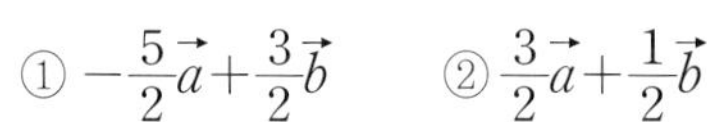

① $-\frac{5}{2}\vec{a}+\frac{3}{2}\vec{b}$　② $\frac{3}{2}\vec{a}+\frac{1}{2}\vec{b}$

③ $\frac{5}{2}\vec{a}-\frac{3}{2}\vec{b}$　④ $\frac{5}{2}\vec{a}+\frac{1}{2}\vec{b}$

⑤ $\frac{5}{2}\vec{a}+\frac{3}{2}\vec{b}$

048

그림과 같이 중심이 O인 원의 둘레를 8등분하는 점을 각각 P_1, P_2, $\cdots$, P_8이라 하면 임의의 점 A에 대하여 $\overrightarrow{AP_1}+\overrightarrow{AP_3}+\overrightarrow{AP_5}+\overrightarrow{AP_7}=k\overrightarrow{AO}$가 성립한다. 실수 k의 값을 구하시오.

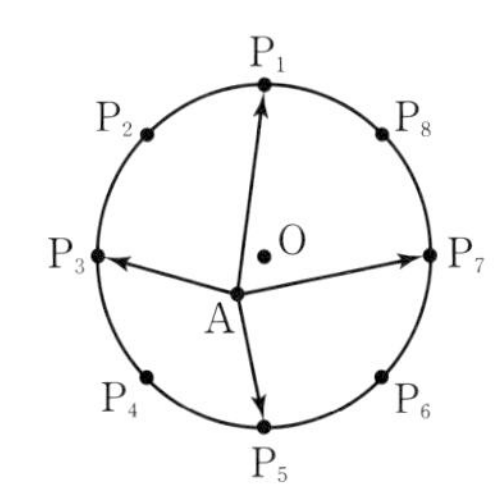

중요

049

그림에서 사각형 OABC는 정사각형이다. 선분 AB를 3 : 1로 내분하는 점을 D, 호 AC와 선분 OD의 교점을 E라 하고, $\overrightarrow{OA}=\vec{a}$, $\overrightarrow{OC}=\vec{b}$라 하자. $\overrightarrow{OE}=k\vec{a}+l\vec{b}$일 때, $k-l$의 값을 구하시오. (단, k, l은 실수이다.)

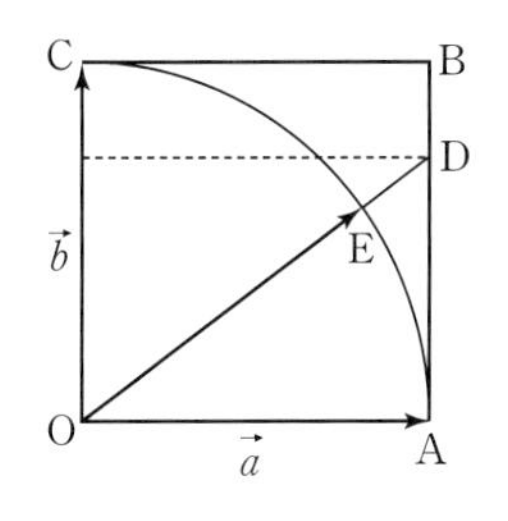

050

평행사변형 ABCD의 대각선 AC의 연장선 위에 점 E를 $\overrightarrow{CE}=2\overrightarrow{AC}$가 되게 잡고, 두 선분 AB, DE의 중점을 각각 P, Q라 할 때, $\overrightarrow{PC}=k\overrightarrow{PQ}$가 성립한다고 한다. 실수 k의 값은?

① $\frac{1}{6}$　② $\frac{1}{3}$　③ $\frac{1}{2}$

④ $\frac{2}{3}$　⑤ $\frac{5}{6}$

중요

051

그림과 같이 좌표평면 위의 점 A가 직선 $y=x+1$ $(x\geq-1)$ 위를 움직일 때, $\overrightarrow{OB}=\dfrac{\overrightarrow{OA}}{|\overrightarrow{OA}|}$를 만족시키는 점 B가 나타내는 도형의 길이는?

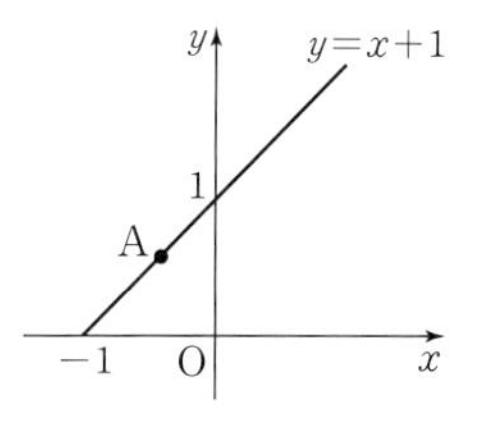

① $\frac{1}{4}\pi$　② $\frac{1}{2}\pi$　③ $\frac{3}{4}\pi$

④ π　⑤ $\frac{5}{4}\pi$

052

타원 $\frac{x^2}{4}+y^2=1$의 두 초점을 F, F′이라 하자. 이 타원 위의 점 P가 $|\overrightarrow{OP}+\overrightarrow{OF}|=1$을 만족시킬 때, 선분 PF의 길이는 k이다. $5k$의 값을 구하시오. (단, O는 원점이다.)

유형 08 벡터의 연산과 크기

벡터의 덧셈, 뺄셈을 이용하여 주어진 식을 하나의 벡터로 나타낸 다음 이 벡터의 크기를 구한다.

053

서로 평행하지 않은 두 벡터 $\overrightarrow{OA}$와 $\overrightarrow{OB}$에 대하여 $\overrightarrow{OA}+\overrightarrow{OB}$와 $\overrightarrow{OA}-\overrightarrow{OB}$가 이루는 각의 크기가 $90°$이고, $|\overrightarrow{OA}|=3$일 때, $|\overrightarrow{OB}|$의 값은?

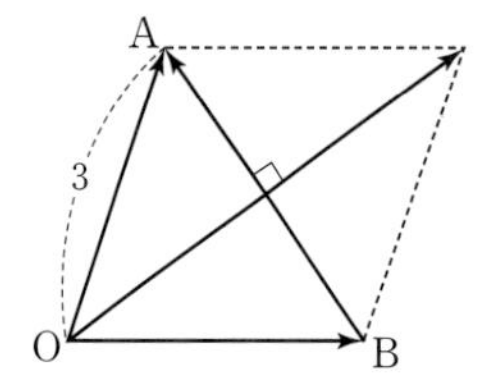

① $\sqrt{3}$　② $2\sqrt{3}$　③ 3　④ $3\sqrt{2}$　⑤ $4\sqrt{2}$

054

그림과 같이 한 변의 길이가 1인 정육각형에서 $\overrightarrow{AB}+\overrightarrow{FE}+\overrightarrow{FD}$의 크기는?

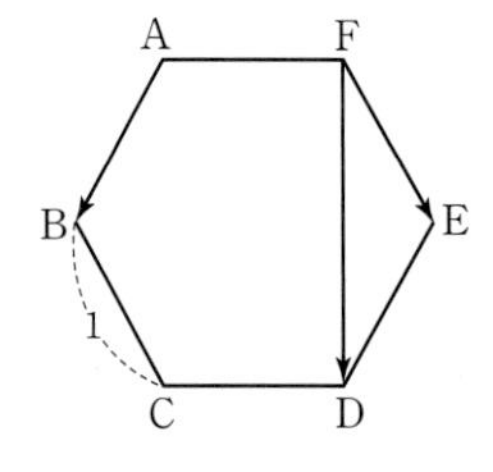

① 2　② $\sqrt{5}$　③ 3　④ $2\sqrt{3}$　⑤ 4

055 (중요)

평면 위의 정팔각형 ABCDEFGH에서 팔각형의 중심을 O라 하고 $\overrightarrow{OA}$의 크기를 1이라 할 때,

$$\overrightarrow{AB}+\overrightarrow{AC}+\overrightarrow{AD}+\overrightarrow{AE}+\overrightarrow{AF}+\overrightarrow{AG}+\overrightarrow{AH}$$

의 크기를 구하시오.

056

그림과 같이 반지름의 길이가 1인 원 O 위의 세 점 A, B, C에 대하여 $\angle AOB=\angle BOC=\angle COA$이다. $|\overrightarrow{OA}+\overrightarrow{OB}-\overrightarrow{OC}|$의 값을 구하시오.

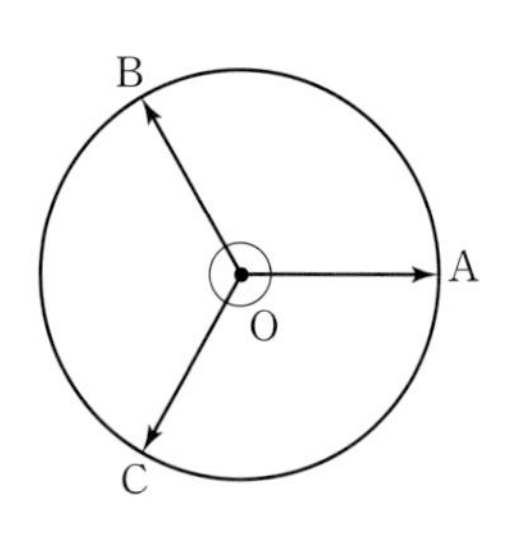

057

반지름의 길이가 1인 원에 내접하는 정오각형 ABCDE가 있다. 원의 중심을 O, 직선 OA가 $\overline{BE}$, $\overline{CD}$와 만나는 점을 각각 P, Q라 할 때, $|\overrightarrow{OQ}|-|\overrightarrow{OP}|$의 값은? (단, $\overrightarrow{OA}+\overrightarrow{OB}+\overrightarrow{OC}+\overrightarrow{OD}+\overrightarrow{OE}=\vec{0}$)

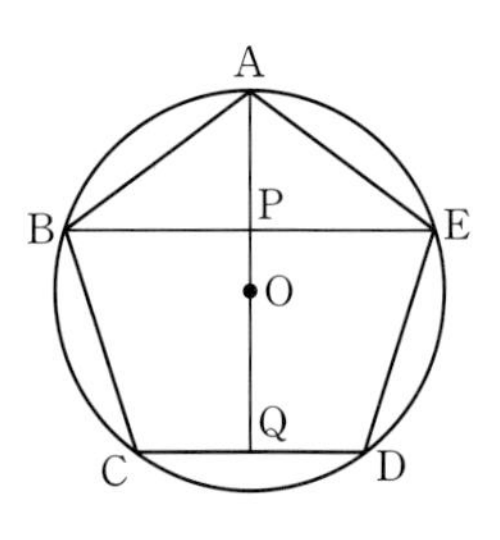

① $\frac{1}{4}$　② $\frac{1}{3}$　③ $\frac{1}{2}$　④ $\frac{2}{3}$　⑤ $\frac{3}{4}$

058 (중요)

반지름의 길이가 1인 세 원 C_1, C_2, C_3이 서로 외접하고 있다. 점 P가 그림과 같이 위치했을 때, 원 C_3 위의 임의의 점 Q에 대하여 $|\overrightarrow{O_1P}+\overrightarrow{O_1Q}|$의 최댓값은? (단, O_1, O_2, O_3은 각각 원 C_1, C_2, C_3의 중심이다.)

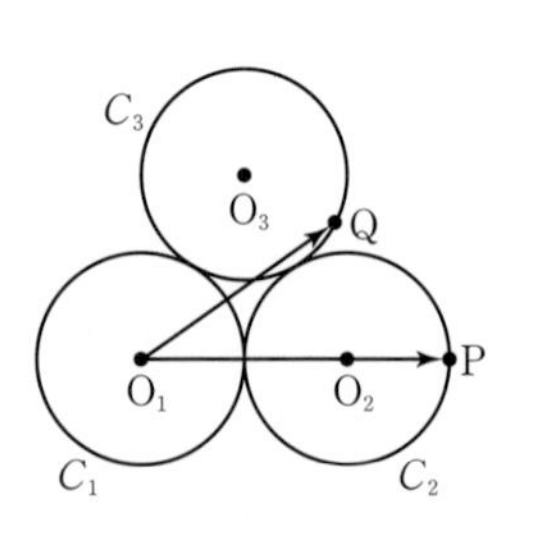

① $\sqrt{13}$　② $3\sqrt{3}$　③ $\sqrt{19}+1$　④ $6\sqrt{3}$　⑤ $2(\sqrt{19}+1)$

06 평면벡터의 성분

제 목		문항 번호	문항 수	확인
기본 문제		001~024	24	
유형 문제	01. 위치벡터	025~027	3	
	02. 선분의 내분점과 외분점의 위치벡터	028~033	6	
	03. 삼각형의 무게중심의 위치벡터	034~036	3	
	04. 위치벡터와 내분점의 활용	037~039	3	
	05. 위치벡터로 나타낸 점 P의 자취	040~042	3	
	06. 평면벡터의 성분에 의한 연산	043~048	6	
	07. 두 점에 의한 평면벡터의 성분과 크기	049~051	3	
	08. 평면벡터가 서로 같을 조건	052~054	3	
	09. 평면벡터의 평행	055~057	3	
	10. 성분으로 나타낸 점 P의 자취	058~060	3	

06 평면벡터의 성분

1 위치벡터

(1) 평면에서 한 점 O를 시점으로 하는 벡터 $\overrightarrow{OA}$를 점 O에 대한 점 A의 위치벡터라고 한다.
두 점 A, B의 위치벡터를 각각 $\vec{a}$, $\vec{b}$라 하면

$\overrightarrow{AB}=\vec{b}-\vec{a}$

(2) 선분의 내분점과 외분점의 위치벡터

두 점 A, B의 위치벡터를 각각 $\vec{a}$, $\vec{b}$라 할 때, 선분 AB를 $m:n$ ($m>0$, $n>0$)으로 내분하는 점 P와 외분하는 점 Q의 위치벡터를 각각 $\vec{p}$, $\vec{q}$라 하면

$$\vec{p}=\frac{m\vec{b}+n\vec{a}}{m+n},\ \vec{q}=\frac{m\vec{b}-n\vec{a}}{m-n}\ (\text{단, } m\neq n)$$

(3) 삼각형의 무게중심의 위치벡터

세 점 A, B, C의 위치벡터를 각각 $\vec{a}$, $\vec{b}$, $\vec{c}$라 할 때, 삼각형 ABC의 무게중심 G의 위치벡터 $\vec{g}$는

$$\vec{g}=\frac{1}{3}(\vec{a}+\vec{b}+\vec{c})$$

개념 플러스

- 일반적으로 평면에서 위치벡터의 시점 O는 좌표평면의 원점으로 잡는다.
- 선분 AB의 중점 M의 위치벡터를 $\vec{m}$이라 하면 $\vec{m}=\frac{\vec{a}+\vec{b}}{2}$

2 평면벡터의 성분과 크기

평면벡터 $\vec{a}=(a_1, a_2)$, $\vec{b}=(b_1, b_2)$에 대하여

(1) $\vec{e_1}=(1, 0)$, $\vec{e_2}=(0, 1)$일 때,
$\vec{a}=a_1\vec{e_1}+a_2\vec{e_2}$

(2) $|\vec{a}|=\sqrt{a_1^2+a_2^2}$

(3) $\vec{a}=\vec{b} \Longleftrightarrow a_1=b_1,\ a_2=b_2$

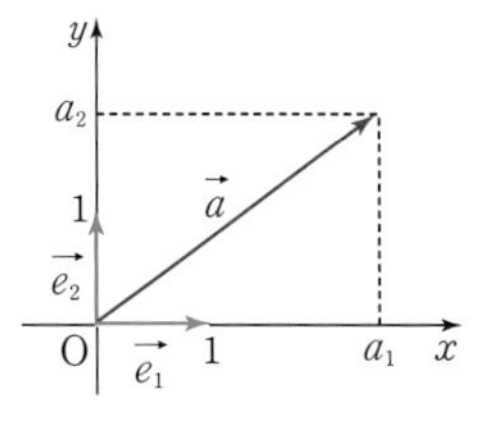

- 좌표평면 위의 두 점 (1, 0), (0, 1)의 위치벡터를 각각 단위벡터 $\vec{e_1}$, $\vec{e_2}$로 나타낸다.

3 평면벡터의 성분에 의한 연산

$\vec{a}=(a_1, a_2)$, $\vec{b}=(b_1, b_2)$일 때

(1) $\vec{a}+\vec{b}=(a_1+b_1,\ a_2+b_2)$

(2) $\vec{a}-\vec{b}=(a_1-b_1,\ a_2-b_2)$

(3) $k\vec{a}=(ka_1,\ ka_2)$ (단, k는 실수)

- 두 벡터 $\vec{a}$, $\vec{b}$가 영벡터가 아니고 세 점 A, B, C가 서로 다른 점일 때, 0이 아닌 실수 k에 대하여
  (1) 두 벡터 $\vec{a}$, $\vec{b}$가 평행하다.
  $\Longleftrightarrow \vec{b}=k\vec{a}$
  (2) 세 점 A, B, C가 한 직선 위에 있다. $\Longleftrightarrow \overrightarrow{AC}=k\overrightarrow{AB}$

4 두 점에 의한 평면벡터의 성분과 크기

두 점 $\mathrm{A}(a_1, a_2)$, $\mathrm{B}(b_1, b_2)$에 대하여

(1) $\overrightarrow{AB}=(b_1-a_1,\ b_2-a_2)$

(2) $|\overrightarrow{AB}|=\sqrt{(b_1-a_1)^2+(b_2-a_2)^2}$

- 평면 위의 두 점 A, B 사이의 거리는 벡터 $\overrightarrow{AB}$의 크기와 같다.

기본 문제

정답 및 해설 38쪽

1 위치벡터

[001-003] 세 점 A, B, C의 위치벡터를 각각 $\vec{a}$, $\vec{b}$, $2\vec{a}-\vec{b}$라 할 때, 다음 벡터를 $\vec{a}$, $\vec{b}$로 나타내시오.

001 $\overrightarrow{AB}$

002 $\overrightarrow{BC}$

003 $\overrightarrow{CA}$

[004-006] 서로 다른 두 점 A, B의 위치벡터를 각각 $\vec{a}$, $\vec{b}$라 할 때, 다음을 만족시키는 점의 위치벡터를 $\vec{a}$, $\vec{b}$로 나타내시오.

004 선분 AB를 2 : 1로 내분하는 점 P

005 선분 AB를 2 : 1로 외분하는 점 Q

006 선분 PQ의 중점 M

2 평면벡터의 성분과 크기

[007-010] 다음 $\vec{e_1}$, $\vec{e_2}$로 나타낸 벡터를 성분으로, 성분으로 나타낸 벡터를 $\vec{e_1}$, $\vec{e_2}$로 나타내시오. (단, $\vec{e_1}=(1, 0)$, $\vec{e_2}=(0, 1)$)

007 $\vec{a}=3\vec{e_1}+2\vec{e_2}$

008 $\vec{b}=-\vec{e_1}+4\vec{e_2}$

009 $\vec{c}=(4, 2)$

010 $\vec{d}=(5, -1)$

[011-014] 다음 평면벡터의 크기를 구하시오.

011 $\vec{a}=(6, -8)$

012 $\vec{b}=(0, -2)$

013 $\vec{c}=-3\vec{e_1}+4\vec{e_2}$

014 $\vec{d}=4\vec{e_1}-2\vec{e_2}$

3 평면벡터의 성분에 의한 연산

[015-020] 두 평면벡터 $\vec{a}=(2,\ 1)$, $\vec{b}=(1,\ -3)$에 대하여 다음 벡터를 성분으로 나타내고, 그 크기를 구하시오.

015 $\vec{a}+\vec{b}$

016 $\vec{a}-\vec{b}$

017 $-3\vec{a}$

018 $2\vec{a}-\vec{b}$

019 $2(\vec{a}-2\vec{b})$

020 $2(\vec{a}+2\vec{b})-3(2\vec{a}+\vec{b})$

[021-022] 두 평면벡터 $\vec{a}=(-1,\ 3)$, $\vec{b}=(2,\ 1)$에 대하여 다음 벡터를 $k\vec{a}+l\vec{b}$ 꼴로 나타내시오. (단, k, l은 실수이다.)

021 $\vec{c}=(-4,\ 5)$

022 $\vec{d}=(7,\ 0)$

4 벡터의 평면에서의 응용

[023-024] 다음 두 점 A, B에 대하여 벡터 $\overrightarrow{\mathrm{AB}}$를 성분으로 나타내고, 그 크기를 구하시오.

023 $\mathrm{A}(2,\ -1)$, $\mathrm{B}(3,\ 2)$

024 $\mathrm{A}(-3,\ -2)$, $\mathrm{B}(1,\ -5)$

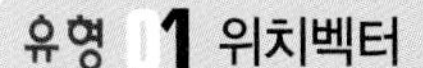

유형 문제

유형 01 위치벡터

두 점 A, B의 위치벡터를 각각 $\vec{a}$, $\vec{b}$라 하면

$\overrightarrow{AB}=\overrightarrow{OB}-\overrightarrow{OA}=\vec{b}-\vec{a}$

025

세 점 A, B, C의 위치벡터가 각각 $\vec{a}$, $\vec{b}$, $2\vec{b}-\vec{a}$일 때, 벡터 $\overrightarrow{BA}-\overrightarrow{CA}$를 $\vec{a}$, $\vec{b}$를 이용하여 나타내시오.

026 (중요)

세 점 A, B, C의 위치벡터를 각각 $\vec{a}$, $\vec{b}$, $\vec{c}$라 할 때, 벡터 $3\overrightarrow{AC}+\overrightarrow{BC}$를 $\vec{a}$, $\vec{b}$, $\vec{c}$로 나타내면 $x\vec{a}+y\vec{b}+z\vec{c}$이다. 세 실수 x, y, z에 대하여 xyz의 값은?

① 12　② 13　③ 14　④ 15　⑤ 16

027

세 점 A, B, P의 위치벡터를 각각 $\vec{a}$, $\vec{b}$, $\vec{p}$라 하자. $4\vec{p}=3\vec{a}+\vec{b}$, $|\vec{p}-\vec{a}|=4$일 때, $|\overrightarrow{AB}|$의 값은?

① 12　② 14　③ 16　④ 18　⑤ 20

유형 02 선분의 내분점과 외분점의 위치벡터

(1) 선분 AB를 $m:n$ $(m>0,\ n>0)$으로 내분하는 점을 P라 하면

$$\overrightarrow{OP}=\frac{m\overrightarrow{OB}+n\overrightarrow{OA}}{m+n}$$

(2) 선분 AB를 $m:n$ $(m>0,\ n>0,\ m\neq n)$으로 외분하는 점을 Q라 하면

$$\overrightarrow{OQ}=\frac{m\overrightarrow{OB}-n\overrightarrow{OA}}{m-n}$$

028

선분 AB를 2 : 3으로 내분하는 점을 P, 외분하는 점을 Q라 하고, 네 점 A, B, P, Q의 위치벡터를 각각 $\vec{a}$, $\vec{b}$, $\vec{p}$, $\vec{q}$라 할 때, $\vec{p}$, $\vec{q}$를 각각 $\vec{a}$, $\vec{b}$로 나타내시오.

029

그림의 직각삼각형 OAB에서 $\overline{OA}=6$, $\overline{OB}=8$이고 빗변 AB 위의 점 P에 대하여 $7\overrightarrow{OP}=4\overrightarrow{OB}+3\overrightarrow{OA}$가 성립할 때, $|\overrightarrow{AP}|$의 값을 구하시오.

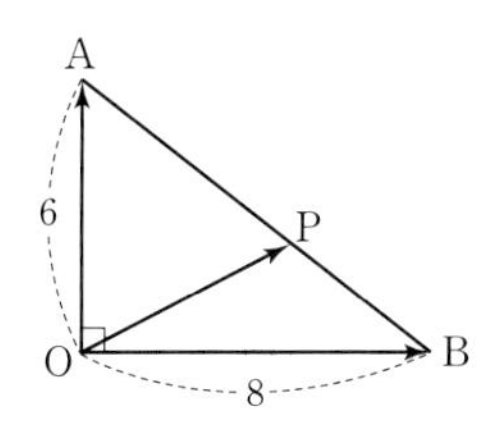

030 (중요)

그림과 같이 삼각형 OAB에서 $\overline{OA}$를 3 : 2로 내분하는 점을 C라 하고, $\overline{BC}$를 3 : 1로 내분하는 점을 P라 할 때, $\overrightarrow{OP}=a\overrightarrow{OA}+b\overrightarrow{OB}$이다. 두 실수 a, b에 대하여 $a-b$의 값은?

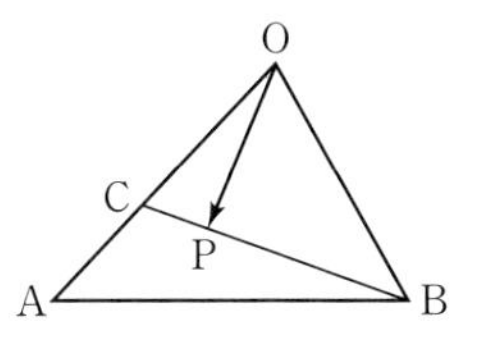

① $-\frac{1}{5}$　② $-\frac{1}{6}$　③ 0　④ $\frac{1}{6}$　⑤ $\frac{1}{5}$

031

그림과 같은 평행사변형 ABCD에서 변 BC의 중점을 M, 변 CD를 2 : 1로 내분하는 점을 N이라 하면 $\overrightarrow{AC}=x\overrightarrow{AM}+y\overrightarrow{AN}$이 성립한다. 두 실수 x, y에 대하여 $x+y$의 값을 구하시오.

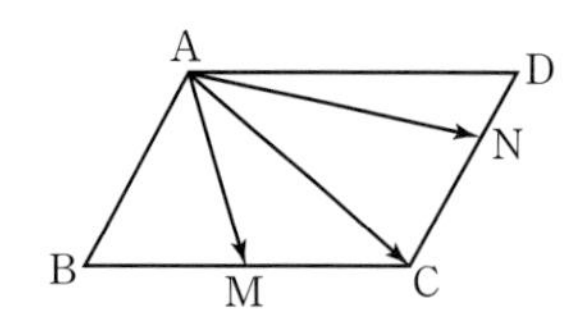

중요 **032**

그림과 같이 삼각형 OAB의 변 AB를 4등분한 점을 각각 P_1, P_2, P_3이라 하고 $\overrightarrow{OA}=\vec{a}$, $\overrightarrow{OB}=\vec{b}$라 하자. $\overrightarrow{OP_1}+\overrightarrow{OP_2}+\overrightarrow{OP_3}=m\vec{a}+n\vec{b}$일 때, 두 실수 m, n에 대하여 $m+n$의 값을 구하시오.

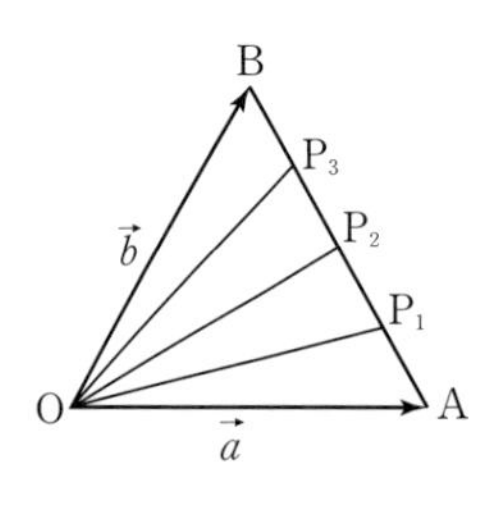

033

삼각형 OAB에서 $\overline{OA}=3\overline{OB}$이고, $\angle AOP=\angle BOP$일 때, $\overrightarrow{OP}$를 $\overrightarrow{OA}$와 $\overrightarrow{OB}$에 대한 식으로 나타내면 $a\overrightarrow{OA}+b\overrightarrow{OB}$이다. 두 실수 a, b에 대하여 ab의 값은?

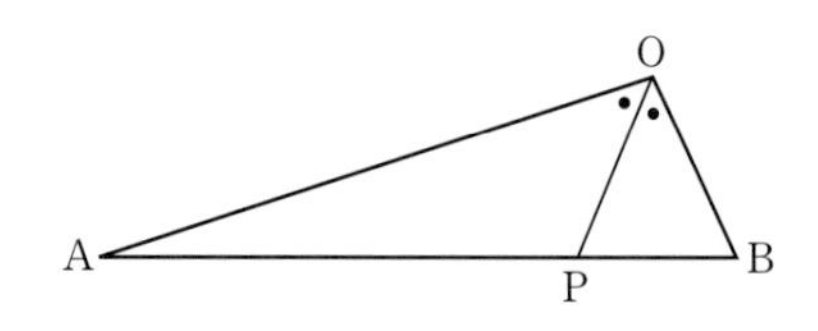

① $\frac{1}{9}$ ② $\frac{3}{16}$ ③ $\frac{1}{4}$
④ $\frac{1}{3}$ ⑤ $\frac{3}{8}$

유형 03 삼각형의 무게중심의 위치벡터

세 점 A, B, C의 위치벡터가 각각 $\vec{a}$, $\vec{b}$, $\vec{c}$일 때, 삼각형 ABC의 무게중심의 위치벡터

⇨ $\dfrac{\vec{a}+\vec{b}+\vec{c}}{3}$

034

그림과 같은 삼각형 ABC에서 세 점 D, E, F는 각각 변 BC, CA, AB의 중점이다. $\overrightarrow{CA}=\vec{a}$, $\overrightarrow{CB}=\vec{b}$라 할 때, $\overrightarrow{GA}+\overrightarrow{GB}+\overrightarrow{GC}$를 구하면?

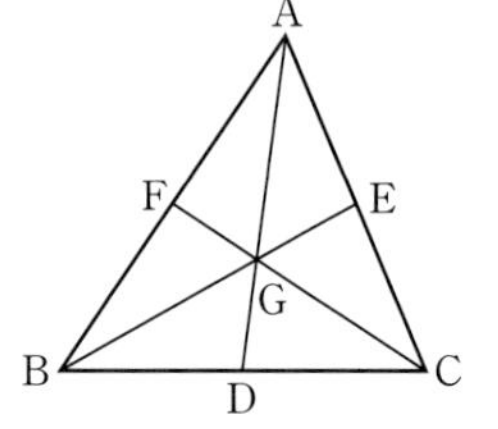

① $\vec{0}$ ② $\dfrac{\vec{a}+\vec{b}}{2}$
③ $\dfrac{\vec{a}+\vec{b}}{3}$ ④ $\dfrac{\vec{a}+\vec{b}}{4}$
⑤ $\dfrac{\vec{a}+\vec{b}}{6}$

중요 **035**

그림에서 세 점 P, Q, R는 각각 삼각형 ABC의 변 AB, BC, CA의 중점이다. $\overrightarrow{CA}=\vec{a}$, $\overrightarrow{CB}=\vec{b}$라 할 때, 〈보기〉에서 옳은 것만을 있는 대로 고른 것은?

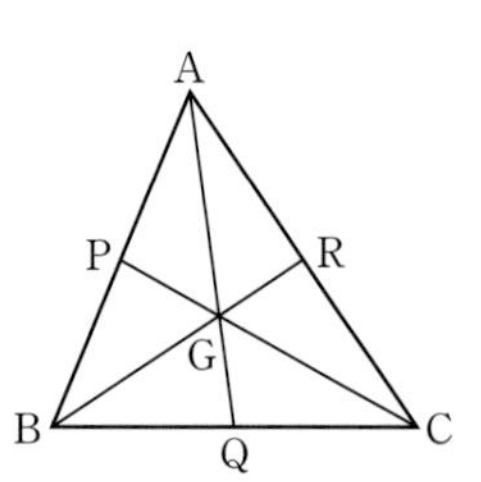

보기

ㄱ. $\overrightarrow{AP}=-\frac{1}{2}\vec{a}+\frac{1}{2}\vec{b}$　　ㄴ. $\overrightarrow{GP}=\frac{1}{3}\vec{a}+\frac{1}{3}\vec{b}$

ㄷ. $\overrightarrow{BG}=\frac{1}{3}\vec{a}-\frac{2}{3}\vec{b}$

① ㄴ ② ㄷ ③ ㄱ, ㄷ
④ ㄴ, ㄷ ⑤ ㄱ, ㄴ, ㄷ

036

평행사변형 ABCD에서 두 변 CD, DA의 중점을 각각 E, F라 하고, 삼각형 BEF의 무게중심을 G라 하자. $\overrightarrow{AB}=\vec{a}$, $\overrightarrow{AD}=\vec{b}$일 때, $\overrightarrow{AG}$를 $\vec{a}$, $\vec{b}$로 나타내시오.

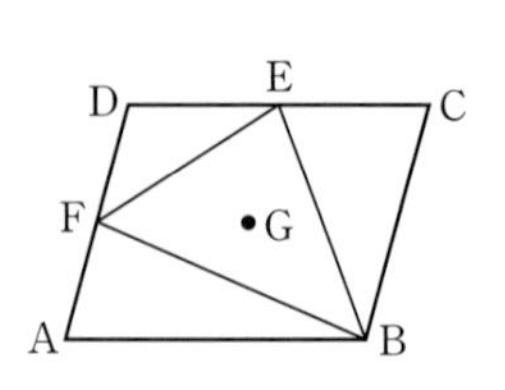

유형 04 위치벡터와 내분점의 활용

삼각형 ABC에서 $\overline{BC}$ 위의 한 점 P에 대하여
$n\overrightarrow{PB}=-m\overrightarrow{PC}$ $(m>0,\ n>0)$이면
(1) 점 P는 $\overline{BC}$를 $m:n$으로 내분하는 점이다.
(2) $\triangle ABP:\triangle ACP=m:n$

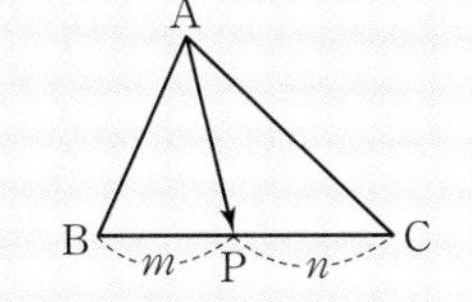

037

삼각형 OAB에서 변 AB 위의 점 P에 대하여
$3\overrightarrow{OA}+2\overrightarrow{OB}-5\overrightarrow{OP}=\vec{0}$가 성립할 때, $\overline{AP}:\overline{PB}$를 구하시오.

038

한 평면 위의 점 P와 삼각형 ABC에 대하여
$2\overrightarrow{PA}+3\overrightarrow{PB}+\overrightarrow{PC}=\overrightarrow{BC}$가 성립한다. 삼각형 ABC의 넓이가 9일 때, 삼각형 CBP의 넓이는?

① 3 ② 4 ③ $\frac{9}{2}$
④ 5 ⑤ 6

039 (중요)

삼각형 ABC의 내부의 어떤 한 점 P에 대하여
$\overrightarrow{AP}+2\overrightarrow{BP}+3\overrightarrow{CP}=\vec{0}$가 성립하고, $\overline{AP}$, $\overline{BP}$, $\overline{CP}$의 연장선과 $\overline{BC}$, $\overline{CA}$, $\overline{AB}$와의 교점을 각각 D, E, F라 할 때, 〈보기〉에서 옳은 것만을 있는 대로 고른 것은?

보기
ㄱ. $\overline{AF}:\overline{FB}=2:1$
ㄴ. $\overline{BP}:\overline{PE}=3:1$
ㄷ. $\triangle PAB:\triangle PCA=3:2$

① ㄱ ② ㄴ ③ ㄱ, ㄴ
④ ㄱ, ㄷ ⑤ ㄴ, ㄷ

유형 05 위치벡터로 나타낸 점 P의 자취

$\overrightarrow{OP}=m\overrightarrow{OA}+n\overrightarrow{OB}$를 만족시키는 점 P의 자취
(1) $m+n=1$ ⇨ 직선 AB
(2) $m\ge0,\ n\ge0,\ m+n=1$ ⇨ 선분 AB
(3) $m\ge0,\ n\ge0,\ m+n\le1$ ⇨ 삼각형 OAB의 둘레를 포함한 내부
(4) $m\ge0,\ n\ge0,\ m+n\ge1$ ⇨ 삼각형 OAB의 둘레를 포함한 외부

040 (중요)

〈보기〉 중 평면 위의 삼각형 OAB에 대하여
$\overrightarrow{OP}=m\overrightarrow{OA}+n\overrightarrow{OB}$ $(m\ge0,\ n\ge0)$를 만족시키는 점 P가 그리는 도형에 대한 설명으로 옳은 것만을 있는 대로 고른 것은?

보기
ㄱ. $m+n=1$일 때, 점 P가 그리는 도형은 선분 AB이다.
ㄴ. $m+2n=1$일 때, 점 P가 그리는 도형의 길이는 선분 AB의 길이보다 길다.
ㄷ. $m+2n\le1$일 때, 점 P가 그리는 영역은 삼각형 OAB를 포함한다.

① ㄱ ② ㄴ ③ ㄱ, ㄴ
④ ㄱ, ㄷ ⑤ ㄴ, ㄷ

041

직사각형 ABCD에서
$\overline{AB}=4$, $\overline{AD}=3$이고 $\overrightarrow{AB}=\vec{a}$, $\overrightarrow{AD}=\vec{b}$라 하자. $\overrightarrow{AP}=s\vec{a}+t\vec{b}$를 만족시키는 점 P가 존재하는 영역의 넓이를 구하시오.

$\left(\text{단, } \frac{1}{2}\le s\le1,\ \frac{1}{2}\le t\le1\right)$

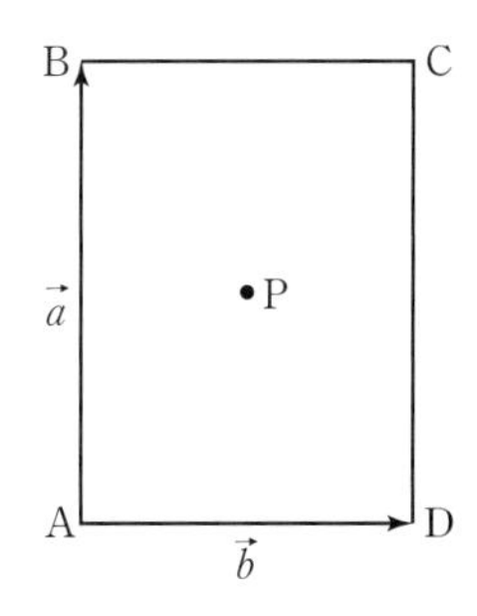

042

좌표평면 위의 세 점 O, A, B에 대하여 $|\overrightarrow{OA}|=3$, $|\overrightarrow{OB}|=2\sqrt{2}$, $\angle AOB=45^\circ$일 때, 벡터 $\overrightarrow{OP}=s\overrightarrow{OA}+t\overrightarrow{OB}$의 종점 P가 움직이는 영역의 넓이를 구하시오. (단, $0\le s\le1$, $0\le t\le1$)

유형 06 평면벡터의 성분에 의한 연산

두 벡터 $\vec{a}=(a_1, a_2)$, $\vec{b}=(b_1, b_2)$에 대하여
(1) $\vec{a}+\vec{b}=(a_1+b_1, a_2+b_2)$
(2) $\vec{a}-\vec{b}=(a_1-b_1, a_2-b_2)$
(3) $k\vec{a}=(ka_1, ka_2)$ (단, k는 실수)
(4) $|\vec{a}|=\sqrt{a_1^2+a_2^2}$

043
세 벡터 $\vec{a}=(1, 2)$, $\vec{b}=(2, 4)$, $\vec{c}=(4, -1)$에 대하여 벡터 $2(\vec{a}-\vec{b}+\vec{c})-3(\vec{a}+\vec{b}-2\vec{c})$를 성분으로 나타내면 (x, y)이다. $x+y$의 값을 구하시오.

044
두 벡터 $\vec{a}=(-2, 3)$, $\vec{b}=(2, -1)$에 대하여 벡터 $2(\vec{a}-\vec{b})+3\vec{b}$의 크기는?

① $\sqrt{26}$ ② $3\sqrt{3}$ ③ $2\sqrt{7}$
④ $\sqrt{29}$ ⑤ $\sqrt{30}$

045
두 벡터 $\vec{a}=(-2, 2)$, $\vec{b}=(-3, 4)$에 대하여 $\vec{a}+2\vec{x}=2(\vec{a}-\vec{b})$를 만족시키는 벡터 $\vec{x}$의 크기는?

① $\sqrt{11}$ ② $\sqrt{13}$ ③ $\sqrt{15}$
④ $\sqrt{19}$ ⑤ $\sqrt{21}$

046
$\vec{a}=(1, -2)$, $\vec{b}=(3, 4)$일 때, $\vec{x}+\vec{y}=\vec{a}$이고 $\vec{x}-3\vec{y}=\vec{b}$를 만족시키는 두 벡터 $\vec{x}$, $\vec{y}$에 대하여 벡터 $\vec{x}-\vec{y}$의 크기는?

① $\sqrt{3}$ ② $\sqrt{5}$ ③ 3
④ 4 ⑤ 5

중요
047
두 벡터 $\vec{a}=(1, 1)$, $\vec{b}=(1, -1)$에 대하여 벡터 $\vec{c}=t\vec{a}+\vec{b}$의 크기의 최솟값은?

① 1 ② $\sqrt{2}$ ③ $\sqrt{3}$
④ 2 ⑤ $2\sqrt{2}$

048
세 벡터 $\vec{a}$, $\vec{b}$, $\vec{c}$에 대하여 $\vec{a}+\vec{b}=(3, -1)$, $\vec{b}+\vec{c}=(1, 1)$, $\vec{c}+\vec{a}=(2, 4)$일 때, $\dfrac{|\vec{c}|}{|\vec{a}||\vec{b}|}$의 값을 기약분수로 나타내면 $\dfrac{q}{p}$이다. $p+q$의 값을 구하시오.

유형 07 두 점에 의한 평면벡터의 성분과 크기

두 점 $A(a_1, a_2)$, $B(b_1, b_2)$에 대하여
(1) $\overrightarrow{AB}=(b_1-a_1,\ b_2-a_2)$
(2) $|\overrightarrow{AB}|=\sqrt{(b_1-a_1)^2+(b_2-a_2)^2}$

049

중요

좌표평면 위의 세 점 $A(2, 3)$, $B(-2, 1)$, $C(3, -1)$에 대하여 $\overrightarrow{AB}=\overrightarrow{CD}$가 되도록 점 D의 좌표를 정하시오.

050

좌표평면 위에 네 점 $A(2, 1)$, $B(3, 4)$, $C(1, 4)$, $P(a, b)$가 있다. $\overrightarrow{PA}+\overrightarrow{PB}+\overrightarrow{PC}=\vec{0}$가 성립할 때, 벡터 $\overrightarrow{AP}$의 크기는?

① 2 ② 3 ③ 4
④ 5 ⑤ 6

051

그림과 같이 한 변의 길이가 2인 정삼각형 OAB의 변 OA가 x축 위에 있다. 벡터 $\overrightarrow{AB}=(a, b)$라 할 때, $a+b$의 값은?

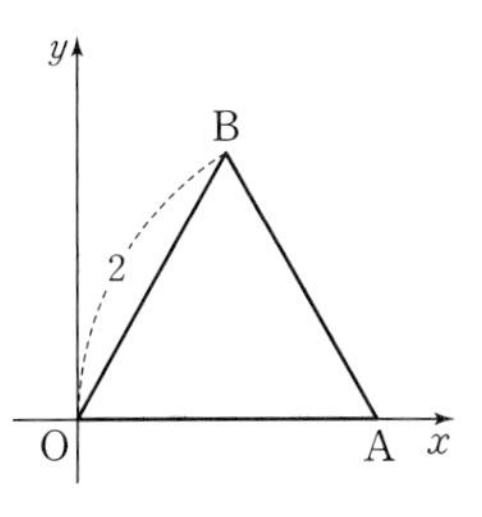

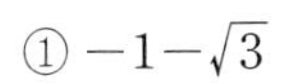
① $-1-\sqrt{3}$ ② $1-\sqrt{3}$
③ $-1+\sqrt{3}$ ④ $1+\sqrt{3}$
⑤ $2\sqrt{3}$

유형 08 평면벡터가 서로 같을 조건

세 벡터 $\vec{a}=(a_1, a_2)$, $\vec{b}=(b_1, b_2)$, $\vec{c}=(c_1, c_2)$와 두 실수 m, n에 대하여
$$\vec{c}=m\vec{a}+n\vec{b} \Longleftrightarrow c_1=ma_1+nb_1,\ c_2=ma_2+nb_2$$

052

세 벡터 $\vec{a}=(1, 2)$, $\vec{b}=(3, -1)$, $\vec{c}=(4, -6)$에 대하여 $\vec{a}+\vec{c}=m\vec{a}+n\vec{b}$를 만족시키는 두 실수 m, n에 대하여 $m+n$의 값을 구하시오.

053

중요

x, y가 실수일 때, 세 벡터 $\vec{a}=(1, x)$, $\vec{b}=(y, -1)$, $\vec{c}=(2, 1-y)$가 $\vec{a}+\vec{b}=2\vec{c}$를 만족시킨다. $|\vec{a}-\vec{b}+\vec{c}|$의 값은?

① $2\sqrt{2}$ ② $\sqrt{10}$ ③ $2\sqrt{3}$
④ $\sqrt{14}$ ⑤ 4

054

좌표평면 위의 네 점 $A(1, 3)$, $B(0, a)$, $C(b, 3)$, $D(-2, 1)$에 대하여 사각형 ABCD가 평행사변형일 때, $a+b$의 값은?

① -2 ② -1 ③ 0
④ 1 ⑤ 2

유형 09 평면벡터의 평행

두 벡터 $\vec{a}=(a_1, a_2)$, $\vec{b}=(b_1, b_2)$에 대하여

$\vec{a} /\!/ \vec{b} \Longleftrightarrow \vec{a}=k\vec{b}$ (단, $k\neq0$인 실수)

$\Longleftrightarrow \dfrac{a_1}{b_1}=\dfrac{a_2}{b_2}$

055

두 벡터 $\vec{a}=(2, 3)$, $\vec{b}=(2x+1, -6)$이 평행할 때, 실수 x의 값은?

① $-\frac{5}{2}$ ② $-\frac{3}{2}$ ③ $-\frac{1}{2}$
④ 1 ⑤ $\frac{1}{2}$

056 (중요)

세 벡터 $\vec{a}=(1, 2)$, $\vec{b}=(-1, 3)$, $\vec{c}=(3, 5)$에 대하여
두 벡터 $\vec{a}+m\vec{b}$와 $\vec{c}-\vec{a}$가 평행할 때, 실수 m의 값을 구하시오.

057

세 점 $\mathrm{A}(1, 2)$, $\mathrm{B}(2, 3)$, $\mathrm{C}(4, x)$가 한 직선 위에 있을 때, x의 값은?

① -4 ② -3 ③ 3
④ 4 ⑤ 5

유형 10 성분으로 나타낸 점 P의 자취

점 P의 좌표를 (x, y)로 놓고, 주어진 등식에 대입하여 x와 y 사이의 관계식을 구한다.

058 (중요)

좌표평면 위의 두 점 $\mathrm{A}(2, 0)$, $\mathrm{B}(-1, 0)$에 대하여
$|\overrightarrow{\mathrm{OP}}-\overrightarrow{\mathrm{OA}}|=2|\overrightarrow{\mathrm{OP}}-\overrightarrow{\mathrm{OB}}|$를 만족시키는 점 P가 나타내는 도형의 넓이를 구하시오. (단, O는 원점이다.)

059

좌표평면 위의 두 점 $\mathrm{A}(-3, 1)$, $\mathrm{B}(1, 1)$에 대하여
$|\overrightarrow{\mathrm{PA}}|+|\overrightarrow{\mathrm{PB}}|=10$일 때, 점 P가 나타내는 도형의 방정식을 구하시오.

060

두 벡터 $\vec{a}=(2, 3)$, $\vec{b}=(-1, 4)$에 대하여

$\overrightarrow{\mathrm{OP}}=k\vec{a}+l\vec{b}$ $(k\geq0,\ l\geq0,\ k+l=1)$

를 만족시키는 점 P의 전체의 집합이 나타내는 도형의 길이는?

① $2\sqrt{2}$ ② $\sqrt{10}$ ③ $2\sqrt{3}$
④ $\sqrt{14}$ ⑤ 4

07 평면벡터의 내적

제 목		문항 번호	문항 수	확인
기본 문제		001～032	32	
유형 문제	01. 평면벡터의 내적	033～041	9	
	02. 성분으로 주어진 벡터의 내적	042～047	6	
	03. 성분으로 주어진 벡터의 내적과 도형	048～050	3	
	04. 평면벡터의 내적의 연산법칙 (1)	051～056	6	
	05. 평면벡터의 내적의 연산법칙 (2)	057～059	3	
	06. 두 벡터가 이루는 각의 크기	060～065	6	
	07. 벡터의 수직과 평행	066～071	6	
	08. 자취의 방정식	072～073	2	

07 평면벡터의 내적

※ 이 교재는 「수학 Ⅰ」의 내용(삼각함수 등)을 학습하였음을 전제로 하여 문제를 구성하였습니다.

1 평면벡터의 내적

(1) 평면벡터의 내적

두 평면벡터 $\vec{a}, \vec{b}$가 이루는 각의 크기를 θ $(0\le\theta\le\pi)$라 할 때,

$\vec{a}\cdot\vec{b}=|\vec{a}||\vec{b}|\cos\theta$

참고 ① $\vec{a}=\vec{0}$ 또는 $\vec{b}=\vec{0}$일 때, $\vec{a}\cdot\vec{b}=0$

② $\vec{a}=\vec{b}$일 때, $\vec{a}\cdot\vec{a}=|\vec{a}|^2$

(2) 평면벡터의 수직 조건과 평행 조건

영벡터가 아닌 두 벡터 $\vec{a}, \vec{b}$에 대하여

① 수직 조건 ➡ $\vec{a}\perp\vec{b} \Longleftrightarrow \vec{a}\cdot\vec{b}=0$

② 평행 조건 ➡ $\vec{a}/\!/\vec{b} \Longleftrightarrow \vec{a}\cdot\vec{b}=\pm|\vec{a}||\vec{b}|$

(3) 평면벡터의 내적과 성분

$\vec{a}=(a_1, a_2)$, $\vec{b}=(b_1, b_2)$일 때,

$\vec{a}\cdot\vec{b}=a_1b_1+a_2b_2$

(4) 평면벡터의 내적의 연산법칙

세 벡터 $\vec{a}, \vec{b}, \vec{c}$와 실수 k에 대하여

① $\vec{a}\cdot\vec{b}=\vec{b}\cdot\vec{a}$ (교환법칙)

② $(k\vec{a})\cdot\vec{b}=\vec{a}\cdot(k\vec{b})=k(\vec{a}\cdot\vec{b})$ (결합법칙)

③ $\vec{a}\cdot(\vec{b}+\vec{c})=\vec{a}\cdot\vec{b}+\vec{a}\cdot\vec{c}$

$(\vec{a}+\vec{b})\cdot\vec{c}=\vec{a}\cdot\vec{c}+\vec{b}\cdot\vec{c}$ (분배법칙)

개념 플러스

- (1) $\vec{a}\cdot\vec{b}$는 벡터가 아니고 실수이다.
  (2) 내적 $\vec{a}\cdot\vec{b}$를 $\vec{a}\,\vec{b}$ 또는 $\vec{a}\times\vec{b}$와 같이 나타내지 않는다.
- $\pi\pm\theta$, $\frac{\pi}{2}\pm\theta$에 대한 코사인함수
  (1) $\cos(\pi+\theta)=-\cos\theta$
  (2) $\cos(\pi-\theta)=-\cos\theta$
  (3) $\cos\left(\frac{\pi}{2}+\theta\right)=-\sin\theta$
  (4) $\cos\left(\frac{\pi}{2}-\theta\right)=\sin\theta$
- $\vec{a}\cdot\vec{b}=|\vec{a}||\vec{b}|\cos\theta$에서
  (1) $0\le\theta<\frac{\pi}{2}$ ⇨ $\vec{a}\cdot\vec{b}>0$
  (2) $\theta=\frac{\pi}{2}$ ⇨ $\vec{a}\cdot\vec{b}=0$
  (3) $\frac{\pi}{2}<\theta\le\pi$ ⇨ $\vec{a}\cdot\vec{b}<0$
- $\theta=0$ 또는 $\theta=\pi$이면 $\vec{a}/\!/\vec{b}$이다.
- $|\vec{a}+\vec{b}|^2=|\vec{a}|^2+2\vec{a}\cdot\vec{b}+|\vec{b}|^2$
  $|\vec{a}-\vec{b}|^2=|\vec{a}|^2-2\vec{a}\cdot\vec{b}+|\vec{b}|^2$
  $(\vec{a}+\vec{b})\cdot(\vec{a}-\vec{b})=|\vec{a}|^2-|\vec{b}|^2$

2 두 벡터가 이루는 각의 크기

영벡터가 아닌 두 벡터 $\vec{a}, \vec{b}$가 이루는 각의 크기를 θ $(0\le\theta\le\pi)$라 하면

$\vec{a}=(a_1, a_2)$, $\vec{b}=(b_1, b_2)$일 때,

$$\cos\theta=\frac{\vec{a}\cdot\vec{b}}{|\vec{a}||\vec{b}|}=\frac{a_1b_1+a_2b_2}{\sqrt{a_1^2+a_2^2}\sqrt{b_1^2+b_2^2}}$$

3 평면벡터의 성분에 의한 수직 조건과 평행 조건

영벡터가 아닌 두 벡터 $\vec{a}=(a_1, a_2)$, $\vec{b}=(b_1, b_2)$에 대하여

(1) 수직 조건 ➡ $\vec{a}\perp\vec{b} \Longleftrightarrow a_1b_1+a_2b_2=0$

(2) 평행 조건 ➡ $\vec{a}/\!/\vec{b} \Longleftrightarrow \vec{a}\cdot\vec{b}=\pm\sqrt{a_1^2+a_2^2}\sqrt{b_1^2+b_2^2}$

- $\vec{a}/\!/\vec{b}$
  $\Longleftrightarrow \vec{b}=k\vec{a}$
  $\Longleftrightarrow b_1=ka_1,\ b_2=ka_2$
  (단, $k\neq0$인 실수)

1 평면벡터의 내적

[001-006] $|\vec{a}|=2$, $|\vec{b}|=3$인 두 평면벡터 $\vec{a}$, $\vec{b}$가 이루는 각의 크기가 다음과 같을 때, $\vec{a}\cdot\vec{b}$의 값을 구하시오.

001 0°

002 30°

003 60°

004 $\frac{\pi}{4}$

005 $\frac{\pi}{2}$

006 $\frac{2}{3}\pi$

[007-012] 다음 두 평면벡터의 내적을 구하시오.

007 $\vec{a}=(1, 2)$, $\vec{b}=(3, -1)$

008 $\vec{a}=(2, 3)$, $\vec{b}=(4, -2)$

009 $\vec{a}=(2, -7)$, $\vec{b}=(8, 3)$

010 $\vec{a}=(3, 2)$, $\vec{b}=(4, -6)$

011 $\vec{a}=(0, 10)$, $\vec{b}=(9, -1)$

012 $\vec{a}=(7, -1)$, $\vec{b}=(2, 10)$

[013-017] 두 평면벡터 $\vec{a}=(2,\ -1)$, $\vec{b}=(5,\ 5)$에 대하여 다음을 구하시오.

013 $\vec{a}\cdot\vec{b}$

014 $\vec{a}\cdot(\vec{a}+\vec{b})$

015 $\vec{a}\cdot(\vec{a}-\vec{b})$

016 $\vec{b}\cdot(\vec{a}-\vec{b})$

017 $(\vec{a}+\vec{b})\cdot(\vec{a}-\vec{b})$

2 평면벡터의 연산법칙

[018-022] $|\vec{a}|=2$, $|\vec{b}|=1$인 두 평면벡터 $\vec{a}$와 $\vec{b}$가 이루는 각의 크기가 $\frac{\pi}{3}$일 때, 다음을 구하시오.

018 $\vec{a}\cdot\vec{b}$

019 $|\vec{a}+\vec{b}|$

020 $|\vec{a}-\vec{b}|$

021 $|2\vec{a}+\vec{b}|$

022 $(\vec{a}+\vec{b})\cdot(\vec{a}-\vec{b})$

3 두 평면벡터가 이루는 각의 크기

[023-028] 다음 두 평면벡터가 이루는 각의 크기를 구하시오.

023 $\vec{a}=(-1, 2)$, $\vec{b}=(1, 3)$

024 $\vec{a}=(2, 1)$, $\vec{b}=(-2, 4)$

025 $\vec{a}=(1, 0)$, $\vec{b}=(2, 2\sqrt{3})$

026 $\vec{a}=(-1, 3)$, $\vec{b}=(2, -1)$

027 $\vec{a}=(0, 1)$, $\vec{b}=(-2\sqrt{3}, -2)$

028 $\vec{a}=(\sqrt{2}, -2\sqrt{2})$, $\vec{b}=(3, 9)$

4 두 평면벡터의 수직 조건과 평행 조건

[029-030] 세 평면벡터 $\vec{a}=(-3, 2)$, $\vec{b}=(2, 3)$, $\vec{c}=(6, -4)$에 대하여 다음을 구하시오.

029 서로 수직인 벡터

030 서로 평행한 벡터

[031-032] 두 평면벡터 $\vec{a}=(1, 3)$, $\vec{b}=(-6, k)$에 대하여 다음을 만족시키는 상수 k의 값을 구하시오.

031 $\vec{a}\perp\vec{b}$

032 $\vec{a}/\!/\vec{b}$

유형 문제

유형 01 평면벡터의 내적

(1) 평면벡터의 내적

두 평면벡터 $\vec{a}$, $\vec{b}$가 이루는 각의 크기를 θ $(0\le\theta\le\pi)$라 할 때,

$$\vec{a}\cdot\vec{b}=|\vec{a}||\vec{b}|\cos\theta$$

(2) 평면벡터의 내적과 도형

① 도형의 성질을 이용하여 두 벡터 $\vec{a}$, $\vec{b}$가 이루는 각의 크기 θ $(0\le\theta\le\pi)$를 구한다.

② $\vec{a}\cdot\vec{b}=|\vec{a}||\vec{b}|\cos\theta$임을 이용하여 내적을 구한다.

033

그림에서 두 벡터 $\overrightarrow{OA}$, $\overrightarrow{OB}$의 내적 $\overrightarrow{OA}\cdot\overrightarrow{OB}$의 값과 같은 것은?

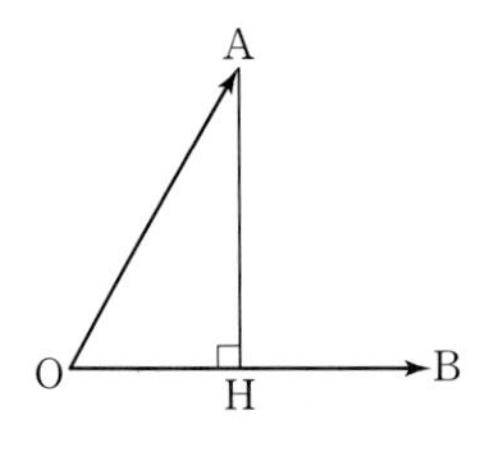

① $|\overrightarrow{OA}||\overrightarrow{AB}|$　② $|\overrightarrow{OA}||\overrightarrow{OH}|$　③ $|\overrightarrow{OB}||\overrightarrow{OH}|$　④ $|\overrightarrow{OH}||\overrightarrow{HB}|$　⑤ $|\overrightarrow{OH}||\overrightarrow{AB}|$

034

그림과 같이 직사각형 ABCD에서 $\overline{AB}=4$, $\overline{AD}=3$일 때, 두 벡터 $\overrightarrow{AB}$, $\overrightarrow{AC}$의 내적 $\overrightarrow{AB}\cdot\overrightarrow{AC}$의 값을 구하시오.

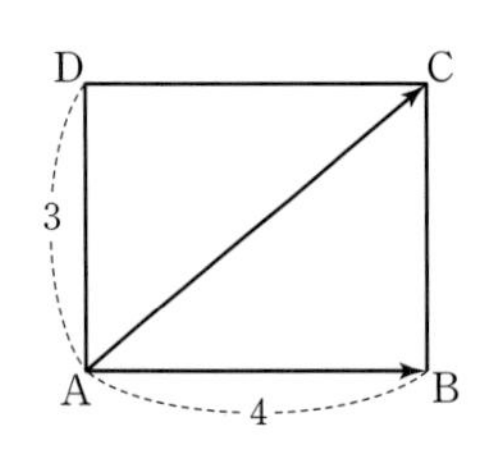

035

그림과 같이 한 변의 길이가 1인 정삼각형 ABC에 대하여 $\overrightarrow{AB}\cdot(\overrightarrow{AC}+\overrightarrow{CB})$의 값은?

① $\frac{1}{2}$　② $\frac{2}{3}$　③ $\frac{3}{4}$　④ 1　⑤ 2

036 (중요)

그림과 같이 정삼각형 ABC에서 변 BC의 중점을 M이라 할 때, 다음 〈보기〉의 내적의 대소 관계로 옳은 것은?

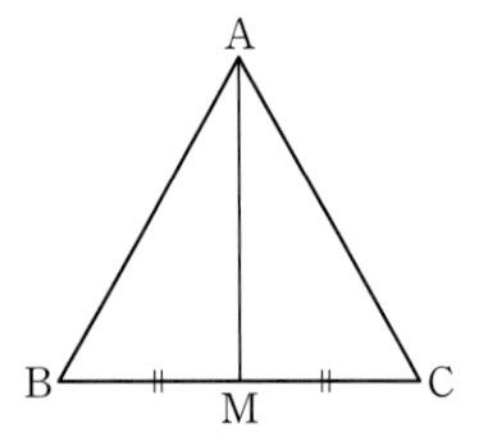

보기

ㄱ. $\overrightarrow{AB}\cdot\overrightarrow{AC}$　ㄴ. $\overrightarrow{AB}\cdot\overrightarrow{BC}$　ㄷ. $\overrightarrow{AB}\cdot\overrightarrow{AM}$

① ㄱ>ㄴ>ㄷ　② ㄱ=ㄴ>ㄷ　③ ㄷ>ㄱ>ㄴ　④ ㄷ>ㄱ=ㄴ　⑤ ㄷ>ㄴ>ㄱ

037 (중요)

선분 AB를 지름으로 하는 원 위의 한 점 P에 대하여 $|\overrightarrow{AB}|=5$, $|\overrightarrow{BP}|=4$일 때, 두 벡터 $\overrightarrow{AB}$, $\overrightarrow{AP}$의 내적 $\overrightarrow{AB}\cdot\overrightarrow{AP}$의 값을 구하시오.

038

그림과 같이 한 변의 길이가 a인 정삼각형 ABC에 대하여 $\overrightarrow{AB}\cdot\overrightarrow{AC}+\overrightarrow{AB}\cdot\overrightarrow{BC}$의 값은?

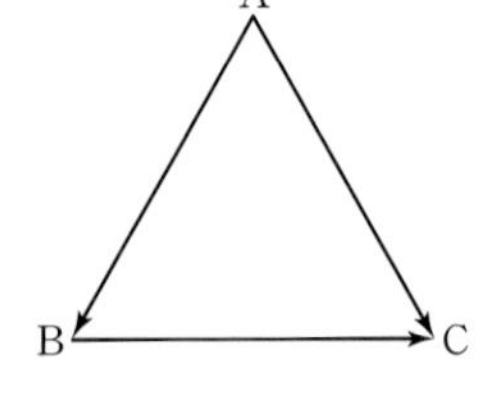

① $-a^2$　② $-\frac{a^2}{2}$　③ 0　④ $\frac{a^2}{2}$　⑤ a^2

039

그림과 같이 한 변의 길이가 1인 정육각형 ABCDEF에서 두 벡터 $\overrightarrow{BD}$, $\overrightarrow{BE}$의 내적 $\overrightarrow{BD} \cdot \overrightarrow{BE}$의 값을 구하시오.

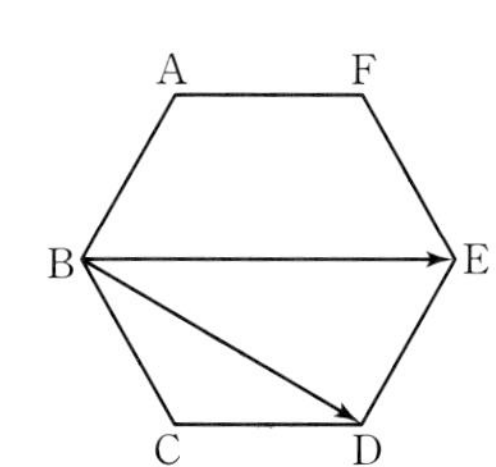

중요 **040**

그림과 같이 사다리꼴 ABCD에서 $\overline{AD} /\!/ \overline{BC}$, $\overline{AB} \perp \overline{BC}$, $\overline{BC}=4$, $\overline{CD}=5$, $\overline{AD}=2$일 때, 두 벡터 $\overrightarrow{AB}$, $\overrightarrow{DC}$의 내적 $\overrightarrow{AB} \cdot \overrightarrow{DC}$의 값을 구하시오.

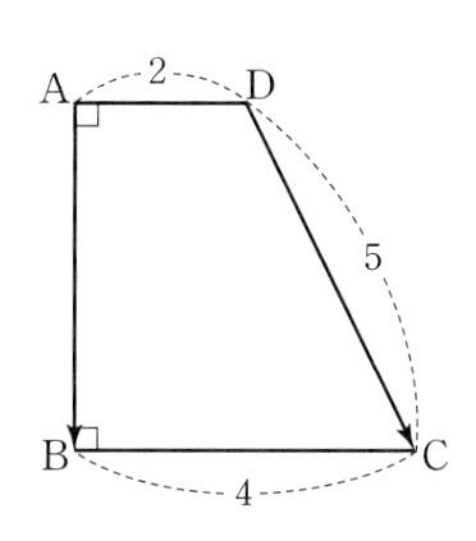

041

그림과 같이 반지름의 길이가 $2\sqrt{3}$인 원 O에 내접하는 정육각형 ABCDEF에서 삼각형 OBC, 삼각형 OEF의 무게중심을 각각 G_1, G_2라 할 때, 두 벡터 $\overrightarrow{AG_1}$, $\overrightarrow{AG_2}$의 내적 $\overrightarrow{AG_1} \cdot \overrightarrow{AG_2}$의 값을 구하시오.

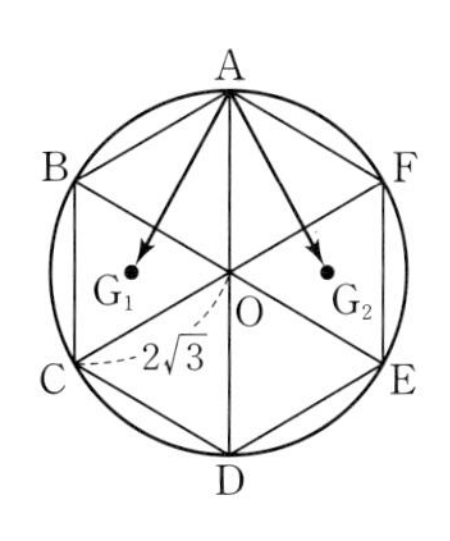

유형 02 성분으로 주어진 벡터의 내적

두 벡터 $\vec{a}=(a_1, a_2)$, $\vec{b}=(b_1, b_2)$에 대하여

$\vec{a} \cdot \vec{b}=a_1b_1+a_2b_2$

042

두 벡터 $\vec{a}=(1, -2)$, $\vec{b}=(3, 2)$에 대하여 내적 $\vec{a} \cdot (2\vec{a}-\vec{b})$의 값을 구하시오.

중요 **043**

두 벡터 $\vec{a}=(x, -2)$, $\vec{b}=(x, 1-x)$에 대하여 $\vec{a} \cdot (\vec{a}+\vec{b})=2$가 되는 실수 x의 값은?

① -1 또는 0 ② -1 또는 1 ③ -1 또는 2
④ 0 또는 1 ⑤ 1 또는 2

044

세 점 A(2, 1), B(1, -2), C(a, 4)에 대하여 $\overrightarrow{AB} \cdot \overrightarrow{BC}=-4$일 때, 상수 a의 값은?

① -15 ② -14 ③ -13
④ -12 ⑤ -11

045

두 벡터 $\vec{a}=(2x, y)$, $\vec{b}=(1, x)$에 대하여 $\vec{a}\cdot\vec{b}=12$, $\vec{b}\cdot\vec{b}=10$을 만족시킬 때, $x+y$의 값을 구하시오. (단, x, y는 양수이다.)

046

세 점 O$(0, 0)$, A$(3, 4)$, B$(4, 0)$에 대하여 세 내적 $a=\overrightarrow{AO}\cdot\overrightarrow{AB}$, $b=\overrightarrow{AB}\cdot\overrightarrow{BO}$, $c=\overrightarrow{OA}\cdot\overrightarrow{OB}$의 대소 관계는?

① $a<b<c$ ② $b<a<c$ ③ $b<c<a$
④ $c<a<b$ ⑤ $c<b<a$

047

두 벡터 $\vec{a}=(-1, 1)$, $\vec{b}=(3, -1)$과 실수 t에 대하여 $f(t)=(t\vec{a}+\vec{b})\cdot(\vec{a}-t\vec{b})$일 때, $f(t)$의 최솟값을 구하시오.

유형 03 성분으로 주어진 벡터의 내적과 도형

주어진 도형을 좌표평면 위에 나타내거나 도형의 성질, 이차방정식의 근과 계수의 관계 등을 이용하여 내적을 구한다.

048

그림과 같이 한 변의 길이가 4인 정삼각형 ABC에서 변 BC의 사등분점을 각각 D, E, F라 할 때, 내적 $(\overrightarrow{AB}+\overrightarrow{AE})\cdot(\overrightarrow{FE}-\overrightarrow{CA})$의 값을 구하시오.

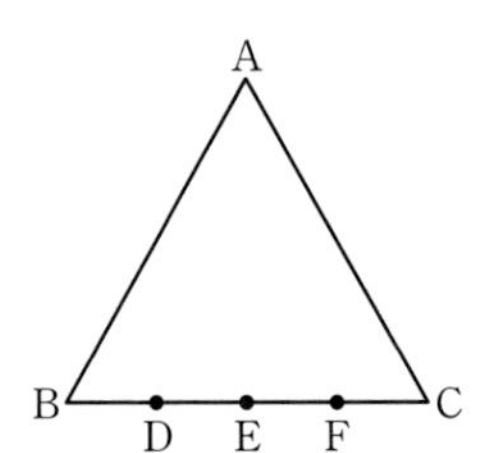

049

그림과 같이 원 $x^2+y^2=5$와 직선 $y=2x+2$의 교점을 A, B라 할 때, 두 벡터 $\overrightarrow{OA}$, $\overrightarrow{OB}$의 내적 $\overrightarrow{OA}\cdot\overrightarrow{OB}$의 값을 구하시오.

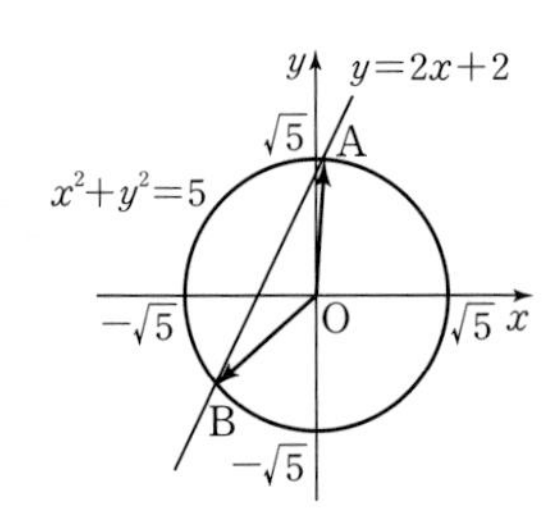

050

그림과 같이 곡선 $y=\frac{1}{x}$의 제1사분면 위를 움직이는 점 P와 두 점 A$(2, 0)$, B$(0, 2)$가 있다. 두 벡터 $\overrightarrow{PA}$, $\overrightarrow{PB}$의 내적 $\overrightarrow{PA}\cdot\overrightarrow{PB}$의 최솟값은?

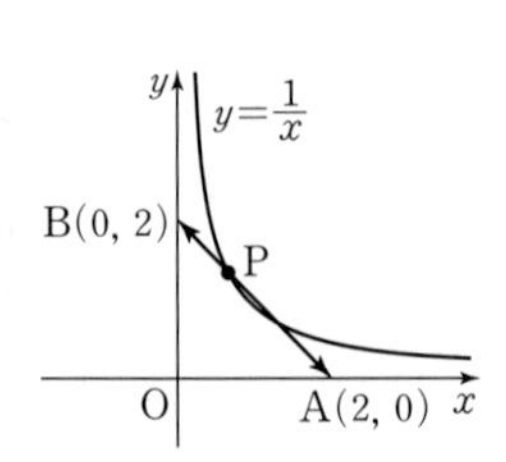

① -12 ② -6 ③ -2
④ 2 ⑤ 6

유형 04 평면벡터의 내적의 연산법칙 (1)

영벡터가 아닌 두 벡터 $\vec{a}$, $\vec{b}$에 대하여

$$|\vec{a}+\vec{b}|^2=|\vec{a}|^2+2\vec{a}\cdot\vec{b}+|\vec{b}|^2$$
$$|\vec{a}-\vec{b}|^2=|\vec{a}|^2-2\vec{a}\cdot\vec{b}+|\vec{b}|^2$$

051

두 벡터 $\vec{a}$, $\vec{b}$에 대하여 $|\vec{a}|=\sqrt{3}$, $|\vec{b}|=2$, $|\vec{a}+\vec{b}|=1$일 때, $(\vec{a}-\vec{b})\cdot(\vec{a}+2\vec{b})$의 값을 구하시오.

중요
052

두 벡터 $\vec{a}$, $\vec{b}$가 이루는 각의 크기가 $\frac{\pi}{4}$이고 $|\vec{a}|=2$, $|\vec{b}|=\sqrt{2}$일 때, 벡터 $\vec{a}+2\vec{b}$의 크기를 구하시오.

중요
053

두 벡터 $\vec{a}$, $\vec{b}$에 대하여 $|2\vec{a}+\vec{b}|=3$, $|2\vec{a}-\vec{b}|=1$일 때, $\vec{a}\cdot\vec{b}$의 값은?

① $\frac{1}{4}$　② $\frac{1}{2}$　③ 1
④ 2　⑤ 4

054

두 벡터 $\vec{a}$, $\vec{b}$에 대하여 $|\vec{a}+\vec{b}|=2$, $|\vec{a}-\vec{b}|=3$일 때, $|\vec{a}+2\vec{b}|^2+|2\vec{a}-\vec{b}|^2$의 값은?

① $\frac{61}{2}$　② $\frac{63}{2}$　③ $\frac{65}{2}$
④ $\frac{67}{2}$　⑤ $\frac{69}{2}$

중요
055

두 벡터 $\vec{a}$, $\vec{b}$가 이루는 각의 크기가 $60°$이다. 벡터 $\vec{b}$의 크기는 1이고 벡터 $\vec{a}-3\vec{b}$의 크기는 $\sqrt{13}$일 때, 벡터 $\vec{a}$의 크기는?

① 1　② 2　③ 3
④ 4　⑤ 5

056

두 벡터 $\vec{a}$, $\vec{b}$에 대하여 $|\vec{a}|=4$, $|\vec{b}|=\sqrt{2}$, $|\vec{a}-\vec{b}|=2\sqrt{5}$일 때, $|\vec{a}+t\vec{b}|$의 값을 최소로 하는 실수 t의 값을 구하시오.

유형 05 평면벡터의 내적의 연산법칙 (2)

도형의 성질을 이용하여 벡터의 크기와 두 벡터가 이루는 각의 크기를 구한 후 내적을 구한다.

057 (중요)

그림과 같이 한 변의 길이가 1인 정삼각형 ABC에서 $\overrightarrow{AB}=\vec{a}$, $\overrightarrow{AC}=\vec{b}$라 할 때, $|2\vec{a}-\vec{b}|$의 값은?

① 1　② $\sqrt{2}$

③ $\sqrt{3}$　④ 2

⑤ $\sqrt{5}$

058

그림과 같이 사각형 OAPB에서 $\angle OAP=\angle OBP=\frac{\pi}{2}$, $|\overrightarrow{OA}|=1$, $|\overrightarrow{OB}|=2$일 때, 두 벡터 $\overrightarrow{OP}$, $\overrightarrow{AB}$의 내적 $\overrightarrow{OP}\cdot\overrightarrow{AB}$의 값을 구하시오.

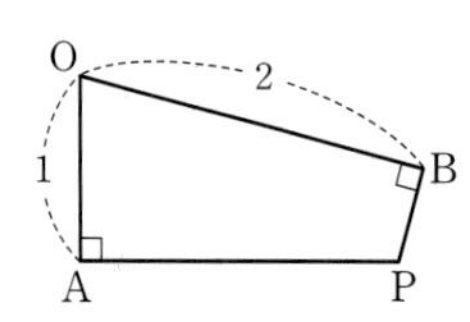

059

그림과 같이 한 변의 길이가 1인 정삼각형 ABC에서 변 BC를 삼등분한 점을 각각 D, E라 할 때, 두 벡터 $\overrightarrow{AD}$, $\overrightarrow{AE}$의 내적 $\overrightarrow{AD}\cdot\overrightarrow{AE}$의 값은?

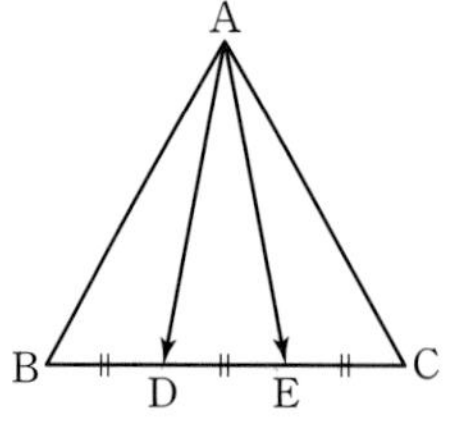

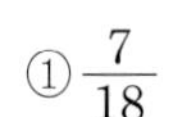
① $\frac{7}{18}$　② $\frac{1}{2}$　③ $\frac{11}{18}$　④ $\frac{13}{18}$　⑤ $\frac{5}{6}$

유형 06 두 벡터가 이루는 각의 크기

영벡터가 아닌 두 벡터 $\vec{a}$, $\vec{b}$가 이루는 각의 크기를 θ $(0\le\theta\le\pi)$라 하면 $\vec{a}=(a_1, a_2)$, $\vec{b}=(b_1, b_2)$일 때,

$$\cos\theta=\frac{\vec{a}\cdot\vec{b}}{|\vec{a}||\vec{b}|}=\frac{a_1b_1+a_2b_2}{\sqrt{a_1^2+a_2^2}\sqrt{b_1^2+b_2^2}}$$

060

두 벡터 $\vec{a}$, $\vec{b}$에 대하여 $|\vec{a}|=2$, $|\vec{b}|=3$, $|\vec{a}-\vec{b}|=\sqrt{7}$일 때, 두 벡터 $\vec{a}$, $\vec{b}$가 이루는 각의 크기 θ를 구하시오. (단, $0<\theta<\pi$)

061

세 벡터 $\vec{a}$, $\vec{b}$, $\vec{c}$에 대하여 $\vec{a}+\vec{b}+\vec{c}=\vec{0}$이고, $|\vec{a}|=6$, $|\vec{b}|=10$, $|\vec{c}|=14$이다. 두 벡터 $\vec{a}$, $\vec{b}$가 이루는 각의 크기를 θ라 할 때, $\cos\theta$의 값은?

① $-\frac{\sqrt{3}}{2}$　② $-\frac{1}{2}$　③ 0　④ $\frac{1}{2}$　⑤ $\frac{\sqrt{3}}{2}$

062 (중요)

세 벡터 $\vec{a}=(3, 2)$, $\vec{b}=(-1, -2)$, $\vec{c}=(2, -3)$에 대하여 두 벡터 $\vec{a}-\vec{b}$와 $\vec{b}-\vec{c}$가 이루는 각의 크기를 θ라 할 때, $\cos\theta$의 값은?

① $-\frac{\sqrt{5}}{5}$　② $-\frac{1}{2}$　③ $-\frac{3}{5}$　④ $-\frac{2}{3}$　⑤ $-\frac{\sqrt{3}}{2}$

063
세 벡터 $\vec{a}=(1,0)$, $\vec{b}=(x,1)$, $\vec{c}=(2,-1)$에 대하여 두 벡터 $2\vec{a}-\vec{b}$와 $\vec{c}$가 이루는 각의 크기가 $45°$일 때, 정수 x의 값은?

① -3　② -2　③ 3
④ 4　⑤ 5

064
중요

그림과 같이 외접원의 반지름의 길이가 1인 삼각형 ABC에서 외심을 O, $\angle AOB=\theta$라 하자. $2\overrightarrow{OA}+3\overrightarrow{OB}+4\overrightarrow{OC}=\vec{0}$일 때, $\cos\theta$의 값은?

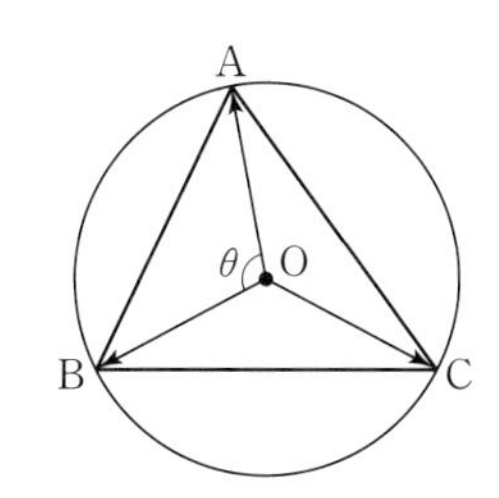

① $-\frac{1}{2}$　② $-\frac{1}{3}$　③ $-\frac{1}{4}$
④ $\frac{1}{4}$　⑤ $\frac{1}{3}$

065
그림과 같이 삼각형 OAB에서 $|\overrightarrow{OA}|=5$, $|\overrightarrow{OB}|=4$, $\overrightarrow{OA}\cdot\overrightarrow{OB}=10$일 때, 삼각형 OAB의 넓이는?

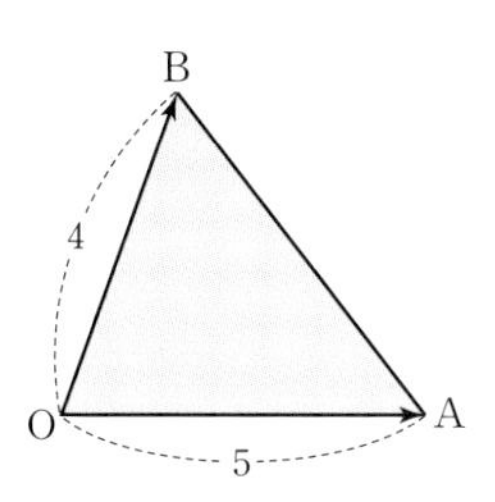

① $\sqrt{3}$　② $2\sqrt{3}$
③ $3\sqrt{3}$　④ $4\sqrt{3}$
⑤ $5\sqrt{3}$

유형 07 벡터의 수직과 평행
영벡터가 아닌 두 벡터 $\vec{a}=(a_1, a_2)$, $\vec{b}=(b_1, b_2)$에 대하여
(1) $\vec{a}\perp\vec{b} \iff a_1b_1+a_2b_2=0$
(2) $\vec{a}\,/\!/\,\vec{b} \iff \vec{a}\cdot\vec{b}=\pm|\vec{a}||\vec{b}|$
$\iff b_1=ka_1,\ b_2=ka_2$ (단, $k\neq0$인 실수)

066
세 벡터 $\vec{a}=(3,6)$, $\vec{b}=(1,-2)$, $\vec{c}=(2,2)$에 대하여 두 벡터 $\vec{a}+k\vec{b}$와 $\vec{b}-\vec{c}$가 서로 평행할 때, 실수 k의 값은?

① -2　② -1　③ 1
④ 2　⑤ 3

067
두 벡터 $\vec{a}=(3,-1)$, $\vec{b}=(x, 1-x)$에 대하여 두 벡터 $99\vec{a}$, $\vec{a}+\vec{b}$가 서로 수직일 때, 실수 x의 값은?

① $-\frac{9}{4}$　② $-\frac{3}{2}$　③ $-\frac{3}{4}$
④ $\frac{3}{2}$　⑤ $\frac{9}{4}$

068
중요

두 벡터 $\vec{a}=(2,6)$, $\vec{b}=(1,1)$일 때, $\vec{a}\,/\!/\,\vec{c}$, $\vec{b}\cdot\vec{c}=16$을 만족시키는 벡터 $\vec{c}$에 대하여 $|\vec{c}|$의 값을 구하시오.

중요
069

영벡터가 아닌 두 벡터 $\vec{a}$, $\vec{b}$가 $|\vec{b}|=2|\vec{a}|$이고, $(\vec{a}+\vec{b})\perp(5\vec{a}-2\vec{b})$를 만족시킬 때, 두 벡터 $\vec{a}$와 $\vec{b}$가 이루는 각의 크기는?

① $30°$　② $45°$　③ $60°$
④ $120°$　⑤ $150°$

070

그림과 같이 두 점 $\mathrm{P}(2, 2)$, $\mathrm{Q}(4, 2)$와 선분 OQ 위의 점 H에 대하여 두 벡터 $\overrightarrow{\mathrm{HP}}$와 $\overrightarrow{\mathrm{OQ}}$가 서로 수직일 때, 벡터 $\overrightarrow{\mathrm{OH}}$를 성분으로 나타내면?

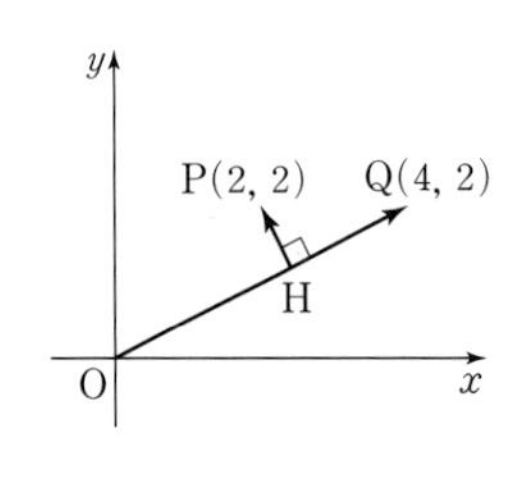

① $(2, 1)$　② $\left(\frac{5}{2}, \frac{5}{4}\right)$
③ $\left(\frac{8}{3}, \frac{4}{3}\right)$　④ $\left(\frac{12}{5}, \frac{6}{5}\right)$　⑤ $\left(\frac{18}{5}, \frac{12}{5}\right)$

071

두 벡터 $\vec{a}=(1, -3)$, $\vec{b}=(-1, 1)$에 대하여 $|\vec{a}+t\vec{b}|$의 값이 최소일 때의 실수 t의 값을 t_1, $(\vec{a}+t\vec{b})\perp\vec{b}$일 때의 실수 t의 값을 t_2라 할 때, t_1+t_2의 값을 구하시오.

유형 08 자취의 방정식

① 점 P의 좌표를 (x, y)로 놓는다.
② 주어진 내적에 대한 등식에 대입하여 x, y의 관계식을 구한다.

072

등식 $(\overrightarrow{\mathrm{AB}}-\overrightarrow{\mathrm{BC}})\cdot\overrightarrow{\mathrm{AC}}=0$을 만족시키는 삼각형 ABC는 어떤 삼각형인가?

① 정삼각형
② $\overline{\mathrm{AB}}=\overline{\mathrm{BC}}$인 이등변삼각형
③ $\overline{\mathrm{AB}}=\overline{\mathrm{AC}}$인 이등변삼각형
④ $\angle\mathrm{A}$가 직각인 직각삼각형
⑤ $\angle\mathrm{C}$가 직각인 직각삼각형

중요
073

좌표평면 위의 두 점 $\mathrm{A}(-1, -2)$, $\mathrm{B}(5, 6)$의 위치벡터 $\overrightarrow{\mathrm{OA}}$, $\overrightarrow{\mathrm{OB}}$에 대하여 $\overrightarrow{\mathrm{PA}}\cdot\overrightarrow{\mathrm{PB}}=0$을 만족시키는 점 P가 나타내는 도형의 넓이를 S라 할 때, $\frac{S}{\pi}$의 값을 구하시오. (단, O는 원점이다.)

08 평면벡터의 도형의 방정식

제 목		문항 번호	문항 수	확인
기본 문제		001～024	24	
유형 문제	01. 직선의 방정식과 방향벡터	025～030	6	
	02. 두 점을 지나는 직선의 방정식	031～033	3	
	03. 법선벡터가 주어진 직선의 방정식	034～039	6	
	04. 두 직선이 이루는 각의 크기	040～042	3	
	05. 두 직선의 평행과 수직	043～048	6	
	06. 직선의 벡터방정식	049～051	3	
	07. 원의 벡터방정식	052～057	6	
	08. 원의 벡터방정식의 응용	058～060	3	

08 평면벡터의 도형의 방정식

1 직선의 방정식

(1) 직선의 벡터방정식

위치벡터가 $\vec{a}$인 점 A를 지나고 벡터 $\vec{u}$에 평행한 직선의 방정식은

$\vec{p}=\vec{a}+t\vec{u}$ (단, t는 실수)

이때 벡터 $\vec{u}$를 이 직선의 방향벡터라고 한다.

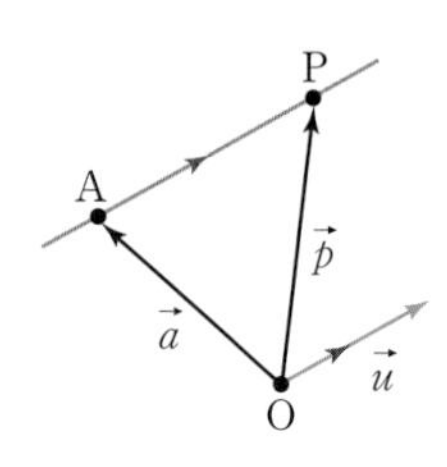

(2) 방향벡터가 주어진 직선의 방정식

점 $A(x_1, y_1)$을 지나고 벡터 $\vec{u}=(a, b)$에 평행한 직선의 방정식은

$\frac{x-x_1}{a}=\frac{y-y_1}{b}$ (단, $ab\neq0$)

(3) 벡터에 수직인 직선의 방정식

위치벡터가 $\vec{a}$인 점 A를 지나고 벡터 $\vec{n}$에 수직인 직선의 방정식은

$(\vec{p}-\vec{a})\cdot\vec{n}=0$

이때 벡터 $\vec{n}$을 이 직선의 법선벡터라고 한다.

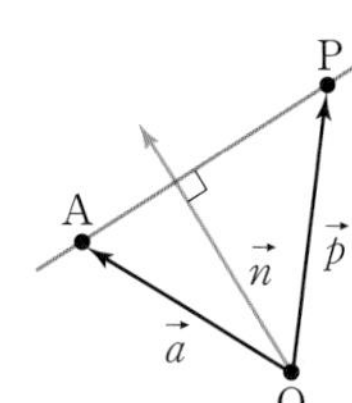

(4) 법선벡터가 주어진 직선의 방정식

점 $A(x_1, y_1)$을 지나고 벡터 $\vec{n}=(a, b)$에 수직인 직선의 방정식은

$a(x-x_1)+b(y-y_1)=0$

2 두 직선이 이루는 각의 크기

두 직선 l_1, l_2의 방향벡터가 각각 $\vec{u_1}=(a_1, b_1)$, $\vec{u_2}=(a_2, b_2)$일 때, 두 직선이 이루는 각의 크기를 $\theta\left(0\leq\theta\leq\frac{\pi}{2}\right)$라 하면

$$\cos\theta=\frac{|\vec{u_1}\cdot\vec{u_2}|}{|\vec{u_1}||\vec{u_2}|}=\frac{|a_1a_2+b_1b_2|}{\sqrt{a_1^2+b_1^2}\sqrt{a_2^2+b_2^2}}$$

3 원의 방정식

(1) 위치벡터가 $\vec{c}$인 점 C를 중심으로 하고 반지름의 길이가 r인 원의 방정식은

$|\vec{p}-\vec{c}|=r$ 또는 $(\vec{p}-\vec{c})\cdot(\vec{p}-\vec{c})=r^2$

(2) 위치벡터가 각각 $\vec{a}$, $\vec{b}$인 서로 다른 두 점 A, B를 지름의 양 끝 점으로 하는 원의 방정식은

$(\vec{p}-\vec{a})\cdot(\vec{p}-\vec{b})=0$

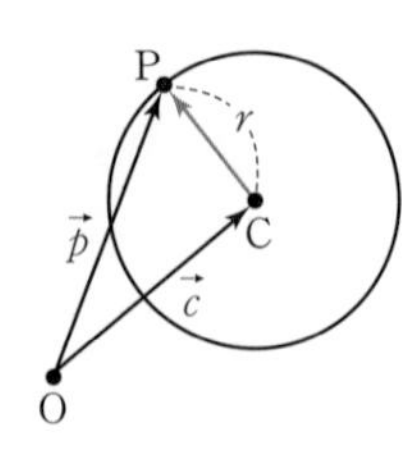

개념 플러스

- 점 $A(x_1, y_1)$을 지나고 방향벡터가 $\vec{u}=(a, b)$인 직선의 방정식을 매개변수 t (t는 실수)를 이용하여 $x=x_1+at$, $y=y_1+bt$ 로 나타내기도 한다.
- 점 $A(x_1, y_1)$을 지나고 방향벡터가 $\vec{u}$인 직선의 방정식은
  (1) $\vec{u}=(0, b)$ $(b\neq0)$일 때 ⇨ $x=x_1$
  (2) $\vec{u}=(a, 0)$ $(a\neq0)$일 때 ⇨ $y=y_1$
- 두 점 $A(x_1, y_1)$, $B(x_2, y_2)$를 지나는 직선의 방정식
  ⇨ $\frac{x-x_1}{x_2-x_1}=\frac{y-y_1}{y_2-y_1}$
  (단, $x_1\neq x_2$, $y_1\neq y_2$)

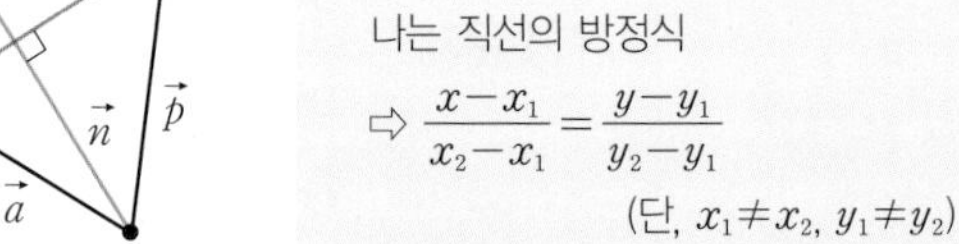

- **두 직선의 평행과 수직**
  두 직선 l_1, l_2의 방향벡터가 각각 $\vec{u_1}=(a_1, b_1)$, $\vec{u_2}=(a_2, b_2)$일 때
  (1) $l_1 /\!/ l_2 \Longleftrightarrow \vec{u_1}=t\vec{u_2}$ (단, $t\neq0$인 실수)
  $\Longleftrightarrow a_1 : b_1=a_2 : b_2$
  (2) $l_1\perp l_2 \Longleftrightarrow \vec{u_1}\cdot\vec{u_2}=0$
  $\Longleftrightarrow a_1a_2+b_1b_2=0$
- 두 점 $A(x_1, y_1)$, $B(x_2, y_2)$를 지름의 양 끝 점으로 하는 원의 방정식
  ⇨ $(x-x_1)(x-x_2)+(y-y_1)(y-y_2)=0$

기본 문제

정답 및 해설 49쪽

1 직선의 방정식

[001-003] 다음 직선의 방향벡터 $\vec{u}$를 구하시오.

001 $\frac{x-1}{3}=\frac{y}{4}$

002 $\frac{-x+1}{2}=2y$

003 $x=1+3t,\ y=-2+2t$

[004-006] 다음 직선의 방정식을 매개변수 t를 이용하여 나타내시오.

004 점 $\mathrm{A}(2,\ -1)$을 지나고 방향벡터가 $\vec{u}=(2,\ 5)$인 직선

005 점 $\mathrm{B}(4,\ 2)$를 지나고 방향벡터가 $\vec{u}=(5,\ -3)$인 직선

006 점 $\mathrm{C}(-2,\ 3)$을 지나고 벡터 $\vec{u}=(-3,\ 4)$에 평행한 직선

[007-010] 다음 직선의 방정식을 구하시오.

007 점 $(1,\ 4)$를 지나고 방향벡터가 $\vec{u}=(3,\ 2)$인 직선

008 점 $(-1,\ 3)$을 지나고 벡터 $\vec{u}=(6,\ -1)$에 평행한 직선

009 점 $(1,\ -2)$를 지나고 방향벡터가 $\vec{u}=(0,\ 2)$인 직선

010 점 $(3,\ -7)$을 지나고 방향벡터가 $\vec{u}=(4,\ 0)$인 직선

[011-015] 다음 두 점을 지나는 직선의 방정식을 벡터를 이용하여 구하시오.

011 $\mathrm{A}(2,\ 1),\ \mathrm{B}(4,\ 3)$

012 $\mathrm{A}(3,\ 1),\ \mathrm{B}(-1,\ 4)$

013 A$(-1, 1)$, B$(3, 5)$

014 A$(-3, 1)$, B$(-3, -4)$

015 A$(4, 2)$, B$(-2, 2)$

[016-017] 다음 직선의 방정식을 구하시오.

016 점 $(-2, 1)$을 지나고 법선벡터가 $\vec{n}=(1, -1)$인 직선

017 점 $(5, -4)$를 지나고 법선벡터가 $\vec{n}=(-3, -4)$인 직선

2 두 직선이 이루는 각의 크기

[018-021] 다음 두 직선 l, m이 이루는 각의 크기를 구하시오.

018 l: $\frac{x+3}{2}=\frac{y-5}{4}$, m: $\frac{x-5}{3}=y-3$

019 l: $\frac{x-1}{3}=\frac{y-2}{-2}$, m: $x+3=\frac{1-y}{5}$

020 l: $\frac{x+2}{6}=\frac{y-4}{3}$, m: $\frac{x+5}{-2}=\frac{y-2}{4}$

021 l: $x-4=\frac{y+1}{-\sqrt{3}}$, m: $\frac{x}{-3}=\frac{y+2}{\sqrt{3}}$

3 원의 방정식

[022-024] 다음 원의 방정식을 벡터를 이용하여 구하시오.

022 점 A$(2, -1)$을 중심으로 하고 반지름의 길이가 2인 원

023 벡터 $\vec{a}=(-2, 4)$의 종점을 중심으로 하고 반지름의 길이가 3인 원

024 두 점 A$(1, -1)$, B$(5, 3)$을 지름의 양 끝 점으로 하는 원

유형 문제

정답 및 해설 51쪽

유형 01 직선의 방정식과 방향벡터

(1) 점 $A(x_1, y_1)$을 지나고 벡터 $\vec{u}=(a, b)$에 평행한 직선의 방정식

⇨ $\dfrac{x-x_1}{a}=\dfrac{y-y_1}{b}$ (단, $ab\neq0$)

(2) 평행한 두 직선의 방향벡터는 같다.

025

두 벡터 $\vec{a}=(3, 5)$, $\vec{b}=(-1, 2)$에 대하여 점 $(3, 2)$를 지나고 방향벡터가 $\vec{u}=\vec{a}-2\vec{b}$인 직선의 방정식이 $x+py+q=0$일 때, $p+q$의 값은? (단, p, q는 상수이다.)

① 2　② 4　③ 6　④ 8　⑤ 10

026 (중요)

점 $(1, -2)$를 지나고 직선

$$g: \frac{x+2}{2}=\frac{y-1}{3}$$

에 평행한 직선이 점 $(a, 4)$를 지날 때, a의 값을 구하시오.

027

점 $(2, 6)$을 지나고 직선 $\begin{cases} x=3t-1 \\ y=2t+3 \end{cases}$에 평행한 직선의 방정식을 구하시오. (단, t는 실수이다.)

028

점 $A(a, 5)$를 지나고 방향벡터가 $\vec{u}=(p, q)$인 직선의 방정식이 $\dfrac{x-6}{3}=\dfrac{y-5}{6}$일 때, $a+\dfrac{q}{p}$의 값은?

① 6　② 7　③ 8　④ 9　⑤ 10

029 (중요)

좌표평면 위의 점 $A(2, 3)$을 원점에 대하여 대칭이동한 점을 $B(a, b)$라 하자. 점 B를 지나고 방향벡터가 $\vec{u}=(1, 5)$인 직선을 l이라 할 때, 직선 l과 점 A 사이의 거리를 구하시오.

030

타원 $\dfrac{x^2}{35}+\dfrac{y^2}{10}=1$의 두 초점을 F, F′이라 할 때, 벡터 $\overrightarrow{FF'}$을 방향벡터로 하고, 점 $(2, 4)$를 지나는 직선의 방정식은?

① $x=2$　② $x=4$　③ $y=2$　④ $y=4$　⑤ $x-2=y-4$

유형 02 두 점을 지나는 직선의 방정식

두 점 $A(x_1, y_1)$, $B(x_2, y_2)$를 지나는 직선의 방정식

⇨ $\frac{x-x_1}{x_2-x_1}=\frac{y-y_1}{y_2-y_1}$ (단, $x_1 \neq x_2$, $y_1 \neq y_2$)

031

두 점 $A(1, -1)$, $B(2, 3)$을 지나는 직선에 평행하고 점 $(2, 1)$을 지나는 직선의 방정식을 구하시오.

032 (중요)

두 점 $A(1, 3)$, $B(3, 2)$를 지나는 직선이 점 $(5, a)$를 지날 때, a의 값은?

① -2 ② -1 ③ 1
④ 2 ⑤ 3

033

세 점 $A(1, 3)$, $B(-2, 1)$, $C(2, -3)$을 꼭짓점으로 하는 삼각형 ABC의 무게중심을 G라 할 때, 두 점 A, G를 지나는 직선의 방정식을 구하시오.

유형 03 법선벡터가 주어진 직선의 방정식

점 $A(x_1, y_1)$을 지나고 벡터 $\vec{n}=(a, b)$에 수직인 직선의 방정식

⇨ $a(x-x_1)+b(y-y_1)=0$

034

점 $(2, -3)$을 지나고 직선 $\frac{x-2}{3}=\frac{y+3}{2}$에 수직인 직선 l의 방정식을 구하시오.

035 (중요)

점 $A(2, -1)$을 지나고 직선 $2(x+1)=-(y-5)$에 수직인 직선이 두 점 $(a, -1)$, $(12, b)$를 지날 때, ab의 값은?

① 4 ② 6 ③ 8
④ 10 ⑤ 12

036

점 $(2, 1)$을 지나고 법선벡터가 $\vec{n}=(1, 3)$인 직선과 점 $(-2, 3)$을 지나고 방향벡터가 $\vec{u}=(2, -1)$인 직선이 한 점 (a, b)에서 만날 때, $a+b$의 값을 구하시오.

037

점 A$(1, 2)$에서 직선 $l: \frac{x-1}{2}=-(y-3)$에 내린 수선의 발을 H라 할 때, 두 점 A, H를 지나는 직선의 방정식을 구하시오.

038

두 직선 $l: \begin{cases} x=t+2 \\ y=2t-1 \end{cases}$, $m: \begin{cases} x=s \\ y=3s-4 \end{cases}$ 의 교점을 지나는 직선이 직선 $\frac{x+1}{2}=\frac{y-2}{3}$와 서로 수직일 때, 이 직선의 방정식을 구하시오. (단, t, s는 실수이다.)

039

중요

두 점 A$(1, 1)$, B$(2, -3)$을 지나는 직선과 수직인 직선이 점 P$(-3, 1)$을 지날 때, 이 직선과 x축, y축으로 둘러싸인 부분의 넓이를 S라 할 때, $8S$의 값을 구하시오.

유형 04 두 직선이 이루는 각의 크기

두 직선 l_1, l_2의 방향벡터가 각각 $\vec{u_1}=(a_1, b_1)$, $\vec{u_2}=(a_2, b_2)$일 때, 두 직선이 이루는 각의 크기를 θ $\left(0\le\theta\le\frac{\pi}{2}\right)$라 하면

$$\cos\theta=\frac{|\vec{u_1}\cdot\vec{u_2}|}{|\vec{u_1}||\vec{u_2}|}=\frac{|a_1a_2+b_1b_2|}{\sqrt{a_1^2+b_1^2}\sqrt{a_2^2+b_2^2}}$$

040

두 직선

$$g_1: \frac{x-3}{2}=y-1,\ g_2: \begin{cases} x=-2t-1 \\ y=t-6 \end{cases}$$

이 이루는 각의 크기를 θ $\left(0\le\theta\le\frac{\pi}{2}\right)$라 할 때, $\sin\theta$의 값을 구하시오. (단, t는 실수이다.)

041

중요

두 직선

$$g_1: \frac{x-2}{m}=y+1,\ g_2: \frac{x-4}{2}=\frac{y-1}{-1}$$

이 이루는 각의 크기가 $\frac{\pi}{4}$일 때, 양수 m의 값은?

① 1 ② 2 ③ 3
④ 4 ⑤ 5

042

두 점 A$(3, -2)$, B$(6, -1)$을 지나는 직선과 두 점 C$(5, 3)$, D$(7, 2)$를 지나는 직선이 이루는 예각의 크기를 구하시오.

유형 05 두 직선의 평행과 수직

두 직선 l_1, l_2의 방향벡터가 각각 $\vec{u_1}=(a_1, b_1)$, $\vec{u_2}=(a_2, b_2)$일 때

(1) 평행 조건: $l_1 /\!/ l_2 \Longleftrightarrow \vec{u_1}=t\vec{u_2}$ (단, $t\neq0$인 실수)

$\Longleftrightarrow \dfrac{a_1}{a_2}=\dfrac{b_1}{b_2}$ (단, $a_2b_2\neq0$)

(2) 수직 조건: $l_1 \perp l_2 \Longleftrightarrow \vec{u_1}\cdot\vec{u_2}=0$

$\Longleftrightarrow a_1a_2+b_1b_2=0$

043

두 직선 $\dfrac{2-x}{k}=\dfrac{3-y}{6}$, $x+3=\dfrac{y+5}{k-1}$가 서로 평행하도록 하는 모든 실수 k의 값의 곱을 구하시오.

044

두 직선 $\dfrac{x-2}{k-4}=5-y$, $\dfrac{x+1}{3}=\dfrac{y-4}{k}$가 서로 수직이 되도록 하는 실수 k의 값은?

① 2 ② 4 ③ 6 ④ 8 ⑤ 10

중요 **045**

두 점 $\mathrm{A}(a, 5)$, $\mathrm{B}(4, a)$를 지나는 직선과 직선 $x+1=\dfrac{y-2}{2}$가 서로 수직일 때, a의 값은?

① 3 ② 4 ③ 5 ④ 6 ⑤ 7

046

두 직선 $l: \dfrac{x-1}{10}=\dfrac{y+2}{k}$, $m: \begin{cases} x=2t-3 \\ y=5t+1 \end{cases}$에 대하여 $l /\!/ m$일 때의 상수 k의 값을 a, $l \perp m$일 때의 상수 k의 값을 b라 하자. $a+b$의 값은?

① 18 ② 19 ③ 20 ④ 21 ⑤ 22

중요 **047**

직선 $l: \dfrac{x-1}{3}=\dfrac{y+3}{2}$이 직선 $m: \dfrac{x-3}{6}=\dfrac{y-4}{-a}$와는 서로 평행하고 직선 $n: \dfrac{x+5}{2}=\dfrac{4-y}{b}$와는 서로 수직일 때, $a+b$의 값을 구하시오. (단, $a\neq0$, $b\neq0$인 실수이다.)

048

점 $\mathrm{A}(0, -1)$에서 직선 $l: \dfrac{x+1}{2}=\dfrac{y-4}{3}$에 내린 수선의 발을 $\mathrm{H}(a, b)$라 할 때, $a+b$의 값은?

① -1 ② -2 ③ -3 ④ -4 ⑤ -5

유형 06 직선의 벡터방정식

구하는 직선 위의 점 P의 위치벡터를 $\vec{p}$로 놓고, 주어진 조건을 이용하여 직선의 벡터방정식을 구한다.

중요
049

평면 위의 세 점 A, B, C의 위치벡터를 각각 $\vec{a}$, $\vec{b}$, $\vec{c}$라 하자. 점 A를 지나고 직선 BC에 평행한 직선 위의 임의의 점 P의 위치벡터를 $\vec{p}$라 할 때, 이 직선의 벡터방정식은? (단, t는 실수이다.)

① $\vec{p}=\vec{a}+t(\vec{c}+\vec{b})$　② $\vec{p}=\vec{a}+t(\vec{c}-\vec{b})$
③ $\vec{p}=\vec{a}-t(\vec{c}+\vec{b})$　④ $\vec{p}=-\vec{a}+t(\vec{c}+\vec{b})$
⑤ $\vec{p}=-\vec{a}+t(\vec{c}-\vec{b})$

050

평면 위의 두 점 A, B의 위치벡터를 각각 $\vec{a}$, $\vec{b}$라 하자. 선분 AB를 2 : 1로 내분하는 점을 지나고 직선 AB에 수직인 직선 위의 임의의 점 P의 위치벡터를 $\vec{p}$라 할 때, 이 직선의 벡터방정식은?

① $\left(\vec{p}+\frac{1}{3}\vec{a}+\frac{2}{3}\vec{b}\right)\cdot(\vec{b}-\vec{a})=0$
② $\left(\vec{p}+\frac{1}{3}\vec{a}-\frac{2}{3}\vec{b}\right)\cdot(\vec{b}-\vec{a})=0$
③ $\left(\vec{p}-\frac{1}{3}\vec{a}-\frac{2}{3}\vec{b}\right)\cdot(\vec{b}-\vec{a})=0$
④ $\left(\vec{p}+\frac{2}{3}\vec{a}+\frac{1}{3}\vec{b}\right)\cdot(\vec{b}-\vec{a})=0$
⑤ $\left(\vec{p}-\frac{2}{3}\vec{a}-\frac{1}{3}\vec{b}\right)\cdot(\vec{b}-\vec{a})=0$

051

평면 위의 두 점 A, B에 대하여 $\overrightarrow{OA}=\vec{a}$, $\overrightarrow{OB}=\vec{b}$라 하자. 삼각형 OAB의 무게중심 G를 지나고 변 AB에 수직인 직선 위의 임의의 점 P의 위치벡터를 $\vec{p}$라 할 때, 이 직선의 벡터방정식은?
(단, O는 원점이다.)

① $(\vec{p}-\vec{a}-\vec{b})\cdot(\vec{b}-\vec{a})=0$
② $(\vec{p}+\vec{a}+\vec{b})\cdot(\vec{b}-\vec{a})=0$
③ $(\vec{p}+\vec{a}+\vec{b})\cdot(\vec{b}+\vec{a})=0$
④ $(3\vec{p}-\vec{a}-\vec{b})\cdot(\vec{b}-\vec{a})=0$
⑤ $(3\vec{p}-\vec{a}-\vec{b})\cdot(\vec{b}+\vec{a})=0$

유형 07 원의 벡터방정식

(1) 두 점 C, P의 위치벡터를 각각 $\vec{c}$, $\vec{p}$라 할 때, 점 C를 중심으로 하고 반지름의 길이가 r인 원의 방정식
⇨ $|\vec{p}-\vec{c}|=r$ 또는 $(\vec{p}-\vec{c})\cdot(\vec{p}-\vec{c})=r^2$

(2) 세 점 A, B, P의 위치벡터를 각각 $\vec{a}$, $\vec{b}$, $\vec{p}$라 할 때, $\overline{AB}$를 지름으로 하는 원의 방정식
⇨ $(\vec{p}-\vec{a})\cdot(\vec{p}-\vec{b})=0$

052

점 A(2, 1)에 대하여 $|\overrightarrow{AP}|=4$를 만족시키는 점 P가 나타내는 도형의 방정식은?

① $(x-2)^2+(y-1)^2=4$　② $(x-2)^2+(y-1)^2=16$
③ $(x-2)^2+(y+1)^2=4$　④ $(x+2)^2+(y+1)^2=16$
⑤ $(x+2)^2+(y+1)^2=4$

중요
053

두 점 A(−1, 4), P의 위치벡터를 각각 $\vec{a}$, $\vec{p}$라 하자.
$(\vec{p}-\vec{a})\cdot(\vec{p}-\vec{a})=9$를 만족시킬 때, 점 P가 나타내는 도형은 중심의 좌표가 (m, n)이고, 반지름의 길이가 r인 원이다.
$m+n+r$의 값을 구하시오.

054

두 점 A(2, −1), B(8, 7)에 대하여 $\overrightarrow{AP}\cdot\overrightarrow{BP}=0$을 만족시키는 점 P가 나타내는 도형의 넓이는?

① 10π　② 16π　③ 25π
④ 30π　⑤ 36π

055

세 위치벡터 $\vec{a}$, $\vec{b}$, $\vec{p}$에 대하여 $\vec{a}=(0,\ 2)$, $\vec{b}=(6,\ -4)$이고 $(\vec{p}-\vec{a})\cdot(\vec{p}-\vec{b})=0$이 성립할 때, 벡터 $\vec{p}$를 위치벡터로 하는 점 P가 나타내는 도형은 원 $x^2+y^2+Ax+By+C=0$이다. 세 상수 A, B, C에 대하여 $A+B+C$의 값은?

① -12　② -10　③ -8
④ -6　⑤ -4

056

두 점 $\mathrm{A}(0,\ -2)$, $\mathrm{B}(8,\ 4)$를 지름의 양 끝 점으로 하는 원의 방정식을 벡터를 이용하여 구하시오.

057

중요

두 점 $\mathrm{A}(4,\ 1)$, $\mathrm{B}(2,\ 3)$에 대하여 $|\overrightarrow{\mathrm{PA}}+\overrightarrow{\mathrm{PB}}|=6$을 만족시키는 점 $\mathrm{P}(x,\ y)$가 나타내는 도형은 원이다. 원점에서 이 원에 이르는 거리의 최댓값은?

① $1+\sqrt{13}$　② $2+\sqrt{13}$　③ $3+\sqrt{13}$
④ $4+\sqrt{13}$　⑤ $5+\sqrt{13}$

유형 08 원의 벡터방정식의 응용

주어진 조건을 이용하여 원의 벡터방정식을 구한 후 문제를 해결한다.

058

평면 위의 서로 다른 두 점 A, B에 대하여 $|2\overrightarrow{\mathrm{PA}}+\overrightarrow{\mathrm{PB}}|=12$를 만족시키는 점 P가 나타내는 도형은?

① 직선　② 길이가 6인 선분
③ 포물선　④ 반지름의 길이가 4인 원
⑤ 반지름의 길이가 $2\sqrt{3}$인 원

059

중요

좌표평면 위의 두 벡터 $\vec{p}=(1,\ 0)$, $\vec{q}=(0,\ 1)$에 대하여 두 점 A, B가 다음 조건을 만족시킨다.

> (가) $\overrightarrow{\mathrm{OA}}\cdot\vec{p}=|\vec{p}|$, $\overrightarrow{\mathrm{OA}}\cdot\vec{q}=|\vec{q}|$
> (나) $|\overrightarrow{\mathrm{OB}}-\overrightarrow{\mathrm{OA}}|=\sqrt{2}$

점 B가 나타내는 도형이 x축과 만나는 두 점을 P, Q라 할 때, 선분 PQ의 길이를 구하시오. (단, O는 원점이다.)

060

두 점 $\mathrm{C}(1,\ -3)$, $\mathrm{P}(x,\ y)$의 위치벡터를 각각 $\vec{c}$, $\vec{p}$라 하자. $|\vec{p}-\vec{c}|=5$를 만족시키는 점 P가 나타내는 도형 위의 점 $\mathrm{B}(4,\ 1)$에서의 접선의 방정식을 법선벡터를 이용하여 구하시오.

09 공간도형

제 목		문항 번호	문항 수	확인
기본 문제		001 ~ 041	41	
유형 문제	01. 평면의 결정조건	042 ~ 044	3	
	02. 두 직선의 위치 관계	045 ~ 047	3	
	03. 직선과 평면의 위치 관계	048 ~ 050	3	
	04. 두 직선이 이루는 각	051 ~ 053	3	
	05. 직선과 평면이 이루는 각	054 ~ 055	2	
	06. 삼수선의 정리	056 ~ 064	9	
	07. 이면각	065 ~ 070	6	
	08. 정사영의 길이	071 ~ 075	5	
	09. 정사영의 넓이	076 ~ 084	9	
	10. 도형과 정사영이 이루는 각의 크기	085 ~ 087	3	

09 공간도형

1 평면의 결정조건

(1) 한 직선 위에 있지 않은 서로 다른 세 점
(2) 한 직선과 그 직선 위에 있지 않은 한 점
(3) 한 점에서 만나는 두 직선
(4) 평행한 두 직선

2 삼수선의 정리

평면 α 위에 있지 않은 점 P, 평면 α 위의 점 O를 지나지 않는 α 위의 직선 l, 직선 l 위의 점 H에 대하여

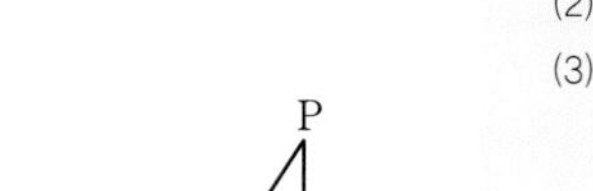

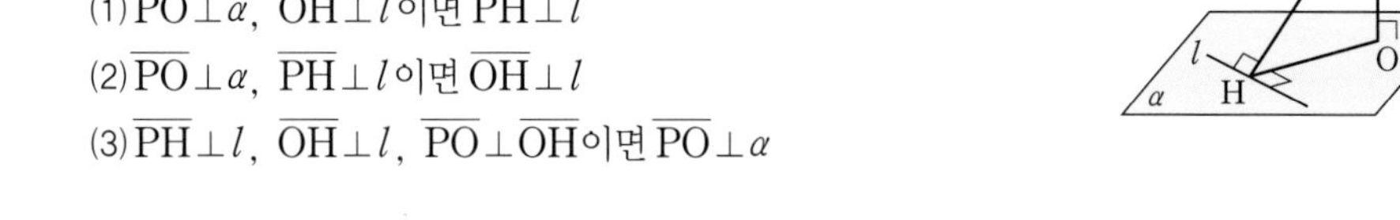

(1) $\overline{\mathrm{PO}}\perp\alpha$, $\overline{\mathrm{OH}}\perp l$이면 $\overline{\mathrm{PH}}\perp l$
(2) $\overline{\mathrm{PO}}\perp\alpha$, $\overline{\mathrm{PH}}\perp l$이면 $\overline{\mathrm{OH}}\perp l$
(3) $\overline{\mathrm{PH}}\perp l$, $\overline{\mathrm{OH}}\perp l$, $\overline{\mathrm{PO}}\perp\overline{\mathrm{OH}}$이면 $\overline{\mathrm{PO}}\perp\alpha$

3 이면각

직선 l을 공유하는 두 반평면 α, β로 이루어진 도형을 이면각이라 하고, 교선 l을 이면각의 변, 두 반평면 α, β를 각각 이면각의 면이라고 한다. 또 이면각의 변 l 위에 있는 한 점 O를 지나고 l과 수직인 두 반직선 OA, OB를 두 반평면 α, β 위에 각각 그릴 때, $\angle$AOB의 크기를 이면각의 크기라고 한다. 이때 $\angle$AOB의 크기는 점 O의 위치에 관계없이 일정하다.

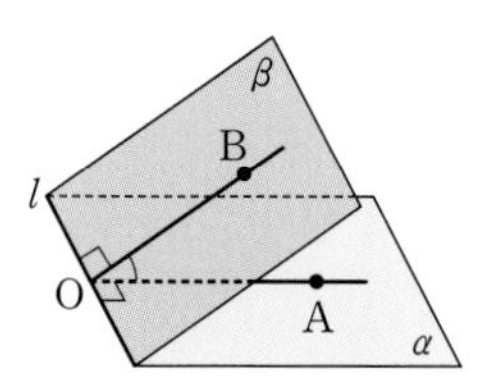

4 정사영

(1) 평면 α 위에 있지 않은 한 점 P에서 평면 α에 내린 수선의 발을 P′이라 할 때, 점 P′을 점 P의 평면 α 위로의 정사영이라고 한다.
(2) 정사영의 길이
선분 AB의 평면 α 위로의 정사영을 선분 A′B′이라 하고, 직선 AB와 평면 α가 이루는 각의 크기를 θ라 하면

$$\overline{\mathrm{A'B'}}=\overline{\mathrm{AB}}\cos\theta\left(0\le\theta\le\frac{\pi}{2}\right)$$

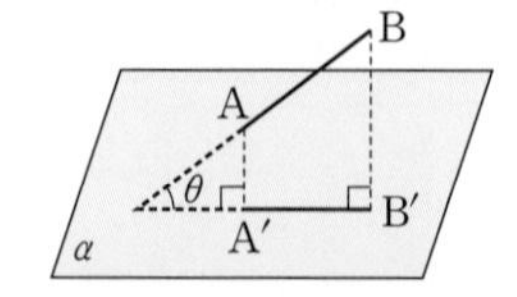

(3) 정사영의 넓이
평면 α 위에 있는 도형의 넓이를 S, 이 도형의 평면 β 위로의 정사영의 넓이를 S'이라 하고, 두 평면 α와 β가 이루는 각의 크기를 θ라 하면

$$S'=S\cos\theta\left(0\le\theta\le\frac{\pi}{2}\right)$$

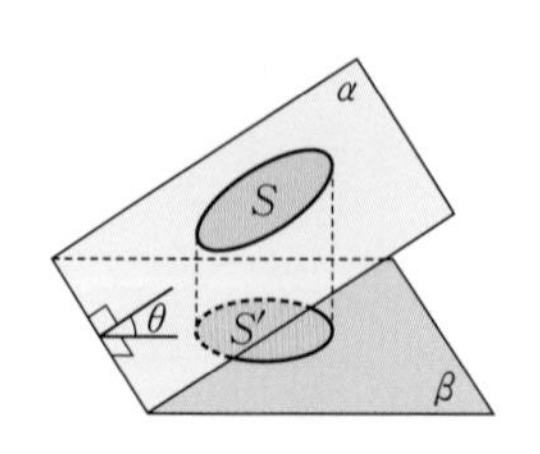

개념 플러스

- 두 직선의 위치 관계
(1) 한 점에서 만난다.
(2) 평행하다.
(3) 꼬인 위치에 있다.

- 직선과 평면의 위치 관계
(1) 직선이 평면에 포함된다.
(2) 직선과 평면이 한 점에서 만난다.
(3) 평행하다.

- 두 평면의 위치 관계
(1) 만난다.
(2) 평행하다.
참고 서로 다른 두 평면이 만날 때 공유하는 직선을 두 평면의 교선이라고 한다.

- 두 평면이 만날 때, 이 두 평면이 이루는 이면각 중에서 크기가 크지 않은 한 이면각의 크기를 두 평면이 이루는 각의 크기라고 한다.

기본 문제

1 평면의 결정조건

001 그림과 같이 공간에서 한 평면에 있지 않은 네 개의 점이 주어져 있을 때, 네 점 중에서 세 점에 의하여 결정되는 평면의 개수를 구하시오.

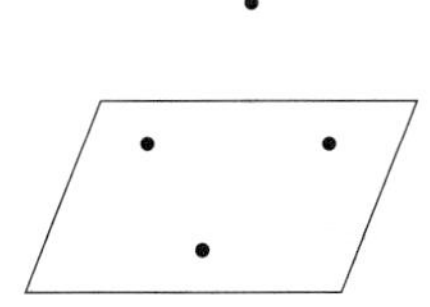

002 그림과 같은 삼각기둥에 대하여 〈보기〉 중에서 한 평면을 결정할 수 있는 것만을 있는 대로 고르시오.

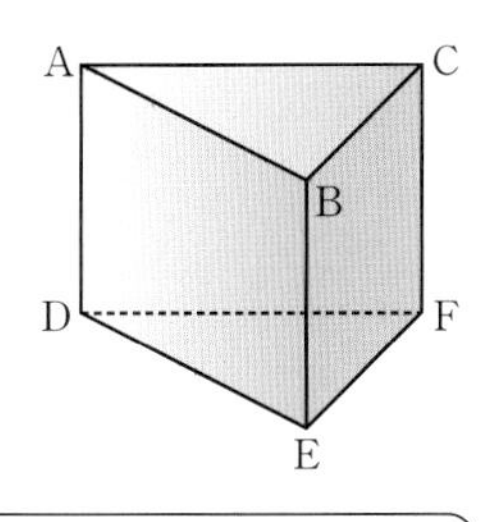

보기
ㄱ. 세 점 B, D, F
ㄴ. 점 A와 직선 EF
ㄷ. 직선 AD와 직선 BC
ㄹ. 직선 AC와 직선 CE

2 직선과 평면의 위치 관계

[003-006] 그림과 같은 직육면체에서 다음을 구하시오.

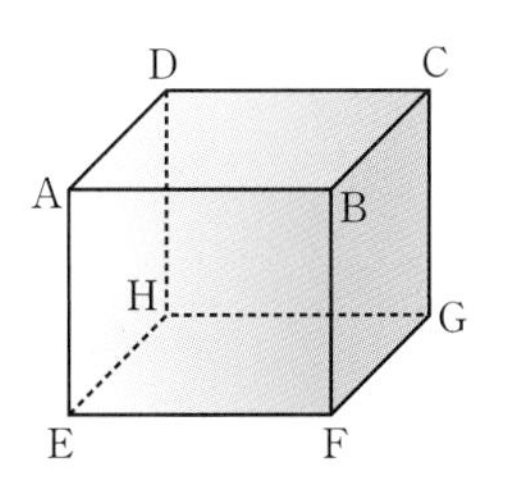

003 직선 AB와 한 점에서 만나는 직선

004 직선 AB와 평행한 직선

005 직선 AB와 만나지도 않고 평행하지도 않은 직선

006 직선 AE와 꼬인 위치에 있는 직선

[007-012] 그림과 같은 정사각뿔에서 다음을 구하시오.

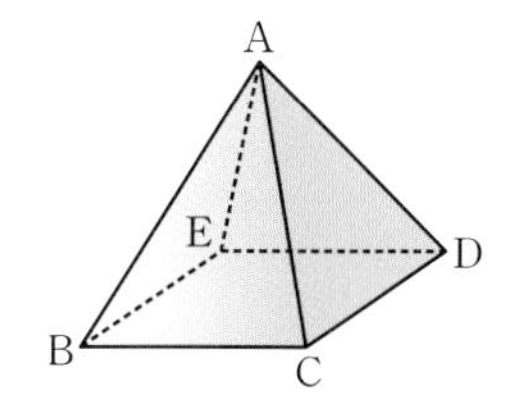

007 평면 ABC에 포함되는 직선

008 평면 ABC와 한 점에서 만나는 직선

009 평면 ABC와 평행한 직선

010 직선 CD를 포함하는 평면

011 직선 CD와 한 점에서 만나는 평면

012 직선 CD와 평행한 평면

[013-017] 그림과 같은 정육각기둥에서 다음을 구하시오.

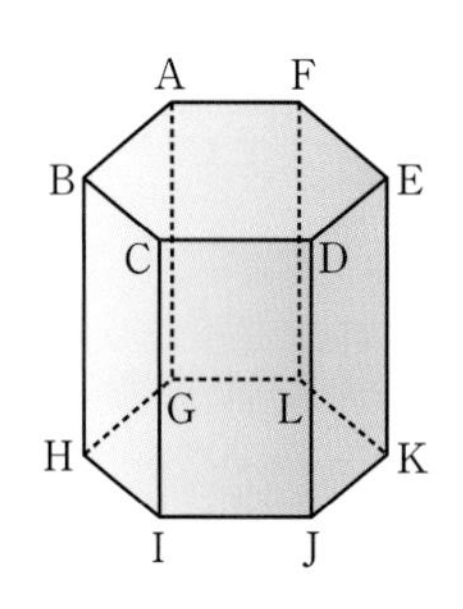

013 평면 BHIC와 평행한 평면

014 평면 BHIC와 만나는 평면

015 평면 BHIC와 평면 CIJD의 교선

016 세 점 E, F, H로 만들어지는 평면과 평면 ABCDEF의 교선

017 세 점 B, J, K로 만들어지는 평면과 평면 GHIJKL의 교선

[018-020] 그림과 같은 직육면체에서 다음을 구하시오.

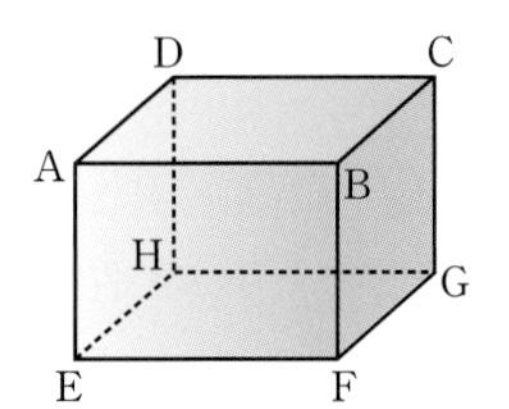

018 직선 BD에 수직인 직선

019 평면 BFGC에 수직인 직선

020 평면 ABD에 수직인 직선

3 두 직선이 이루는 각

[021-025] 그림과 같은 정육면체에서 다음 두 직선이 이루는 각의 크기를 구하시오.

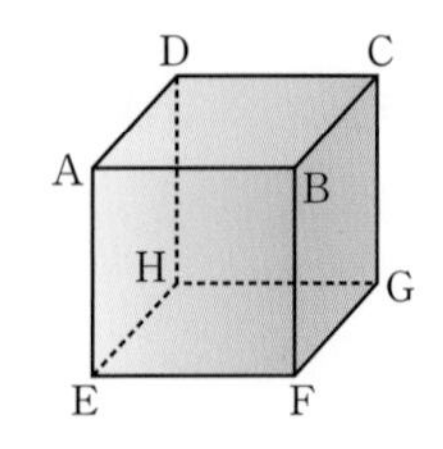

021 직선 AD, 직선 EF

022 직선 AD, 직선 CG

023 직선 AC, 직선 DH

024 직선 AC, 직선 GH

025 직선 AF, 직선 CH

[026-029] 그림과 같은 정팔면체에서 직선 AB와 다음 직선이 이루는 각의 크기를 구하시오.

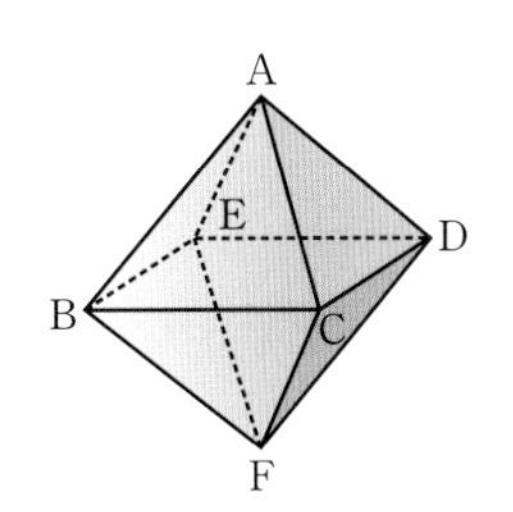

026 직선 BC

027 직선 CD

028 직선 FC

029 직선 FD

4 삼수선의 정리

030 다음은 평면 α 위에 있지 않은 한 점 P에서 평면 α에 내린 수선의 발을 O라 하고, 점 O에서 평면 α 위에 있고 점 O를 지나지 않는 임의의 한 직선 l에 내린 수선의 발을 H라 할 때, $\overline{PH} \perp l$임을 증명하는 과정이다. □ 안에 알맞은 것을 써넣으시오.

증명

$\overline{PO} \perp \alpha$이므로 선분 PO는 평면 α 위의 임의의 직선과도 수직이다.

직선 l은 평면 α에 포함되므로

$\overline{PO}$ □ l

또 $\overline{OH} \perp$ □이므로 직선 □은 선분 PO와 선분 OH를 포함하는 평면 PHO와 수직이다.

선분 PH는 평면 □에 포함되고, 직선 l은 평면 □ 위에 있는 모든 직선과 수직이므로

$\overline{PH}$ □ l

[031-032] 그림에서 세 선분 OA, OB, OC는 서로 수직으로 만나고 그 길이가 모두 2이다. 점 C에서 선분 AB에 내린 수선의 발을 H라 할 때, 다음을 구하시오.

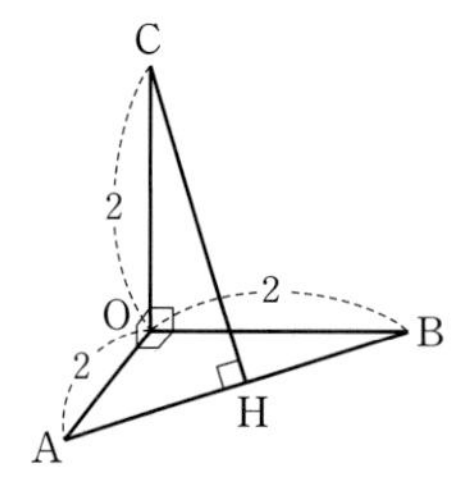

031 선분 OH의 길이

032 선분 CH의 길이

5 정사영

[033-037] 그림과 같은 정육면체에서 다음을 구하시오.

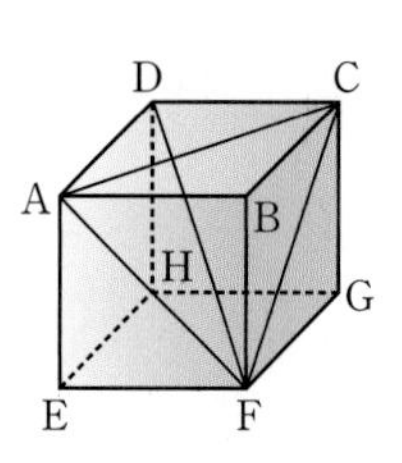

033 선분 AC의 평면 BFGC 위로의 정사영

034 선분 AF의 평면 DHGC 위로의 정사영

035 선분 DC의 평면 AEHD 위로의 정사영

036 선분 DF의 평면 EFGH 위로의 정사영

037 삼각형 AFC의 평면 EFGH 위로의 정사영

[038-039] 선분 AB의 평면 α 위로의 정사영을 선분 A′B′이라 하고, 직선 AB가 평면 α와 이루는 각의 크기를 θ라 할 때, 다음을 구하시오.

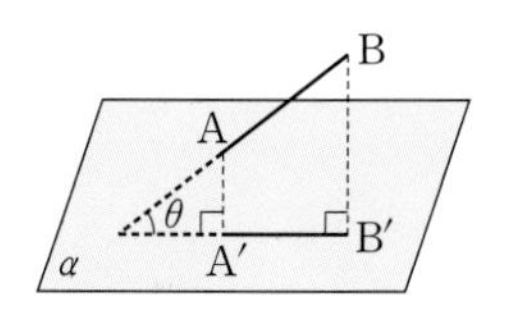

038 $\overline{AB}=6$, $\theta=30°$일 때, $\overline{A'B'}$의 길이

039 $\overline{AB}=9$, $\overline{A'B'}=3$일 때, $\cos\theta$의 값

[040-041] 평면 α 위에 있는 도형의 넓이를 S, 이 도형의 평면 β 위로의 정사영의 넓이를 S'이라 하고, 두 평면 α와 β가 이루는 각의 크기를 θ라 할 때, 다음을 구하시오.

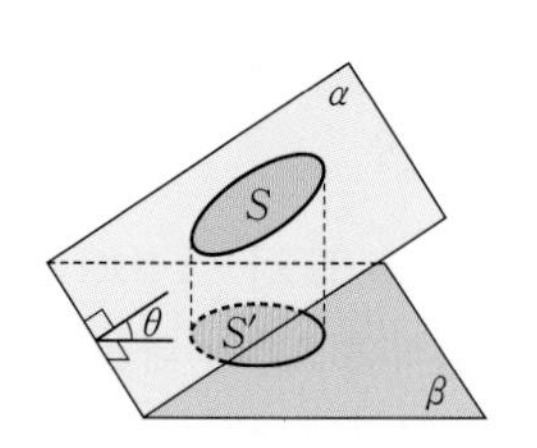

040 $S=6$, $\theta=\frac{\pi}{3}$일 때, S'의 넓이

041 $S=10\sqrt{2}$, $S'=10$일 때, $\cos\theta$의 값

유형 문제

정답 및 해설 56쪽 

유형 01 평면의 결정조건

(1) 한 직선 위에 있지 않은 서로 다른 세 점
(2) 한 직선과 그 직선 위에 있지 않은 한 점
(3) 한 점에서 만나는 두 직선
(4) 평행한 두 직선

042

〈보기〉 중에서 항상 한 평면을 결정하는 것만을 있는 대로 고른 것은?

보기

ㄱ. 공간에서 서로 다른 세 점
ㄴ. 공간에서 한 직선과 그 위에 있지 않은 두 점
ㄷ. 공간에서 서로 수직인 두 직선
ㄹ. 공간에서 서로 평행한 두 직선

① ㄱ ② ㄹ ③ ㄴ, ㄷ
④ ㄴ, ㄷ, ㄹ ⑤ ㄱ, ㄷ, ㄹ

043

그림과 같은 정팔면체에서 모서리 AD의 중점을 G라 할 때, 세 점 C, E, G와 두 모서리 AB, BF로 만들 수 있는 서로 다른 평면의 개수는?

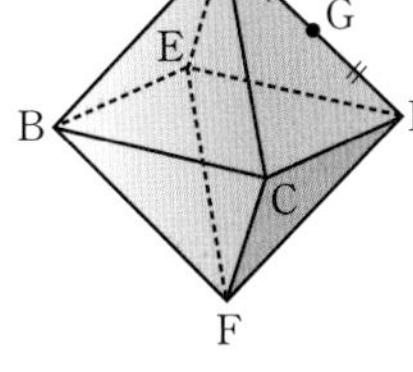

① 6 ② 7
③ 8 ④ 9 ⑤ 10

044

공간에 한 점에서 만나는 4개의 직선과 3개의 점이 있다. 이것으로 만들 수 있는 서로 다른 평면의 최대 개수는?

① 16 ② 17 ③ 18
④ 19 ⑤ 20

유형 02 두 직선의 위치 관계

(1) 한 점에서 만난다.
(2) 평행하다.
— 한 평면 위에 있다.

(3) 꼬인 위치에 있다. – 한 평면 위에 있지 않다.

045

그림과 같은 정육면체에서 직선 AG와 꼬인 위치에 있는 모서리의 개수는?

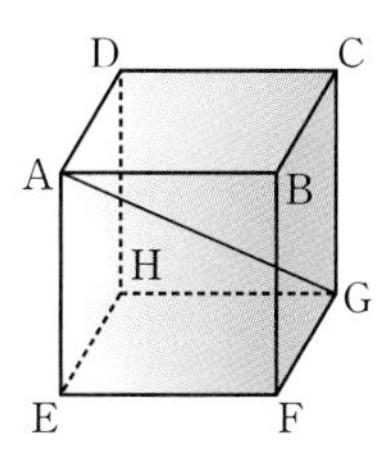

① 3 ② 4
③ 5 ④ 6
⑤ 7

046 (중요)

입체도형은 밑면이 정사각형이고 옆면이 정삼각형인 정사각뿔의 밑면과 정육면체의 한 면을 포개어 놓은 것이다. 이 입체도형에서 모서리 FI와 평행한 위치에 있는 모서리의 개수를 a, 모서리 BC와 꼬인 위치에 있는 모서리의 개수를 b라 할 때, $a+b$의 값을 구하시오.

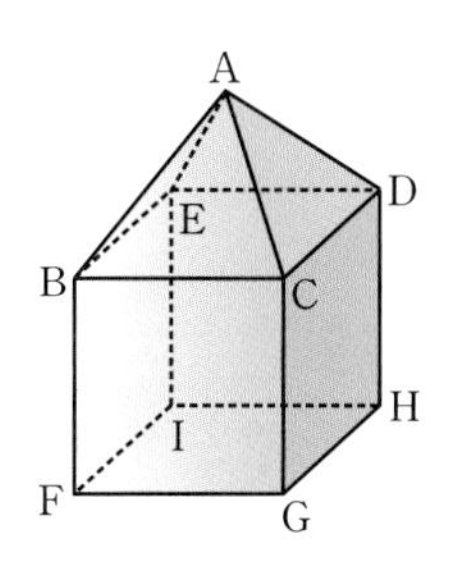

047

그림과 같이 사면체의 각 모서리의 중점을 각각 P, Q, R, S, T, U라 할 때, 〈보기〉에서 서로 만나는 직선끼리 짝지은 것만을 있는 대로 고른 것은?

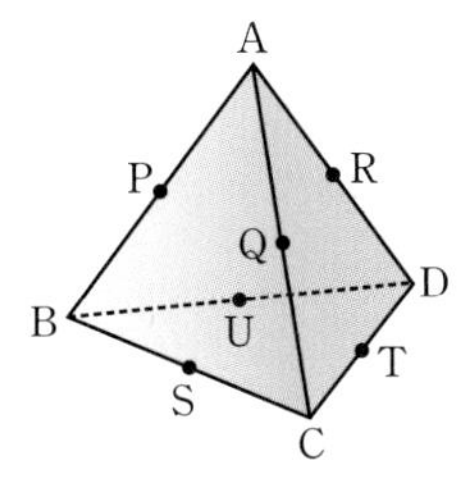

보기

ㄱ. 직선 PQ와 직선 SU
ㄴ. 직선 PT와 직선 QU
ㄷ. 직선 TU와 직선 RS

① ㄴ ② ㄷ ③ ㄱ, ㄴ
④ ㄴ, ㄷ ⑤ ㄱ, ㄴ, ㄷ

유형 03 직선과 평면의 위치 관계

공간도형의 모서리를 직선, 면을 평면으로 생각하여 주어진 위치 관계를 확인해 본다.

048 (중요)

그림과 같은 직육면체의 모서리와 면 중에서 서로 다른 세 모서리 l, m, n과 서로 다른 두 면 α, β에 대한 〈보기〉의 설명 중 항상 옳은 것만을 있는 대로 고른 것은?

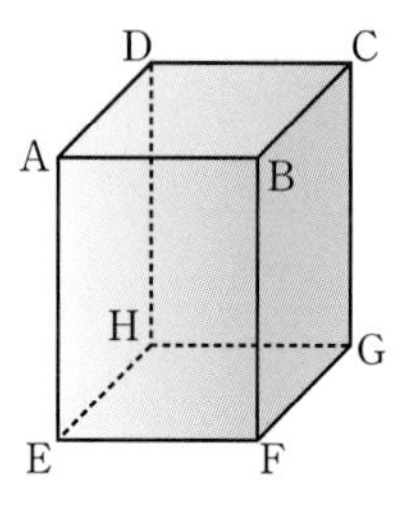

보기

ㄱ. $l /\!/ m$, $l \perp n$이면 $m \perp n$　ㄴ. $\alpha \perp \beta$, $l \perp \alpha$이면 $l /\!/ \beta$
ㄷ. $l /\!/ \alpha$, $m /\!/ \beta$이면 $l /\!/ m$

① ㄱ　② ㄴ　③ ㄱ, ㄴ
④ ㄴ, ㄷ　⑤ ㄱ, ㄴ, ㄷ

049

그림과 같은 정사면체에서 모서리 BC의 중점을 M이라 할 때, 〈보기〉에서 옳은 것만을 있는 대로 고른 것은?

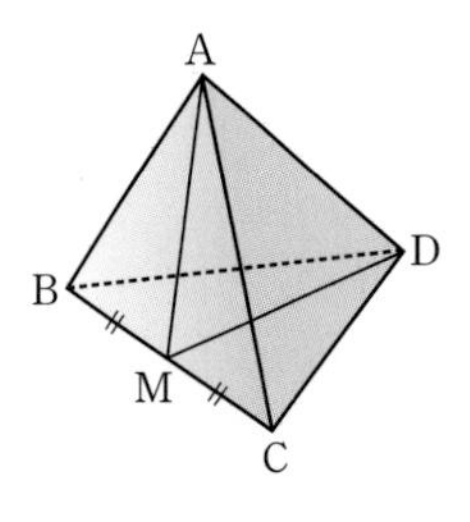

보기

ㄱ. $\overline{BC} \perp \overline{AM}$　ㄴ. $\overline{BC} \perp \overline{DM}$　ㄷ. $\overline{BC} \perp \overline{AD}$

① ㄱ　② ㄱ, ㄴ　③ ㄱ, ㄷ
④ ㄴ, ㄷ　⑤ ㄱ, ㄴ, ㄷ

050

그림과 같이 한 모서리의 길이가 6인 정팔면체에서 점 P는 모서리 AD 위에 있고, 점 Q는 모서리 BF 위에 있다. 선분 PQ가 두 모서리 AD, BF에 각각 수직일 때, 선분 PQ의 길이를 구하시오.

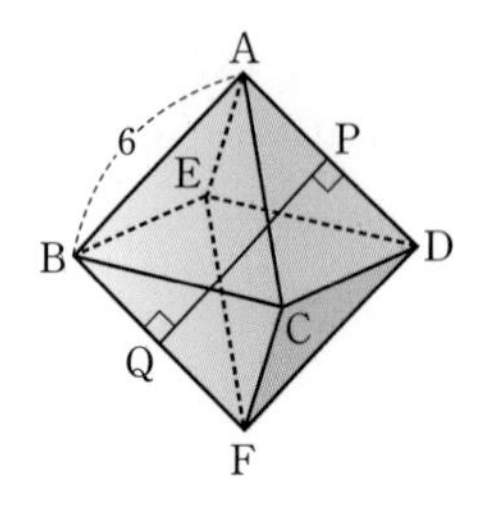

유형 04 두 직선이 이루는 각

꼬인 위치에 있는 두 직선 중 한 직선을 다른 한 직선과 만나도록 평행이동하여 그 만나는 두 직선이 이루는 각의 크기를 구한다.

051 (중요)

그림과 같은 정육면체에서 두 직선 AC와 HF가 이루는 각의 크기를 α, 두 직선 AC와 FG가 이루는 각의 크기를 β라 할 때, $\alpha+\beta$의 크기는?

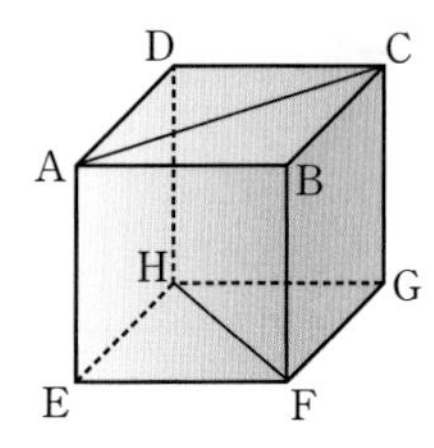

① 90°　② 120°
③ 135°　④ 150°　⑤ 180°

052

그림과 같은 정육면체에서 모서리 AB와 임의의 꼭짓점 2개를 연결하여 만든 선분이 이루는 각의 크기를 θ라 할 때, 다음 선분 중 $\cos\theta$의 값이 가장 큰 것은?

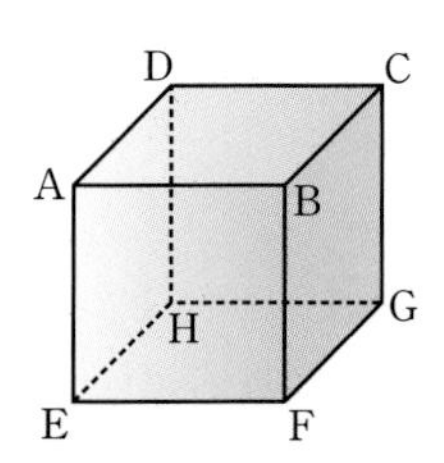

① $\overline{FG}$　② $\overline{DH}$　③ $\overline{FH}$
④ $\overline{BH}$　⑤ $\overline{CF}$

053

그림과 같은 정사면체에서 두 모서리 AB, CD의 중점을 각각 M, N이라 하자. 두 직선 MN과 AC가 이루는 각의 크기를 θ라 할 때, $\cos\theta$의 값을 구하시오.

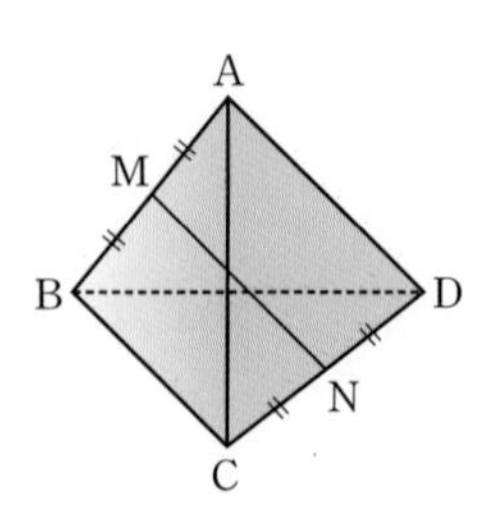

유형 05 직선과 평면이 이루는 각

직선 AB와 평면 α가 이루는 각의 크기를 θ, 점 B에서 평면 α에 내린 수선의 발을 H라 하면

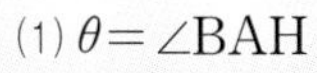
(1) $\theta=\angle BAH$

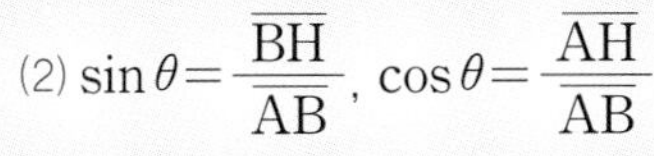
(2) $\sin\theta=\dfrac{\overline{BH}}{\overline{AB}}$, $\cos\theta=\dfrac{\overline{AH}}{\overline{AB}}$

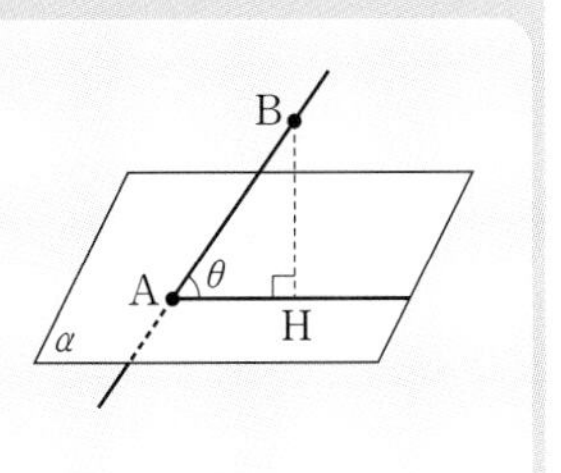

중요 **054**

그림과 같이 $\overline{AB}=1$, $\overline{AD}=1$, $\overline{AE}=2$인 직육면체에서 직선 AG와 평면 EFGH가 이루는 각의 크기를 θ라 할 때, $\cos\theta$의 값은?

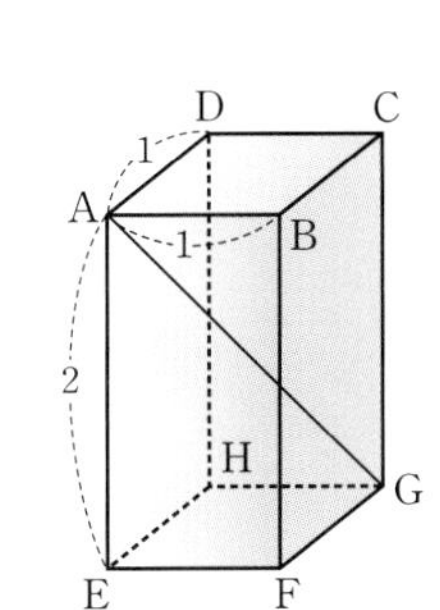

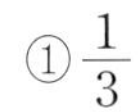 ① $\dfrac{1}{3}$ ② $\dfrac{1}{2}$ 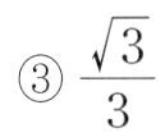 ③ $\dfrac{\sqrt{3}}{3}$ ④ $\dfrac{\sqrt{2}}{2}$ ⑤ $\dfrac{\sqrt{3}}{2}$

055

그림과 같이 한 모서리의 길이가 1인 정팔면체에서 직선 AB와 평면 BCDE가 이루는 각의 크기를 θ라 할 때, $\cos\theta$의 값은?

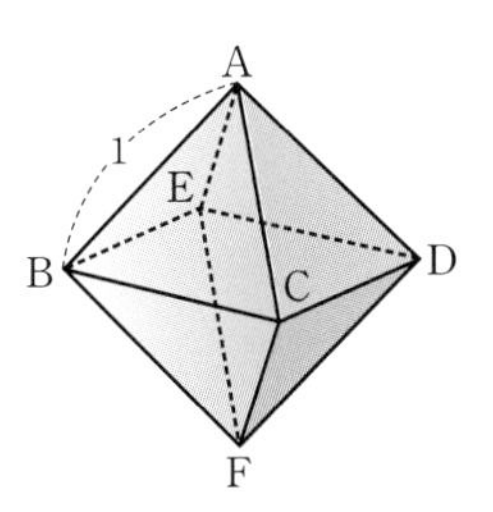

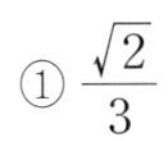 ① $\dfrac{\sqrt{2}}{3}$ ② $\dfrac{1}{2}$ 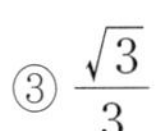 ③ $\dfrac{\sqrt{3}}{3}$ ④ $\dfrac{\sqrt{2}}{2}$ ⑤ $\dfrac{\sqrt{3}}{2}$

유형 06 삼수선의 정리

(1) $\overline{PO}\perp\alpha$, $\overline{OH}\perp l$ ⇨ $\overline{PH}\perp l$

(2) $\overline{PO}\perp\alpha$, $\overline{PH}\perp l$ ⇨ $\overline{OH}\perp l$

(3) $\overline{PH}\perp l$, $\overline{OH}\perp l$, $\overline{PO}\perp\overline{OH}$
⇨ $\overline{PO}\perp\alpha$

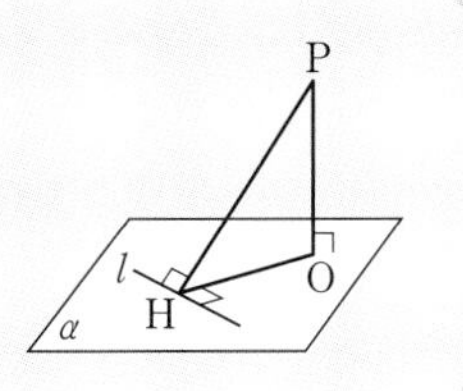

중요 **056**

그림과 같이 평면 α 밖의 한 점 P에서 평면 α에 내린 수선의 발을 O라 하고, 점 O에서 평면 α 위의 선분 AB에 내린 수선의 발을 Q라 하자. $\overline{OP}=4$, $\overline{AQ}=2\sqrt{14}$, $\overline{AP}=9$일 때, 선분 OQ의 길이를 구하시오.

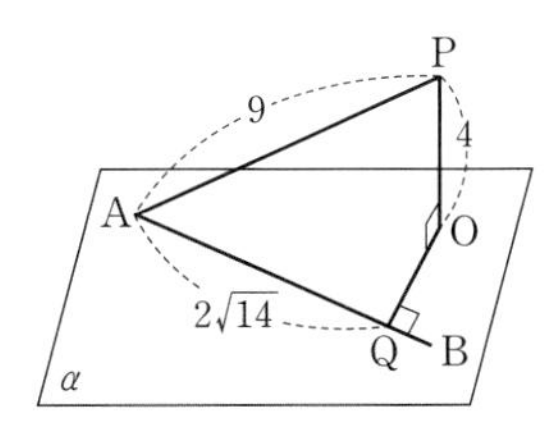

057

그림과 같이 $\overline{AB}=1$, $\overline{AC}=2$이고, $\angle BAC=90°$인 삼각기둥이 있다. 꼭짓점 A에서 모서리 EF에 내린 수선의 발을 P라 할 때, $\overline{AP}=\sqrt{\dfrac{14}{5}}$이면 이 삼각기둥의 높이는?

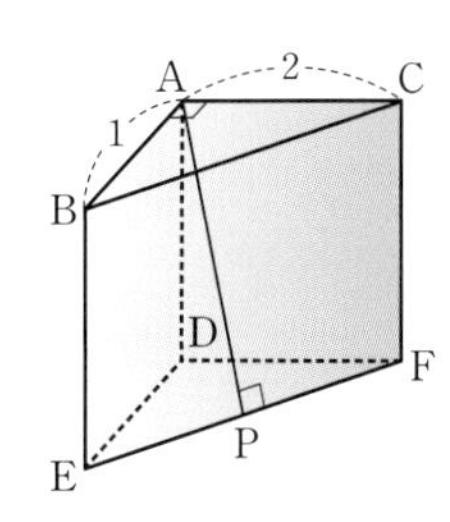

① 1 ② $\sqrt{2}$  ③ $\sqrt{3}$ ④ 2 ⑤ 5

058

그림과 같은 사면체에서 $\overline{AE}\perp\overline{BC}$, $\overline{DE}\perp\overline{BC}$이고, 직선 AE와 평면 BCD가 이루는 각의 크기는 45°이다. $\overline{BC}=4$이고, 삼각형 ABC의 넓이가 20일 때, 이 사면체의 높이를 구하시오.

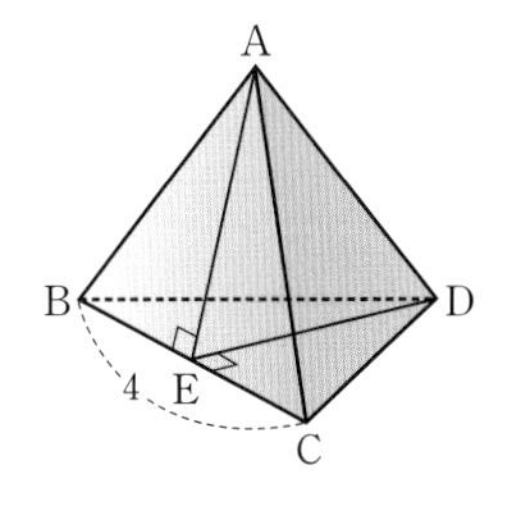

중요

059

그림과 같은 직육면체에서 $\overline{AB}=4$, $\overline{AD}=2$, $\overline{AE}=2$이다. 꼭짓점 C에서 선분 HF에 내린 수선의 발을 M이라 할 때, 선분 CM의 길이는?

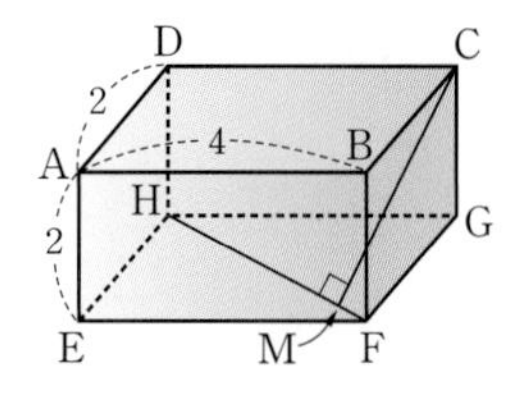

① $\frac{8\sqrt{5}}{5}$　② $\frac{5\sqrt{2}}{2}$　③ $\frac{3\sqrt{5}}{2}$　④ $\frac{6\sqrt{5}}{5}$　⑤ $\frac{4\sqrt{5}}{5}$

060

그림과 같이 사면체의 세 모서리 OA, OB, OC는 서로 수직이다. $\overline{OA}=8$, $\overline{OB}=6$, $\overline{OC}=6$일 때, 삼각형 ABC의 넓이를 구하시오.

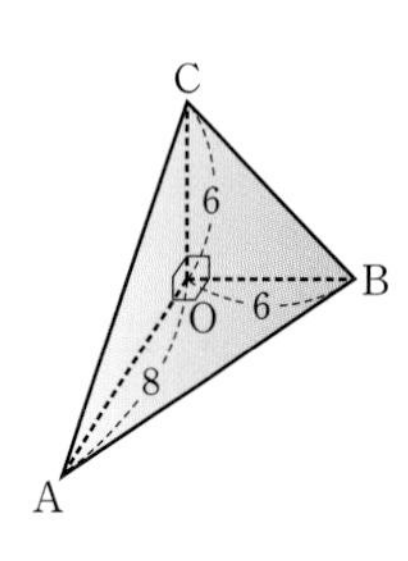

중요

061

그림과 같이 평면 α 밖의 점 P에서 평면 α에 내린 수선의 발을 Q라 하고, 평면 α 위의 선분 AB에 대하여 $\angle PAQ=30^\circ$, $\angle QAB=60^\circ$일 때, $\cos(\angle PAB)$의 값은?

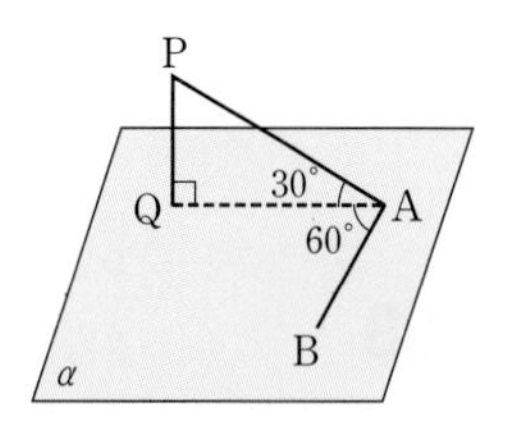

① $\frac{\sqrt{3}}{4}$　② $\frac{\sqrt{3}}{3}$　③ $\frac{\sqrt{3}}{2}$　④ $\frac{\sqrt{2}}{2}$　⑤ $\frac{1}{2}$

062

그림과 같이 비탈진 평면 α 위의 직선 중 가장 가파른 직선 l은 수평면 β와 30°의 각을 이룬다. 평면 α 위에 있고 직선 l과 60°의 각을 이루는 직선 m이 수평면 β와 이루는 각의 크기를 θ라 할 때, $\sin\theta$의 값을 구하시오.

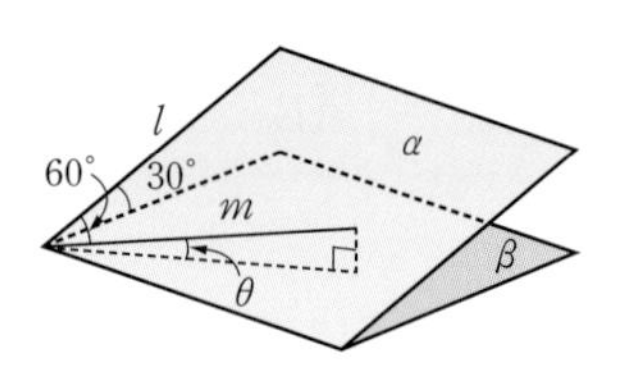

중요

063

그림과 같이 중심이 O, 반지름의 길이가 2인 구의 한 점 B에서 구의 지름을 포함하는 평면에 내린 수선의 발을 B′이라 하고 $\overline{OB'}\perp\overline{PQ}$인 지름 PQ를 잡았을 때, 호 BP의 길이를 구하시오.

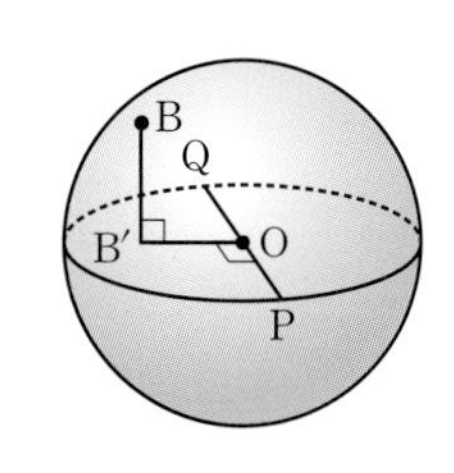

064

그림과 같이 공간 위의 평면 α 위에 $\overline{AC}=5$, $\overline{BC}=3$, $\angle ABC=90^\circ$인 직각삼각자 ABC가 놓여 있다. 점 A를 고정하고 선분 BC를 평면 α 위에서 움직일 때, 선분 BC가 그리는 도형의 넓이를 S라 하자. $\frac{S}{\pi}$의 값을 구하시오.

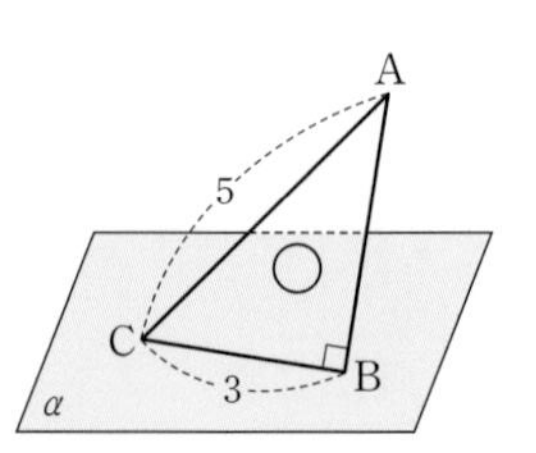

유형 07 이면각

이면각의 크기는 다음과 같이 구한다.
① 교선을 찾는다.
② 교선 위의 한 점에서 교선에 수직으로 두 이면각의 평면 위로 뻗어 나간 두 직선을 찾는다.
③ 두 직선이 이루는 각의 크기를 구한다.

065

그림과 같은 정육면체에서 두 평면 ABCD와 ABGH가 이루는 각의 크기는?

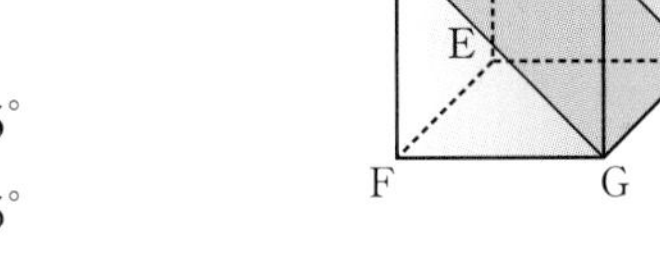

① 30° ② 45° ③ 60° ④ 75° ⑤ 90°

066

그림과 같은 직육면체에서 $\overline{AD}=\overline{AE}=3$이고, $\overline{AB}=4$이다. 평면 HEG와 평면 DEG가 이루는 각의 크기를 θ라 할 때, $\cos\theta$의 값을 구하시오.

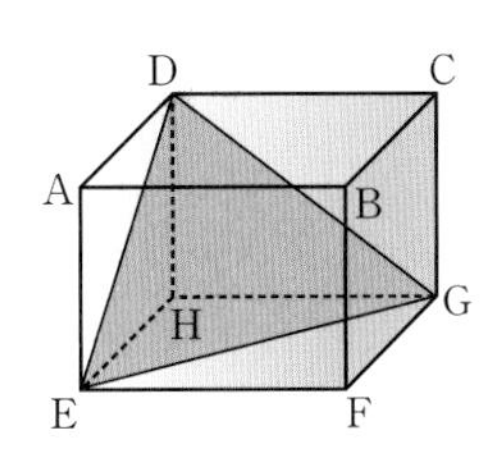

067

그림의 정사면체에서 모서리 AD의 중점을 M이라 하고, 평면 BCM과 평면 BCD가 이루는 예각의 크기를 θ라 할 때, $\cos\theta$의 값은?

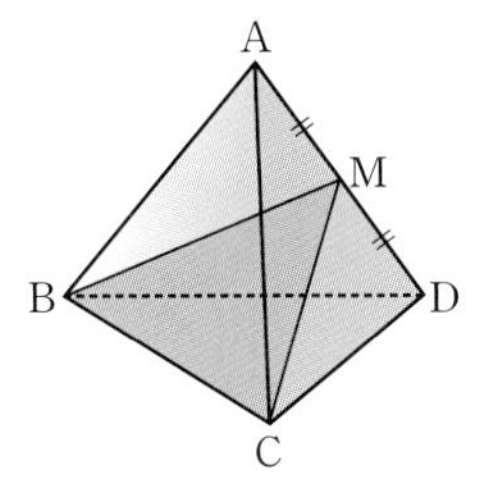

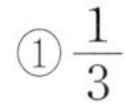
① $\frac{1}{3}$ ② $\frac{1}{2}$ ③ $\frac{\sqrt{3}}{3}$ ④ $\frac{\sqrt{2}}{2}$ ⑤ $\frac{\sqrt{6}}{3}$

068

그림과 같이 정사각형 모양의 종이 ABCD를 대각선 AC를 접는 선으로 하여 선분 BC와 선분 CD가 이루는 각의 크기가 60°가 되도록 접었다. 면 ABC와 면 ACD가 이루는 각의 크기는?

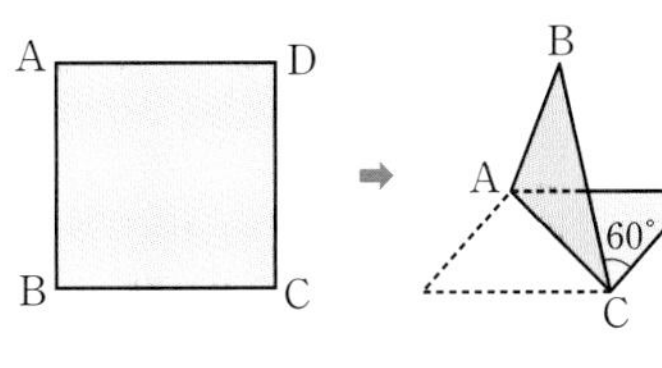

① 30° ② 45° ③ 60° ④ 75° ⑤ 90°

069 (중요)

그림과 같이 사면체의 각 모서리의 길이는 $\overline{AB}=\overline{AC}=7$, $\overline{BD}=\overline{CD}=5$, $\overline{BC}=6$, $\overline{AD}=4$이다. 평면 ABC와 평면 BCD가 이루는 이면각의 크기를 θ라 할 때, $\cos\theta$의 값을 구하시오.

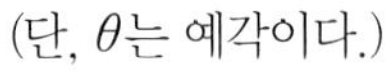
(단, θ는 예각이다.)

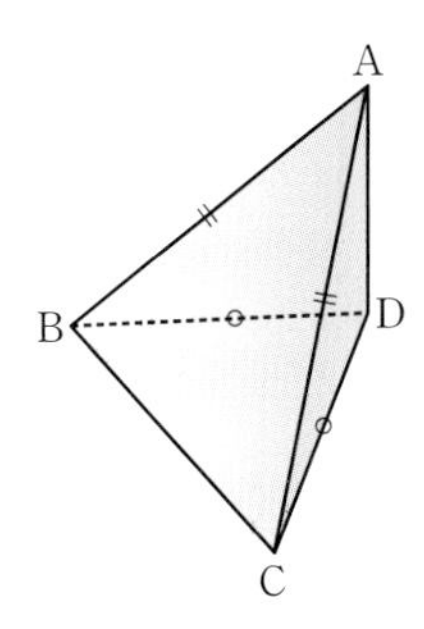

070

그림과 같이 $\overline{AE}:\overline{EF}=2:1$인 직육면체에서 두 모서리 AD, FG 위의 임의의 두 점 P, Q에 대하여 삼각형 PFG와 삼각형 EHQ가 이루는 각의 크기를 θ라 할 때, $\cos\theta$의 값은?

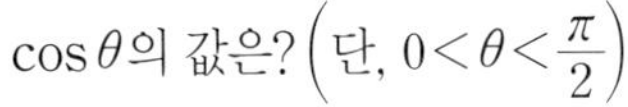
$\left(\text{단, } 0<\theta<\frac{\pi}{2}\right)$

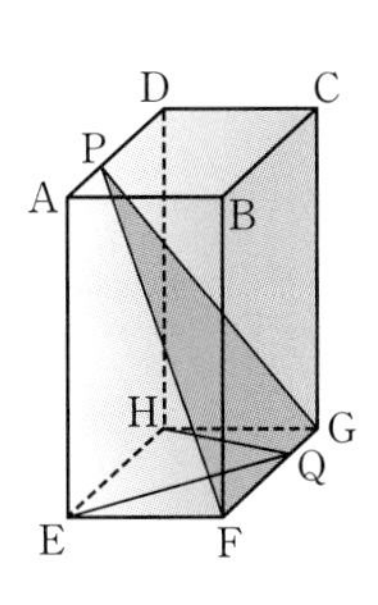

① $\frac{1}{5}$ ② $\frac{\sqrt{2}}{5}$ ③ $\frac{\sqrt{3}}{5}$ ④ $\frac{2}{5}$ ⑤ $\frac{\sqrt{5}}{5}$

유형 08 정사영의 길이

선분 AB의 평면 α 위로의 정사영을 선분 A′B′이라 하고, 직선 AB와 평면 α가 이루는 각의 크기를 θ라 하면

$$\overline{A'B'}=\overline{AB}\cos\theta\left(0\le\theta\le\frac{\pi}{2}\right)$$

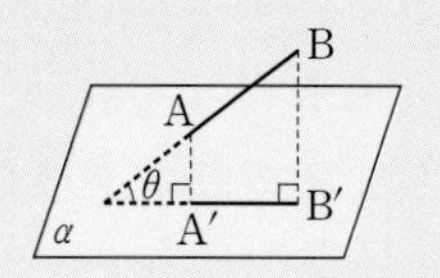

071

그림과 같이 한 모서리의 길이가 2인 정사면체에서 모서리 AD의 평면 BCD 위로의 정사영의 길이는?

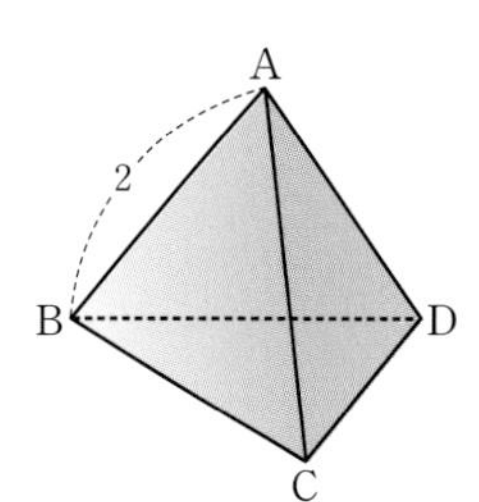

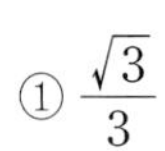

① $\frac{\sqrt{3}}{3}$　② $\frac{2\sqrt{3}}{3}$　③ $\sqrt{3}$　④ $\frac{4\sqrt{3}}{3}$　⑤ $\frac{5\sqrt{3}}{3}$

072 (중요)

한 모서리의 길이가 2인 정육면체에 대하여 선분 AC의 평면 AEHD 위로의 정사영의 길이를 a, 선분 AF의 평면 DHGC 위로의 정사영의 길이를 b, 선분 DF의 평면 EFGH 위로의 정사영의 길이를 c라 할 때, a, b, c의 대소 관계로 옳은 것은?

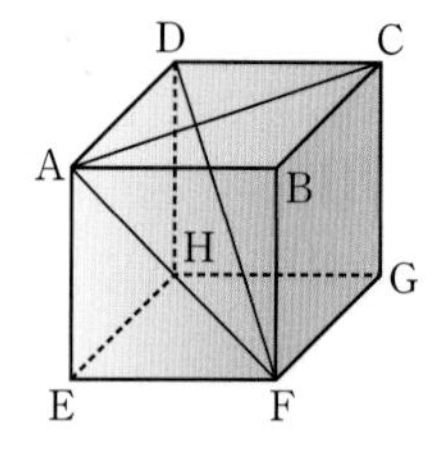

① $a<b<c$　② $a<b=c$　③ $a=b<c$　④ $a=b=c$　⑤ $a<c<b$

073

그림에서 변 BC가 평면 α와 평행하고 $\overline{BC}=2$, $\overline{AB}=\overline{AC}=3$인 이등변삼각형 ABC의 평면 α 위로의 정사영 삼각형 A′B′C′은 정삼각형이 된다고 한다. 삼각형 ABC와 평면 α가 이루는 각의 크기를 θ라 할 때, $\cos\theta$의 값은?

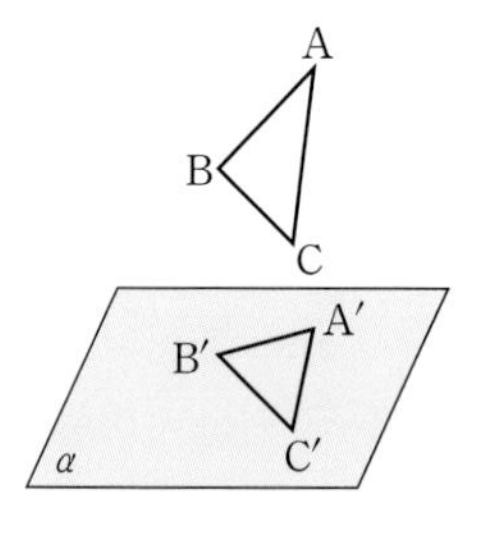

① $\frac{\sqrt{6}}{4}$　② $\frac{\sqrt{6}}{5}$　③ $\frac{\sqrt{6}}{6}$　④ $\frac{\sqrt{6}}{7}$　⑤ $\frac{\sqrt{6}}{8}$

074 (중요)

그림과 같이 두 평면 α, β는 $30°$의 각을 이루고, 평면 α 위의 길이가 10인 선분 AB가 두 평면의 교선 l과 $60°$의 각을 이룬다. 선분 AB의 평면 β 위로의 정사영의 길이를 k라 할 때, $4k^2$의 값을 구하시오.

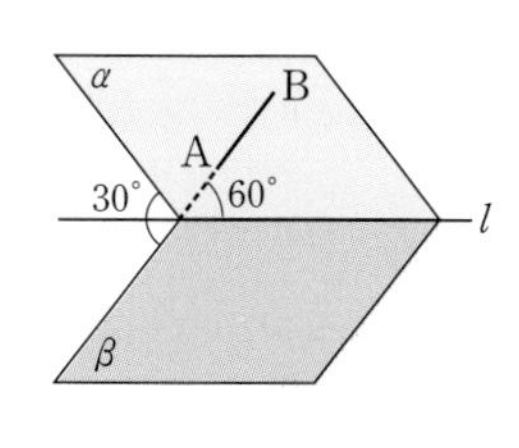

075 (중요)

그림과 같이 밑면의 반지름의 길이가 $\sqrt{3}$인 원기둥을 밑면과 $30°$를 이루는 평면으로 자른 단면은 타원이다. 이 타원의 두 초점을 F, F′이라 할 때, 선분 FF′의 길이는?

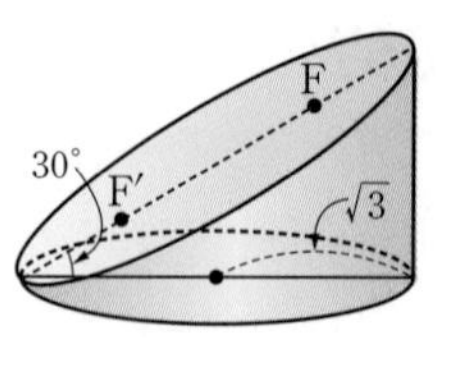

① $\frac{1}{2}$　② $\frac{\sqrt{2}}{2}$　③ $\frac{\sqrt{3}}{2}$　④ 1　⑤ 2

유형 9 정사영의 넓이

평면 α 위에 있는 도형의 넓이를 S, 이 도형의 평면 β 위로의 정사영의 넓이를 S'이라 하고, 두 평면 α, β가 이루는 각의 크기를 θ라 하면

$$S' = S\cos\theta \left(0 \le \theta \le \frac{\pi}{2}\right)$$

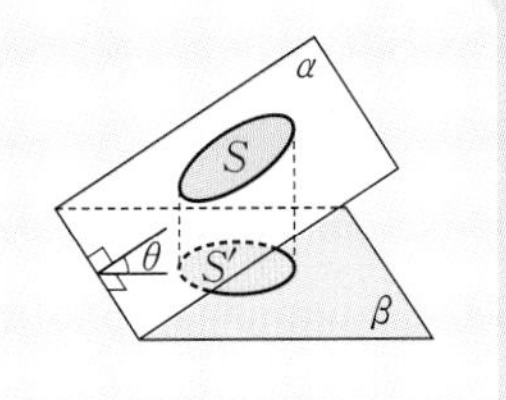

076

한 변의 길이가 $4\,\text{cm}$인 정삼각형 ABC를 포함하는 평면과 $45°$의 각을 이루는 평면을 α라 할 때, 삼각형 ABC의 평면 α 위로의 정사영의 넓이는?

① $\sqrt{3}$ ② $3\sqrt{2}$ ③ $2\sqrt{6}$
④ $3\sqrt{3}$ ⑤ $3\sqrt{6}$

077

밑면의 반지름의 길이가 3인 원기둥을 그림과 같이 잘랐을 때, 잘린 단면의 넓이를 구하시오. (단, 밑면과 잘린 단면은 한 점에서 만난다.)

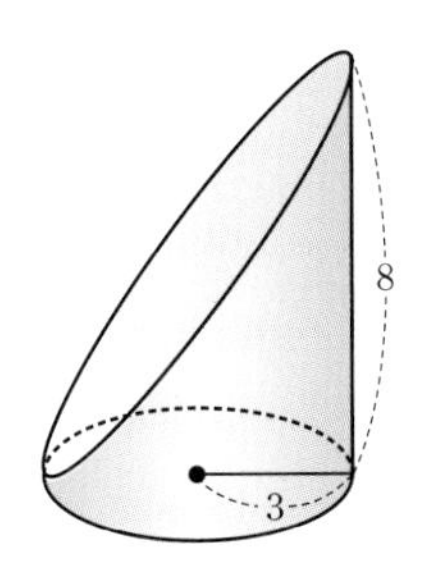

078

한 모서리의 길이가 1인 정육면체에서 모서리 CD의 중점을 M이라 하자. 삼각형 AFM의 밑면 EFGH 위로의 정사영의 넓이는?

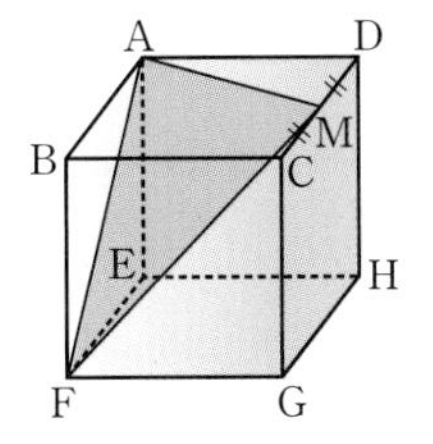

① $\frac{1}{2}$ 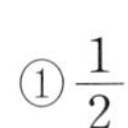 ② $\frac{\sqrt{2}}{2}$ 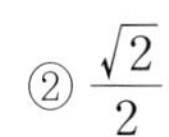
③ 1 ④ $\sqrt{2}$ ⑤ 2

079

밑면 EFGH의 넓이가 S인 직육면체에서 선분 AC의 중점을 P라 하자. 이때, 평면 PFC와 밑면 EFGH가 이루는 각의 크기가 $60°$일 때, 삼각형 PFC의 넓이는?

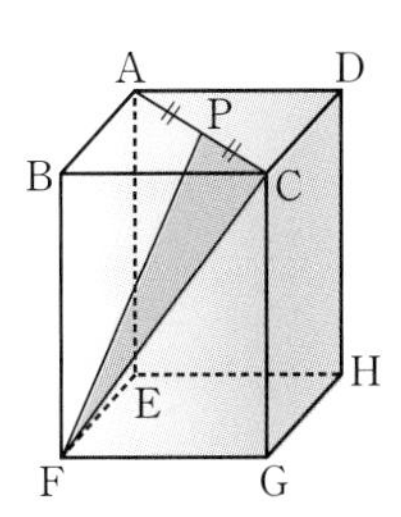

① $\frac{S}{5}$ ② $\frac{S}{4}$ 
③ $\frac{\sqrt{3}S}{4}$ ④ $\frac{S}{2}$ 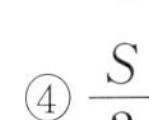 ⑤ $\sqrt{3}S$

중요
080

그림과 같이 한 모서리의 길이가 2인 정육면체가 있다. 모서리 DH의 중점을 M이라 할 때, 삼각형 HEG의 평면 MEG 위로의 정사영의 넓이는?

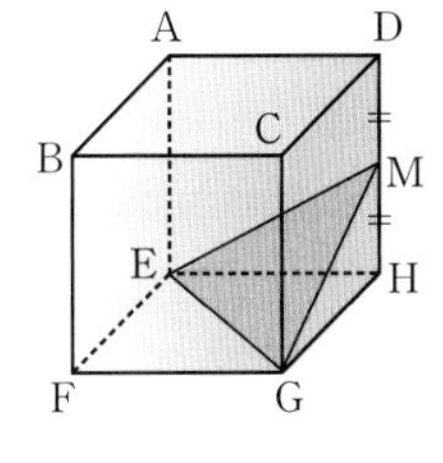

① $\frac{\sqrt{3}}{2}$ 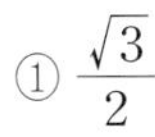 ② $\frac{2\sqrt{3}}{3}$
③ $\frac{2\sqrt{6}}{3}$ ④ $\frac{3\sqrt{6}}{4}$  ⑤ $\sqrt{6}$

081

그림과 같이 지면에 수직으로 세워져 있는 원기둥이 있다. 지면과 $60°$, $30°$의 각을 이루는 단면의 넓이를 각각 S_1, S_2라 하자. $S_1 = 24$일 때, S_2의 값은?

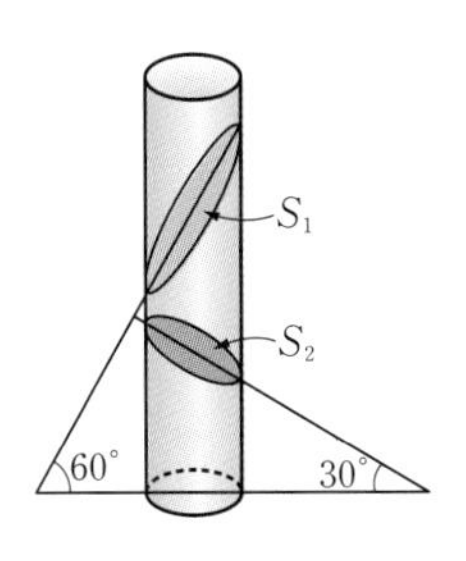

① $5\sqrt{3}$ ② $6\sqrt{3}$
③ $7\sqrt{3}$ ④ $8\sqrt{3}$
⑤ $9\sqrt{3}$

082

그림과 같이 평행한 두 밑면은 합동인 타원이고 옆면이 밑면에 $60°$의 각도를 이루며 기울어져 있는 입체도형 안에 구가 접하고 있다. 밑면인 타원의 넓이가 $24\sqrt{3}\pi$일 때, 구의 반지름의 길이는?

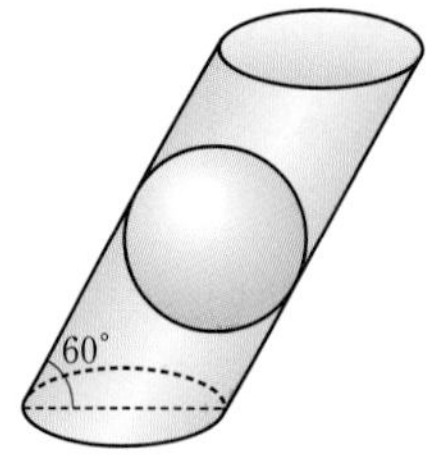

① 2 ② 3 ③ 4
④ 5 ⑤ 6

083

그림과 같이 한 모서리의 길이가 $6\sqrt{2}$인 정육면체에서 세 모서리 CD, AD, BC의 중점을 각각 P, Q, R라 할 때, 평면 ABCD 위에 있는 삼각형 PQR의 평면 EFCD 위로의 정사영의 넓이는 $a\sqrt{2}$이다. 정수 a의 값을 구하시오.

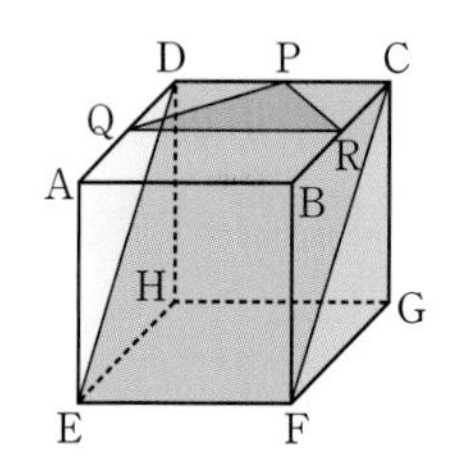

084

중요

한 모서리의 길이가 6인 정사면체가 있다. 세 삼각형 OAB, OBC, OCA에 각각 내접하는 세 원의 평면 ABC 위로의 정사영을 각각 S_1, S_2, S_3이라 하자. 그림과 같이 세 도형 S_1, S_2, S_3으로 둘러싸인 색칠한 부분의 넓이를 S라 할 때, $(S+\pi)^2$의 값을 구하시오.

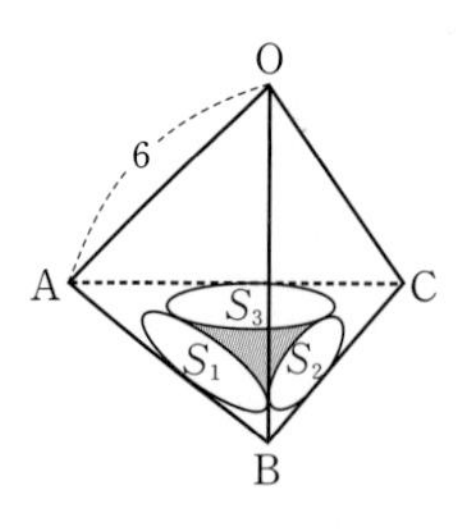

유형 10 도형과 정사영이 이루는 각의 크기

두 평면 α, β가 이루는 각의 크기가 θ이고 평면 α 위의 도형의 넓이를 S, 이 도형의 평면 β 위로의 정사영의 넓이를 S'이라 하면

$$S'=S\cos\theta \Rightarrow \cos\theta=\frac{S'}{S}$$

085

그림과 같은 직육면체에서 $\overline{AB}=4$, $\overline{AD}=\overline{AE}=2$이고, 평면 ACF와 평면 EFGH가 이루는 각의 크기를 θ라 할 때, $\cos\theta$의 값을 구하시오.

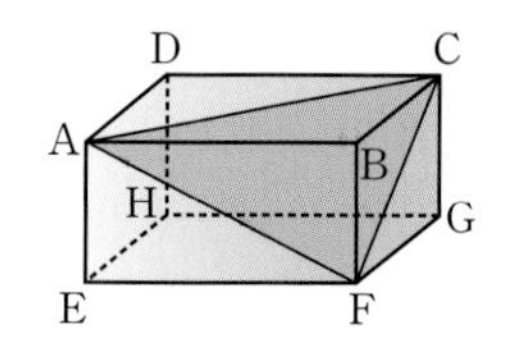

086

그림과 같이 정육면체 위에 정사각뿔을 올려놓은 입체도형이 있다. 이 입체도형의 모든 모서리의 길이가 6이고, 면 PAB와 면 AEFB가 이루는 각의 크기가 θ일 때, $3\cos\theta$의 값을 구하시오.

$\left(\text{단, } \frac{\pi}{2}<\theta<\pi\right)$

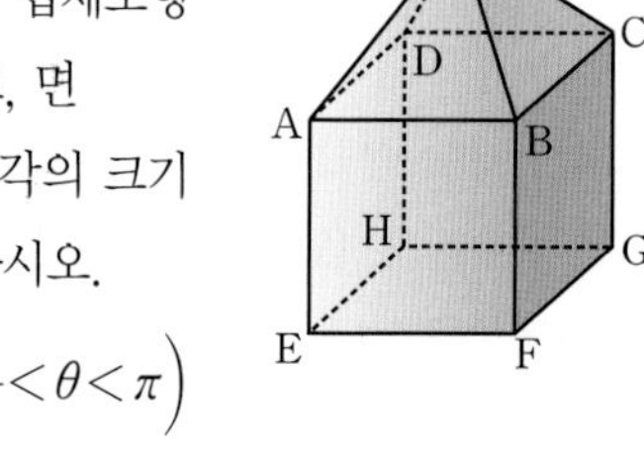

087

그림과 같이 어떤 직사각형 ABCD를 대각선 BD를 접는 선으로 하여 적당히 접으니 꼭짓점 A의 면 BCD 위로의 정사영 A′이 변 CD의 중점이 되었다. 면 ABD와 면 BCD가 이루는 각의 크기를 θ라 할 때, 각 θ의 크기를 구하시오.

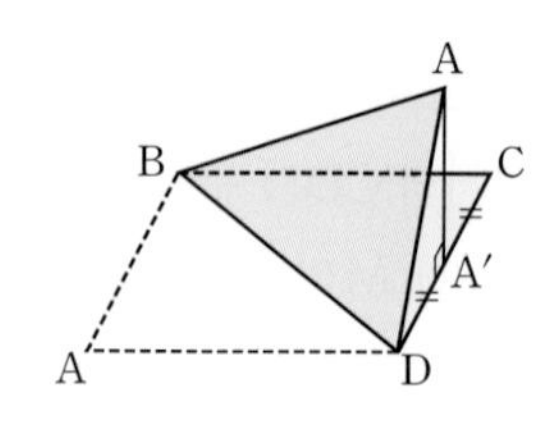

10 공간좌표

제 목		문항 번호	문항 수	확인
기본 문제		001 ~ 046	46	
유형 문제	01. 공간에서의 점의 좌표	047 ~ 052	6	
	02. 두 점 사이의 거리	053 ~ 055	3	
	03. 두 점 사이의 거리 응용	056 ~ 061	6	
	04. 선분의 길이의 합의 최솟값	062 ~ 064	3	
	05. 선분의 내분점과 외분점	065 ~ 070	6	
	06. 삼각형의 무게중심	071 ~ 073	3	
	07. 구의 방정식	074 ~ 079	6	
	08. 좌표평면 또는 좌표축에 접하는 구의 방정식	080 ~ 082	3	
	09. 구와 좌표평면의 교선	083 ~ 085	3	
	10. 구에 그은 접선	086 ~ 088	3	
	11. 점과 구의 중심 사이의 거리	089 ~ 094	6	

10 공간좌표

1 공간좌표

(1) 공간의 한 점 O에서 서로 직교하는 세 수직선을 그었을 때, 세 수직선을 각각 x축, y축, z축이라 하고, 점 O를 원점이라고 한다. 이 세 축을 통틀어 좌표축이라 하고, 좌표축이 정해진 공간을 좌표공간이라고 한다.

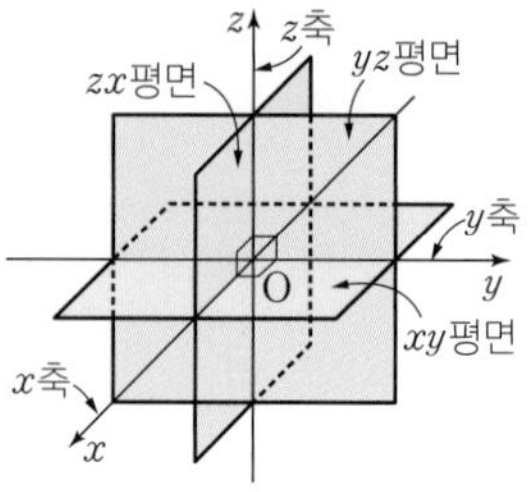

(2) x축과 y축을 포함하는 평면을 xy평면, y축과 z축을 포함하는 평면을 yz평면, z축과 x축을 포함하는 평면을 zx평면이라 하고, 이 세 평면을 통틀어 좌표평면이라고 한다.

(3) 공간의 한 점 P에 대응하는 세 실수의 순서쌍 (a, b, c)를 점 P의 공간좌표라 하고, 기호로 $P(a, b, c)$와 같이 나타낸다.

2 두 점 사이의 거리

두 점 $A(x_1, y_1, z_1)$, $B(x_2, y_2, z_2)$ 사이의 거리는

$$\overline{AB}=\sqrt{(x_2-x_1)^2+(y_2-y_1)^2+(z_2-z_1)^2}$$

3 선분의 내분점과 외분점

두 점 $A(x_1, y_1, z_1)$, $B(x_2, y_2, z_2)$에 대하여

(1) 선분 AB를 $m : n$ $(m>0, n>0)$으로 내분하는 점 P의 좌표는

$$P\left(\frac{mx_2+nx_1}{m+n}, \frac{my_2+ny_1}{m+n}, \frac{mz_2+nz_1}{m+n}\right)$$

(2) 선분 AB를 $m : n$ $(m>0, n>0, m\neq n)$으로 외분하는 점 Q의 좌표는

$$Q\left(\frac{mx_2-nx_1}{m-n}, \frac{my_2-ny_1}{m-n}, \frac{mz_2-nz_1}{m-n}\right)$$

4 구의 방정식

(1) 구의 방정식

중심이 $C(a, b, c)$이고 반지름의 길이가 r인 구의 방정식은

$$(x-a)^2+(y-b)^2+(z-c)^2=r^2$$

(2) 이차방정식 $x^2+y^2+z^2+Ax+By+Cz+D=0$이 나타내는 도형

x, y, z에 대한 이차방정식

$$x^2+y^2+z^2+Ax+By+Cz+D=0 \ (A^2+B^2+C^2-4D>0)$$

은 중심의 좌표가 $\left(-\frac{A}{2}, -\frac{B}{2}, -\frac{C}{2}\right)$, 반지름의 길이가 $\frac{\sqrt{A^2+B^2+C^2-4D}}{2}$ 인 구를 나타낸다.

개념 플러스

- xy평면은 z축과 수직이고, yz평면은 x축과 수직이고, zx평면은 y축과 수직이다.
- 원점 O와 점 $P(x, y, z)$ 사이의 거리는 $\overline{OP}=\sqrt{x^2+y^2+z^2}$
- (1) 두 점 $A(x_1, y_1, z_1)$, $B(x_2, y_2, z_2)$에 대하여 선분 AB의 중점 M의 좌표는 $M\left(\frac{x_1+x_2}{2}, \frac{y_1+y_2}{2}, \frac{z_1+z_2}{2}\right)$
  (2) 세 점 $A(x_1, y_1, z_1)$, $B(x_2, y_2, z_2)$, $C(x_3, y_3, z_3)$을 꼭짓점으로 하는 삼각형 ABC의 무게중심 G의 좌표는 $G\left(\frac{x_1+x_2+x_3}{3}, \frac{y_1+y_2+y_3}{3}, \frac{z_1+z_2+z_3}{3}\right)$
- 중심이 $C(a, b, c)$이고
  (1) xy평면에 접하는 구의 방정식 ⇨ $(x-a)^2+(y-b)^2+(z-c)^2=c^2$
  (2) yz평면에 접하는 구의 방정식 ⇨ $(x-a)^2+(y-b)^2+(z-c)^2=a^2$
  (3) zx평면에 접하는 구의 방정식 ⇨ $(x-a)^2+(y-b)^2+(z-c)^2=b^2$
  (4) x축에 접하는 구의 방정식 ⇨ $(x-a)^2+(y-b)^2+(z-c)^2=b^2+c^2$
  (5) y축에 접하는 구의 방정식 ⇨ $(x-a)^2+(y-b)^2+(z-c)^2=a^2+c^2$
  (6) z축에 접하는 구의 방정식 ⇨ $(x-a)^2+(y-b)^2+(z-c)^2=a^2+b^2$

기본 문제

1 공간좌표

001 그림에서 점 A의 좌표는 A(1, 0, 0)이다. 세 점 B, C, D의 좌표를 각각 구하시오.

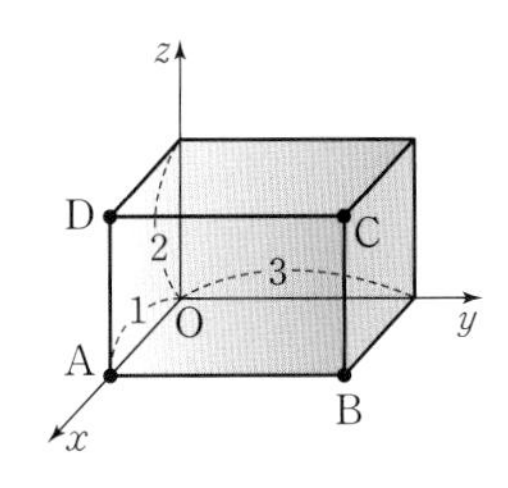

[002-005] 다음 점을 좌표공간에 나타내시오.

002 A(1, 2, 3)

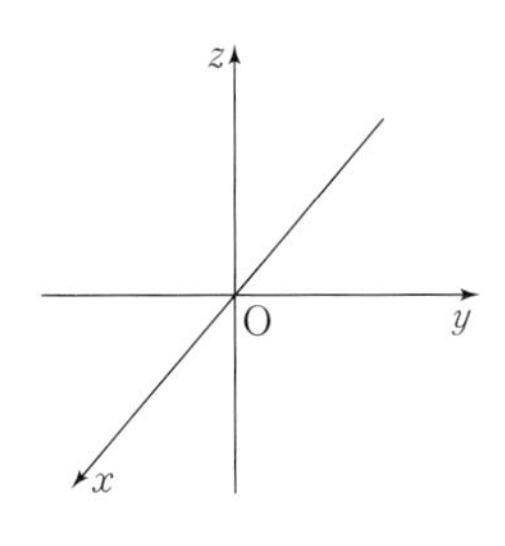

003 B(1, 3, 2)

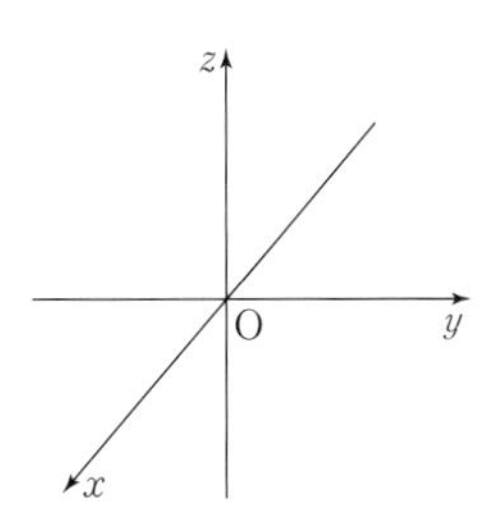

004 C(3, -1, 3)

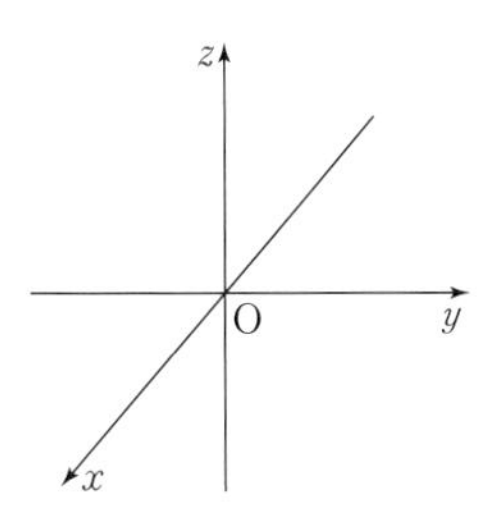

005 D(2, 3, -1)

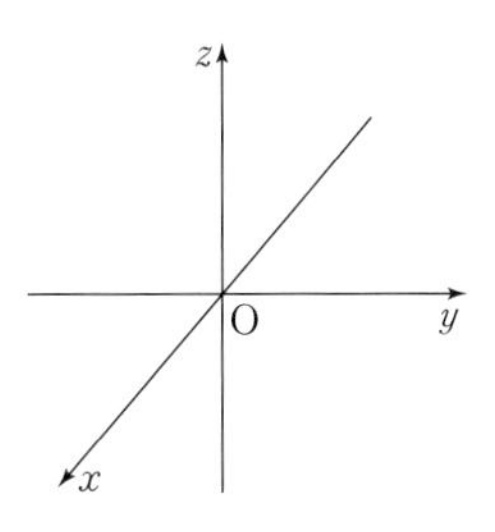

[006-012] 점 P(2, 3, 4)에 대하여 다음 점의 좌표를 구하시오.

006 x축에 대하여 대칭이동한 점의 좌표

007 y축에 대하여 대칭이동한 점의 좌표

008 z축에 대하여 대칭이동한 점의 좌표

009 원점에 대하여 대칭이동한 점의 좌표

010 xy평면에 대하여 대칭이동한 점의 좌표

011 yz평면에 대하여 대칭이동한 점의 좌표

012 zx평면에 대하여 대칭이동한 점의 좌표

2 두 점 사이의 거리

[013-018] 다음 두 점 사이의 거리를 구하시오.

013 $A(1, -1, 2)$, $B(3, 0, 1)$

014 $A(2, -1, 1)$, $B(-3, 3, -2)$

015 $A(0, -3, 2)$, $B(1, 1, 2)$

016 $A(2, 3, 5)$, $B(1, 2, -3)$

017 $O(0, 0, 0)$, $A(1, 2, 3)$

018 $O(0, 0, 0)$, $A(2, -1, -2)$

3 선분의 내분점과 외분점

[019-024] 세 점 $A(-1, 3, -1)$, $B(2, 0, 2)$, $C(5, -3, -4)$에 대하여 다음을 구하시오.

019 선분 AB를 $2:1$로 내분하는 점의 좌표

020 선분 AB를 $2:1$로 외분하는 점의 좌표

021 선분 AB의 중점의 좌표

022 선분 AC를 $2:3$으로 내분하는 점의 좌표

023 선분 AC를 2 : 3으로 외분하는 점의 좌표

024 세 점 A, B, C를 꼭짓점으로 하는 삼각형 ABC의 무게중심의 좌표

4 구의 방정식

[025-027] 다음 방정식이 나타내는 구의 중심의 좌표와 반지름의 길이를 구하시오.

025 $(x-1)^2+(y-2)^2+(z-1)^2=4$

026 $(x-4)^2+(y+7)^2+(z+1)^2=49$

027 $(x+1)^2+(y-1)^2+(z-2)^2=14$

[028-030] 다음 구의 방정식을 구하시오.

028 중심이 $(1,\ 2,\ 3)$이고 반지름의 길이가 2인 구

029 중심이 $(2,\ -5,\ 1)$이고 반지름의 길이가 4인 구

030 중심이 원점이고 반지름의 길이가 3인 구

[031-036] 중심이 $(-1,\ 3,\ 4)$인 구에 대하여 다음을 구하시오.

031 xy평면에 접하는 구의 방정식

032 yz평면에 접하는 구의 방정식

033 zx평면에 접하는 구의 방정식

034 x축에 접하는 구의 방정식

035 y축에 접하는 구의 방정식

036 z축에 접하는 구의 방정식

[037-040] 다음 방정식을 $(x-a)^2+(y-b)^2+(z-c)^2=r^2$ 꼴로 나타내시오.

037 $x^2+y^2+z^2-2x-4y=0$

038 $x^2+y^2+z^2+4y+8z-16=0$

039 $x^2+y^2+z^2+2x-4y-2z=0$

040 $x^2+y^2+z^2-4x+6y-2z-2=0$

[041-046] 다음 방정식이 나타내는 구의 중심과 반지름의 길이를 구하시오.

041 $x^2+y^2+z^2-12x=0$

042 $x^2+y^2+z^2-6x+2y+9=0$

043 $x^2+y^2+z^2-2x+6y-6z-6=0$

044 $x^2+y^2+z^2+4x+6y-2z+5=0$

045 $x^2+y^2+z^2+6x-8y+2z+1=0$

046 $x^2+y^2+z^2-2x+10y-6z+3=0$

유형 문제

정답 및 해설 64쪽 

유형 01 공간에서의 점의 좌표

좌표공간의 점 P(a, b, c)에 대하여

	대칭이동한 점	수선의 발
x축	$(a, -b, -c)$	$(a, 0, 0)$
y축	$(-a, b, -c)$	$(0, b, 0)$
z축	$(-a, -b, c)$	$(0, 0, c)$
원점	$(-a, -b, -c)$	$-$
xy평면	$(a, b, -c)$	$(a, b, 0)$
yz평면	$(-a, b, c)$	$(0, b, c)$
zx평면	$(a, -b, c)$	$(a, 0, c)$

047

점 P$(2, -1, 4)$에 대하여 〈보기〉의 설명 중에서 옳은 것만을 있는 대로 고른 것은?

보기

ㄱ. 점 P를 y축에 대하여 대칭이동한 점 Q의 좌표는 $(-2, -1, -4)$이다.

ㄴ. 점 P를 zx평면에 대하여 대칭이동한 점 R의 좌표는 $(-2, -1, -4)$이다.

ㄷ. 점 P에서 z축에 내린 수선의 발 H의 좌표는 $(2, -1, 0)$이다.

① ㄱ ② ㄴ ③ ㄱ, ㄴ
④ ㄴ, ㄷ ⑤ ㄱ, ㄴ, ㄷ

048

그림과 같은 직육면체에서 꼭짓점 C를 원점으로 하고 모서리 CB를 양의 x축, 두 모서리 CD, CG를 각각 음의 y축과 z축으로 할 때, 점 F의 yz평면에 대한 대칭점 P의 좌표는 (a, b, c)이다. $a+b+c$의 값을 구하시오.

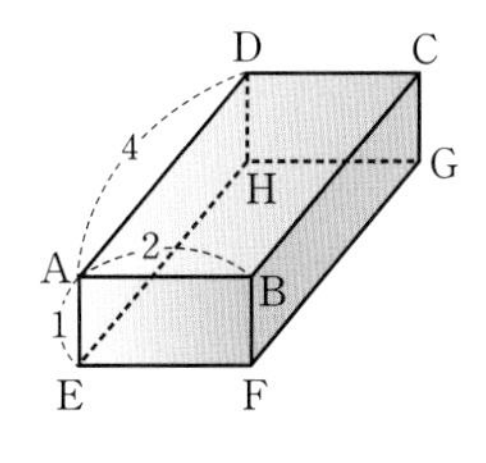

049

점 P$(a, 2, b)$를 y축에 대하여 대칭이동한 점을 Q라 할 때, 점 Q를 zx평면에 대하여 대칭이동한 점의 좌표가 $(-5, c, 2)$이다. $a+b+c$의 값을 구하시오.

050

좌표공간에 두 점 O$(0, 0, 0)$, P$(2, 1, 3)$을 대각선의 양 끝 점으로 하고, x축, y축, z축 위에 세 모서리가 놓여져 있는 직육면체가 있다. 다음 중 이 직육면체의 나머지 꼭짓점의 좌표가 아닌 것은?

① $(0, 0, 3)$ ② $(0, 1, 0)$ ③ $(0, 1, 3)$
④ $(1, 2, 0)$ ⑤ $(2, 0, 3)$

051 (중요)

직육면체가 그림과 같이 밑면 EFGH는 xy평면에 평행하고 두 모서리 EH, GH는 각각 x축, y축에 평행하게 놓여져 있다. $\overline{AB}=6$, $\overline{AD}=8$, $\overline{AE}=3$이고, 점 B의 좌표가 B$(10, 9, 4)$일 때, 두 점 A와 H의 좌표는 각각 A(a, b, c), H(d, e, f)이다. $a+b+c+d+e+f$의 값을 구하시오.

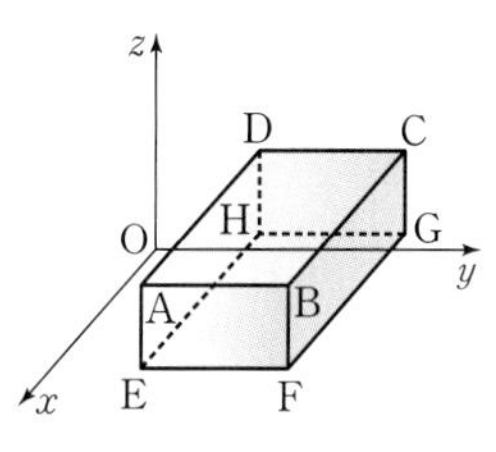

052

점 P$(3, 4, 5)$에서 x축, y축에 내린 수선의 발을 각각 A, B라 하고, xy평면에 내린 수선의 발을 C라 할 때, 네 점 P, A, B, C로 만들어지는 사면체의 부피를 구하시오.

유형 02 두 점 사이의 거리

좌표공간에서 두 점 $A(x_1, y_1, z_1)$, $B(x_2, y_2, z_2)$ 사이의 거리는

$\overline{AB}=\sqrt{(x_2-x_1)^2+(y_2-y_1)^2+(z_2-z_1)^2}$

053

두 점 $A(-2, a, -1)$, $B(-1, 2, 1)$ 사이의 거리가 3일 때, 양수 a의 값은?

① 2 ② 4 ③ 6
④ 8 ⑤ 10

054

그림의 직육면체에서 두 꼭짓점 B, H의 좌표가 $B(3, 5, 6)$, $H(1, 0, 3)$일 때, 대각선 EC의 길이는?

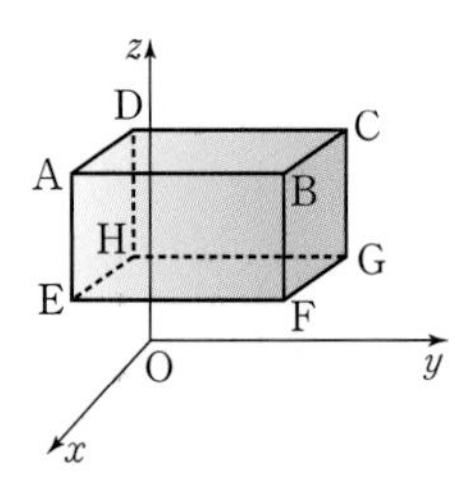

① $\sqrt{30}$ ② $4\sqrt{2}$
③ $\sqrt{35}$ ④ $\sqrt{38}$
⑤ $3\sqrt{5}$

055

세 점 $A(1, 2, 1)$, $B(2, 3, -1)$, $C(0, 4, 0)$을 꼭짓점으로 하는 삼각형 ABC는 어떤 삼각형인가?

① 둔각삼각형 ② 정삼각형
③ 직각삼각형 ④ 직각이등변삼각형
⑤ 두 변의 길이만 같은 삼각형

유형 03 두 점 사이의 거리 응용

수선의 발, 대칭이동을 이용하여 점의 좌표를 구하고, 두 점 사이의 거리를 구한다. 또 정사영, 피타고라스 정리 등을 이용하여 답을 구한다.

056

두 점 $A(2, -1, 1)$, $B(0, 2, -2)$에서 같은 거리에 있는 x축, y축 위의 점을 각각 P, Q라 할 때, 두 점 P, Q 사이의 거리는 $\frac{\sqrt{k}}{6}$이다. 상수 k의 값을 구하시오.

057

두 점 $A(4, 5, 3)$, $B(8, 10, 6)$을 지나는 직선과 zx평면이 이루는 예각의 크기를 θ라 할 때, $\cos\theta$의 값을 구하시오.

중요 058

점 $P(3, 4, 6)$의 xy평면에 대한 대칭점을 Q, z축에 대한 대칭점을 R라 할 때, 삼각형 PQR의 넓이는?

① 40 ② 50 ③ 60
④ 70 ⑤ 80

059

좌표공간의 점 $\mathrm{P}(a, b, c)$에서 x축, y축에 내린 수선의 발을 각각 Q, R라 하면 $\overline{\mathrm{PQ}}=\sqrt{20}$, $\overline{\mathrm{PR}}=5$이다. 점 P에서 z축에 내린 수선의 발 H의 좌표가 $\mathrm{H}(0, 0, -4)$일 때, 점 P의 좌표는?

(단, $a>0$, $b<0$)

① $(3, -2, 4)$ ② $(3, -2, -4)$ ③ $(3, -3, -4)$
④ $(2, -3, 4)$ ⑤ $(2, -3, -4)$

060

좌표공간의 두 점 $\mathrm{P}(t, t-1, t+2)$, $\mathrm{Q}(-1, 2t-1, -t+1)$에 대하여 선분 PQ의 길이의 최솟값은? (단, t는 실수이다.)

① $\frac{1}{2}$ ② $\frac{\sqrt{2}}{2}$ ③ $\frac{\sqrt{3}}{2}$
④ 2 ⑤ $\frac{\sqrt{5}}{2}$

061

점 $\mathrm{A}(3, 4, 0)$을 중심으로 하고 반지름의 길이가 2인 원 C가 xy평면 위에 있다. 점 $\mathrm{B}(6, 8, 4)$와 원 C 위의 점 사이의 거리의 최솟값은?

① $2\sqrt{3}$ ② 4 ③ $2\sqrt{5}$
④ 5 ⑤ $3\sqrt{3}$

유형 14 선분의 길이의 합의 최솟값

좌표평면 위의 점 P에 대하여 $\overline{\mathrm{AP}}+\overline{\mathrm{PB}}$의 최솟값은 좌표평면을 기준으로

(1) 두 점 A, B가 서로 반대쪽에 있는 경우
⇨ $\overline{\mathrm{AP}}+\overline{\mathrm{PB}}$의 최솟값은 $\overline{\mathrm{AB}}$이다.

(2) 두 점 A, B가 서로 같은 쪽에 있는 경우
⇨ 점 A를 좌표평면에 대하여 대칭이동한 점을 A′이라 하면 $\overline{\mathrm{AP}}+\overline{\mathrm{PB}}$의 최솟값은 $\overline{\mathrm{A'B}}$이다.

062

중요

두 점 $\mathrm{A}(1, 1, 3)$, $\mathrm{B}(2, 2, 1)$과 xy평면 위를 움직이는 점 P에 대하여 $\overline{\mathrm{AP}}+\overline{\mathrm{PB}}$의 최솟값은?

① $\sqrt{3}$ ② 2 ③ $2\sqrt{2}$
④ $2\sqrt{3}$ ⑤ $3\sqrt{2}$

063

두 점 $\mathrm{A}(2, 3, 4)$, $\mathrm{B}(3, -3, a)$와 yz평면 위를 움직이는 점 P에 대하여 $\overline{\mathrm{AP}}+\overline{\mathrm{PB}}$의 최솟값이 $5\sqrt{5}$일 때, 양수 a의 값을 구하시오.

064

두 점 $\mathrm{A}(3, 5, 1)$, $\mathrm{B}(2, 4, 6)$과 xy평면, zx평면 위를 각각 움직이는 두 점 P, Q에 대하여 $\overline{\mathrm{AP}}+\overline{\mathrm{PQ}}+\overline{\mathrm{QB}}$의 최솟값을 $\sqrt{k}$라 할 때, 상수 k의 값을 구하시오.

유형 05 선분의 내분점과 외분점

좌표공간에서 두 점 $A(x_1, y_1, z_1)$, $B(x_2, y_2, z_2)$에 대하여

(1) 선분 AB를 $m : n$ $(m>0,\ n>0)$으로 내분하는 점을 P, 외분하는 점을 Q라 하면

$$P\left(\frac{mx_2+nx_1}{m+n}, \frac{my_2+ny_1}{m+n}, \frac{mz_2+nz_1}{m+n}\right),$$

$$Q\left(\frac{mx_2-nx_1}{m-n}, \frac{my_2-ny_1}{m-n}, \frac{mz_2-nz_1}{m-n}\right)\ (m\neq n)$$

(2) 선분 AB의 중점을 M이라 하면

$$M\left(\frac{x_1+x_2}{2}, \frac{y_1+y_2}{2}, \frac{z_1+z_2}{2}\right)$$

065

두 점 $A(-1, 1, 10)$, $B(4, 1, 5)$에 대하여 선분 AB를 $2 : 3$으로 내분하는 점을 P, 외분하는 점을 Q라 할 때, 선분 PQ의 길이를 구하시오.

066 (중요)

두 점 $A(1, a, a-1)$, $B(-2, b, 4)$에 대하여 선분 AB를 $1 : 2$로 내분하는 점은 y축 위에 있고, $2 : 1$로 외분하는 점은 zx평면 위에 있을 때, a, b의 값을 구하시오.

067

두 점 $A(-2, 4, 3)$과 $B(2, 4, -1)$에 대하여 선분 AB가 xy평면과 만나는 점을 P라 할 때, 점 P의 좌표는?

① $(1, 4, 0)$ ② $(2, 3, 0)$ ③ $(3, 2, 0)$
④ $(3, 4, 0)$ ⑤ $(4, 2, 0)$

068

좌표공간에 원점 $O(0, 0, 0)$과 두 점 $A(2, -1, 5)$, $C(4, 5, -3)$이 있다. 사각형 OABC가 평행사변형이 되도록 하는 꼭짓점 B의 좌표를 구하시오.

069 (중요)

두 점 $A(2, -3, 5)$, $B(3, 4, 2)$에 대하여 선분 AB는 zx평면에 의하여 $a : b$로 내분된다. $a+b$의 값을 구하시오.

(단, a, b는 서로소인 자연수이다.)

070

지상 O지점에서 산 정상 A지점까지 최단 거리로 운행하는 케이블카가 있다. 그림과 같이 O지점을 원점으로 하는 좌표축을 정할 때, O지점에서 출발한 케이블카가 선분 OA의 $\frac{2}{3}$인 지점에 도달하였을 때의 좌표가 $P(4, 4, 2)$였다면 지상 O지점에서 산 정상 A지점까지의 거리는? (단, 좌표축의 한 눈금의 길이는 100 m이고, 케이블카의 크기는 무시한다.)

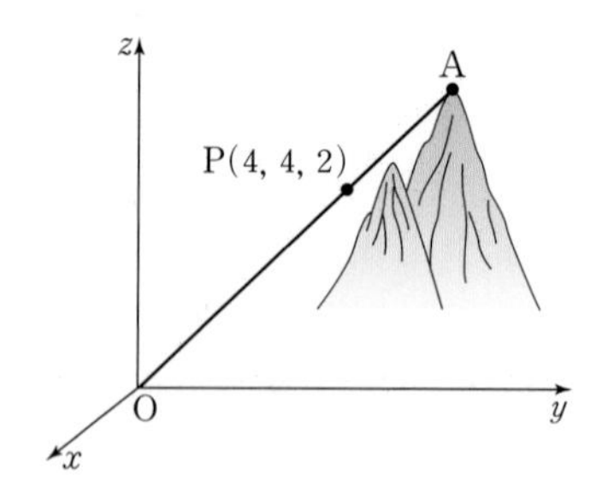

① 600 m ② 700 m ③ 800 m
④ 900 m ⑤ 1000 m

유형 06 삼각형의 무게중심

좌표공간에서 세 점 $A(x_1, y_1, z_1)$, $B(x_2, y_2, z_2)$, $C(x_3, y_3, z_3)$에 대하여 △ABC의 무게중심 G의 좌표는

$$G\left(\frac{x_1+x_2+x_3}{3}, \frac{y_1+y_2+y_3}{3}, \frac{z_1+z_2+z_3}{3}\right)$$

071

세 점 $A(0, 2, a)$, $B(1, b, 2)$, $C(c, -3, 1)$을 꼭짓점으로 하는 삼각형 ABC의 무게중심이 $G(1, -2, 0)$일 때, $a+b+c$의 값은?

① -1　② -2　③ -3
④ -4　⑤ -6

072

중요

좌표공간에 한 직선 위에 있는 세 점 A, B, C와 이 직선 위에 있지 않은 점 D가 있다. 두 점 B, D의 좌표는 각각 $B(2, -7, 4)$, $D(-1, 2, -2)$이고 점 C는 선분 AB를 $2:1$로 외분하는 점일 때, 삼각형 ACD의 무게중심의 좌표는?

① $(1, -4, 2)$　② $(2, -4, 1)$　③ $(2, -3, 1)$
④ $(3, 1, -2)$　⑤ $(3, 4, -5)$

073

좌표공간에서 세 점 $A(2n, 0, 0)$, $B(0, n, 0)$, $C(0, 0, 2n)$을 꼭짓점으로 하는 삼각형 ABC의 무게중심과 원점 사이의 거리를 l_n이라고 할 때, $\sum_{k=1}^{10} l_k$의 값을 구하시오. (단, n은 자연수이다.)

유형 07 구의 방정식

중심이 $C(a, b, c)$이고 반지름의 길이가 r인 구의 방정식은

$$(x-a)^2+(y-b)^2+(z-c)^2=r^2$$

074

점 $(3, -2, 1)$을 중심으로 하고 점 $(0, 2, 1)$을 지나는 구의 방정식을 구하시오.

075

중요

두 점 $A(1, 0, -2)$, $B(5, 2, -2)$를 지름의 양 끝 점으로 하는 구의 방정식이 $(x-a)^2+(y-b)^2+(z-c)^2=r^2$일 때, $a+b+c+r^2$의 값은? (단, a, b, c, r는 상수이다.)

① 7　② 8　③ 9
④ 10　⑤ 11

076

중심이 $C(3, 2, -1)$이고 반지름의 길이가 3인 구가 있다. 이 구와 x축이 만나는 두 점을 각각 A, B라 할 때, 삼각형 CAB의 넓이는?

① $2\sqrt{5}$　② $3\sqrt{5}$　③ $4\sqrt{5}$
④ $5\sqrt{5}$　⑤ $6\sqrt{5}$

077

구 $x^2+y^2+z^2+2x-2y-4z-10=0$의 중심에서 원점까지의 거리를 구하시오.

078 (중요)

네 점 $\mathrm{O}(0, 0, 0)$, $\mathrm{P}(2, 0, 0)$, $\mathrm{Q}(0, 2, 2)$, $\mathrm{R}(-2, 0, 2)$를 지나는 구의 방정식이 $(x-a)^2+(y-b)^2+(z-c)^2=r^2$일 때, $a+b+c+r^2$의 값은? (단, a, b, c, r는 상수이다.)

① 12 ② 13 ③ 14
④ 15 ⑤ 16

079

구 $x^2+y^2+z^2+4x-7y+2z+k=0$이 y축과 만나는 두 점 사이의 거리가 3일 때, 상수 k의 값은?

① 9 ② 10 ③ 11
④ 12 ⑤ 13

유형 08 좌표평면 또는 좌표축에 접하는 구의 방정식

중심이 $\mathrm{C}(a, b, c)$이고

(1) xy평면에 접하는 구의 방정식
⇨ $(x-a)^2+(y-b)^2+(z-c)^2=c^2$

(2) yz평면에 접하는 구의 방정식
⇨ $(x-a)^2+(y-b)^2+(z-c)^2=a^2$

(3) zx평면에 접하는 구의 방정식
⇨ $(x-a)^2+(y-b)^2+(z-c)^2=b^2$

(4) x축에 접하는 구의 방정식
⇨ $(x-a)^2+(y-b)^2+(z-c)^2=b^2+c^2$

(5) y축에 접하는 구의 방정식
⇨ $(x-a)^2+(y-b)^2+(z-c)^2=a^2+c^2$

(6) z축에 접하는 구의 방정식
⇨ $(x-a)^2+(y-b)^2+(z-c)^2=a^2+b^2$

080

구 $(x-3)^2+(y+1)^2+(z+3)^2=r^2$이 x축에 접할 때, r^2의 값을 구하시오. (단, r는 $r>0$인 상수이다.)

081

구 $x^2+y^2+z^2-2ax+2y-4z+5=0$이 xy평면에 접할 때, 양수 a의 값을 구하시오.

082 (중요)

점 $\mathrm{P}(1, 1, 2)$를 지나고 xy평면, yz평면, zx평면에 동시에 접하는 구는 두 개 존재한다. 두 구의 중심 사이의 거리는?

① $\sqrt{3}$ ② $\sqrt{5}$ ③ $\sqrt{6}$
④ $2\sqrt{3}$ ⑤ $2\sqrt{5}$

유형 09 구와 좌표평면의 교선

(1) xy평면과의 교선: 구의 방정식에 $z=0$을 대입
(2) yz평면과의 교선: 구의 방정식에 $x=0$을 대입
(3) zx평면과의 교선: 구의 방정식에 $y=0$을 대입

083

구 $x^2+y^2+z^2-8y-4z+7=0$을 xy평면으로 자른 단면의 넓이는?

① 6π　② 8π　③ 9π
④ 10π　⑤ 16π

중요 **084**

중심이 $(2, -4, 0)$인 구를 yz평면으로 자른 단면의 넓이가 12π일 때, 이 구의 반지름의 길이를 구하시오.

중요 **085**

구 $(x-2)^2+(y-3)^2+(z-4)^2=25$에 내접하고, 한 밑면이 xy평면 위에 있는 원기둥의 부피는?

① 36π　② 48π　③ 54π
④ 64π　⑤ 72π

유형 10 구에 그은 접선

구 밖의 한 점 A에서 중심이 C이고 반지름의 길이가 r인 구에 그은 접선의 길이는 점 A와 접점, 중심 C를 이은 삼각형이 직각삼각형임을 이용한다.

086

점 $P(2, 2, 1)$에서 구 $x^2+y^2+z^2+6y-4z-1=0$에 그은 접선의 길이는?

① $\sqrt{10}$　② $2\sqrt{3}$　③ $\sqrt{14}$
④ 4　⑤ $2\sqrt{5}$

087

구 $x^2+y^2+z^2=9$에 대하여 구 밖의 한 점 $P(-2, 4, \sqrt{5})$에서 구에 접선을 그을 때, 접점이 나타내는 도형의 넓이는?

① $\frac{12}{5}\pi$　② $\frac{144}{25}\pi$　③ 9π
④ $\frac{144}{5}\pi$　⑤ 12π

중요 **088**

좌표공간에 점 $A(0, 0, 2)$를 중심으로 하고 반지름의 길이가 2인 구가 있다. 점 $B(0, 0, 6)$에서 구에 빛을 비출 때, xy평면 위에 나타나는 구의 그림자의 넓이는?

① 2π　② 5π　③ 8π
④ 10π　⑤ 12π

유형 11 점과 구의 중심 사이의 거리

(1) 중심이 C이고 반지름의 길이가 r인 구 위의 점 P와 구 밖의 한 점 A에 대하여

(점 A에서 점 P에 이르는 최단 거리)$=\overline{AC}-r$

(점 A에서 점 P에 이르는 최장 거리)$=\overline{AC}+r$

(2) 두 구의 위치 관계

두 구의 반지름의 길이를 각각 r, r', 두 구의 중심 사이의 거리를 d라 하면

① $d>r+r' \Longleftrightarrow$ 한 구가 다른 구의 외부에 있다.

② $d=r+r' \Longleftrightarrow$ 두 구가 외접한다.

③ $d=|r-r'| \Longleftrightarrow$ 두 구가 내접한다.

④ $0\le d<|r-r'| \Longleftrightarrow$ 한 구가 다른 구의 내부에 있다.

089

구 $x^2+y^2+z^2-2x-4y-6z+13=0$ 위의 점과 원점 사이의 거리의 최댓값과 최솟값의 차는?

① 1　② 2　③ 3　④ 4　⑤ 5

090

구 $x^2+y^2+z^2=1$ 위의 점 P와 구 $(x-2)^2+(y-3)^2+(z-6)^2=4$ 위의 점 Q에 대하여 선분 PQ의 길이의 최솟값은?

① 2　② 3　③ 4　④ 5　⑤ 6

091

구 $x^2+y^2+z^2-2x+4y-6z-2=0$과 직선 l이 두 점 A, B에서 만나고 선분 AB의 길이가 6일 때, 구의 중심에서 직선 l까지의 거리를 구하시오.

092 (중요)

좌표공간에서 구 $(x-1)^2+(y-3)^2+(z+1)^2=5$와 xy평면과의 교선을 원 C라고 한다. 점 P(5, 6, 4)와 원 C 위의 점 사이의 거리의 최솟값은?

① 1　② 2　③ 3　④ 4　⑤ 5

093 (중요)

두 구 $(x-5)^2+(y+1)^2+(z+6)^2=r^2$과 $(x+1)^2+(y-3)^2+(z-6)^2=36$이 서로 외접할 때, 양수 r의 값은?

① 4　② 5　③ 6　④ 7　⑤ 8

094

두 구 $(x-1)^2+(y-2)^2+(z-3)^2=9$, $(x+2)^2+y^2+(z+3)^2=a^2$ $(a>0)$이 서로 만나도록 하는 정수 a의 개수는?

① 6　② 7　③ 8　④ 9　⑤ 10

빠른 정답 확인

01 포물선

본문 007~016쪽

001 $y^2-4x+12=0$
002 $y^2+12x-12=0$
003 $x^2-12y=0$
004 $y^2=4x$
005 $y^2=12x$
006 $y^2=-16x$
007 $x^2=4y$
008 $x^2=2y$
009 $x^2=-4y$
010 초점의 좌표: $(2,\ 0)$, 준선의 방정식: $x=-2$
011 초점의 좌표: $\left(\frac{1}{2},\ 0\right)$, 준선의 방정식: $x=-\frac{1}{2}$
012 초점의 좌표: $(-5,\ 0)$, 준선의 방정식: $x=5$
013 초점의 좌표: $(0,\ 2)$, 준선의 방정식: $y=-2$
014 초점의 좌표: $\left(0,\ \frac{3}{2}\right)$, 준선의 방정식: $y=-\frac{3}{2}$
015 초점의 좌표: $\left(0,\ -\frac{1}{2}\right)$, 준선의 방정식: $y=\frac{1}{2}$
016 $(y-1)^2=4(x-2)$
017 $(y-1)^2=-(x-2)$
018 $(x-2)^2=y-1$
019 초점의 좌표: $(-1,\ 5)$, 준선의 방정식: $x=-3$
020 초점의 좌표: $\left(\frac{17}{4},\ -1\right)$, 준선의 방정식: $x=\frac{15}{4}$
021 초점의 좌표: $\left(\frac{5}{2},\ -2\right)$, 준선의 방정식: $x=\frac{7}{2}$
022 초점의 좌표: $(4,\ 0)$, 준선의 방정식: $y=-2$
023 초점의 좌표: $\left(-2,\ \frac{5}{4}\right)$, 준선의 방정식: $y=\frac{3}{4}$
024 초점의 좌표: $(1,\ 4)$, 준선의 방정식: $y=2$
025 $(y-2)^2=4(x-1)$
026 $(y-1)^2=8(x-1)$
027 $(y-1)^2=-(x+1)$
028 $(x+1)^2=y+1$
029 $(x+2)^2=-4(y-1)$
030 $(x+1)^2=4(y-2)$
031 꼭짓점의 좌표: $(2,\ 1)$, 초점의 좌표: $(3,\ 1)$, 준선의 방정식: $x=1$
032 꼭짓점의 좌표: $(1,\ -1)$, 초점의 좌표: $(2,\ -1)$, 준선의 방정식: $x=0$
033 꼭짓점의 좌표: $(3,\ 2)$, 초점의 좌표: $\left(\frac{7}{2},\ 2\right)$, 준선의 방정식: $x=\frac{5}{2}$
034 꼭짓점의 좌표: $(1,\ 0)$, 초점의 좌표: $(1,\ 1)$, 준선의 방정식: $y=-1$
035 꼭짓점의 좌표: $(2,\ -3)$, 초점의 좌표: $(2,\ -5)$, 준선의 방정식: $y=-1$
036 꼭짓점의 좌표: $(3,\ -1)$, 초점의 좌표: $\left(3,\ -\frac{1}{2}\right)$, 준선의 방정식: $y=-\frac{3}{2}$

037 5
038 ④
039 ④
040 ②
041 53
042 ②
043 5
044 8
045 ①
046 4
047 8
048 ③
049 ③
050 20
051 ④
052 ②
053 ②
054 60
055 10
056 6
057 ③
058 5
059 ⑤
060 6
061 4
062 ②
063 11
064 $\sqrt{2}$
065 ⑤
066 $2\sqrt{2}$
067 $65°$
068 $3\sqrt{2}$
069 ③
070 4
071 12
072 ②
073 $\frac{3\sqrt{2}}{2}$
074 ②
075 200 m

02 타원

본문 019~028쪽

001 $\frac{x^2}{4}+\frac{y^2}{3}=1$
002 $\frac{x^2}{4}+\frac{y^2}{9}=1$
003 $\frac{x^2}{9}+\frac{y^2}{5}=1$
004 $\frac{x^2}{5}+\frac{y^2}{4}=1$
005 $\frac{x^2}{100}+\frac{y^2}{36}=1$
006 $\frac{x^2}{25}+\frac{y^2}{16}=1$
007 $\frac{x^2}{16}+\frac{y^2}{25}=1$
008 $\frac{x^2}{25}+\frac{y^2}{169}=1$
009 $\frac{x^2}{9}+\frac{y^2}{25}=1$
010 $\frac{x^2}{4}+\frac{y^2}{5}=1$
011 초점의 좌표: $(4,\ 0)$, $(-4,\ 0)$, 장축의 길이: 10, 단축의 길이: 6
012 초점의 좌표: $(1,\ 0)$, $(-1,\ 0)$, 장축의 길이: 4, 단축의 길이: $2\sqrt{3}$
013 초점의 좌표: $(0,\ 2)$, $(0,\ -2)$, 장축의 길이: 6, 단축의 길이: $2\sqrt{5}$
014 초점의 좌표: $(0,\ 3)$, $(0,\ -3)$, 장축의 길이: $2\sqrt{13}$, 단축의 길이: 4
015 $\frac{(x+3)^2}{16}+\frac{y^2}{9}=1$
016 $\frac{x^2}{16}+\frac{(y-5)^2}{9}=1$
017 $\frac{(x-2)^2}{16}+\frac{(y+4)^2}{9}=1$
018 $\frac{(x+1)^2}{16}+\frac{(y+7)^2}{9}=1$
019 초점의 좌표: $(3,\ 3)$, $(-5,\ 3)$, 장축의 길이: 10, 단축의 길이: 6
020 초점의 좌표: $(\sqrt{3}-2,\ -1)$, $(-\sqrt{3}-2,\ -1)$, 장축의 길이: 4, 단축의 길이: 2
021 초점의 좌표: $(\sqrt{5}+1,\ -2)$, $(-\sqrt{5}+1,\ -2)$, 장축의 길이: 6, 단축의 길이: 4
022 초점의 좌표: $(-1,\ 5)$, $(-1,\ 3)$, 장축의 길이: $2\sqrt{5}$, 단축의 길이: 4
023 초점의 좌표: $(3,\ -1)$, $(3,\ -5)$, 장축의 길이: 8, 단축의 길이: $4\sqrt{3}$
024 초점의 좌표: $(2,\ \sqrt{3}+5)$, $(2,\ -\sqrt{3}+5)$, 장축의 길이: 4, 단축의 길이: 2
025 $\frac{x^2}{17}+y^2=1$
026 $\frac{x^2}{25}+\frac{y^2}{16}=1$
027 $\frac{(x-1)^2}{4}+\frac{(y+1)^2}{2}=1$
028 $x^2+\frac{y^2}{9}=1$
029 $\frac{x^2}{9}+\frac{y^2}{25}=1$
030 $\frac{(x-2)^2}{4}+\frac{(y+3)^2}{36}=1$
031 중심의 좌표: $(0,\ 0)$, 초점의 좌표: $(3,\ 0)$, $(-3,\ 0)$, 장축의 길이: 8, 단축의 길이: $2\sqrt{7}$
032 중심의 좌표: $(1,\ 0)$, 초점의 좌표: $(\sqrt{3}+1,\ 0)$, $(-\sqrt{3}+1,\ 0)$, 장축의 길이: 4, 단축의 길이: 2
033 중심의 좌표: $(0,\ 2)$, 초점의 좌표: $(\sqrt{5},\ 2)$, $(-\sqrt{5},\ 2)$, 장축의 길이: 6, 단축의 길이: 4
034 중심의 좌표: $(0,\ 0)$, 초점의 좌표: $(0,\ 1)$, $(0,\ -1)$, 장축의 길이: $2\sqrt{5}$, 단축의 길이: 4
035 중심의 좌표: $(-3,\ 2)$, 초점의 좌표: $(-3,\ 4)$, $(-3,\ 0)$, 장축의 길이: $2\sqrt{10}$, 단축의 길이: $2\sqrt{6}$
036 중심의 좌표: $(2,\ 0)$, 초점의 좌표: $(2,\ 2)$, $(2,\ -2)$, 장축의 길이: 8, 단축의 길이: $4\sqrt{3}$
037 ②
038 $\frac{x^2}{12}+\frac{y^2}{16}=1$
039 ④
040 $\frac{x^2}{16}+\frac{y^2}{12}=1$
041 $\frac{x^2}{10}+\frac{y^2}{8}=1$
042 ③
043 ⑤
044 $\frac{x^2}{16}+\frac{y^2}{25}=1$
045 ③
046 $8\sqrt{2}$
047 ③
048 ④

049 6
050 $2\sqrt{13}$
051 18
052 13
053 ④
054 12
055 ③
056 9
057 36
058 ③
059 8
060 ⑤
061 7
062 ②
063 ①
064 6
065 ③
066 ②
067 40
068 ③
069 ⑤
070 ③
071 12
072 $36x^2+9y^2=64$
073 ②
074 ④
075 $3\sqrt{3}$m
076 ④

03 쌍곡선

본문 031~040쪽

001 $\frac{x^2}{4}-\frac{y^2}{5}=1$
002 $\frac{x^2}{9}-\frac{y^2}{16}=1$
003 $\frac{x^2}{3}-y^2=-1$
004 $\frac{x^2}{9}-\frac{y^2}{16}=-1$
005 $\frac{x^2}{9}-\frac{y^2}{7}=1$
006 $\frac{x^2}{4}-\frac{y^2}{21}=1$
007 $\frac{x^2}{5}-\frac{y^2}{9}=1$
008 $\frac{x^2}{8}-y^2=-1$
009 $\frac{x^2}{9}-\frac{y^2}{4}=-1$
010 $\frac{x^2}{4}-\frac{y^2}{12}=-1$
011 초점의 좌표: $(5, 0)$, $(-5, 0)$, 꼭짓점의 좌표: $(4, 0)$, $(-4, 0)$
주축의 길이: 8
012 초점의 좌표: $(6, 0)$, $(-6, 0)$, 꼭짓점의 좌표: $(4, 0)$, $(-4, 0)$
주축의 길이: 8
013 초점의 좌표: $(4, 0)$, $(-4, 0)$
꼭짓점의 좌표: $(2\sqrt{3}, 0)$, $(-2\sqrt{3}, 0)$, 주축의 길이: $4\sqrt{3}$
014 초점의 좌표: $(0, 4)$, $(0, -4)$, 꼭짓점의 좌표: $(0, 3)$, $(0, -3)$
주축의 길이: 6
015 초점의 좌표: $(0, 7)$, $(0, -7)$, 꼭짓점의 좌표: $(0, 3)$, $(0, -3)$
주축의 길이: 6
016 초점의 좌표: $(0, 13)$, $(0, -13)$, 꼭짓점의 좌표: $(0, 5)$, $(0, -5)$
주축의 길이: 10
017 $y=\pm\frac{2}{3}x$
018 $y=\pm\frac{6}{5}x$
019 $y=\pm\frac{5}{2}x$
020 $y=\pm\frac{\sqrt{2}}{2}x$
021 $x^2-\frac{y^2}{4}=1$
022 $\frac{x^2}{16}-\frac{y^2}{9}=1$
023 $x^2-y^2=-1$
024 초점의 좌표: $(3, -2)$, $(-1, -2)$,
꼭짓점의 좌표: $(2, -2)$, $(0, -2)$, 주축의 길이: 2
025 초점의 좌표: $(2, 4)$, $(-4, 4)$, 꼭짓점의 좌표: $(1, 4)$, $(-3, 4)$
주축의 길이: 4
026 초점의 좌표: $(3, 5)$, $(3, -3)$, 꼭짓점의 좌표: $(3, 4)$, $(3, -2)$
주축의 길이: 6
027 초점의 좌표: $(-2, 3)$, $(-2, -9)$,
꼭짓점의 좌표: $(-2, 2)$, $(-2, -8)$, 주축의 길이: 10
028 초점의 좌표: $(0, 2\sqrt{5})$, $(0, -2\sqrt{5})$, 꼭짓점의 좌표: $(0, 2)$, $(0, -2)$,
주축의 길이: 4, 점근선의 방정식: $y=\pm\frac{1}{2}x$
029 초점의 좌표: $(\sqrt{2}+1, 0)$, $(-\sqrt{2}+1, 0)$, 꼭짓점의 좌표: $(2, 0)$, $(0, 0)$
주축의 길이: 2, 점근선의 방정식: $y=x-1$, $y=-x+1$
030 초점의 좌표: $(\sqrt{6}, 2)$, $(-\sqrt{6}, 2)$, 꼭짓점의 좌표: $(2, 2)$, $(-2, 2)$
주축의 길이: 4, 점근선의 방정식: $y=\frac{\sqrt{2}}{2}x+2$, $y=-\frac{\sqrt{2}}{2}x+2$
031 원
032 포물선
033 타원
034 쌍곡선
035 ③
036 ①
037 $x^2-\frac{y^2}{3}=1$
038 ③
039 $(x-1)^2-\frac{(y+1)^2}{3}=1$
040 ④
041 ①
042 $\sqrt{3}$
043 $\frac{x^2}{3}-\frac{y^2}{27}=1$
044 ②
045 ⑤
046 ②
047 ⑤
048 7
049 ④
050 $2+\sqrt{14}$
051 4
052 ②
053 19
054 ⑤
055 ①
056 42
057 11
058 13
059 20
060 ④
061 ③
062 ②
063 24
064 ②
065 ⑤
066 ④
067 ③
068 $x^2-(y-1)^2=\frac{1}{4}$
069 $3\sqrt{5}+3$
070 5000
071 ①
072 $0<k<\frac{1}{4}$
073 $k<2$

04 이차곡선의 접선

본문 043~052쪽

001 서로 다른 두 점에서 만난다.
002 접한다.
003 만나지 않는다.
004 $k<3$
005 $k=3$
006 $k>3$
007 $y=2x+1$
008 $y=-x-1$
009 $y=x+3$
010 $y=-\frac{1}{2}x-\frac{1}{4}$
011 $y=\frac{1}{2}x+1$
012 $y=-x+3$
013 $y=-3x-9$
014 서로 다른 두 점에서 만난다.
015 한 점에서 만난다.
016 만나지 않는다.
017 $m<-\frac{1}{2}$ 또는 $m>\frac{1}{2}$
018 $m=-\frac{1}{2}$ 또는 $m=\frac{1}{2}$
019 $-\frac{1}{2}<m<\frac{1}{2}$
020 $y=2x\pm\sqrt{29}$
021 $y=-\sqrt{3}x\pm\sqrt{13}$
022 $y=-x\pm\sqrt{15}$
023 $y=-x+3$
024 $y=-1$
025 $3x-2y=-8$
026 만나지 않는다.
027 한 점에서 만난다.
028 서로 다른 두 점에서 만난다.
029 $k<-\sqrt{2}$ 또는 $k>\sqrt{2}$
030 $k=-\sqrt{2}$ 또는 $k=\sqrt{2}$
031 $-\sqrt{2}<k<\sqrt{2}$
032 $y=2x\pm\sqrt{10}$
033 $y=2x\pm\sqrt{15}$
034 $y=-x\pm2$
035 $y=x-1$
036 $y=2x+1$
037 $y=-\frac{1}{2}x+\frac{1}{2}$
038 ④
039 ⑤
040 ①
041 6
042 ③
043 ①
044 ①
045 ②
046 ③
047 $\sqrt{2}$
048 ②
049 ①
050 2
051 2
052 -1, 0, 1
053 ⑤
054 ②
055 6
056 ②
057 ④
058 ①
059 ③
060 18
061 ③
062 ⑤
063 ①
064 ①
065 ②
066 ④
067 ①
068 ④
069 6
070 $\frac{5}{2}$
071 ④
072 ④
073 ②
074 $\frac{2}{5}$

05 벡터의 연산

본문 055~062쪽

001 $\vec{c}$와 $\vec{f}$와 $\vec{i}$, $\vec{h}$와 $\vec{j}$　**002** $\vec{c}$와 $\vec{e}$와 $\vec{i}$, $\vec{d}$와 $\vec{h}$, $\vec{f}$와 $\vec{g}$

003 $\vec{c}$와 $\vec{i}$　**004** $\vec{d}$와 $\vec{h}$, $\vec{f}$와 $\vec{g}$　**005** $\vec{b}$

006 $\vec{d}$와 $\vec{h}$

007

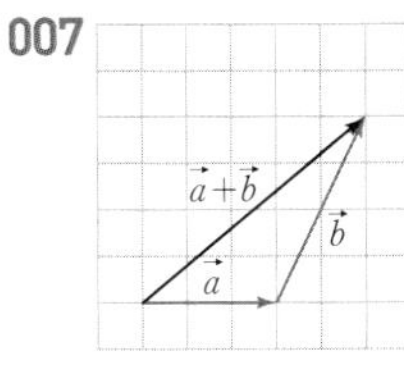

008

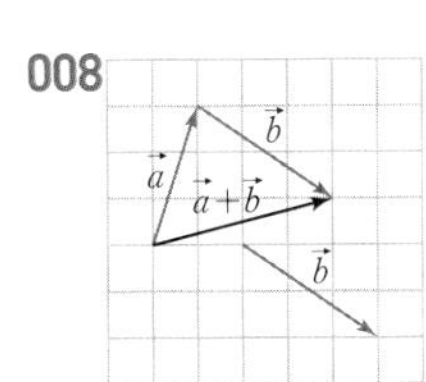

009

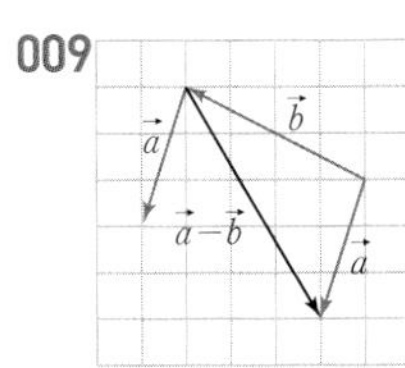

010

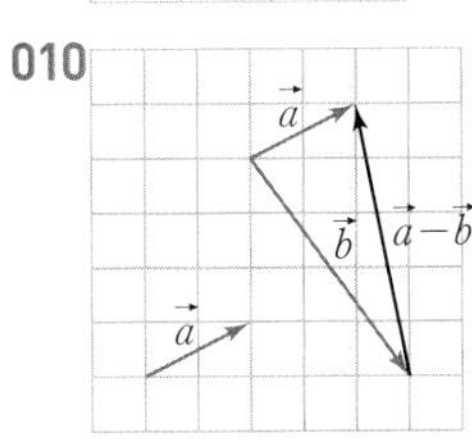

011 $\overrightarrow{AC}$　**012** $\overrightarrow{AD}$　**013** $\vec{0}$　**014** $\vec{a}+\vec{b}$

015 $\vec{b}-\vec{a}$　**016** $-\vec{a}-\vec{b}$　**017** $5\vec{a}-2\vec{b}$　**018** $8\vec{a}-13\vec{b}$

019 $-\vec{a}+4\vec{b}-3\vec{c}$　**020** $-3\vec{a}+2\vec{b}$　**021** $\vec{a}-\vec{b}$

022 $\vec{a}-\frac{1}{3}\vec{b}$

023 (1) $\vec{c}$ (2) $\vec{b}$ (3) $-\vec{a}$ (4) $-\vec{c}$　**024** ⑤　**025** ③

026 ②　**027** ⑤　**028** ①　**029** ⑤

030 ④　**031** 5　**032** ②　**033** $-\frac{2}{7}$

034 3　**035** ④　**036** ②　**037** ⑤

038 ③　**039** 4　**040** ②　**041** ①

042 -1　**043** ②　**044** ⑤　**045** D, E

046 $\frac{10}{13}$　**047** ⑤　**048** 4　**049** $\frac{1}{5}$

050 ③　**051** ③　**052** 15　**053** ③

054 ④　**055** 8　**056** 2　**057** ③

058 ③

06 평면벡터의 성분

본문 065~072쪽

001 $\vec{b}-\vec{a}$　**002** $2(\vec{a}-\vec{b})$　**003** $\vec{b}-\vec{a}$　**004** $\frac{1}{3}\vec{a}+\frac{2}{3}\vec{b}$

005 $-\vec{a}+2\vec{b}$　**006** $-\frac{1}{3}\vec{a}+\frac{4}{3}\vec{b}$　**007** $\vec{a}=(3, 2)$

008 $\vec{b}=(-1, 4)$　**009** $\vec{c}=4\vec{e_1}+2\vec{e_2}$

010 $\vec{d}=5\vec{e_1}-\vec{e_2}$　**011** 10　**012** 2

013 5　**014** $2\sqrt{5}$　**015** $(3, -2)$, $\sqrt{13}$

016 $(1, 4)$, $\sqrt{17}$　**017** $(-6, -3)$, $3\sqrt{5}$

018 $(3, 5)$, $\sqrt{34}$　**019** $(0, 14)$, 14

020 $(-7, -7)$, $7\sqrt{2}$　**021** $\vec{c}=2\vec{a}-\vec{b}$

022 $\vec{d}=-\vec{a}+3\vec{b}$　**023** $(1, 3)$, $\sqrt{10}$

024 $(4, -3)$, 5

025 $\vec{b}-\vec{a}$　**026** ①　**027** ③

028 $\vec{p}=\frac{3}{5}\vec{a}+\frac{2}{5}\vec{b}$, $\vec{q}=3\vec{a}-2\vec{b}$　**029** $\frac{40}{7}$　**030** ⑤

031 $\frac{7}{5}$　**032** 3　**033** ②　**034** ①

035 ③　**036** $\frac{1}{2}\vec{a}+\frac{1}{2}\vec{b}$　**037** 2 : 3　**038** ①

039 ④　**040** ①　**041** 3　**042** 6

043 -9　**044** ④　**045** ②　**046** ②

047 ②　**048** 8　**049** $(-1, -3)$　**050** ①

051 ③　**052** 1　**053** ⑤　**054** ⑤

055 ①　**056** $-\frac{1}{9}$　**057** ⑤　**058** 4π

059 $\frac{(x+1)^2}{25}+\frac{(y-1)^2}{21}=1$　**060** ②

07 평면벡터의 내적

본문 075~084쪽

001 6 **002** $3\sqrt{3}$ **003** 3 **004** $3\sqrt{2}$
005 0 **006** -3 **007** 1 **008** 2
009 -5 **010** 0 **011** -10 **012** 4
013 5 **014** 10 **015** 0 **016** -45
017 -45 **018** 1 **019** $\sqrt{7}$ **020** $\sqrt{3}$
021 $\sqrt{21}$ **022** 3 **023** $\frac{\pi}{4}$ **024** $\frac{\pi}{2}$
025 $\frac{\pi}{3}$ **026** $\frac{3}{4}\pi$ **027** $\frac{2}{3}\pi$ **028** $\frac{3}{4}\pi$
029 $\vec{a}$와 $\vec{b}$, $\vec{b}$와 $\vec{c}$ **030** $\vec{a}$와 $\vec{c}$ **031** 2
032 -18
033 ③ **034** 16 **035** ④ **036** ③
037 9 **038** ③ **039** 3 **040** 21
041 8 **042** 11 **043** ① **044** ③
045 5 **046** ③ **047** -8 **048** 22
049 $-\frac{17}{5}$ **050** ③ **051** -8 **052** $2\sqrt{5}$
053 ③ **054** ③ **055** ④ **056** $\frac{1}{2}$
057 ③ **058** 3 **059** ④ **060** $\frac{\pi}{3}$
061 ④ **062** ① **063** ⑤ **064** ④
065 ⑤ **066** ② **067** ① **068** $4\sqrt{10}$
069 ③ **070** ④ **071** 4 **072** ②
073 25

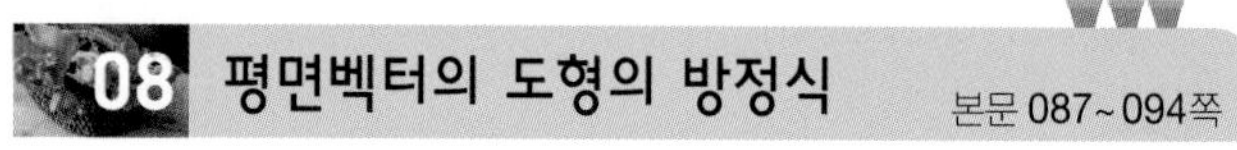

08 평면벡터의 도형의 방정식

본문 087~094쪽

001 $\vec{u}=(3,\ 4)$ **002** $\vec{u}=\left(-2,\ \frac{1}{2}\right)$ **003** $\vec{u}=(3,\ 2)$
004 $x=2+2t,\ y=-1+5t$ **005** $x=4+5t,\ y=2-3t$
006 $x=-2-3t,\ y=3+4t$ **007** $\frac{x-1}{3}=\frac{y-4}{2}$
008 $\frac{x+1}{6}=-y+3$ **009** $x=1$
010 $y=-7$ **011** $\frac{x-2}{2}=\frac{y-1}{2}$ $\left(\text{또는 } \frac{x-4}{2}=\frac{y-3}{2}\right)$
012 $\frac{x-3}{-4}=\frac{y-1}{3}$ $\left(\text{또는 } \frac{x+1}{-4}=\frac{y-4}{3}\right)$
013 $\frac{x+1}{4}=\frac{y-1}{4}$ $\left(\text{또는 } \frac{x-3}{4}=\frac{y-5}{3}\right)$
014 $x=-3$ **015** $y=2$ **016** $x-y+3=0$
017 $3x+4y+1=0$ **018** $\frac{\pi}{4}$ **019** $\frac{\pi}{4}$
020 $\frac{\pi}{2}$ **021** $\frac{\pi}{6}$ **022** $(x-2)^2+(y+1)^2=4$
023 $(x+2)^2+(y-4)^2=9$ **024** $(x-3)^2+(y-1)^2=8$
025 ① **026** 5 **027** $\frac{x-2}{3}=\frac{y-6}{2}$
028 ③ **029** $\frac{7\sqrt{26}}{13}$ **030** ④
031 $x-2=\frac{y-1}{4}$ **032** ③
033 $x-1=\frac{y-3}{4}$ **034** $3x+2y=0$
035 ③ **036** 3 **037** $2x-y=0$
038 $2x+3y+23=0$ **039** 49 **040** $\frac{4}{5}$
041 ③ **042** $\frac{\pi}{4}$ **043** -6 **044** ③
045 ④ **046** ④ **047** -1 **048** ②
049 ② **050** ③ **051** ④ **052** ②
053 6 **054** ③ **055** ①
056 $(x-4)^2+(y-1)^2=25$ **057** ③ **058** ④
059 2 **060** $3x+4y-16=0$

09 공간도형

본문 097~108쪽

001 4　002 ㄱ, ㄴ, ㄹ
003 직선 AD, 직선 BC, 직선 AE, 직선 BF
004 직선 DC, 직선 EF, 직선 HG
005 직선 CG, 직선 DH, 직선 FG, 직선 EH
006 직선 BC, 직선 FG, 직선 CD, 직선 GH
007 직선 AB, 직선 BC, 직선 AC
008 직선 AD, 직선 AE, 직선 BE, 직선 CD　009 직선 DE
010 평면 ACD, 평면 BCDE　011 평면 ABC, 평면 ADE
012 평면 ABE　013 평면 FLKE
014 평면 ABCDEF, 평면 GHIJKL, 평면 AGHB, 평면 CIJD
015 직선 CI　016 직선 EF　017 직선 JK
018 직선 AE, 직선 BF, 직선 CG, 직선 DH
019 직선 AB, 직선 DC, 직선 EF, 직선 HG
020 직선 AE, 직선 BF, 직선 CG, 직선 DH　021 90°
022 90°　023 90°　024 45°　025 90°
026 60°　027 60°　028 60°　029 0°
030 $\perp$, l, l, PHO, PHO, $\perp$　031 $\sqrt{2}$　032 $\sqrt{6}$
033 선분 BC　034 선분 DG　035 점 D　036 선분 HF
037 삼각형 EFG　038 $3\sqrt{3}$　039 $\frac{1}{3}$
040 3　041 $\frac{\sqrt{2}}{2}$
042 ②　043 ①　044 ④
045 ④　046 9　047 ①　048 ①
049 ⑤　050 6　051 ③　052 ③
053 $\frac{\sqrt{2}}{2}$　054 ③　055 ④　056 3
057 ②　058 $5\sqrt{2}$　059 ④　060 $6\sqrt{41}$
061 ①　062 $\frac{1}{4}$　063 π　064 9
065 ②　066 $\frac{4\sqrt{41}}{41}$　067 ⑤　068 ⑤
069 $\frac{\sqrt{10}}{4}$　070 ⑤　071 ②　072 ②
073 ①　074 325　075 ⑤　076 ③
077 15π　078 ①　079 ④　080 ③
081 ④　082 ⑤　083 9　084 27
085 $\frac{2}{3}$　086 $-\sqrt{6}$　087 $\frac{\pi}{3}$

10 공간좌표

본문 111~122쪽

001 B(1, 3, 0), C(1, 3, 2), D(1, 0, 2)
002
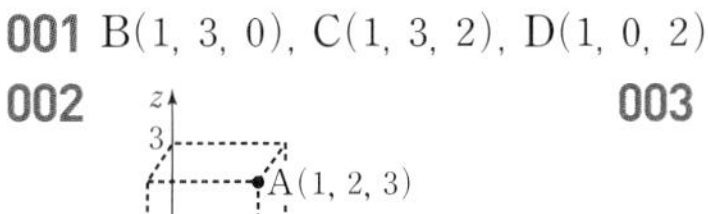

003
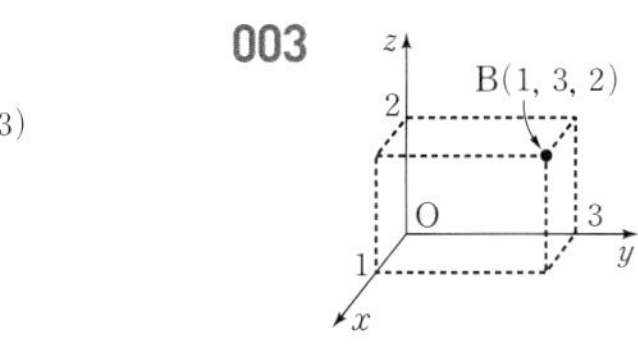

004
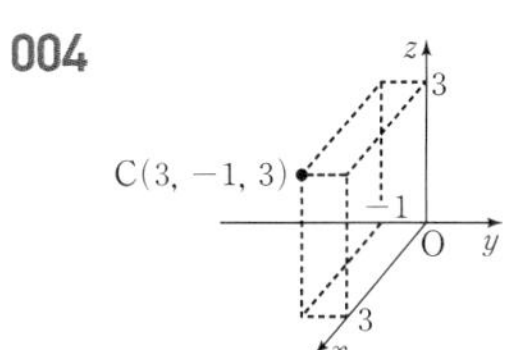

005
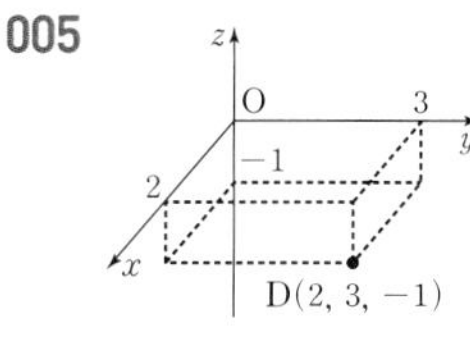

006 $(2, -3, -4)$　007 $(-2, 3, -4)$
008 $(-2, -3, 4)$　009 $(-2, -3, -4)$
010 $(2, 3, -4)$　011 $(-2, 3, 4)$　012 $(2, -3, 4)$　013 $\sqrt{6}$
014 $5\sqrt{2}$　015 $\sqrt{17}$　016 $\sqrt{66}$　017 $\sqrt{14}$
018 3　019 $(1, 1, 1)$　020 $(5, -3, 5)$　021 $\left(\frac{1}{2}, \frac{3}{2}, \frac{1}{2}\right)$
022 $\left(\frac{7}{5}, \frac{3}{5}, -\frac{11}{5}\right)$　023 $(-13, 15, 5)$
024 $(2, 0, -1)$　025 중심의 좌표: $(1, 2, 1)$, 반지름의 길이: 2
026 중심의 좌표: $(4, -7, -1)$, 반지름의 길이: 7
027 중심의 좌표: $(-1, 1, 2)$, 반지름의 길이: $\sqrt{14}$
028 $(x-1)^2+(y-2)^2+(z-3)^2=4$
029 $(x-2)^2+(y+5)^2+(z-1)^2=16$
030 $x^2+y^2+z^2=9$
031 $(x+1)^2+(y-3)^2+(z-4)^2=16$
032 $(x+1)^2+(y-3)^2+(z-4)^2=1$
033 $(x+1)^2+(y-3)^2+(z-4)^2=9$
034 $(x+1)^2+(y-3)^2+(z-4)^2=25$
035 $(x+1)^2+(y-3)^2+(z-4)^2=17$
036 $(x+1)^2+(y-3)^2+(z-4)^2=10$
037 $(x-1)^2+(y-2)^2+z^2=5$　038 $x^2+(y+2)^2+(z+4)^2=36$
039 $(x+1)^2+(y-2)^2+(z-1)^2=6$
040 $(x-2)^2+(y+3)^2+(z-1)^2=16$
041 중심의 좌표: $(6, 0, 0)$, 반지름의 길이: 6
042 중심의 좌표: $(3, -1, 0)$, 반지름의 길이: 1
043 중심의 좌표: $(1, -3, 3)$, 반지름의 길이: 5
044 중심의 좌표: $(-2, -3, 1)$, 반지름의 길이: 3
045 중심의 좌표: $(-3, 4, -1)$, 반지름의 길이: 5
046 중심의 좌표: $(1, -5, 3)$, 반지름의 길이: $4\sqrt{2}$　047 ①
048 -5　049 1　050 ④　051 23
052 10　053 ②　054 ④　055 ②
056 13　057 $\frac{\sqrt{2}}{2}$　058 ③　059 ②
060 ②　061 ④　062 ⑤　063 12
064 131　065 $12\sqrt{2}$　066 $a=-1$, $b=-\frac{1}{2}$
067 ①　068 B(6, 4, 2)　069 7　070 ④
071 ⑤　072 ①　073 55
074 $(x-3)^2+(y+2)^2+(z-1)^2=25$　075 ①
076 ①　077 $\sqrt{6}$　078 ③　079 ②
080 10　081 2　082 ④　083 ③
084 4　085 ⑤　086 ④　087 ②
088 ⑤　089 ②　090 ③　091 $\sqrt{7}$
092 ⑤　093 ⑤　094 ②

memo

기본기를 다지는

문제기본서 하이 매쓰

Hi Math

기하

정답 및 해설

아름다운 샘

아름다운 샘과 함께

수학의 자신감과 최고 실력을 완성!!!

Hi Math

기하

정답 및 해설

정답 및 해설

01 포물선

본책 007~016쪽

001 점 $A(4, 0)$과 직선 $x=2$에 이르는 거리가 같은 점을 $P(x, y)$라 하면
$\overline{PA}=\sqrt{(x-4)^2+y^2}$
직선 $x=2$와 점 P 사이의 거리는 $|x-2|$이므로
$\sqrt{(x-4)^2+y^2}=|x-2|$
$(x-4)^2+y^2=(x-2)^2$
$\therefore\ y^2-4x+12=0$
답 $y^2-4x+12=0$

002 점 $A(-2, 0)$과 직선 $x=4$에 이르는 거리가 같은 점을 $P(x, y)$라 하면
$\overline{PA}=\sqrt{(x+2)^2+y^2}$
직선 $x=4$와 점 P 사이의 거리는 $|x-4|$이므로
$\sqrt{(x+2)^2+y^2}=|x-4|$
$(x+2)^2+y^2=(x-4)^2$
$\therefore\ y^2+12x-12=0$
답 $y^2+12x-12=0$

003 점 $A(0, 3)$과 직선 $y=-3$에 이르는 거리가 같은 점을 $P(x, y)$라 하면
$\overline{PA}=\sqrt{x^2+(y-3)^2}$
직선 $y=-3$과 점 P 사이의 거리는 $|y+3|$이므로
$\sqrt{x^2+(y-3)^2}=|y+3|$
$x^2+(y-3)^2=(y+3)^2$
$\therefore\ x^2-12y=0$
답 $x^2-12y=0$

004 초점이 $F(1, 0)$이고, 준선이 $x=-1$인 포물선의 방정식은
$y^2=4px$에서 $p=1$이므로
$y^2=4x$
답 $y^2=4x$

005 초점이 $F(3, 0)$이고, 준선이 $x=-3$인 포물선의 방정식은
$y^2=4px$에서 $p=3$이므로
$y^2=4\times3\times x=12x$
답 $y^2=12x$

006 초점이 $F(-4, 0)$이고, 준선이 $x=4$인 포물선의 방정식은
$y^2=4px$에서 $p=-4$이므로
$y^2=4\times(-4)\times x=-16x$
답 $y^2=-16x$

007 초점이 $F(0, 1)$이고, 준선이 $y=-1$인 포물선의 방정식은
$x^2=4py$에서 $p=1$이므로
$x^2=4y$
답 $x^2=4y$

008 초점이 $F\left(0, \frac{1}{2}\right)$이고, 준선이 $y=-\frac{1}{2}$인 포물선의 방정식은
$x^2=4py$에서 $p=\frac{1}{2}$이므로
$x^2=4\times\frac{1}{2}\times y=2y$
답 $x^2=2y$

009 초점이 $F(0, -1)$이고, 준선이 $y=1$인 포물선의 방정식은
$x^2=4py$에서 $p=-1$이므로
$x^2=4\times(-1)\times y=-4y$
답 $x^2=-4y$

010 포물선의 방정식이 $y^2=8x=4\times2\times x$이므로
$p=2$
따라서 초점의 좌표는 $(2, 0)$, 준선의 방정식은 $x=-2$
답 초점의 좌표: $(2, 0)$, 준선의 방정식: $x=-2$

011 포물선의 방정식이 $y^2=2x=4\times\frac{1}{2}\times x$이므로
$p=\frac{1}{2}$
따라서 초점의 좌표는 $\left(\frac{1}{2}, 0\right)$, 준선의 방정식은 $x=-\frac{1}{2}$
답 초점의 좌표: $\left(\frac{1}{2}, 0\right)$, 준선의 방정식: $x=-\frac{1}{2}$

012 포물선의 방정식이 $y^2=-20x=4\times(-5)\times x$이므로
$p=-5$
따라서 초점의 좌표는 $(-5, 0)$, 준선의 방정식은 $x=5$
답 초점의 좌표: $(-5, 0)$, 준선의 방정식: $x=5$

013 포물선의 방정식이 $x^2=8y=4\times2\times y$이므로
$p=2$
따라서 초점의 좌표는 $(0, 2)$, 준선의 방정식은 $y=-2$
답 초점의 좌표: $(0, 2)$, 준선의 방정식: $y=-2$

014 포물선의 방정식이 $x^2=6y=4\times\frac{3}{2}\times y$이므로
$p=\frac{3}{2}$
따라서 초점의 좌표는 $\left(0, \frac{3}{2}\right)$, 준선의 방정식은 $y=-\frac{3}{2}$
답 초점의 좌표: $\left(0, \frac{3}{2}\right)$, 준선의 방정식: $y=-\frac{3}{2}$

015 포물선의 방정식이 $x^2=-2y=4\times\left(-\frac{1}{2}\right)\times y$이므로
$p=-\frac{1}{2}$
따라서 초점의 좌표는 $\left(0, -\frac{1}{2}\right)$, 준선의 방정식은 $y=\frac{1}{2}$
답 초점의 좌표: $\left(0, -\frac{1}{2}\right)$, 준선의 방정식: $y=\frac{1}{2}$

016 포물선 $y^2=4x$를 x축의 방향으로 2만큼, y축의 방향으로 1만큼 평행이동한 포물선의 방정식은
$(y-1)^2=4(x-2)$
답 $(y-1)^2=4(x-2)$

017 포물선 $y^2=-x$를 x축의 방향으로 2만큼, y축의 방향으로 1만큼 평행이동한 포물선의 방정식은
$(y-1)^2=-(x-2)$ 　　답 $(y-1)^2=-(x-2)$

018 포물선 $x^2=y$를 x축의 방향으로 2만큼, y축의 방향으로 1만큼 평행이동한 포물선의 방정식은
$(x-2)^2=y-1$ 　　답 $(x-2)^2=y-1$

019 주어진 포물선은 포물선 $y^2=4x$를 x축의 방향으로 -2만큼, y축의 방향으로 5만큼 평행이동한 것이다.
포물선 $y^2=4x$의 초점의 좌표는 $(1, 0)$, 준선의 방정식은 $x=-1$이므로 포물선 $(y-5)^2=4(x+2)$의 초점의 좌표는 $(1-2, 0+5)$, 즉 $(-1, 5)$, 준선의 방정식은 $x=-3$
답 초점의 좌표: $(-1, 5)$, 준선의 방정식: $x=-3$

020 주어진 포물선은 포물선 $y^2=x$를 x축의 방향으로 4만큼, y축의 방향으로 -1만큼 평행이동한 것이다.
포물선 $y^2=x$의 초점의 좌표는 $\left(\frac{1}{4}, 0\right)$, 준선의 방정식은 $x=-\frac{1}{4}$이므로 포물선 $(y+1)^2=x-4$의 초점의 좌표는 $\left(\frac{1}{4}+4, 0-1\right)$, 즉 $\left(\frac{17}{4}, -1\right)$, 준선의 방정식은 $x=\frac{15}{4}$
답 초점의 좌표: $\left(\frac{17}{4}, -1\right)$, 준선의 방정식: $x=\frac{15}{4}$

021 주어진 포물선은 포물선 $y^2=-2x$를 x축의 방향으로 3만큼, y축의 방향으로 -2만큼 평행이동한 것이다.
포물선 $y^2=-2x$의 초점의 좌표는 $\left(-\frac{1}{2}, 0\right)$, 준선의 방정식은 $x=\frac{1}{2}$이므로 포물선 $(y+2)^2=-2(x-3)$의 초점의 좌표는 $\left(-\frac{1}{2}+3, 0-2\right)$, 즉 $\left(\frac{5}{2}, -2\right)$, 준선의 방정식은 $x=\frac{7}{2}$
답 초점의 좌표: $\left(\frac{5}{2}, -2\right)$, 준선의 방정식: $x=\frac{7}{2}$

022 주어진 포물선은 포물선 $x^2=4y$를 x축의 방향으로 4만큼, y축의 방향으로 -1만큼 평행이동한 것이다.
포물선 $x^2=4y$의 초점의 좌표는 $(0, 1)$, 준선의 방정식은 $y=-1$이므로 포물선 $(x-4)^2=4(y+1)$의 초점의 좌표는 $(0+4, 1-1)$, 즉 $(4, 0)$, 준선의 방정식은 $y=-2$
답 초점의 좌표: $(4, 0)$, 준선의 방정식: $y=-2$

023 주어진 포물선은 포물선 $x^2=y$를 x축의 방향으로 -2만큼, y축의 방향으로 1만큼 평행이동한 것이다.
포물선 $x^2=y$의 초점의 좌표는 $\left(0, \frac{1}{4}\right)$, 준선의 방정식은 $y=-\frac{1}{4}$이므로 포물선 $(x+2)^2=y-1$의 초점의 좌표는 $\left(0-2, \frac{1}{4}+1\right)$, 즉 $\left(-2, \frac{5}{4}\right)$, 준선의 방정식은 $y=\frac{3}{4}$
답 초점의 좌표: $\left(-2, \frac{5}{4}\right)$, 준선의 방정식: $y=\frac{3}{4}$

024 $(x-1)^2=4y-12=4(y-3)$
이므로 주어진 포물선은 포물선 $x^2=4y$를 x축의 방향으로 1만큼, y축의 방향으로 3만큼 평행이동한 것이다.
포물선 $x^2=4y$의 초점의 좌표는 $(0, 1)$, 준선의 방정식은 $y=-1$이므로 포물선 $(x-1)^2=4(y-3)$의 초점의 좌표는 $(0+1, 1+3)$, 즉 $(1, 4)$, 준선의 방정식은 $y=2$
답 초점의 좌표: $(1, 4)$, 준선의 방정식: $y=2$

025 $y^2-4y-4x+8=0$에서
$y^2-4y+4=4x-8+4$
$(y-2)^2=4x-4$
$\therefore (y-2)^2=4(x-1)$ 　　답 $(y-2)^2=4(x-1)$

026 $y^2-8x-2y+9=0$에서
$y^2-2y+1=8x-9+1$
$(y-1)^2=8x-8$
$\therefore (y-1)^2=8(x-1)$ 　　답 $(y-1)^2=8(x-1)$

027 $y^2-2y+x+2=0$에서
$y^2-2y+1=-x-2+1$
$(y-1)^2=-x-1$
$\therefore (y-1)^2=-(x+1)$ 　　답 $(y-1)^2=-(x+1)$

028 $x^2+2x-y=0$에서
$x^2+2x+1=y+1$
$\therefore (x+1)^2=y+1$ 　　답 $(x+1)^2=y+1$

029 $x^2+4x+4y=0$에서
$x^2+4x+4=-4y+4$
$\therefore (x+2)^2=-4(y-1)$ 　　답 $(x+2)^2=-4(y-1)$

030 $x^2+2x-4y+9=0$에서
$x^2+2x+1=4y-9+1$
$(x+1)^2=4y-8$
$\therefore (x+1)^2=4(y-2)$ 　　답 $(x+1)^2=4(y-2)$

031 $y^2-2y-4x+9=0$에서
$y^2-2y+1=4x-9+1$
$\therefore (y-1)^2=4(x-2)$
즉, 주어진 포물선은 포물선 $y^2=4x$를 x축의 방향으로 2만큼, y축의 방향으로 1만큼 평행이동한 것이다.
포물선 $y^2=4x$의 꼭짓점은 원점이고 초점의 좌표는 $(1, 0)$, 준선의 방정식은 $x=-1$이므로 포물선 $(y-1)^2=4(x-2)$의 꼭짓점의 좌표는 $(0+2, 0+1)$, 즉 $(2, 1)$
초점의 좌표는 $(1+2, 0+1)$, 즉 $(3, 1)$
준선의 방정식은 $x=1$
답 꼭짓점의 좌표: $(2, 1)$, 초점의 좌표: $(3, 1)$, 준선의 방정식: $x=1$

032 $y^2+2y-4x+5=0$에서
$y^2+2y+1=4x-5+1$
$\therefore (y+1)^2=4(x-1)$

즉, 주어진 포물선은 포물선 $y^2=4x$를 x축의 방향으로 1만큼, y축의 방향으로 -1만큼 평행이동한 것이다.
포물선 $y^2=4x$의 꼭짓점은 원점이고 초점의 좌표는 $(1, 0)$, 준선의 방정식은 $x=-1$이므로 포물선 $(y+1)^2=4(x-1)$의
꼭짓점의 좌표는 $(0+1, 0-1)$, 즉 $(1, -1)$
초점의 좌표는 $(1+1, 0-1)$, 즉 $(2, -1)$
준선의 방정식은 $x=0$

답 꼭짓점의 좌표: $(1, -1)$, 초점의 좌표: $(2, -1)$, 준선의 방정식: $x=0$

033 $y^2-4y-2x+10=0$에서 $y^2-4y+4=2x-10+4$
$\therefore (y-2)^2=2(x-3)$
즉, 주어진 포물선은 포물선 $y^2=2x$를 x축의 방향으로 3만큼, y축의 방향으로 2만큼 평행이동한 것이다.
포물선 $y^2=2x$의 꼭짓점은 원점이고 초점의 좌표는 $\left(\frac{1}{2}, 0\right)$,
준선의 방정식은 $x=-\frac{1}{2}$이므로 포물선 $(y-2)^2=2(x-3)$의
꼭짓점의 좌표는 $(0+3, 0+2)$, 즉 $(3, 2)$
초점의 좌표는 $\left(\frac{1}{2}+3, 0+2\right)$, 즉 $\left(\frac{7}{2}, 2\right)$
준선의 방정식은 $x=\frac{5}{2}$

답 꼭짓점의 좌표: $(3, 2)$, 초점의 좌표: $\left(\frac{7}{2}, 2\right)$, 준선의 방정식: $x=\frac{5}{2}$

034 $x^2-2x-4y+1=0$에서
$x^2-2x+1=4y-1+1$
$\therefore (x-1)^2=4y$
즉, 주어진 포물선은 포물선 $x^2=4y$를 x축의 방향으로 1만큼 평행이동한 것이다.
포물선 $x^2=4y$의 꼭짓점은 원점이고 초점의 좌표는 $(0, 1)$, 준선의 방정식은 $y=-1$이므로 포물선 $(x-1)^2=4y$의
꼭짓점의 좌표는 $(0+1, 0)$, 즉 $(1, 0)$
초점의 좌표는 $(0+1, 1)$, 즉 $(1, 1)$
준선의 방정식은 $y=-1$

답 꼭짓점의 좌표: $(1, 0)$, 초점의 좌표: $(1, 1)$, 준선의 방정식: $y=-1$

035 $x^2-4x+8y+28=0$에서
$x^2-4x+4=-8y-28+4$
$\therefore (x-2)^2=-8(y+3)$
즉, 주어진 포물선은 포물선 $x^2=-8y$를 x축의 방향으로 2만큼, y축의 방향으로 -3만큼 평행이동한 것이다.
포물선 $x^2=-8y$의 꼭짓점은 원점이고 초점의 좌표는 $(0, -2)$, 준선의 방정식은 $y=2$이므로 포물선 $(x-2)^2=-8(y+3)$의
꼭짓점의 좌표는 $(0+2, 0-3)$, 즉 $(2, -3)$
초점의 좌표는 $(0+2, -2-3)$, 즉 $(2, -5)$
준선의 방정식은 $y=-1$

답 꼭짓점의 좌표: $(2, -3)$, 초점의 좌표: $(2, -5)$, 준선의 방정식: $y=-1$

036 $x^2-6x-2y+7=0$에서
$x^2-6x+9=2y-7+9$
$\therefore (x-3)^2=2(y+1)$
즉, 주어진 포물선은 포물선 $x^2=2y$를 x축의 방향으로 3만큼, y축의 방향으로 -1만큼 평행이동한 것이다.
포물선 $x^2=2y$의 꼭짓점은 원점이고 초점의 좌표는 $\left(0, \frac{1}{2}\right)$,
준선의 방정식은 $y=-\frac{1}{2}$이므로 포물선 $(x-3)^2=2(y+1)$의
꼭짓점의 좌표는 $(0+3, 0-1)$, 즉 $(3, -1)$
초점의 좌표는 $\left(0+3, \frac{1}{2}-1\right)$, 즉 $\left(3, -\frac{1}{2}\right)$
준선의 방정식은 $y=-\frac{3}{2}$

답 꼭짓점의 좌표: $(3, -1)$, 초점의 좌표: $\left(3, -\frac{1}{2}\right)$, 준선의 방정식: $y=-\frac{3}{2}$

037 초점이 $F(1, 0)$이므로 준선의 방정식은 $x=-1$이다.
점 P에서 직선 $x=-2$에 내린 수선의 발을 H, 준선 $x=-1$에 내린 수선의 발을 H′이라 하면 포물선의 정의에 의하여

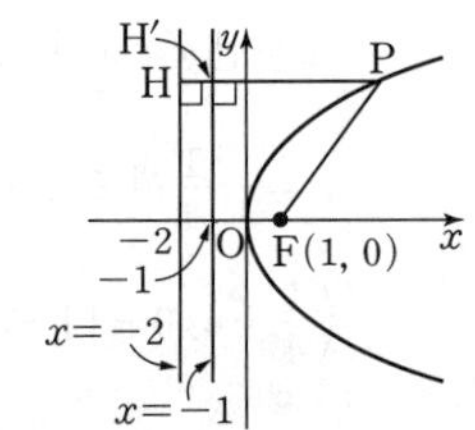

$\overline{PF}=\overline{PH'}=\overline{PH}-1$
$=6-1$ ($\because \overline{PH}=6$)
$=5$

답 5

038 점 $(0, -2)$와 직선 $y=4$로부터 같은 거리에 있는 점의 좌표를 $P(x, y)$라 하면
$\sqrt{x^2+(y+2)^2}=|y-4|$
$x^2+y^2+4y+4=y^2-8y+16$
$\therefore x^2+12y-12=0$
이 식에 $x=-6$을 대입하면
$(-6)^2+12y-12=0$
$12y=-24$
$\therefore y=-2$
따라서 교점의 좌표는 $(-6, -2)$이므로
$a=-6, b=-2$
$\therefore ab=12$

답 ④

039 꼭짓점이 원점이고 준선의 방정식이 $y=-2$이므로 이 포물선의 초점의 좌표는 $(0, 2)$이다.
즉, 구하는 포물선의 방정식은 $x^2=8y$
이 포물선이 점 $(8, a)$를 지나므로
$8^2=8a$
$\therefore a=8$

답 ④

040 $x^2+y^2=8x$에서
$(x-4)^2+y^2=16$
이므로 원의 중심의 좌표는 $(4, 0)$
즉, 초점의 좌표가 $(4, 0)$이고, 준선의 방정식이 $x=-4$인 포물선의 방정식은 $y^2=16x$

이 포물선이 점 $(k, -8)$을 지나므로

$(-8)^2=16k$

$\therefore k=4$

답 ②

041 점 P에서 직선 $x=-2$에 내린 수선의 발을 H라 하면

$\overline{PF}=\overline{PH}$이므로

$\sqrt{(x-1)^2+(y-2)^2}=|x+2|$

$x^2-2x+1+y^2-4y+4=x^2+4x+4$

$\therefore y^2-6x-4y+1=0$

따라서 $a=0$, $b=-6$, $c=-4$, $d=1$이므로

$a^2+b^2+c^2+d^2=0^2+(-6)^2+(-4)^2+1^2=53$

답 53

042 $y^2+4y=4x-8$에서 $y^2+4y+4=4x-4$

$\therefore (y+2)^2=4(x-1)$

이 포물선은 포물선 $y^2=4x$를 x축의 방향으로 1만큼, y축의 방향으로 -2만큼 평행이동한 것이다.

$\therefore m+n=1+(-2)=-1$

답 ②

043 $x^2=16y=4\times4y$이므로 초점 A의 좌표는 $A(0, 4)$

$y^2=-12x=4\times(-3)x$이므로 초점 B의 좌표는 $B(-3, 0)$

$\therefore \overline{AB}=\sqrt{3^2+4^2}=5$

답 5

044

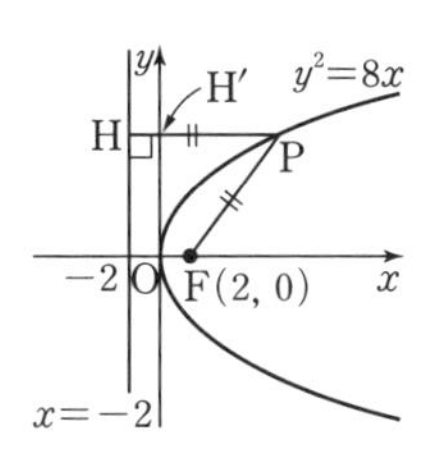

$y^2=8x=4\times2x$

이므로 초점의 좌표는 $(2, 0)$, 준선의 방정식은 $x=-2$

점 P에서 준선 $x=-2$와 y축에 내린 수선의 발을 각각 H, H′이라 하면 포물선의 정의에 의하여

$\overline{PH'}=\overline{PH}-2=\overline{PF}-2$

$=10-2$ ($\because \overline{PF}=10$)

$=8$

답 8

045

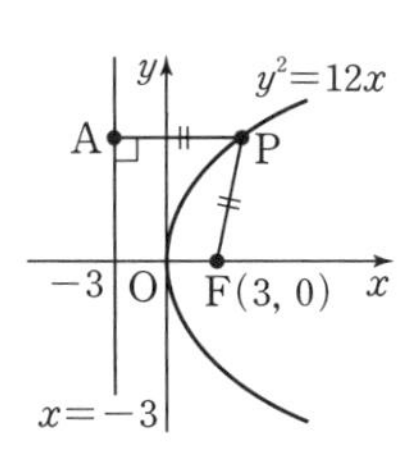

포물선의 정의에 의하여 $\overline{AP}=\overline{FP}$를 만족시키는 직선은 포물선 $y^2=12x$의 준선이다.

따라서 $y^2=12x=4\times3x$에서 초점의 좌표가 $(3, 0)$이므로 준선의 방정식은 $x=-3$이다.

답 ①

046 초점의 좌표는 $F(1, 0)$이므로 두 점 P, F를 지나는 직선의 방정식은

$y=\frac{4}{3}(x-1)$에서 $4x=3y+4$

이 식을 $y^2=4x$에 대입하면

$y^2=3y+4$

$(y+1)(y-4)=0$

$\therefore Q(4, 4)$

준선의 방정식이 $x=-1$이므로

$\overline{FP}=\frac{1}{4}+1=\frac{5}{4}$, $\overline{FQ}=4+1=5$

$\therefore \overline{FP}:\overline{FQ}=\frac{5}{4}:5=1:4$

따라서 $a=1$, $b=4$이므로

$\frac{b}{a}=4$

답 4

047 포물선 $y^2=4px$의 초점의 좌표는 $(p, 0)$이고, 준선의 방정식은 $x=-p$이므로 초점 $(p, 0)$을 x축의 방향으로 a만큼, y축의 방향으로 b만큼 평행이동한 점 $(p+a, b)$가 점 $(4, 2)$와 일치하므로

$p+a=4$, $b=2$ ……㉠

준선 $x=-p$를 x축의 방향으로 a만큼, y축의 방향으로 b만큼 평행이동한 직선 $x=-p+a$가 직선 $x=0$과 일치하므로

$-p+a=0$ ……㉡

㉠, ㉡을 연립하여 풀면

$a=2$, $b=2$, $p=2$

$\therefore abp=8$

답 8

048 포물선 $(y-3)^2=8(x+1)$은 포물선 $y^2=8x$를 x축의 방향으로 -1만큼, y축의 방향으로 3만큼 평행이동한 것이다.

포물선 $y^2=8x$의 초점의 좌표는 $(2, 0)$, 준선의 방정식은 $x=-2$, 꼭짓점은 원점, 축의 방정식은 $y=0$이다.

① 주어진 포물선의 축의 방정식은 $y=3$

② 주어진 포물선의 초점의 좌표는 $(2-1, 0+3)$, 즉 $(1, 3)$

③ 주어진 포물선의 준선의 방정식은 $x=-3$

④ 주어진 포물선의 꼭짓점의 좌표는 $(0-1, 0+3)$, 즉 $(-1, 3)$

⑤ 주어진 포물선은 포물선 $y^2=8x$를 x축의 방향으로 -1만큼, y축의 방향으로 3만큼 평행이동한 것이다.

따라서 옳지 않은 것은 ③이다.

답 ③

049 $y^2-4y-12x-8=0$에서

$y^2-4y+4=12x+12$

$\therefore (y-2)^2=12(x+1)$

주어진 포물선의 초점의 좌표는 $(3-1, 0+2)$, 즉 $(2, 2)$이다.

따라서 주어진 포물선의 초점과 원점 사이의 거리는

$\sqrt{2^2+2^2}=2\sqrt{2}$

답 ③

050 포물선 $(y-2)^2=a(x-1)$의 초점의 좌표는

$\left(\frac{a}{4}+1, 2\right)$

포물선 $(x-3)^2=b(y+1)$의 초점의 좌표는

$\left(3, \frac{b}{4}-1\right)$

두 초점이 일치하므로

$\frac{a}{4}+1=3$, $2=\frac{b}{4}-1$

따라서 $a=8$, $b=12$이므로

$a+b=20$

답 20

051 $y^2+4y-4x+k=0$에서
$y^2+4y+4=4x+4-k$
$\therefore (y+2)^2=4\left(x+1-\frac{k}{4}\right)$
즉, 초점의 좌표는 $\left(\frac{k}{4},\ -2\right)$이다.
$x^2+6x-4y+13=0$에서
$x^2+6x+9=4y-4$
$\therefore (x+3)^2=4(y-1)$
즉, 초점의 좌표는 $(-3,\ 2)$이다.
점 $(-3,\ 2)$와 원점에 대하여 대칭인 점의 좌표는
$(3,\ -2)$이므로
$\frac{k}{4}=3$
$\therefore k=12$

답 ④

052 포물선 $y^2=4px$의 초점 F의 좌표는
$\mathrm{F}(p,\ 0)$
점 $\mathrm{P}(x_1,\ y_1)$은 포물선 $y^2=4px$ 위의 점이므로
$y_1^{\,2}=4px_1$

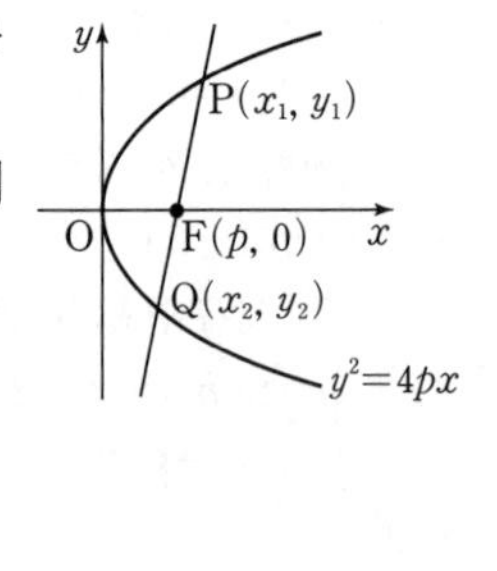

$\therefore \overline{\mathrm{PF}}=\sqrt{(x_1-p)^2+y_1^{\,2}}$
$=\sqrt{(x_1-p)^2+4px_1}$
$=\sqrt{(x_1+p)^2}$
$=x_1+p$
같은 방법으로 $\overline{\mathrm{FQ}}=x_2+p$
$\therefore \overline{\mathrm{PQ}}=\overline{\mathrm{PF}}+\overline{\mathrm{FQ}}=x_1+x_2+2p$

답 ②

다른 풀이
그림과 같이 두 점 P, Q에서 준선 $x=-p$에 내린 수선의 발을 각각 H, H′이라 하면

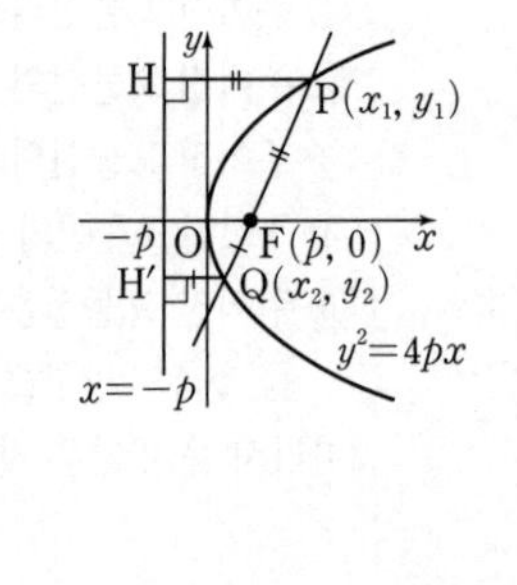

$\overline{\mathrm{PF}}=\overline{\mathrm{PH}},\ \overline{\mathrm{QF}}=\overline{\mathrm{QH'}}$이므로
$\overline{\mathrm{PQ}}=\overline{\mathrm{PF}}+\overline{\mathrm{QF}}$
$=\overline{\mathrm{PH}}+\overline{\mathrm{QH'}}$
$=(x_1+p)+(x_2+p)$
$=x_1+x_2+2p$

053 포물선 $y^2=8x$의 초점 F의 좌표는 $\mathrm{F}(2,\ 0)$, 준선의 방정식은 $x=-2$이다.
$(x+a)^2=8x$에서
$x^2+2(a-4)x+a^2=0$
이 이차방정식의 두 근을 $\alpha,\ \beta$라 하면 근과 계수의 관계에 의하여
$\alpha+\beta=-2(a-4)=8-2a$ ……㉠
두 점 A, B의 좌표는 각각
$\mathrm{A}(\alpha,\ \alpha+a),\ \mathrm{B}(\beta,\ \beta+a)$이고, 두 점 A, B에서 준선 $x=-2$에 내린 수선의 발을 각각 H, H′이라 하면

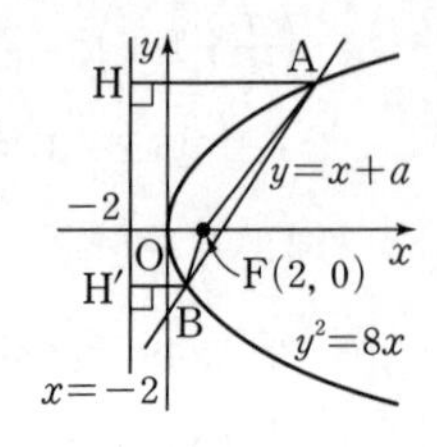

$\overline{\mathrm{AF}}=\overline{\mathrm{AH}}=\alpha+2,$
$\overline{\mathrm{BF}}=\overline{\mathrm{BH'}}=\beta+2$
$\therefore \overline{\mathrm{AF}}+\overline{\mathrm{BF}}=\overline{\mathrm{AH}}+\overline{\mathrm{BH'}}$
$=\alpha+\beta+4$
$=12-2a$ ($\because$ ㉠)

답 ②

054 포물선 $y^2=4px$의 초점 F의 좌표는 $\mathrm{F}(p,\ 0)$이고, $\overline{\mathrm{AF}}=10$이므로 점 A의 좌표는 $\mathrm{A}(p,\ 10)$이다.
한편, 점 A는 포물선 $y^2=4px$ 위의 점이므로
$100=4p^2$
$\therefore p=5\ (\because p>0)$
즉, 포물선의 방정식은 $y^2=20x$이고, 점 C의 좌표를 $\mathrm{C}(45,\ k)$라 하면
$k^2=20\times45=900$
$\therefore k=30$
$\therefore \overline{\mathrm{CD}}=2k=60$

답 60

055 포물선 $y^2=4x$의 초점 F의 좌표는 $\mathrm{F}(1,\ 0)$, 준선의 방정식은 $x=-1$이다.
두 점 A, B에서 준선 $x=-1$에 내린 수선의 발을 각각 H, H′이라 하면
$\overline{\mathrm{AB}}=\overline{\mathrm{AF}}+\overline{\mathrm{BF}}$
$=\overline{\mathrm{AH}}+\overline{\mathrm{BH'}}$
$=(\overline{\mathrm{AC}}+1)+(\overline{\mathrm{BD}}+1)$
$=\overline{\mathrm{AC}}+\overline{\mathrm{BD}}+2$
$\therefore \overline{\mathrm{AC}}+\overline{\mathrm{BD}}=\overline{\mathrm{AB}}-2$
$=12-2$
$=10$

답 10

056 포물선 $x^2=4y$의 초점 F의 좌표는 $\mathrm{F}(0,\ 1)$, 준선의 방정식은 $y=-1$이다.
두 점 A, B의 좌표를 각각 $\mathrm{A}(x_1,\ y_1),\ \mathrm{B}(x_2,\ y_2)$라 하면 두 점 A, B의 중점의 좌표가 $\mathrm{M}(1,\ 2)$이므로
$\frac{x_1+x_2}{2}=1,\ \frac{y_1+y_2}{2}=2$
$\therefore x_1+x_2=2,\ y_1+y_2=4$ ……㉠
한편, 두 점 A, B에서 준선 $y=-1$에 내린 수선의 발을 각각 H, H′이라 하면

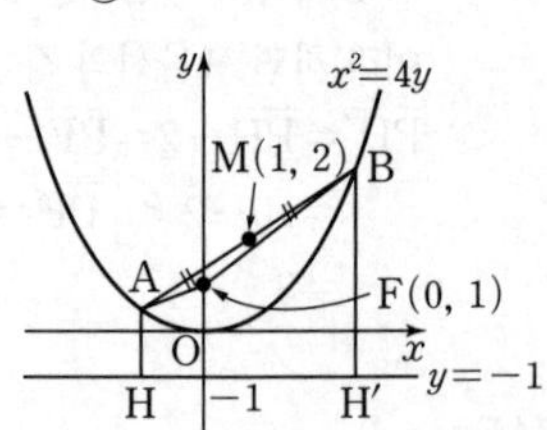

$\overline{\mathrm{AF}}+\overline{\mathrm{BF}}$
$=\overline{\mathrm{AH}}+\overline{\mathrm{BH'}}$
$=(y_1+1)+(y_2+1)$
$=y_1+y_2+2$
$=6\ (\because$ ㉠$)$

답 6

057 포물선 $y^2=4x$의 준선의 방정식은
$x=-1$
두 점 A, B에서 준선 $x=-1$에 내린 수선의 발을 각각 H, H′이라 하면

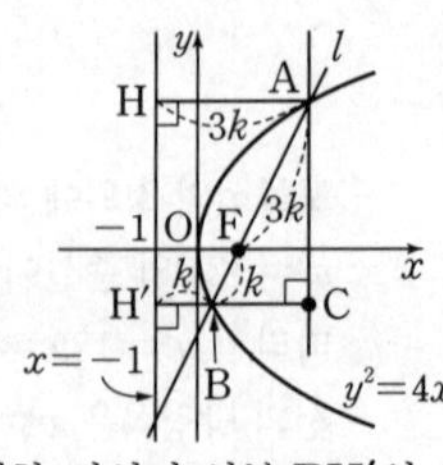

$\overline{\mathrm{AF}}=\overline{\mathrm{AH}},\ \overline{\mathrm{BF}}=\overline{\mathrm{BH'}}$
점 A를 지나며 준선 $x=-1$에 평행한 직선이 선분 BH′의 연장선과 만나는 점을 C라 할 때,
$\overline{\mathrm{AF}}:\overline{\mathrm{BF}}=3:1$이므로
$\overline{\mathrm{AF}}=3k,\ \overline{\mathrm{BF}}=k$로 놓으면
$\overline{\mathrm{BC}}=2k$
직각삼각형 ABC에서 피타고라스 정리에 의하여

$\overline{AC}=\sqrt{(4k)^2-(2k)^2}$
$\quad=2\sqrt{3}k$
따라서 직선 l의 기울기는
$\dfrac{\overline{AC}}{\overline{BC}}=\dfrac{2\sqrt{3}k}{2k}=\sqrt{3}$

답 ③

058 포물선 $y^2=4x$의 초점 F의 좌표는 $\text{F}(1, 0)$, 준선의 방정식은 $x=-1$이다.

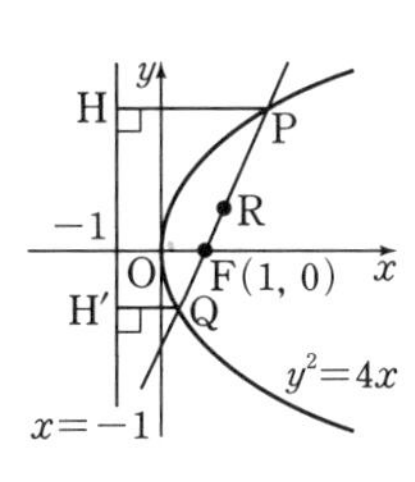

즉, 직선 $y=m(x-1)$은 포물선 $y^2=4x$의 초점 F를 지난다.
두 점 P, Q의 x좌표를 각각 α, β라 하면 선분 PQ의 중점 R의 x좌표가 $\frac{3}{2}$이므로

$\dfrac{\alpha+\beta}{2}=\dfrac{3}{2}$
$\therefore \alpha+\beta=3$ ……㉠
한편, 두 점 P, Q에서 준선 $x=-1$에 내린 수선의 발을 각각 H, H′이라 하면
$\overline{PQ}=\overline{PF}+\overline{QF}$
$\quad=\overline{PH}+\overline{QH'}$
$\quad=(\alpha+1)+(\beta+1)$
$\quad=\alpha+\beta+2$
$\quad=5$ ($\because$ ㉠)

답 5

059 포물선과 직선이 만나는 두 점 A, B의 좌표를 각각 $\text{A}(x_1, y_1)$, $\text{B}(x_2, y_2)$라 하면 y_1, y_2는 이차방정식 $y^2=y-k$의 두 근이다.
$y^2-y+k=0$에서 이차방정식의 근과 계수의 관계에 의하여

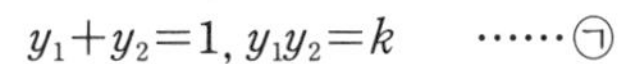
$y_1+y_2=1$, $y_1y_2=k$ ……㉠
$\overline{AB}=2$이고 직선 $y=x+k$의 기울기가 1이므로
$|y_1-y_2|=\sqrt{2}$
㉠에서
$(y_1-y_2)^2=(y_1+y_2)^2-4y_1y_2$
$\quad=1-4k=2$
$\therefore k=-\dfrac{1}{4}$

답 ⑤

060 포물선 $y^2=12x$의 초점 F의 좌표는 $\text{F}(3, 0)$, 준선의 방정식은 $x=-3$이다.
포물선의 정의에 의하여 선분 AF의 길이는 점 A에서 준선 $x=-3$에 내린 수선의 길이와 같으므로
$\overline{AF}=a_1+3$
같은 방법으로
$\overline{BF}=a_2+3$, $\overline{CF}=a_3+3$
$\overline{AF}+\overline{BF}+\overline{CF}=27$이므로
$(a_1+a_2+a_3)+9=27$
$\therefore a_1+a_2+a_3=18$
따라서 삼각형 ABC의 무게중심의 x좌표는
$\dfrac{a_1+a_2+a_3}{3}=\dfrac{18}{3}=6$

답 6

061 포물선 $y^2=4x$의 초점의 좌표는 $(1, 0)$, 준선의 방정식은 $x=-1$이다.

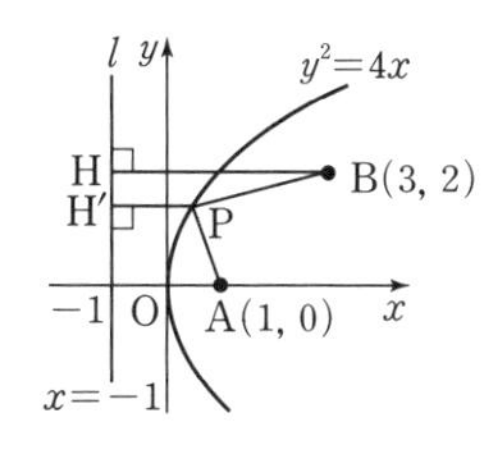

두 점 B, P에서 준선 $x=-1$에 내린 수선의 발을 각각 H, H′이라 하면 점 A는 포물선의 초점이므로 포물선의 정의에 의하여
$\overline{AP}=\overline{PH'}$
$\therefore \overline{AP}+\overline{BP}=\overline{PH'}+\overline{BP}$
$\qquad\ge\overline{BH}=4$
따라서 $\overline{AP}+\overline{BP}$의 최솟값은 4이다.

답 4

062 포물선 $y^2=12x$의 초점 F의 좌표는 $\text{F}(3, 0)$, 준선의 방정식은 $x=-3$이다.

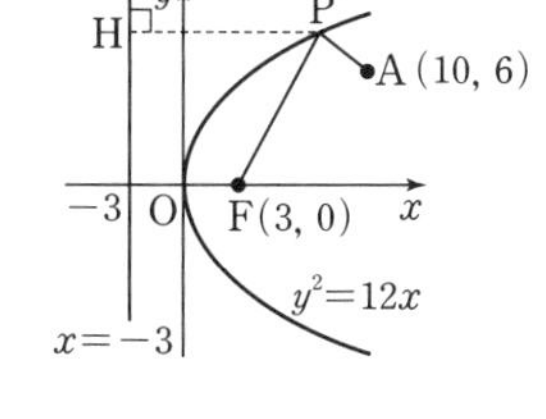

점 P에서 준선 $x=-3$에 내린 수선의 발을 H라 하면
$\overline{PF}=\overline{PH}$이므로
$\overline{AP}+\overline{PF}=\overline{AP}+\overline{PH}$
즉, $\overline{AP}+\overline{PH}$의 값이 최소가 될 때는 세 점 A, P, H가 한 직선 위에 있을 때이다.
점 P의 좌표를 $\text{P}(a, 6)$이라 하면 점 P는 포물선 $y^2=12x$ 위의 점이므로
$6^2=12a \qquad \therefore a=3$
따라서 점 P의 좌표가 $\text{P}(3, 6)$이므로
$\overline{AP}=10-3=7$

답 ②

063

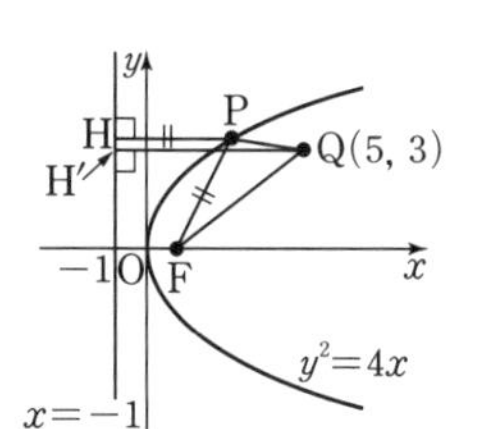

포물선 $y^2=4x$의 초점 F의 좌표는 $\text{F}(1, 0)$, 준선의 방정식은 $x=-1$이다.
$\overline{FQ}=\sqrt{(5-1)^2+(3-0)^2}=5$
점 P에서 준선 $x=-1$에 내린 수선의 발을 H, 점 Q에서 준선 $x=-1$에 내린 수선의 발을 H′이라 하면 $\overline{PF}=\overline{PH}$이므로
$\overline{PF}+\overline{PQ}+\overline{QF}=\overline{PH}+\overline{PQ}+\overline{QF}$
$\qquad\ge\overline{QH'}+\overline{QF}=11$
따라서 삼각형 PFQ의 둘레의 길이의 최솟값은 11이다.

답 11

064 포물선 $y^2=8x$의 초점을 F라 하면 초점 F의 좌표는 $\text{F}(2, 0)$, 준선의 방정식은 $x=-2$이다.

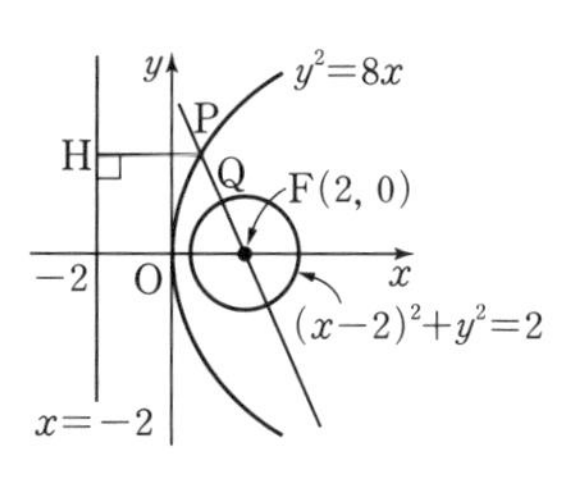

또 원 $(x-2)^2+y^2=2$의 중심의 좌표는 $(2, 0)$, 반지름의 길이는 $\sqrt{2}$이다.
$\therefore \overline{PH}-\overline{PQ}=\overline{PF}-\overline{PQ}$
$\qquad=\overline{FQ}=\sqrt{2}$

답 $\sqrt{2}$

065 포물선 $y^2=4x$의 초점 F의 좌표는 F$(1, 0)$, 준선의 방정식은 $x=-1$이다.

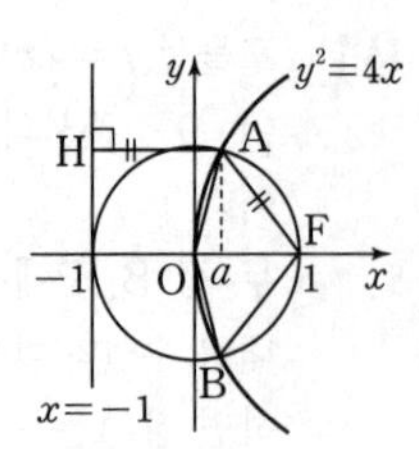

점 A에서 준선 $x=-1$에 내린 수선의 발을 H라 하면

$\overline{FA}=\overline{HA}=1+a$

또 원의 반지름의 길이가 1이므로

$\overline{OA}=1$

따라서 사각형 AOBF의 둘레의 길이는

$\overline{OA}+\overline{AF}+\overline{FB}+\overline{BO}=1+(a+1)+(a+1)+1$

$=2a+4$

답 ⑤

066 포물선 $y^2=12x$의 초점을 F라 하면 초점 F의 좌표는 F$(3, 0)$이므로 원 $(x-3)^2+y^2=1$의 중심과 일치하고, 준선의 방정식은 $x=-3$이다.

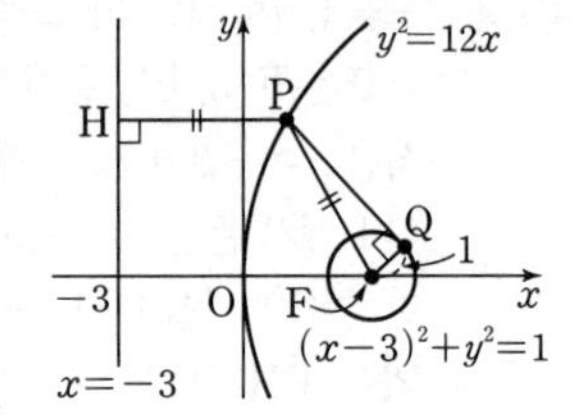

점 P에서 준선 $x=-3$에 내린 수선의 발을 H라 하면

$\overline{PF}=\overline{PH}$이므로

$\overline{PQ}=\sqrt{\overline{PF}^2-\overline{FQ}^2}=\sqrt{\overline{PH}^2-1}$

즉, 선분 PH의 길이가 최소일 때, 선분 PQ의 길이도 최소이므로

$\overline{PQ}=\sqrt{\overline{PH}^2-1}$

$\geq\sqrt{3^2-1}=2\sqrt{2}$ ($\because \overline{PH}\geq3$)

따라서 선분 PQ의 길이의 최솟값은 $2\sqrt{2}$이다.

답 $2\sqrt{2}$

067 포물선의 정의에 의하여 $\overline{PH}=\overline{PF}$이므로 삼각형 PHF는 이등변삼각형이다.

$\therefore \angle PFH=\frac{1}{2}(180°-50°)=65°$

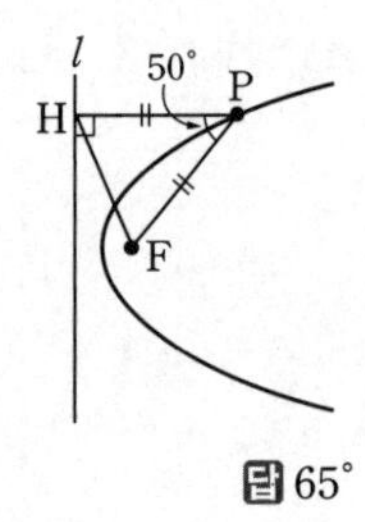

답 65°

068 점 F, O가 각각 포물선의 초점과 꼭짓점이고, $\overline{FP}\perp l$, $\overline{FO}=\overline{OP}$이므로 직선 l은 포물선의 준선이다.

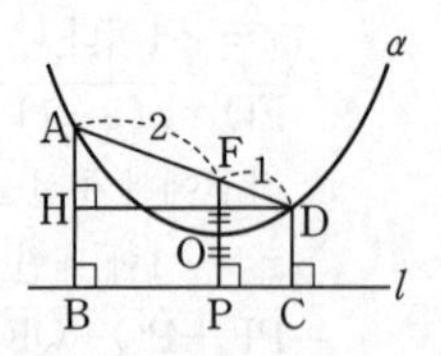

즉, 포물선의 정의에 의하여

$\overline{AF}=\overline{AB}=2$, $\overline{DF}=\overline{DC}=1$

점 D에서 선분 AB에 내린 수선의 발을 H라 하면

$\overline{AH}=\overline{AB}-\overline{BH}$

$=\overline{AB}-\overline{CD}=1$

직각삼각형 ADH에서

$\overline{DH}^2=\overline{AD}^2-\overline{AH}^2$

$=3^2-1^2=8$

$\therefore \overline{DH}=2\sqrt{2}$

$\therefore \square ABCD=\frac{1}{2}(\overline{AB}+\overline{CD})\times\overline{DH}$

$=\frac{1}{2}(2+1)\times2\sqrt{2}$

$=3\sqrt{2}$

답 $3\sqrt{2}$

069 포물선 $y^2=8x$의 초점의 좌표는 F$(2, 0)$, 준선의 방정식은 $x=-2$이다.

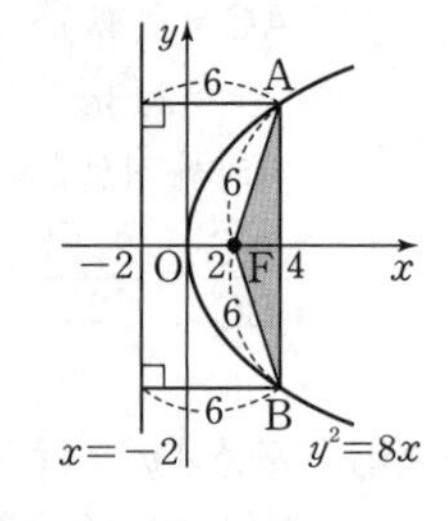

$\overline{AF}=\overline{BF}=6$이므로 두 점 A, B에서 준선 $x=-2$까지의 거리도 6이다.

즉, 두 점 A, B의 x좌표는 4이므로

$y^2=8\times4$

$\therefore y=-4\sqrt{2}$ 또는 $y=4\sqrt{2}$

따라서 두 점 A, B의 좌표는 각각 A$(4, 4\sqrt{2})$, B$(4, -4\sqrt{2})$이므로

$\triangle ABF=\frac{1}{2}\times8\sqrt{2}\times2=8\sqrt{2}$

답 ③

070

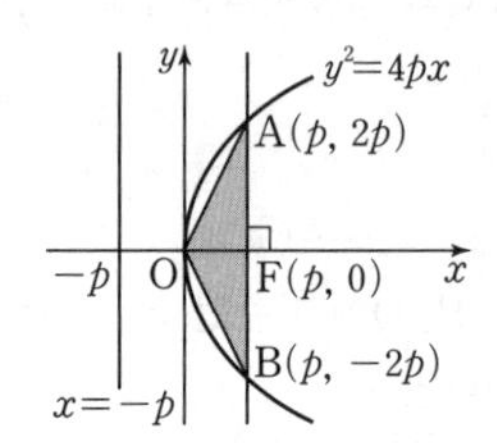

포물선 $y^2=4px$의 초점 F의 좌표는 F$(p, 0)$, 준선의 방정식은 $x=-p$이다.

즉, 두 점 A, B의 좌표는 각각 A$(p, 2p)$, B$(p, -2p)$이고, 삼각형 OAB의 넓이가 8이므로

$\triangle OAB=\frac{1}{2}\times4p\times p=8$

$p^2=4$ $\quad\therefore p=2$ ($\because p>0$)

따라서 초점과 준선 사이의 거리는 4이다.

답 4

071 포물선 $y^2=4x$의 초점 F의 좌표는 F$(1, 0)$이고 준선의 방정식은 $x=-1$이다.

점 P에서 준선 $x=-1$에 내린 수선의 발을 H, 점 P의 x좌표를 a라 하면 $\overline{PF}=\overline{PH}$에서

$5=a+1$

$\therefore a=4$

즉, 점 P의 좌표는 P$(4, 4)$이므로 점 Q의 좌표는 Q$(7, 0)$이다.

따라서 삼각형 PFQ의 넓이는

$\frac{1}{2}\times6\times4=12$

답 12

072 포물선 $y^2=4px$의 초점 F의 좌표는 F$(p, 0)$이다.

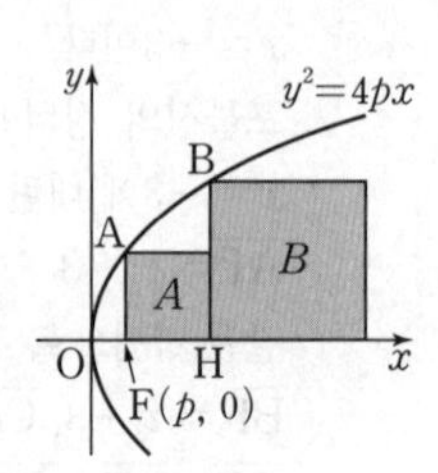

그림과 같이 두 정사각형 A, B가 포물선과 만나는 점을 각각 A, B라 하고, 점 B에서 x축에 내린 수선의 발을 H라 하면 점 A의 x좌표가 p이므로

$y^2=4p\times p=4p^2$에서 $y=2p$

$\therefore$ A$(p, 2p)$

즉, 정사각형 A의 한 변의 길이가 $2p$이므로 점 H의 좌표는 H$(3p, 0)$

점 B의 x좌표가 $3p$이므로

$y^2=4p\times 3p=12p^2$에서 $y=2\sqrt{3}p$

$\therefore$ $B(3p, 2\sqrt{3}p)$

즉, 정사각형 B의 한 변의 길이는 $2\sqrt{3}p$이다.

따라서 두 정사각형 A, B의 넓이의 비는

$(2p)^2 : (2\sqrt{3}p)^2=1 : 3$ 답 ②

073 포물선 $y^2=-4x$의 초점 F의 좌표는 $F(-1, 0)$, 준선의 방정식은 $x=1$이고, 포물선 $y^2=4x$의 초점 F′의 좌표는 $F'(1, 0)$, 준선의 방정식은 $x=-1$이다.

점 Q의 x좌표를 a $(a>0)$라 하면

$\overline{PQ}=2a$

또 $\overline{FP}$, $\overline{F'Q}$는 각각 점 P, Q에서 준선에 내린 수선의 길이와 같으므로

$\overline{FP}=\overline{F'Q}=a+1$

한편, $\overline{FF'}=2$이고 사다리꼴 PFF′Q의 둘레의 길이가 6이므로

$2a+2(a+1)+2=6$

$4a=2$ $\quad\therefore a=\frac{1}{2}$

즉, 점 Q의 y좌표는

$y^2=4\times\frac{1}{2}=2$ $\quad\therefore y=\sqrt{2}$

따라서 사다리꼴 PFF′Q의 넓이는

$\frac{1}{2}\times(1+2)\times\sqrt{2}=\frac{3\sqrt{2}}{2}$ 답 $\frac{3\sqrt{2}}{2}$

074 그림과 같이 포물선 궤도를 좌표평면 위에 나타내면 포물선 위의 한 점에서 초점까지의 거리와 준선까지의 거리가 같으므로 배가 꼭짓점(원점 O)에 있을 때, 등대로부터 거리가 가장 가깝게 된다.

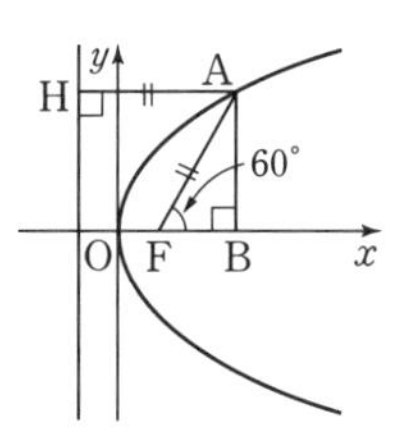

배의 위치를 A, 등대의 위치를 F라 하고, 점 A에서 x축에 내린 수선의 발을 B, 준선에 내린 수선의 발을 H라 하면

$\overline{AF}=\overline{AH}=100$ (m)

$\angle AFB=60°$이므로 $\overline{AF} : \overline{FB}=2 : 1$

$\therefore \overline{FB}=\frac{1}{2}\overline{AF}=50$ (m)

$\therefore \overline{OF}=\frac{1}{2}(\overline{AH}-\overline{FB})$

$=\frac{1}{2}(100-50)$

$=25$ (m) 답 ②

075

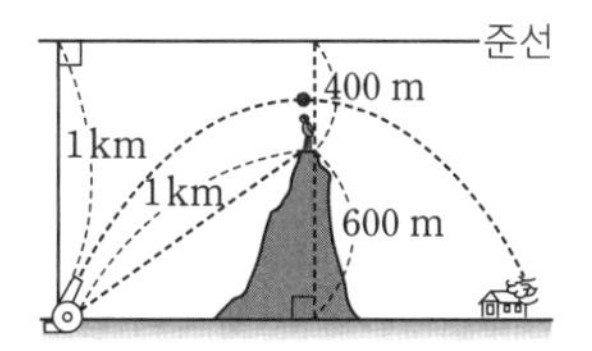

포물선 위의 한 점에서 초점과 준선에 이르는 거리가 같으므로 포에서 준선까지의 거리는 1 km이다.

즉, 관측장교가 있는 산꼭대기에서 준선까지의 거리는

$1000-600=400$ (m)

따라서 포탄은 산꼭대기의 위쪽 200 m 상공을 지나간다.

답 200 m

02 타원

본책 019~028쪽

001 두 점 $F(1, 0)$, $F'(-1, 0)$에서의 거리의 합이 4인 점을 $P(x, y)$라 하면

$\overline{PF}+\overline{PF'}=4$에서

$\sqrt{(x-1)^2+y^2}+\sqrt{(x+1)^2+y^2}=4$

$\sqrt{(x-1)^2+y^2}=4-\sqrt{(x+1)^2+y^2}$

양변을 제곱하여 정리하면

$4x+16=8\sqrt{(x+1)^2+y^2}$

$x+4=2\sqrt{(x+1)^2+y^2}$

다시 양변을 제곱하면

$(x+4)^2=4\{(x+1)^2+y^2\}$

$3x^2+4y^2=12$

$\therefore \frac{x^2}{4}+\frac{y^2}{3}=1$ 답 $\frac{x^2}{4}+\frac{y^2}{3}=1$

002 두 점 $F(0, \sqrt{5})$, $F'(0, -\sqrt{5})$에서의 거리의 합이 6인 점을 $P(x, y)$라 하면

$\overline{PF}+\overline{PF'}=6$에서

$\sqrt{x^2+(y-\sqrt{5})^2}+\sqrt{x^2+(y+\sqrt{5})^2}=6$

$\sqrt{x^2+(y-\sqrt{5})^2}=6-\sqrt{x^2+(y+\sqrt{5})^2}$

양변을 제곱하여 정리하면

$4\sqrt{5}y+36=12\sqrt{x^2+(y+\sqrt{5})^2}$

$\sqrt{5}y+9=3\sqrt{x^2+(y+\sqrt{5})^2}$

다시 양변을 제곱하면

$(\sqrt{5}y+9)^2=9\{x^2+(y+\sqrt{5})^2\}$

$9x^2+4y^2=36$

$\therefore \frac{x^2}{4}+\frac{y^2}{9}=1$ 답 $\frac{x^2}{4}+\frac{y^2}{9}=1$

003 구하는 타원의 방정식을 $\frac{x^2}{a^2}+\frac{y^2}{b^2}=1$ $(a>b>0)$이라 하면 두 초점의 좌표가 $F(2, 0)$, $F'(-2, 0)$이고 장축의 길이가 6이므로

$2a=6$ $\quad\therefore a=3$

$b^2=a^2-c^2$에서

$b^2=3^2-2^2=5$

$\therefore \frac{x^2}{9}+\frac{y^2}{5}=1$ 답 $\frac{x^2}{9}+\frac{y^2}{5}=1$

004 구하는 타원의 방정식을 $\frac{x^2}{a^2}+\frac{y^2}{b^2}=1$ $(a>b>0)$이라 하면 두 초점의 좌표가 $F(1, 0)$, $F'(-1, 0)$이고 장축의 길이가 $2\sqrt{5}$이므로

$2a=2\sqrt{5}$ $\quad\therefore a=\sqrt{5}$

$b^2=a^2-c^2$에서

$b^2=(\sqrt{5})^2-1^2=4$

$\therefore \frac{x^2}{5}+\frac{y^2}{4}=1$ 답 $\frac{x^2}{5}+\frac{y^2}{4}=1$

005 구하는 타원의 방정식을 $\frac{x^2}{a^2}+\frac{y^2}{b^2}=1$ $(a>b>0)$이라 하면 두 초점의 좌표가 $F(8, 0)$, $F'(-8, 0)$이고 단축의 길이가 12이므로

$2b=12$

$\therefore b=6$

$b^2=a^2-c^2$에서

$6^2=a^2-8^2$

$a^2=6^2+8^2=100$

$\therefore \dfrac{x^2}{100}+\dfrac{y^2}{36}=1$ 답 $\dfrac{x^2}{100}+\dfrac{y^2}{36}=1$

006 구하는 타원의 방정식을 $\dfrac{x^2}{a^2}+\dfrac{y^2}{b^2}=1\ (a>b>0)$이라 하면 두 초점의 좌표가 $\mathrm{F}(3, 0)$, $\mathrm{F}'(-3, 0)$이고 단축의 길이가 8이므로

$2b=8 \quad \therefore b=4$

$b^2=a^2-c^2$에서

$4^2=a^2-3^2$

$a^2=4^2+3^2=25$

$\therefore \dfrac{x^2}{25}+\dfrac{y^2}{16}=1$ 답 $\dfrac{x^2}{25}+\dfrac{y^2}{16}=1$

007 구하는 타원의 방정식을 $\dfrac{x^2}{a^2}+\dfrac{y^2}{b^2}=1\ (b>a>0)$이라 하면 두 초점의 좌표가 $\mathrm{F}(0, 3)$, $\mathrm{F}'(0, -3)$이고 장축의 길이가 10이므로

$2b=10 \quad \therefore b=5$

$a^2=b^2-c^2$에서

$a^2=5^2-3^2=16$

$\therefore \dfrac{x^2}{16}+\dfrac{y^2}{25}=1$ 답 $\dfrac{x^2}{16}+\dfrac{y^2}{25}=1$

008 구하는 타원의 방정식을 $\dfrac{x^2}{a^2}+\dfrac{y^2}{b^2}=1\ (b>a>0)$이라 하면 두 초점의 좌표가 $\mathrm{F}(0, 12)$, $\mathrm{F}'(0, -12)$이고 장축의 길이가 26이므로

$2b=26 \quad \therefore b=13$

$a^2=b^2-c^2$에서

$a^2=13^2-12^2=25$

$\therefore \dfrac{x^2}{25}+\dfrac{y^2}{169}=1$ 답 $\dfrac{x^2}{25}+\dfrac{y^2}{169}=1$

009 구하는 타원의 방정식을 $\dfrac{x^2}{a^2}+\dfrac{y^2}{b^2}=1\ (b>a>0)$이라 하면 두 초점의 좌표가 $\mathrm{F}(0, 4)$, $\mathrm{F}'(0, -4)$이고 단축의 길이가 6이므로

$2a=6 \quad \therefore a=3$

$a^2=b^2-c^2$에서

$3^2=b^2-4^2$

$b^2=3^2+4^2=25$

$\therefore \dfrac{x^2}{9}+\dfrac{y^2}{25}=1$ 답 $\dfrac{x^2}{9}+\dfrac{y^2}{25}=1$

010 구하는 타원의 방정식을 $\dfrac{x^2}{a^2}+\dfrac{y^2}{b^2}=1\ (b>a>0)$이라 하면 두 초점의 좌표가 $\mathrm{F}(0, 1)$, $\mathrm{F}'(0, -1)$이고 단축의 길이가 4이므로

$2a=4$

$\therefore a=2$

$a^2=b^2-c^2$에서

$2^2=b^2-1^2$

$b^2=2^2+1^2=5$

$\therefore \dfrac{x^2}{4}+\dfrac{y^2}{5}=1$ 답 $\dfrac{x^2}{4}+\dfrac{y^2}{5}=1$

011 타원의 방정식 $\dfrac{x^2}{25}+\dfrac{y^2}{9}=1$에서

$a=5$, $b=3$이므로

$c=\sqrt{5^2-3^2}=4$

따라서 초점의 좌표는 $(4, 0)$, $(-4, 0)$

장축의 길이는 $2a=10$

단축의 길이는 $2b=6$

답 초점의 좌표: $(4, 0)$, $(-4, 0)$, 장축의 길이: 10, 단축의 길이: 6

012 타원의 방정식 $\dfrac{x^2}{4}+\dfrac{y^2}{3}=1$에서

$a=2$, $b=\sqrt{3}$이므로

$c=\sqrt{2^2-(\sqrt{3})^2}=1$

따라서 초점의 좌표는 $(1, 0)$, $(-1, 0)$

장축의 길이는 $2a=4$

단축의 길이는 $2b=2\sqrt{3}$

답 초점의 좌표: $(1, 0)$, $(-1, 0)$, 장축의 길이: 4, 단축의 길이: $2\sqrt{3}$

013 타원의 방정식 $\dfrac{x^2}{5}+\dfrac{y^2}{9}=1$에서

$a=\sqrt{5}$, $b=3$이므로

$c=\sqrt{3^2-(\sqrt{5})^2}=2$

따라서 초점의 좌표는 $(0, 2)$, $(0, -2)$

장축의 길이는 $2b=6$

단축의 길이는 $2a=2\sqrt{5}$

답 초점의 좌표: $(0, 2)$, $(0, -2)$, 장축의 길이: 6, 단축의 길이: $2\sqrt{5}$

014 타원의 방정식 $\dfrac{x^2}{4}+\dfrac{y^2}{13}=1$에서

$a=2$, $b=\sqrt{13}$이므로

$c=\sqrt{(\sqrt{13})^2-2^2}=3$

따라서 초점의 좌표는 $(0, 3)$, $(0, -3)$

장축의 길이는 $2b=2\sqrt{13}$

단축의 길이는 $2a=4$

답 초점의 좌표: $(0, 3)$, $(0, -3)$, 장축의 길이: $2\sqrt{13}$, 단축의 길이: 4

015 타원 $\dfrac{x^2}{16}+\dfrac{y^2}{9}=1$을 x축의 방향으로 -3만큼 평행이동한 타원의 방정식은

$\dfrac{(x+3)^2}{16}+\dfrac{y^2}{9}=1$ 답 $\dfrac{(x+3)^2}{16}+\dfrac{y^2}{9}=1$

016 타원 $\frac{x^2}{16}+\frac{y^2}{9}=1$을 y축의 방향으로 5만큼 평행이동한 타원의 방정식은

$\frac{x^2}{16}+\frac{(y-5)^2}{9}=1$ 　　답 $\frac{x^2}{16}+\frac{(y-5)^2}{9}=1$

017 타원 $\frac{x^2}{16}+\frac{y^2}{9}=1$을 x축의 방향으로 2만큼, y축의 방향으로 -4만큼 평행이동한 타원의 방정식은

$\frac{(x-2)^2}{16}+\frac{(y+4)^2}{9}=1$ 　　답 $\frac{(x-2)^2}{16}+\frac{(y+4)^2}{9}=1$

018 타원 $\frac{x^2}{16}+\frac{y^2}{9}=1$을 x축의 방향으로 -1만큼, y축의 방향으로 -7만큼 평행이동한 타원의 방정식은

$\frac{(x+1)^2}{16}+\frac{(y+7)^2}{9}=1$ 　　답 $\frac{(x+1)^2}{16}+\frac{(y+7)^2}{9}=1$

019 주어진 타원은 타원 $\frac{x^2}{25}+\frac{y^2}{9}=1$을 x축의 방향으로 -1만큼, y축의 방향으로 3만큼 평행이동한 것이다.

타원 $\frac{x^2}{25}+\frac{y^2}{9}=1$의 초점의 좌표는 $(4, 0)$, $(-4, 0)$이고 장축의 길이는 10, 단축의 길이는 6이므로

타원 $\frac{(x+1)^2}{25}+\frac{(y-3)^2}{9}=1$의 초점의 좌표는

$(4-1, 0+3)$, $(-4-1, 0+3)$

즉, $(3, 3)$, $(-5, 3)$

이고 장축, 단축의 길이는 변하지 않는다.

답 초점의 좌표: $(3, 3)$, $(-5, 3)$,
장축의 길이: 10, 단축의 길이: 6

020 주어진 타원은 타원 $\frac{x^2}{4}+y^2=1$을 x축의 방향으로 -2만큼, y축의 방향으로 -1만큼 평행이동한 것이다.

타원 $\frac{x^2}{4}+y^2=1$의 초점의 좌표는 $(\sqrt{3}, 0)$, $(-\sqrt{3}, 0)$이고 장축의 길이는 4, 단축의 길이는 2이므로

타원 $\frac{(x+2)^2}{4}+(y+1)^2=1$의 초점의 좌표는

$(\sqrt{3}-2, 0-1)$, $(-\sqrt{3}-2, 0-1)$

즉, $(\sqrt{3}-2, -1)$, $(-\sqrt{3}-2, -1)$

이고 장축, 단축의 길이는 변하지 않는다.

답 초점의 좌표: $(\sqrt{3}-2, -1)$, $(-\sqrt{3}-2, -1)$,
장축의 길이: 4, 단축의 길이: 2

021 주어진 타원은 타원 $\frac{x^2}{9}+\frac{y^2}{4}=1$을 x축의 방향으로 1만큼, y축의 방향으로 -2만큼 평행이동한 것이다.

타원 $\frac{x^2}{9}+\frac{y^2}{4}=1$의 초점의 좌표는 $(\sqrt{5}, 0)$, $(-\sqrt{5}, 0)$이고 장축의 길이는 6, 단축의 길이는 4이므로

타원 $\frac{(x-1)^2}{9}+\frac{(y+2)^2}{4}=1$의 초점의 좌표는

$(\sqrt{5}+1, 0-2)$, $(-\sqrt{5}+1, 0-2)$

즉, $(\sqrt{5}+1, -2)$, $(-\sqrt{5}+1, -2)$

이고 장축, 단축의 길이는 변하지 않는다.

답 초점의 좌표: $(\sqrt{5}+1, -2)$, $(-\sqrt{5}+1, -2)$,
장축의 길이: 6, 단축의 길이: 4

022 주어진 타원은 타원 $\frac{x^2}{4}+\frac{y^2}{5}=1$을 x축의 방향으로 -1만큼, y축의 방향으로 4만큼 평행이동한 것이다.

타원 $\frac{x^2}{4}+\frac{y^2}{5}=1$의 초점의 좌표는 $(0, 1)$, $(0, -1)$이고 장축의 길이는 $2\sqrt{5}$, 단축의 길이는 4이므로

타원 $\frac{(x+1)^2}{4}+\frac{(y-4)^2}{5}=1$의 초점의 좌표는

$(0-1, 1+4)$, $(0-1, -1+4)$

즉, $(-1, 5)$, $(-1, 3)$

이고 장축, 단축의 길이는 변하지 않는다.

답 초점의 좌표: $(-1, 5)$, $(-1, 3)$,
장축의 길이: $2\sqrt{5}$, 단축의 길이: 4

023 주어진 타원은 타원 $\frac{x^2}{12}+\frac{y^2}{16}=1$을 x축의 방향으로 3만큼, y축의 방향으로 -3만큼 평행이동한 것이다.

타원 $\frac{x^2}{12}+\frac{y^2}{16}=1$의 초점의 좌표는 $(0, 2)$, $(0, -2)$이고 장축의 길이는 8, 단축의 길이는 $4\sqrt{3}$이므로

타원 $\frac{(x-3)^2}{12}+\frac{(y+3)^2}{16}=1$의 초점의 좌표는

$(0+3, 2-3)$, $(0+3, -2-3)$

즉, $(3, -1)$, $(3, -5)$

이고 장축, 단축의 길이는 변하지 않는다.

답 초점의 좌표: $(3, -1)$, $(3, -5)$,
장축의 길이: 8, 단축의 길이: $4\sqrt{3}$

024 주어진 타원은 타원 $x^2+\frac{y^2}{4}=1$을 x축의 방향으로 2만큼, y축의 방향으로 5만큼 평행이동한 것이다.

타원 $x^2+\frac{y^2}{4}=1$의 초점의 좌표는 $(0, \sqrt{3})$, $(0, -\sqrt{3})$이고 장축의 길이는 4, 단축의 길이는 2이므로

타원 $(x-2)^2+\frac{(y-5)^2}{4}=1$의 초점의 좌표는

$(0+2, \sqrt{3}+5)$, $(0+2, -\sqrt{3}+5)$

즉, $(2, \sqrt{3}+5)$, $(2, -\sqrt{3}+5)$

이고 장축, 단축의 길이는 변하지 않는다.

답 초점의 좌표: $(2, \sqrt{3}+5)$, $(2, -\sqrt{3}+5)$,
장축의 길이: 4, 단축의 길이: 2

025 $x^2+17y^2=17$의 양변을 17로 나누면

$\frac{x^2}{17}+y^2=1$ 　　답 $\frac{x^2}{17}+y^2=1$

026 $16x^2+25y^2=400$의 양변을 400으로 나누면

$\frac{x^2}{25}+\frac{y^2}{16}=1$ 　　답 $\frac{x^2}{25}+\frac{y^2}{16}=1$

027 $2(x-1)^2+4(y+1)^2=8$의 양변을 8로 나누면

$\frac{(x-1)^2}{4}+\frac{(y+1)^2}{2}=1$ 답 $\frac{(x-1)^2}{4}+\frac{(y+1)^2}{2}=1$

028 $9x^2+y^2=9$의 양변을 9로 나누면

$x^2+\frac{y^2}{9}=1$ 답 $x^2+\frac{y^2}{9}=1$

029 $25x^2+9y^2=225$의 양변을 225로 나누면

$\frac{x^2}{9}+\frac{y^2}{25}=1$ 답 $\frac{x^2}{9}+\frac{y^2}{25}=1$

030 $9(x-2)^2+(y+3)^2=36$의 양변을 36으로 나누면

$\frac{(x-2)^2}{4}+\frac{(y+3)^2}{36}=1$ 답 $\frac{(x-2)^2}{4}+\frac{(y+3)^2}{36}=1$

031 $7x^2+16y^2=112$의 양변을 112로 나누면

$\frac{x^2}{16}+\frac{y^2}{7}=1$

$a=4$, $b=\sqrt{7}$이므로

$c=\sqrt{16-7}=3$

따라서 타원의 중심의 좌표는 $(0, 0)$

초점의 좌표는 $(3, 0)$, $(-3, 0)$

장축의 길이는 $2a=8$

단축의 길이는 $2b=2\sqrt{7}$

답 중심의 좌표: $(0, 0)$, 초점의 좌표: $(3, 0)$, $(-3, 0)$,
장축의 길이: 8, 단축의 길이: $2\sqrt{7}$

032 $(x-1)^2+4y^2=4$의 양변을 4로 나누면

$\frac{(x-1)^2}{4}+y^2=1$

이 타원은 타원 $\frac{x^2}{4}+y^2=1$을 x축의 방향으로 1만큼 평행이동한 것이다.

타원 $\frac{x^2}{4}+y^2=1$의 중심의 좌표는 $(0, 0)$, 초점의 좌표는 $(\sqrt{3}, 0)$, $(-\sqrt{3}, 0)$, 장축의 길이는 4, 단축의 길이는 2이므로

타원 $\frac{(x-1)^2}{4}+y^2=1$의 중심의 좌표는 $(1, 0)$

초점의 좌표는 $(\sqrt{3}+1, 0)$, $(-\sqrt{3}+1, 0)$

이고 장축, 단축의 길이는 변하지 않는다.

답 중심의 좌표: $(1, 0)$,
초점의 좌표: $(\sqrt{3}+1, 0)$, $(-\sqrt{3}+1, 0)$,
장축의 길이: 4, 단축의 길이: 2

033 $4x^2+9y^2-36y=0$에서

$4x^2+9(y^2-4y)=0$

$4x^2+9(y-2)^2=36$

양변을 36으로 나누면

$\frac{x^2}{9}+\frac{(y-2)^2}{4}=1$

이 타원은 타원 $\frac{x^2}{9}+\frac{y^2}{4}=1$을 y축의 방향으로 2만큼 평행이동한 것이다.

타원 $\frac{x^2}{9}+\frac{y^2}{4}=1$의 중심의 좌표는 $(0, 0)$, 초점의 좌표는 $(\sqrt{5}, 0)$, $(-\sqrt{5}, 0)$, 장축의 길이는 6, 단축의 길이는 4이므로

타원 $\frac{x^2}{9}+\frac{(y-2)^2}{4}=1$의 중심의 좌표는 $(0, 2)$

초점의 좌표는 $(\sqrt{5}, 2)$, $(-\sqrt{5}, 2)$

이고 장축, 단축의 길이는 변하지 않는다.

답 중심의 좌표: $(0, 2)$, 초점의 좌표: $(\sqrt{5}, 2)$, $(-\sqrt{5}, 2)$,
장축의 길이: 6, 단축의 길이: 4

034 $5x^2+4y^2=20$의 양변을 20으로 나누면

$\frac{x^2}{4}+\frac{y^2}{5}=1$

$a=2$, $b=\sqrt{5}$이므로

$c=\sqrt{(\sqrt{5})^2-2^2}=1$

따라서 타원의 중심의 좌표는 $(0, 0)$

초점의 좌표는 $(0, 1)$, $(0, -1)$

장축의 길이는 $2b=2\sqrt{5}$

단축의 길이는 $2a=4$

답 중심의 좌표: $(0, 0)$, 초점의 좌표: $(0, 1)$, $(0, -1)$,
장축의 길이: $2\sqrt{5}$, 단축의 길이: 4

035 $5(x+3)^2+3(y-2)^2=30$의 양변을 30으로 나누면

$\frac{(x+3)^2}{6}+\frac{(y-2)^2}{10}=1$

이 타원은 타원 $\frac{x^2}{6}+\frac{y^2}{10}=1$을 x축의 방향으로 -3만큼, y축의 방향으로 2만큼 평행이동한 것이다.

타원 $\frac{x^2}{6}+\frac{y^2}{10}=1$의 중심의 좌표는 $(0, 0)$, 초점의 좌표는 $(0, 2)$, $(0, -2)$, 장축의 길이는 $2\sqrt{10}$, 단축의 길이는 $2\sqrt{6}$이므로 타원 $\frac{(x+3)^2}{6}+\frac{(y-2)^2}{10}=1$의 중심의 좌표는 $(-3, 2)$

초점의 좌표는 $(-3, 4)$, $(-3, 0)$

이고 장축, 단축의 길이는 변하지 않는다.

답 중심의 좌표: $(-3, 2)$,
초점의 좌표: $(-3, 4)$, $(-3, 0)$,
장축의 길이: $2\sqrt{10}$, 단축의 길이: $2\sqrt{6}$

036 $4x^2+3y^2-16x-32=0$에서

$4(x^2-4x)+3y^2=32$

$4(x-2)^2+3y^2=32+16$

$4(x-2)^2+3y^2=48$

양변을 48로 나누면

$\frac{(x-2)^2}{12}+\frac{y^2}{16}=1$

이 타원은 타원 $\frac{x^2}{12}+\frac{y^2}{16}=1$을 x축의 방향으로 2만큼 평행이동한 것이다.

타원 $\frac{x^2}{12}+\frac{y^2}{16}=1$의 중심의 좌표는 $(0, 0)$, 초점의 좌표는 $(0, 2)$, $(0, -2)$, 장축의 길이는 8, 단축의 길이는 $4\sqrt{3}$이므로

타원 $\frac{(x-2)^2}{12}+\frac{y^2}{16}=1$의 중심의 좌표는 $(2, 0)$

초점의 좌표는 $(2, 2)$, $(2, -2)$
이고 장축, 단축의 길이는 변하지 않는다.

답 중심의 좌표: $(2, 0)$, 초점의 좌표: $(2, 2)$, $(2, -2)$, 장축의 길이: 8, 단축의 길이: $4\sqrt{3}$

037 두 초점으로부터의 거리의 합이 10이므로
$2a=10 \quad \therefore a=5$
또 $c=4$이므로
$b^2=a^2-c^2=5^2-4^2=9$
$\therefore a^2+b^2=25+9=34$

답 ②

038 점 P의 좌표를 $P(x, y)$라 하면
$\overline{PF}+\overline{PF'}=8$에서
$\sqrt{x^2+(y-2)^2}+\sqrt{x^2+(y+2)^2}=8$
$\sqrt{x^2+(y-2)^2}=8-\sqrt{x^2+(y+2)^2}$
양변을 제곱하여 정리하면
$8y+64=16\sqrt{x^2+(y+2)^2}$
$y+8=2\sqrt{x^2+(y+2)^2}$
다시 양변을 제곱하여 정리하면
$4x^2+3y^2=48$
$\therefore \frac{x^2}{12}+\frac{y^2}{16}=1$

답 $\frac{x^2}{12}+\frac{y^2}{16}=1$

다른 풀이
구하는 도형의 방정식은 두 점 F, F′을 초점으로 하는 타원이다.
타원의 방정식을 $\frac{x^2}{a^2}+\frac{y^2}{b^2}=1$ $(b>a>0)$이라 하면 두 초점으로부터의 거리의 합이 8이므로
$2b=8 \quad \therefore b=4$
또 $c=2$이므로
$a^2=b^2-c^2=4^2-2^2=12$
따라서 구하는 도형의 방정식은
$\frac{x^2}{12}+\frac{y^2}{16}=1$

039 타원의 장축의 길이를 $2a$라 하면
$\overline{PF'}+\overline{PF}=2a$,
$\overline{P'F'}+\overline{P'F}=2a$
따라서 사각형 PF′P′F의 둘레의 길이는 $4a$이므로
$4a=24$
$\therefore a=6$
$\therefore \overline{QQ'}=2a=12$

답 ④

040 타원의 방정식을 $\frac{x^2}{a^2}+\frac{y^2}{b^2}=1$ $(a>b>0)$이라 하면
$\overline{AB}+\overline{AC}=2a=8$에서
$a=4$
$\overline{BC}=2c=4$에서
$c=2$
$b^2=a^2-c^2=4^2-2^2=12$
따라서 구하는 타원의 방정식은
$\frac{x^2}{16}+\frac{y^2}{12}=1$

답 $\frac{x^2}{16}+\frac{y^2}{12}=1$

041 타원의 방정식을 $\frac{x^2}{a^2}+\frac{y^2}{b^2}=1$ $(a>b>0)$이라 하면
$c=\sqrt{2}$이므로
$a^2-b^2=c^2=2 \quad \cdots\cdots ㉠$
또 타원이 점 $(\sqrt{5}, 2)$를 지나므로
$\frac{5}{a^2}+\frac{4}{b^2}=1 \quad \cdots\cdots ㉡$
㉠에서 $a^2=b^2+2$를 ㉡에 대입하면
$\frac{5}{b^2+2}+\frac{4}{b^2}=1$
$b^4-7b^2-8=0$
$(b^2-8)(b^2+1)=0$
$\therefore b^2=8$ $(\because b>0)$
이 값을 ㉠에 대입하면
$a^2=10$
따라서 구하는 타원의 방정식은
$\frac{x^2}{10}+\frac{y^2}{8}=1$

답 $\frac{x^2}{10}+\frac{y^2}{8}=1$

042 $\overline{PA}+\overline{PB}=8$이므로
$\sqrt{x^2+y^2}+\sqrt{(x-4)^2+y^2}=8$
양변을 제곱하여 정리하면
$3(x-2)^2+4y^2=48$

답 ③

043 $\frac{x^2}{4^2}+\frac{y^2}{3^2}=1$에서 $a=4$, $b=3$이므로
$c=\sqrt{a^2-b^2}=\sqrt{4^2-3^2}=\sqrt{7}$
초점의 좌표는 $(\sqrt{7}, 0)$, $(-\sqrt{7}, 0)$
장축의 길이는 $2a=2\times4=8$
단축의 길이는 $2b=2\times3=6$
또 주어진 타원의 중심은 원점이고, 타원과 x축과의 교점의 좌표는 $(4, 0)$, $(-4, 0)$이다.
따라서 타원에 대한 설명으로 옳지 않은 것은 ⑤이다.

답 ⑤

044 타원의 방정식을 $\frac{x^2}{a^2}+\frac{y^2}{b^2}=1$ $(b>a>0)$이라 하면
장축의 길이가 10이므로
$2b=10 \quad \therefore b=5$
단축의 길이가 8이므로
$2a=8 \quad \therefore a=4$
따라서 구하는 타원의 방정식은
$\frac{x^2}{16}+\frac{y^2}{25}=1$

답 $\frac{x^2}{16}+\frac{y^2}{25}=1$

045 타원의 방정식을 $\frac{x^2}{a^2}+\frac{y^2}{b^2}=1$ $(a>b>0)$이라 하면
장축의 길이가 10이므로
$2a=10 \quad \therefore a=5$
단축의 길이가 8이므로
$2b=8 \quad \therefore b=4$
$c=\sqrt{a^2-b^2}=\sqrt{5^2-4^2}=3$이므로
두 초점의 좌표는 $(3, 0)$, $(-3, 0)$
따라서 두 초점 사이의 거리는 6이다.

답 ③

046 그림과 같이 중심이 원점에 오도록 좌표 평면 위에 타원을 나타내고 타원의 방정식을 $\frac{x^2}{a^2}+\frac{y^2}{b^2}=1\ (a>b>0)$로 놓으면

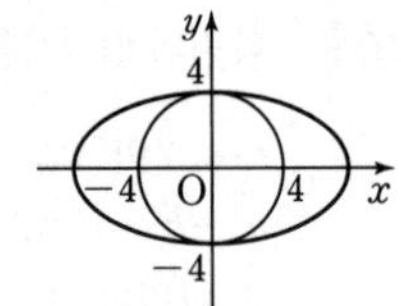

$b=4$
두 초점을 F, F′이라 하면 초점의 좌표는
$F(4, 0)$, $F'(-4, 0)$이므로
$a^2=b^2+c^2=4^2+4^2=32$
$\therefore a=4\sqrt{2}$
따라서 타원의 장축의 길이는
$2a=8\sqrt{2}$ 답 $8\sqrt{2}$

047 두 점 A, B가 타원 위의 점이므로
$\overline{AF}+\overline{AF'}=\overline{BF}+\overline{BF'}$ ……㉠
$\overline{AF}=|5-4|=1$, $\overline{AF'}=|5-(-4)|=9$,
$\overline{BF}=\sqrt{a^2+16}$, $\overline{BF'}=\sqrt{a^2+16}$
이므로 ㉠에 대입하면
$1+9=\sqrt{a^2+16}+\sqrt{a^2+16}$
$5=\sqrt{a^2+16}$
$25=a^2+16$
$a^2=9$
$\therefore a=3\ (\because a>0)$ 답 ③

048 $4x^2+9y^2=36$을 변형하면
$\frac{x^2}{9}+\frac{y^2}{4}=1$
두 초점의 좌표를 $F(c, 0)$, $F'(-c, 0)$이라 하면
$c^2=9-4=5$
구하는 타원의 방정식을 $\frac{x^2}{a^2}+\frac{y^2}{b^2}=1\ (a>b>0)$이라 하면 이 타원이 점 $(4, 0)$을 지나므로
$\frac{16}{a^2}=1 \quad \therefore a^2=16$
또 $b^2=a^2-c^2=16-5=11$
따라서 구하는 타원의 방정식은 $\frac{x^2}{16}+\frac{y^2}{11}=1$이므로
$11x^2+16y^2=176$ 답 ④

049 타원 $\frac{x^2}{10}+\frac{y^2}{5}=1$의 두 초점의 좌표를 $F(c, 0)$, $F'(-c, 0)$이라 하면
$c^2=10-5=5$
구하는 타원의 방정식을 $\frac{x^2}{a^2}+\frac{y^2}{b^2}=1\ (a>b>0)$이라 하면
두 타원의 초점이 같으므로
$c^2=a^2-b^2=5$, $(a+b)(a-b)=5$ ……㉠
타원의 장축과 단축의 길이의 차가 2이므로
$2a-2b=2$에서 $a-b=1$ ……㉡
㉡을 ㉠에 대입하면 $a+b=5$ ……㉢
㉡, ㉢을 연립하여 풀면 $a=3$, $b=2$
따라서 구하는 타원의 장축의 길이는
$2a=6$ 답 6

050 타원의 한 초점은 직선의 x절편이므로
$0=\frac{2}{3}x-2 \quad \therefore x=3$
즉, 한 초점은 $F(3, 0)$이다.
또 점 A의 좌표는 직선의 y절편이므로
$A(0, -2)$
타원의 방정식을 $\frac{x^2}{a^2}+\frac{y^2}{b^2}=1\ (a>b>0)$이라 하면
$a^2=b^2+c^2=4+9=13$
$\therefore a=\sqrt{13}\ (\because a>0)$
따라서 타원의 장축의 길이는
$2a=2\sqrt{13}$ 답 $2\sqrt{13}$

051

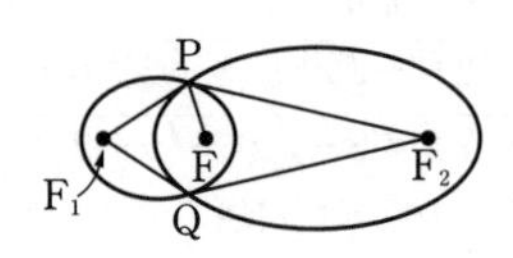

점 P, Q에서 두 초점 사이의 거리의 합이 각각 9, 18이므로
$\overline{PF}+\overline{PF_1}=9$ ……㉠
$\overline{PF}+\overline{PF_2}=18$ ……㉡
$\overline{QF}+\overline{QF_1}=9$ ……㉢
$\overline{QF}+\overline{QF_2}=18$ ……㉣
㉠, ㉡에서
$|\overline{PF_1}-\overline{PF_2}|=|-9|=9$
㉢, ㉣에서
$|\overline{QF_1}-\overline{QF_2}|=|-9|=9$
$\therefore |\overline{PF_1}-\overline{PF_2}|+|\overline{QF_1}-\overline{QF_2}|=9+9=18$ 답 18

052 타원 $\frac{(x+4)^2}{16}+\frac{(y-3)^2}{9}=1$은 타원 $\frac{x^2}{16}+\frac{y^2}{9}=1$을 x축의 방향으로 -4만큼, y축의 방향으로 3만큼 평행이동한 것이다.
따라서 타원의 중심의 좌표는 $(-4, 3)$이고,
장축의 길이는 8, 단축의 길이는 6이므로
$p=-4$, $q=3$, $r=8$, $s=6$
$\therefore p+q+r+s=13$ 답 13

053 $4x^2+16y^2-24x-64y+99=0$에서
$4(x^2-6x+9)+16(y^2-4y+4)=1$
$4(x-3)^2+16(y-2)^2=1$
$\frac{(x-3)^2}{\left(\frac{1}{2}\right)^2}+\frac{(y-2)^2}{\left(\frac{1}{4}\right)^2}=1$

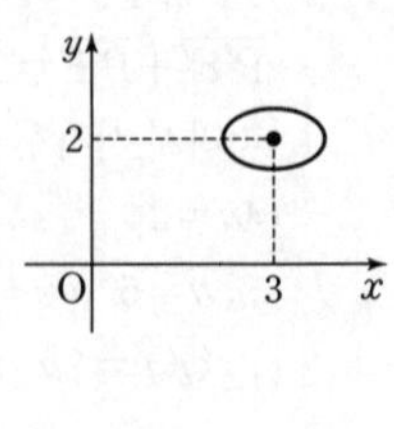

이므로 이 그래프는 그림과 같다.
ㄱ. $\frac{1}{2}>\frac{1}{4}$이므로 장축은 x축과 평행하다. (거짓)
ㄴ. 중심의 좌표는 $(3, 2)$이다. (참)
ㄷ. 타원 $\frac{(x-3)^2}{\left(\frac{1}{2}\right)^2}+\frac{(y-2)^2}{\left(\frac{1}{4}\right)^2}=1$은 타원 $\frac{x^2}{\left(\frac{1}{2}\right)^2}+\frac{y^2}{\left(\frac{1}{4}\right)^2}=1$을 x축의 방향으로 3만큼, y축의 방향으로 2만큼 평행이동한 것이므로 두 타원의 초점 사이의 거리는 같다.
타원 $\frac{x^2}{\left(\frac{1}{2}\right)^2}+\frac{y^2}{\left(\frac{1}{4}\right)^2}=1$의 초점의 좌표를

$\mathrm{F}(c, 0)$, $\mathrm{F'}(-c, 0)$이라 하면

$c=\sqrt{\left(\frac{1}{2}\right)^2-\left(\frac{1}{4}\right)^2}=\frac{\sqrt{3}}{4}$

즉, 초점의 좌표는 $\left(\frac{\sqrt{3}}{4}, 0\right)$, $\left(-\frac{\sqrt{3}}{4}, 0\right)$이므로 두 초점 사이의 거리는

$\frac{\sqrt{3}}{4}-\left(-\frac{\sqrt{3}}{4}\right)=\frac{\sqrt{3}}{2}$ (참)

따라서 옳은 것은 ㄴ, ㄷ이다.

답 ④

054 타원 $(x-a)^2+\frac{(y-b)^2}{4}=1$은

타원 $x+\frac{y^2}{4}=1$을 x축의 방향으로 a만큼, y축의 방향으로 b만큼 평행이동한 것이므로 $a=1$, $b=2$

$\therefore 10a+b=10+2=12$

답 12

055 그림과 같이 직각삼각형 CFF′에서

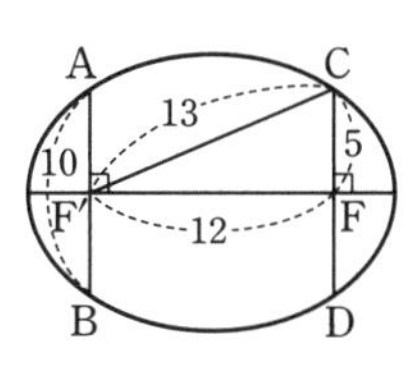

$\overline{\mathrm{CF}}=5$이므로

$\overline{\mathrm{CF'}}^2=\overline{\mathrm{FF'}}^2+\overline{\mathrm{CF}}^2$에서

$\overline{\mathrm{CF'}}^2=12^2+5^2=169$

$\therefore \overline{\mathrm{CF'}}=13$

따라서 장축의 길이는

$\overline{\mathrm{CF'}}+\overline{\mathrm{CF}}=13+5=18$

답 ③

056 타원 $\frac{x^2}{16}+\frac{y^2}{12}=1$의 두 초점은

$\mathrm{A}(2, 0)$, $\mathrm{B}(-2, 0)$이므로

$(\overline{\mathrm{PA}}+\overline{\mathrm{PB}})+(\overline{\mathrm{QA}}+\overline{\mathrm{QB}})+(\overline{\mathrm{RA}}+\overline{\mathrm{RB}})$

$=8+8+8=24$

$\therefore \overline{\mathrm{PB}}+\overline{\mathrm{QB}}+\overline{\mathrm{RB}}=24-(\overline{\mathrm{PA}}+\overline{\mathrm{QA}}+\overline{\mathrm{RA}})$

$=24-15=9$

답 9

057

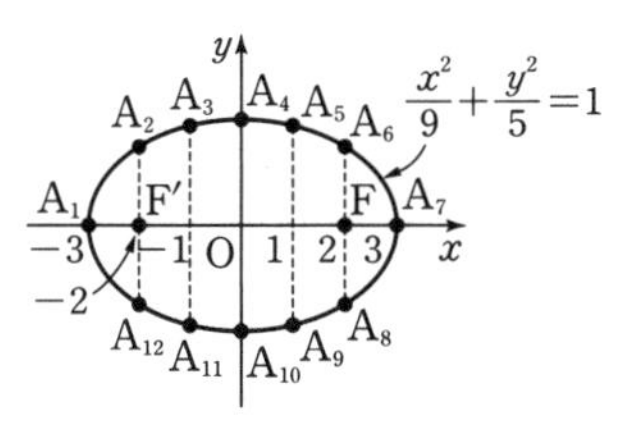

주어진 타원의 다른 한 초점을 F′이라 하면

$\mathrm{F}(2, 0)$, $\mathrm{F'}(-2, 0)$

$\overline{\mathrm{FA_7}}=\overline{\mathrm{F'A_1}}$, $\overline{\mathrm{FA_8}}=\overline{\mathrm{F'A_2}}$, $\cdots$, $\overline{\mathrm{FA_{12}}}=\overline{\mathrm{F'A_6}}$

또 주어진 타원의 장축의 길이는 6이므로

$\overline{\mathrm{FA_1}}+\overline{\mathrm{F'A_1}}=\overline{\mathrm{FA_2}}+\overline{\mathrm{F'A_2}}=\cdots=\overline{\mathrm{FA_6}}+\overline{\mathrm{F'A_6}}=6$

$\therefore \overline{\mathrm{FA_1}}+\overline{\mathrm{FA_2}}+\overline{\mathrm{FA_3}}+\cdots+\overline{\mathrm{FA_{12}}}$

$=(\overline{\mathrm{FA_1}}+\overline{\mathrm{FA_2}}+\cdots+\overline{\mathrm{FA_6}})+(\overline{\mathrm{FA_7}}+\overline{\mathrm{FA_8}}+\cdots+\overline{\mathrm{FA_{12}}})$

$=(\overline{\mathrm{FA_1}}+\overline{\mathrm{FA_2}}+\cdots+\overline{\mathrm{FA_6}})+(\overline{\mathrm{F'A_1}}+\overline{\mathrm{F'A_2}}+\cdots+\overline{\mathrm{F'A_6}})$

$=(\overline{\mathrm{FA_1}}+\overline{\mathrm{F'A_1}})+(\overline{\mathrm{FA_2}}+\overline{\mathrm{F'A_2}})+\cdots+(\overline{\mathrm{FA_6}}+\overline{\mathrm{F'A_6}})$

$=6\times 6=36$

답 36

058 $\overline{\mathrm{PF}}=m$, $\overline{\mathrm{PF'}}=n$이라 하면 장축의 길이가 6이므로

$m+n=6$

직사각형 PF′QF의 넓이가 8이므로

$mn=8$

따라서 타원의 두 초점 사이의 거리는

$\overline{\mathrm{FF'}}=\sqrt{m^2+n^2}$

$=\sqrt{(m+n)^2-2mn}$

$=\sqrt{6^2-2\times 8}$

$=\sqrt{20}=2\sqrt{5}$

답 ③

059 타원 $\frac{x^2}{4}+\frac{y^2}{3}=1$의 초점의 좌표는

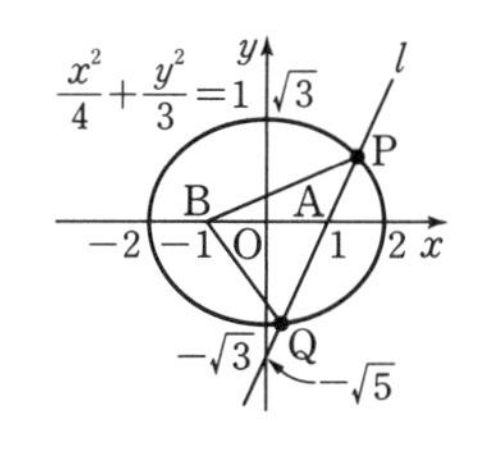

$\mathrm{A}(1, 0)$, $\mathrm{B}(-1, 0)$이고 장축의 길이는 4이다.

타원 위의 한 점에서 두 초점에 이르는 거리의 합이 타원의 장축의 길이와 같으므로

$\overline{\mathrm{AP}}+\overline{\mathrm{BP}}=4$,

$\overline{\mathrm{AQ}}+\overline{\mathrm{BQ}}=4$

$\therefore \overline{\mathrm{PQ}}+\overline{\mathrm{QB}}+\overline{\mathrm{BP}}=(\overline{\mathrm{AP}}+\overline{\mathrm{AQ}})+\overline{\mathrm{BQ}}+\overline{\mathrm{BP}}$

$=(\overline{\mathrm{AP}}+\overline{\mathrm{BP}})+(\overline{\mathrm{AQ}}+\overline{\mathrm{BQ}})$

$=4+4=8$

답 8

060 타원 $\frac{x^2}{25}+\frac{y^2}{9}=1$의 초점의 좌표는 $\mathrm{F}(4, 0)$, $\mathrm{F'}(-4, 0)$이고 장축의 길이는 10이다.

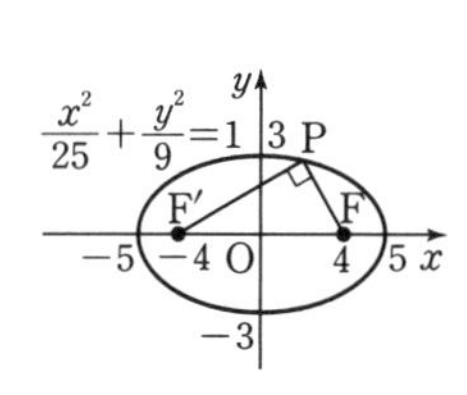

$\overline{\mathrm{PF}}=a$, $\overline{\mathrm{PF'}}=b$라 하면

$a+b=10$ ······ ㉠

한편, 삼각형 PF′F는 $\angle\mathrm{F'PF}=90°$인 직각삼각형이므로

$a^2+b^2=8^2$ ······ ㉡

㉠에서 $b=10-a$를 ㉡에 대입하면

$a^2+(10-a)^2=64$

$a^2-10a+18=0$

$\therefore a=5\pm\sqrt{7}$, $b=5\mp\sqrt{7}$ (복부호 동순)

$\therefore |\overline{\mathrm{PF}}-\overline{\mathrm{PF'}}|=|5\pm\sqrt{7}-(5\mp\sqrt{7})|$

$=2\sqrt{7}$

답 ⑤

061 $\mathrm{F}(c, 0)$, $\mathrm{F'}(-c, 0)$, $\mathrm{A}(a, 0)$, $\mathrm{A'}(-a, 0)$이라 하면

$\triangle\mathrm{APA'}=2\triangle\mathrm{FPF'}$에서

$2a=2\times 2c$

$\therefore a=2c$ ······ ㉠

한편, 삼각형 FPF′의 둘레의 길이가 6이므로

$2a+2c=6$

$\therefore a+c=3$ ······ ㉡

㉠, ㉡을 연립하여 풀면

$a=2$, $c=1$

$b^2=a^2-c^2=2^2-1^2=3$

$\therefore a^2+b^2=4+3=7$

답 7

062 타원 $\frac{x^2}{9}+\frac{y^2}{5}=1$의 두 초점을 F, F′이라 하면 초점의 좌표는

$\mathrm{F}(2, 0)$, $\mathrm{F'}(-2, 0)$ (=B)

장축의 길이가 6이므로

$\overline{AB}+\overline{AF}=6$ ⋯⋯㉠

또 포물선 $y^2=8x$의 초점은 $F(2, 0)$이고 준선의 방정식은 $x=-2$이므로

$\overline{AC}=\overline{AF}$ ⋯⋯㉡

㉠, ㉡에서

$\overline{AB}+\overline{AC}=\overline{AB}+\overline{AF}=6$ 답 ②

063 주어진 그림에서 타원의 방정식은 $\frac{x^2}{4^2}+\frac{y^2}{2^2}=1$이고

초점의 좌표는 $F(2\sqrt{3}, 0)$, $F'(-2\sqrt{3}, 0)$, 장축의 길이는 8이다.

$\overline{PF}=a$, $\overline{PF'}=b$라 하면

$a+b=8$ ⋯⋯㉠

한편, $\overline{FF'}=4\sqrt{3}$이므로 삼각형 PFF′에서

$a^2+b^2=48$ ⋯⋯㉡

㉠, ㉡을 $(a+b)^2=a^2+b^2+2ab$에 대입하면

$64=48+2ab$

$\therefore ab=8$

따라서 삼각형 PFF′의 넓이는

$\frac{1}{2}ab=\frac{1}{2}\times 8=4$ 답 ①

064 $\overline{PF}=x$, $\overline{PF'}=y$라 하면

$x+y=2a$ ⋯⋯㉠

$\overline{FF'}=2\sqrt{5}$이고

$\angle FPF'=\frac{\pi}{2}$이므로

삼각형 PFF′에서

$x^2+y^2=20$ ⋯⋯㉡

또한, 삼각형 PFF′의 넓이가 4이므로

$\frac{1}{2}xy=4$

$\therefore xy=8$ ⋯⋯㉢

㉠, ㉡, ㉢을 $x^2+y^2=(x+y)^2-2xy$에 대입하면

$20=(2a)^2-2\times 8$, $4a^2=36$

$a^2=9$ $\therefore a=3$ ($\because a>0$)

따라서 구하는 장축의 길이는

$2a=6$ 답 6

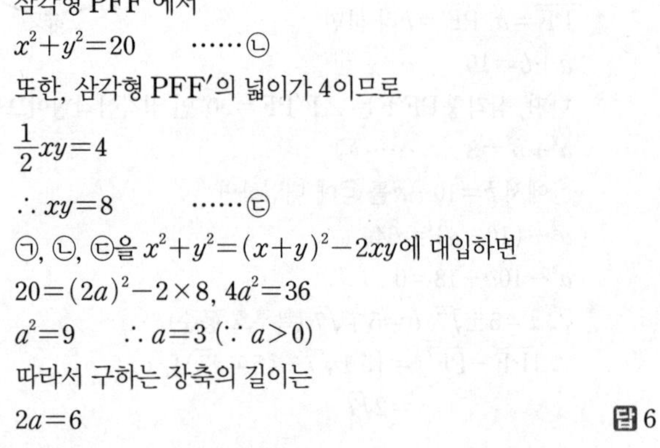

065 그림에서 원점 O와 직선 AF 사이의 거리가 원의 반지름의 길이이다.

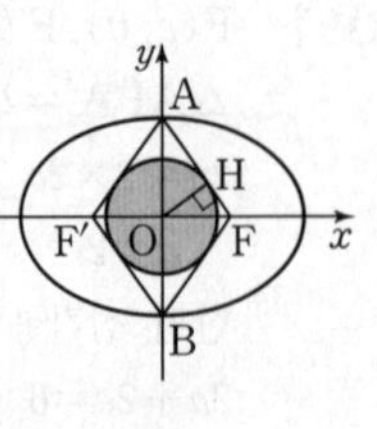

타원 $\frac{x^2}{16}+\frac{y^2}{12}=1$의 한 초점의 좌표는 $F(2, 0)$이고 $A(0, 2\sqrt{3})$이므로 직선 AF의 방정식은

$y=\frac{-2\sqrt{3}}{2}(x-2)=-\sqrt{3}(x-2)$

$\therefore \sqrt{3}x+y-2\sqrt{3}=0$

$\therefore \overline{OH}=\frac{|-2\sqrt{3}|}{\sqrt{(\sqrt{3})^2+1^2}}=\sqrt{3}$

따라서 구하는 원의 넓이는

$\pi\times(\sqrt{3})^2=3\pi$ 답 ③

066 원의 반지름의 길이를 r라 하면 삼각형 FAF′의 넓이는

$\frac{1}{2}\times 2r\times r=r^2=16$

$\therefore r=4$

$\overline{BF}=a$, $\overline{BF'}=b$라 하면

타원의 장축의 길이가 10이므로

$a+b=10$ ⋯⋯㉠

$\angle FBF'=90°$이고 $\overline{FF'}=8$이므로

삼각형 FBF′에서

$a^2+b^2=64$ ⋯⋯㉡

㉠, ㉡을 $(a+b)^2=a^2+b^2+2ab$에 대입하면

$10^2=64+2ab$

$\therefore ab=18$

따라서 삼각형 FBF′의 넓이는

$\frac{1}{2}ab=\frac{1}{2}\times 18=9$ 답 ②

067 타원의 방정식을 $\frac{x^2}{a^2}+\frac{y^2}{b^2}=1$ $(b>a>0)$이라 하자.

초점은 y축 위에 있고 장축의 길이가 10이므로

$2b=10$

$\therefore b=5$

즉, $a^2=b^2-c^2=5^2-3^2=4^2$

따라서 네 꼭짓점의 좌표가 $(\pm 4, 0)$, $(0, \pm 5)$이므로 구하는 사각형 ABCD의 넓이는

$4\times\left(\frac{1}{2}\times 4\times 5\right)=40$ 답 40

068 그림에서 직선 F′P와 점 P를 중심으로 하는 원의 교점을 Q라 하면 원 C'의 반지름의 길이는 $\overline{F'Q}$이다.

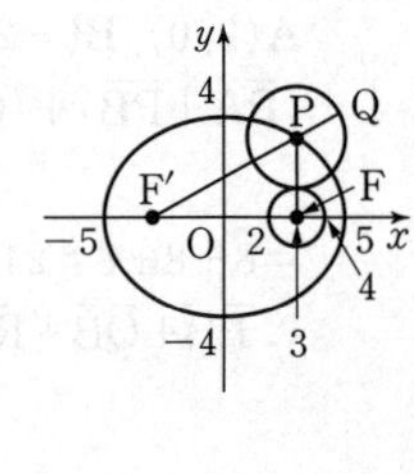

$\therefore \overline{F'Q}=\overline{F'P}+\overline{PQ}$

$=\overline{F'P}+\overline{FP}-1$

$=10-1=9$

따라서 구하는 원의 넓이는 81π이다. 답 ③

069 점 $P(a, b)$가 제1사분면에 있다고 가정하면 $a>0$, $b>0$이므로 삼각형의 넓이는

$\triangle OPH=\frac{1}{2}ab$

또 점 $P(a, b)$가 타원 $\frac{x^2}{25}+\frac{y^2}{16}=1$ 위에 있으므로

$\frac{a^2}{25}+\frac{b^2}{16}=1$

산술평균과 기하평균의 관계에 의하여

$1=\frac{a^2}{25}+\frac{b^2}{16}\ge 2\sqrt{\frac{a^2}{25}\times\frac{b^2}{16}}=\frac{ab}{10}$

$\left(\text{단, 등호는 } \frac{a^2}{25}=\frac{b^2}{16} \text{ 일 때 성립}\right)$

$\therefore ab\le 10$

즉, 삼각형의 넓이 S는

$S=\frac{1}{2}ab\le\frac{1}{2}\times 10=5$

따라서 구하는 넓이의 최댓값은 5이다. 답 ⑤

070 점 P의 좌표를 (x_1, y_1)이라 하면 점 P는 타원 위의 점이므로

$\frac{x_1^2}{3}+y_1^2=1$ ……㉠

$\overline{AP}^2=x_1^2+(y_1+1)^2$ ……㉡

㉠에서 $x_1^2=3-3y_1^2$을 ㉡에 대입하면

$\overline{AP}^2=(3-3y_1^2)+(y_1+1)^2$

$=-2y_1^2+2y_1+4$

$=-2\left(y_1-\frac{1}{2}\right)^2+\frac{9}{2}$

즉, $y_1=\frac{1}{2}$일 때, $\overline{AP}$의 길이는 최대이다.

$x_1=\frac{3}{2}$ ($\because x_1>0$)이므로 점 P의 좌표는 $\left(\frac{3}{2}, \frac{1}{2}\right)$이고

$\overline{AP}$의 길이의 최댓값은 $\frac{3\sqrt{2}}{2}$이다. 답 ③

071 직사각형의 제1사분면 위의 점 $P(x, y)$ $(x>0, y>0)$에 대하여 직사각형 PQRS의 넓이 S는

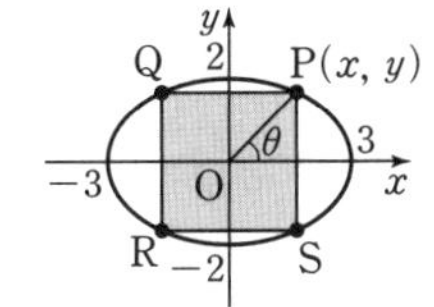

$S=2x\times 2y=4xy$

$\frac{x^2}{9}+\frac{y^2}{4}=1$에서

산술평균과 기하평균의 관계에 의하여

$1=\frac{x^2}{9}+\frac{y^2}{4}\geq 2\sqrt{\frac{x^2}{9}\times\frac{y^2}{4}}=\frac{xy}{3}$

$\left(\text{단, 등호는 }\frac{x^2}{9}=\frac{y^2}{4}\text{일 때 성립}\right)$

$\therefore xy\leq 3$

즉, 직사각형의 넓이는

$S=4xy\leq 4\times 3=12$

따라서 구하는 넓이의 최댓값은 12이다. 답 12

072 $A(a, 0)$, $B(0, b)$라 하면 점 $P(x, y)$는 선분 AB를 $2:1$로 내분하는 점이므로

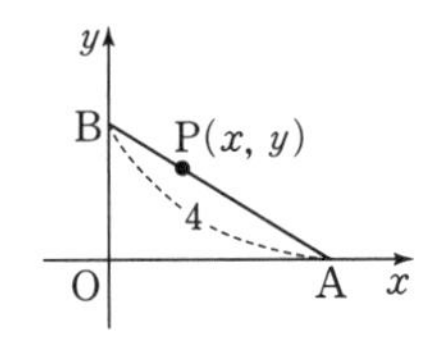

$x=\frac{2\times 0+1\times a}{2+1}=\frac{a}{3}$

$\therefore a=3x$ ……㉠

$y=\frac{2\times b+1\times 0}{2+1}=\frac{2b}{3}$

$\therefore b=\frac{3}{2}y$ ……㉡

삼각형 ABO는 직각삼각형이므로

$a^2+b^2=4^2$ ……㉢

㉠, ㉡을 ㉢에 대입하면

$9x^2+\frac{9}{4}y^2=16$

$\therefore 36x^2+9y^2=64$ 답 $36x^2+9y^2=64$

073 $P(a, b)$라 하면 $Q(x, y)$는 선분 PH를 $1:2$로 내분하는 점이므로

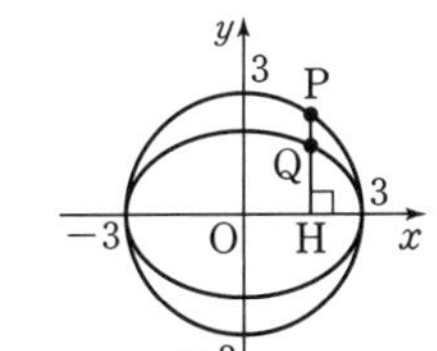

$x=a,\ y=\frac{2}{3}b$

$\therefore a=x,\ b=\frac{3}{2}y$ ……㉠

점 $P(a, b)$는 원 위의 점이므로

$a^2+b^2=9$ ……㉡

㉠을 ㉡에 대입하면

$x^2+\frac{9}{4}y^2=9$

$\therefore \frac{x^2}{9}+\frac{y^2}{4}=1$ 답 ②

074 점 $P(a, b)$가 타원 위의 점이므로

$4a^2+9b^2=36$ ……㉠

삼각형 ABP의 무게중심을 (x, y)라 하면

$x=\frac{a}{3},\ y=\frac{b}{3}$

$\therefore a=3x,\ b=3y$ ……㉡

㉡을 ㉠에 대입하면

$36a^2+81b^2=36$

$\therefore 4x^2+9y^2=4$ 답 ④

075 타원의 중심 O가 원점, 직선 OA가 x축이 되도록 좌표축을 잡으면 주어진 아치는 타원 $\frac{x^2}{10^2}+\frac{y^2}{6^2}=1$의 일부이다.

타원의 방정식에 $x=5$를 대입하면

$\frac{5^2}{10^2}+\frac{y^2}{6^2}=1$

$y^2=27$

$\therefore y=\pm 3\sqrt{3}$

따라서 구하는 높이는 $3\sqrt{3}$m이다. 답 $3\sqrt{3}$m

076 타원의 방정식을 $\frac{x^2}{a^2}+\frac{y^2}{b^2}=1$ $(a>b>0)$, 초점의 좌표를 $F(c, 0)$, $F'(-c, 0)$이라 하고 항성 B의 위치를 $F'(-c, 0)$이라 하자.

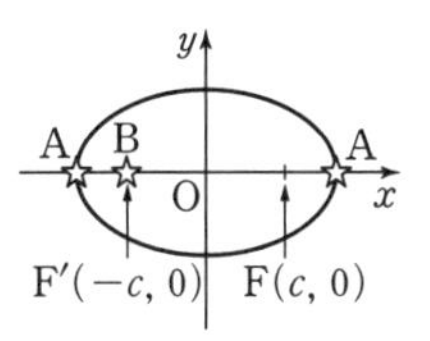

그런데 A와 B가 가장 가까울 때와 가장 멀 때는 행성 A가 타원의 장축과 만날 때이므로 거리는 각각 $a-c$, $a+c$이다.

문제의 조건으로부터

$a-c=2,\ a+c=8$

위의 두 식을 연립하여 풀면

$a=5,\ c=3$

또 $c^2=a^2-b^2$에서

$9=25-b^2$

$b^2=16$

$\therefore b=4$ ($\because b>0$)

따라서 단축의 길이는

$2b=2\times 4=8$ 답 ④

03 쌍곡선

본책 031~040쪽

001 두 점 $F(3, 0)$, $F'(-3, 0)$에서의 거리의 차가 4인 점을 $P(x, y)$라 하면

$|\overline{PF'}-\overline{PF}|=4$에서

$|\sqrt{(x+3)^2+y^2}-\sqrt{(x-3)^2+y^2}|=4$

$\sqrt{(x+3)^2+y^2}=\sqrt{(x-3)^2+y^2}\pm4$

양변을 제곱하여 정리하면

$12x-16=\pm8\sqrt{(x-3)^2+y^2}$

$3x-4=\pm2\sqrt{(x-3)^2+y^2}$

다시 양변을 제곱하면

$(3x-4)^2=4\{(x-3)^2+y^2\}$

$9x^2-24x+16=4x^2-24x+36+4y^2$

$5x^2-4y^2=20$

$\therefore \frac{x^2}{4}-\frac{y^2}{5}=1$

답 $\frac{x^2}{4}-\frac{y^2}{5}=1$

002 두 점 $F(5, 0)$, $F'(-5, 0)$에서의 거리의 차가 6인 점을 $P(x, y)$라 하면

$|\overline{PF'}-\overline{PF}|=6$에서

$|\sqrt{(x+5)^2+y^2}-\sqrt{(x-5)^2+y^2}|=6$

$\sqrt{(x+5)^2+y^2}=\sqrt{(x-5)^2+y^2}\pm6$

양변을 제곱하여 정리하면

$20x-36=\pm12\sqrt{(x-5)^2+y^2}$

$5x-9=\pm3\sqrt{(x-5)^2+y^2}$

다시 양변을 제곱하면

$(5x-9)^2=9\{(x-5)^2+y^2\}$

$25x^2-90x+81=9x^2-90x+225+9y^2$

$16x^2-9y^2=144$

$\therefore \frac{x^2}{9}-\frac{y^2}{16}=1$

답 $\frac{x^2}{9}-\frac{y^2}{16}=1$

003 두 점 $F(0, 2)$, $F'(0, -2)$에서의 거리의 차가 2인 점을 $P(x, y)$라 하면

$|\overline{PF'}-\overline{PF}|=2$에서

$|\sqrt{x^2+(y+2)^2}-\sqrt{x^2+(y-2)^2}|=2$

$\sqrt{x^2+(y+2)^2}=\sqrt{x^2+(y-2)^2}\pm2$

양변을 제곱하여 정리하면

$8y-4=\pm4\sqrt{x^2+(y-2)^2}$

$2y-1=\pm\sqrt{x^2+(y-2)^2}$

다시 양변을 제곱하면

$(2y-1)^2=x^2+(y-2)^2$

$4y^2-4y+1=x^2+y^2-4y+4$

$x^2-3y^2=-3$

$\therefore \frac{x^2}{3}-y^2=-1$

답 $\frac{x^2}{3}-y^2=-1$

004 두 점 $F(0, 5)$, $F'(0, -5)$에서의 거리의 차가 8인 점을 $P(x, y)$라 하면

$|\overline{PF'}-\overline{PF}|=8$에서

$|\sqrt{x^2+(y+5)^2}-\sqrt{x^2+(y-5)^2}|=8$

$\sqrt{x^2+(y+5)^2}=\sqrt{x^2+(y-5)^2}\pm8$

양변을 제곱하여 정리하면

$20y-64=\pm16\sqrt{x^2+(y-5)^2}$

$5y-16=\pm4\sqrt{x^2+(y-5)^2}$

다시 양변을 제곱하면

$(5y-16)^2=16\{x^2+(y-5)^2\}$

$25y^2-160y+256=16x^2+16y^2-160y+400$

$16x^2-9y^2=-144$

$\therefore \frac{x^2}{9}-\frac{y^2}{16}=-1$

답 $\frac{x^2}{9}-\frac{y^2}{16}=-1$

005 구하는 쌍곡선의 방정식을 $\frac{x^2}{a^2}-\frac{y^2}{b^2}=1$ $(a>0, b>0)$이라 하면 두 초점의 좌표가 $F(4, 0)$, $F'(-4, 0)$이고 주축의 길이가 6이므로

$2a=6 \quad \therefore a=3$

$b^2=c^2-a^2$에서

$b^2=4^2-3^2=7$

$\therefore \frac{x^2}{9}-\frac{y^2}{7}=1$

답 $\frac{x^2}{9}-\frac{y^2}{7}=1$

006 구하는 쌍곡선의 방정식을 $\frac{x^2}{a^2}-\frac{y^2}{b^2}=1$ $(a>0, b>0)$이라 하면 두 초점의 좌표가 $F(5, 0)$, $F'(-5, 0)$이고 주축의 길이가 4이므로

$2a=4 \quad \therefore a=2$

$b^2=c^2-a^2$에서

$b^2=5^2-2^2=21$

$\therefore \frac{x^2}{4}-\frac{y^2}{21}=1$

답 $\frac{x^2}{4}-\frac{y^2}{21}=1$

007 구하는 쌍곡선의 방정식을 $\frac{x^2}{a^2}-\frac{y^2}{b^2}=1$ $(a>0, b>0)$이라 하면 두 초점의 좌표가 $F(\sqrt{14}, 0)$, $F'(-\sqrt{14}, 0)$이고 주축의 길이가 $2\sqrt{5}$이므로

$2a=2\sqrt{5} \quad \therefore a=\sqrt{5}$

$b^2=c^2-a^2$에서

$b^2=(\sqrt{14})^2-(\sqrt{5})^2=9$

$\therefore \frac{x^2}{5}-\frac{y^2}{9}=1$

답 $\frac{x^2}{5}-\frac{y^2}{9}=1$

008 구하는 쌍곡선의 방정식을 $\frac{x^2}{a^2}-\frac{y^2}{b^2}=-1$ $(a>0, b>0)$이라 하면 두 초점의 좌표가 $F(0, 3)$, $F'(0, -3)$이고 주축의 길이가 2이므로

$2b=2 \quad \therefore b=1$

$a^2=c^2-b^2$에서

$a^2=3^2-1^2=8$

$\therefore \frac{x^2}{8}-y^2=-1$

답 $\frac{x^2}{8}-y^2=-1$

009 구하는 쌍곡선의 방정식을 $\frac{x^2}{a^2}-\frac{y^2}{b^2}=-1$ $(a>0, b>0)$이라 하면 두 초점의 좌표가 $F(0, \sqrt{13})$, $F'(0, -\sqrt{13})$이고 주축의 길이가 4이므로

$2b=4 \quad \therefore b=2$

$a^2=c^2-b^2$에서

$a^2=(\sqrt{13})^2-2^2=9$

$\therefore \frac{x^2}{9}-\frac{y^2}{4}=-1$ 　　답 $\frac{x^2}{9}-\frac{y^2}{4}=-1$

010 구하는 쌍곡선의 방정식을 $\frac{x^2}{a^2}-\frac{y^2}{b^2}=-1$ $(a>0, b>0)$이라 하면 두 초점의 좌표가 $F(0, 4)$, $F'(0, -4)$이고 주축의 길이가 $4\sqrt{3}$이므로

$2b=4\sqrt{3} \quad \therefore b=2\sqrt{3}$

$a^2=c^2-b^2$에서 $a^2=4^2-(2\sqrt{3})^2=4$

$\therefore \frac{x^2}{4}-\frac{y^2}{12}=-1$ 　　답 $\frac{x^2}{4}-\frac{y^2}{12}=-1$

011 $\frac{x^2}{16}-\frac{y^2}{9}=1$에서 $a=4,\ b=3$

$c=\sqrt{16+9}=5$

따라서 초점의 좌표는 $(5, 0)$, $(-5, 0)$,

꼭짓점의 좌표는 $(4, 0)$, $(-4, 0)$,

주축의 길이는 $2a=8$

답 초점의 좌표: $(5, 0)$, $(-5, 0)$
꼭짓점의 좌표: $(4, 0)$, $(-4, 0)$
주축의 길이: 8

012 $\frac{x^2}{16}-\frac{y^2}{20}=1$에서 $a=4,\ b=2\sqrt{5}$

$c=\sqrt{16+20}=6$

따라서 초점의 좌표는 $(6, 0)$, $(-6, 0)$,

꼭짓점의 좌표는 $(4, 0)$, $(-4, 0)$,

주축의 길이는 $2a=8$

답 초점의 좌표: $(6, 0)$, $(-6, 0)$
꼭짓점의 좌표: $(4, 0)$, $(-4, 0)$
주축의 길이: 8

013 $\frac{x^2}{12}-\frac{y^2}{4}=1$에서 $a=2\sqrt{3},\ b=2$

$c=\sqrt{12+4}=4$

따라서 초점의 좌표는 $(4, 0)$, $(-4, 0)$,

꼭짓점의 좌표는 $(2\sqrt{3}, 0)$, $(-2\sqrt{3}, 0)$,

주축의 길이는 $2a=4\sqrt{3}$

답 초점의 좌표: $(4, 0)$, $(-4, 0)$
꼭짓점의 좌표: $(2\sqrt{3}, 0)$, $(-2\sqrt{3}, 0)$
주축의 길이: $4\sqrt{3}$

014 $\frac{x^2}{7}-\frac{y^2}{9}=-1$에서 $a=\sqrt{7},\ b=3$

$c=\sqrt{7+9}=4$

따라서 초점의 좌표는 $(0, 4)$, $(0, -4)$,

꼭짓점의 좌표는 $(0, 3)$, $(0, -3)$,

주축의 길이는 $2b=6$

답 초점의 좌표: $(0, 4)$, $(0, -4)$
꼭짓점의 좌표: $(0, 3)$, $(0, -3)$
주축의 길이: 6

015 $\frac{x^2}{40}-\frac{y^2}{9}=-1$에서

$a=2\sqrt{10}$, $b=3$

$c=\sqrt{40+9}=7$

따라서 초점의 좌표는 $(0, 7)$, $(0, -7)$,

꼭짓점의 좌표는 $(0, 3)$, $(0, -3)$,

주축의 길이는 $2b=6$

답 초점의 좌표: $(0, 7)$, $(0, -7)$
꼭짓점의 좌표: $(0, 3)$, $(0, -3)$
주축의 길이: 6

016 $\frac{x^2}{144}-\frac{y^2}{25}=-1$에서

$a=12,\ b=5$

$c=\sqrt{144+25}=13$

따라서 초점의 좌표는 $(0, 13)$, $(0, -13)$,

꼭짓점의 좌표는 $(0, 5)$, $(0, -5)$,

주축의 길이는 $2b=10$

답 초점의 좌표: $(0, 13)$, $(0, -13)$
꼭짓점의 좌표: $(0, 5)$, $(0, -5)$
주축의 길이: 10

017 $\frac{x^2}{9}-\frac{y^2}{4}=1$에서

$a=3,\ b=2$이므로

구하는 점근선의 방정식은

$y=\pm\frac{2}{3}x$ 　　답 $y=\pm\frac{2}{3}x$

018 $\frac{x^2}{25}-\frac{y^2}{36}=1$에서

$a=5,\ b=6$이므로

구하는 점근선의 방정식은

$y=\pm\frac{6}{5}x$ 　　답 $y=\pm\frac{6}{5}x$

019 $\frac{x^2}{4}-\frac{y^2}{25}=-1$에서

$a=2,\ b=5$이므로

구하는 점근선의 방정식은

$y=\pm\frac{5}{2}x$ 　　답 $y=\pm\frac{5}{2}x$

020 $\frac{x^2}{2}-y^2=-1$에서

$a=\sqrt{2},\ b=1$이므로

구하는 점근선의 방정식은

$y=\pm\frac{1}{\sqrt{2}}x$, 즉 $y=\pm\frac{\sqrt{2}}{2}x$ 　　답 $y=\pm\frac{\sqrt{2}}{2}x$

021 주어진 그림에서 초점이 x축 위에 있고, 점근선의 방정식이 $y=\pm 2x$이므로 구하는 쌍곡선의 방정식은

$x^2-\frac{y^2}{4}=1$ 　　답 $x^2-\frac{y^2}{4}=1$

022 주어진 그림에서 초점이 x축 위에 있고, 점근선의 방정식이 $y=\pm\frac{3}{4}x$이므로 구하는 쌍곡선의 방정식은

$\frac{x^2}{16}-\frac{y^2}{9}=1$ 　　답 $\frac{x^2}{16}-\frac{y^2}{9}=1$

023 주어진 그림에서 초점이 y축 위에 있고, 점근선의 방정식이 $y=\pm x$이므로 구하는 쌍곡선의 방정식은

$x^2-y^2=-1$ 　　답 $x^2-y^2=-1$

024 주어진 쌍곡선은 쌍곡선 $x^2-\frac{y^2}{3}=1$을 x축의 방향으로 1만큼, y축의 방향으로 -2만큼 평행이동한 것이다.

쌍곡선 $x^2-\frac{y^2}{3}=1$의 초점의 좌표는 $(2, 0)$, $(-2, 0)$, 꼭짓점의 좌표는 $(1, 0)$, $(-1, 0)$이고 주축의 길이는 2이므로 쌍곡선 $(x-1)^2-\frac{(y+2)^2}{3}=1$의 초점의 좌표는

$(2+1, 0-2)$, $(-2+1, 0-2)$, 즉 $(3, -2)$, $(-1, -2)$

꼭짓점의 좌표는 $(1+1, 0-2)$, $(-1+1, 0-2)$, 즉

$(2, -2)$, $(0, -2)$이고 주축의 길이는 변하지 않는다.

답 초점의 좌표: $(3, -2)$, $(-1, -2)$
꼭짓점의 좌표: $(2, -2)$, $(0, -2)$
주축의 길이: 2

025 주어진 쌍곡선은 쌍곡선 $\frac{x^2}{4}-\frac{y^2}{5}=1$을 x축의 방향으로 -1만큼, y축의 방향으로 4만큼 평행이동한 것이다.

쌍곡선 $\frac{x^2}{4}-\frac{y^2}{5}=1$의 초점의 좌표는 $(3, 0)$, $(-3, 0)$, 꼭짓점의 좌표는 $(2, 0)$, $(-2, 0)$이고 주축의 길이는 4이므로 쌍곡선 $\frac{(x+1)^2}{4}-\frac{(y-4)^2}{5}=1$의 초점의 좌표는

$(3-1, 0+4)$, $(-3-1, 0+4)$, 즉 $(2, 4)$, $(-4, 4)$,

꼭짓점의 좌표는 $(2-1, 0+4)$, $(-2-1, 0+4)$, 즉 $(1, 4)$, $(-3, 4)$이고 주축의 길이는 변하지 않는다.

답 초점의 좌표: $(2, 4)$, $(-4, 4)$
꼭짓점의 좌표: $(1, 4)$, $(-3, 4)$
주축의 길이: 4

026 주어진 쌍곡선은 쌍곡선 $\frac{x^2}{7}-\frac{y^2}{9}=-1$을 x축의 방향으로 3만큼, y축의 방향으로 1만큼 평행이동한 것이다.

쌍곡선 $\frac{x^2}{7}-\frac{y^2}{9}=-1$의 초점의 좌표는 $(0, 4)$, $(0, -4)$,

꼭짓점의 좌표는 $(0, 3)$, $(0, -3)$이고 주축의 길이는 6이므로

쌍곡선 $\frac{(x-3)^2}{7}-\frac{(y-1)^2}{9}=-1$의 초점의 좌표는

$(0+3, 4+1)$, $(0+3, -4+1)$, 즉 $(3, 5)$, $(3, -3)$,

꼭짓점의 좌표는 $(0+3, 3+1)$, $(0+3, -3+1)$, 즉

$(3, 4)$, $(3, -2)$이고 주축의 길이는 변하지 않는다.

답 초점의 좌표: $(3, 5)$, $(3, -3)$
꼭짓점의 좌표: $(3, 4)$, $(3, -2)$
주축의 길이: 6

027 주어진 쌍곡선은 쌍곡선 $\frac{x^2}{11}-\frac{y^2}{25}=-1$을 x축의 방향으로 -2만큼, y축의 방향으로 -3만큼 평행이동한 것이다.

쌍곡선 $\frac{x^2}{11}-\frac{y^2}{25}=-1$의 초점의 좌표는 $(0, 6)$, $(0, -6)$,

꼭짓점의 좌표는 $(0, 5)$, $(0, -5)$이고 주축의 길이는 10이므로 쌍곡선 $\frac{(x+2)^2}{11}-\frac{(y+3)^2}{25}=-1$의 초점의 좌표는

$(0-2, 6-3)$, $(0-2, -6-3)$, 즉 $(-2, 3)$, $(-2, -9)$,

꼭짓점의 좌표는 $(0-2, 5-3)$, $(0-2, -5-3)$, 즉

$(-2, 2)$, $(-2, -8)$이고 주축의 길이는 변하지 않는다.

답 초점의 좌표: $(-2, 3)$, $(-2, -9)$
꼭짓점의 좌표: $(-2, 2)$, $(-2, -8)$
주축의 길이: 10

028 $x^2-4y^2+16=0$에서

$x^2-4y^2=-16$

양변을 16으로 나누면

$\frac{x^2}{16}-\frac{y^2}{4}=-1$

$a=4$, $b=2$이므로

$c=\sqrt{16+4}=2\sqrt{5}$

따라서 쌍곡선의 초점의 좌표는 $(0, 2\sqrt{5})$, $(0, -2\sqrt{5})$,

꼭짓점의 좌표는 $(0, 2)$, $(0, -2)$,

주축의 길이는 $2b=4$,

점근선의 방정식은 $y=\pm\frac{1}{2}x$

답 초점의 좌표: $(0, 2\sqrt{5})$, $(0, -2\sqrt{5})$
꼭짓점의 좌표: $(0, 2)$, $(0, -2)$
주축의 길이: 4
점근선의 방정식: $y=\pm\frac{1}{2}x$

029 $x^2-y^2-2x=0$에서

$(x^2-2x+1)-y^2=1$

$\therefore (x-1)^2-y^2=1$

이 쌍곡선은 쌍곡선 $x^2-y^2=1$을 x축의 방향으로 1만큼 평행이동한 것이다.

쌍곡선 $x^2-y^2=1$의 초점의 좌표는 $(\sqrt{2}, 0)$, $(-\sqrt{2}, 0)$, 꼭짓점의 좌표는 $(1, 0)$, $(-1, 0)$이고 주축의 길이는 2, 점근선의 방정식은 $y=\pm x$이므로 쌍곡선 $(x-1)^2-y^2=1$의 초점의 좌표는 $(\sqrt{2}+1, 0)$, $(-\sqrt{2}+1, 0)$,

꼭짓점의 좌표는 $(1+1, 0)$, $(-1+1, 0)$, 즉 $(2, 0)$, $(0, 0)$

이고 주축의 길이는 변하지 않고 점근선의 방정식은

$y=x-1$, $y=-x+1$

답 초점의 좌표: $(\sqrt{2}+1, 0)$, $(-\sqrt{2}+1, 0)$
꼭짓점의 좌표: $(2, 0)$, $(0, 0)$
주축의 길이: 2
점근선의 방정식: $y=x-1$, $y=-x+1$

030 $x^2-2y^2+8y-12=0$에서

$x^2-2(y^2-4y)=12$

$x^2-2(y-2)^2=4$

양변을 4로 나누면

$\frac{x^2}{4}-\frac{(y-2)^2}{2}=1$

이 쌍곡선은 쌍곡선 $\frac{x^2}{4}-\frac{y^2}{2}=1$을 y축의 방향으로 2만큼 평행이동한 것이다.

쌍곡선 $\frac{x^2}{4}-\frac{y^2}{2}=1$의 초점의 좌표는 $(\sqrt{6}, 0)$, $(-\sqrt{6}, 0)$, 꼭짓점의 좌표는 $(2, 0)$, $(-2, 0)$이고 주축의 길이는 4, 점근선의 방정식은 $y=\pm\frac{\sqrt{2}}{2}x$이므로 쌍곡선 $\frac{x^2}{4}-\frac{(y-2)^2}{2}=1$의 초점의 좌표는 $(\sqrt{6}, 0+2)$, $(-\sqrt{6}, 0+2)$,

즉 $(\sqrt{6}, 2)$, $(-\sqrt{6}, 2)$

꼭짓점의 좌표는 $(2, 0+2)$, $(-2, 0+2)$,

즉 $(2, 2)$, $(-2, 2)$

이고 주축의 길이는 변하지 않고 점근선의 방정식은

$y-2=\frac{\sqrt{2}}{2}x$, $y-2=-\frac{\sqrt{2}}{2}x$,

즉 $y=\frac{\sqrt{2}}{2}x+2$, $y=-\frac{\sqrt{2}}{2}x+2$

답 초점의 좌표: $(\sqrt{6}, 2)$, $(-\sqrt{6}, 2)$
꼭짓점의 좌표: $(2, 2)$, $(-2, 2)$
주축의 길이: 4
점근선의 방정식: $y=\frac{\sqrt{2}}{2}x+2$, $y=-\frac{\sqrt{2}}{2}x+2$

031 $x^2-2x+y^2-3=0$에서

$(x^2-2x+1)+y^2=3+1$

$(x-1)^2+y^2=4$

따라서 주어진 방정식은 원을 나타낸다. 답 원

032 $y^2-2y+x=0$에서

$(y^2-2y+1)=-x+1$

$(y-1)^2=-x+1$

따라서 주어진 방정식은 포물선을 나타낸다. 답 포물선

033 $x^2+3y^2-9=0$에서

$x^2+3y^2=9$

$\frac{x^2}{9}+\frac{y^2}{3}=1$

따라서 주어진 방정식은 타원을 나타낸다. 답 타원

034 $x^2-2y^2+4=0$에서

$x^2-2y^2=-4$

$\frac{x^2}{4}-\frac{y^2}{2}=-1$

따라서 주어진 방정식은 쌍곡선을 나타낸다. 답 쌍곡선

035 점 P의 좌표를 $P(x, y)$라 하면

$|\overline{PA}-\overline{PB}|=6$에서

$\sqrt{x^2+(y-4)^2}-\sqrt{x^2+(y+4)^2}=\pm6$

$\sqrt{x^2+(y-4)^2}=\sqrt{x^2+(y+4)^2}\pm6$

양변을 제곱하여 정리하면

$4y+9=\pm3\sqrt{x^2+(y+4)^2}$

다시 양변을 제곱하여 정리하면

$9x^2-7y^2=-63$

$\therefore \frac{x^2}{7}-\frac{y^2}{9}=-1$

따라서 $a^2=7$, $b^2=9$이므로

$3a^2+2b^2=39$

답 ③

036 쌍곡선의 방정식을 $\frac{x^2}{a^2}-\frac{y^2}{b^2}=1$ $(a>0, b>0)$이라 하면 주축의 길이가 8이므로

$2a=8$

$\therefore a=4$

$a^2+b^2=5^2$에서

$b^2=5^2-4^2=9$

$\therefore \frac{x^2}{16}-\frac{y^2}{9}=1$

따라서 구하는 쌍곡선의 방정식은 ① $9x^2-16y^2=144$이다.

답 ①

037 두 점 $A(1, 0)$, $B(-1, 0)$이 꼭짓점이므로 쌍곡선의 중심은 $(0, 0)$이고, 한 초점이 $F(2, 0)$이므로 다른 한 초점은 $F'(-2, 0)$이다.

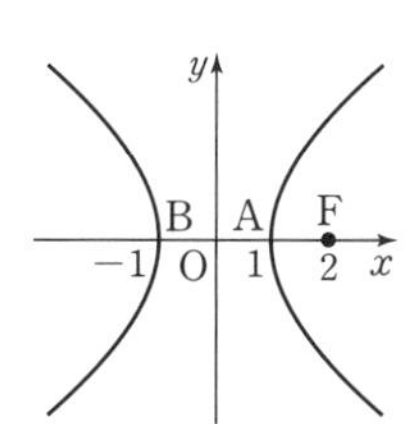

따라서 구하는 쌍곡선의 방정식을

$\frac{x^2}{a^2}-\frac{y^2}{b^2}=1$ $(a>0, b>0)$이라 하면

$a=1$, $b^2=2^2-a^2=4-1=3$

$\therefore x^2-\frac{y^2}{3}=1$ 답 $x^2-\frac{y^2}{3}=1$

038 점 P의 좌표를 (x, y)라 하고, 점 P에서 직선 $x=\frac{4}{3}$에 내린 수선의 발을 H라 하면

$\overline{HP}=\left|x-\frac{4}{3}\right|$

$\overline{FP}=\sqrt{(x-3)^2+y^2}$

$\overline{FP}:\overline{HP}=3:2$이므로

$2\overline{FP}=3\overline{HP}$

$2\sqrt{(x-3)^2+y^2}=3\left|x-\frac{4}{3}\right|$

양변을 제곱하여 정리하면

$5x^2-4y^2=20$

$\therefore \frac{x^2}{4}-\frac{y^2}{5}=1$ 답 ③

039 두 점 $F(3, -1)$, $F'(-1, -1)$에서의 거리의 차가 2인 쌍곡선의 중심은 선분 FF'의 중점인 $(1, -1)$이다.

즉, 이 쌍곡선은 두 초점이 $(2, 0)$, $(-2, 0)$이고 주축의 길이가 2인 쌍곡선 $x^2-\frac{y^2}{3}=1$을 x축의 방향으로 1만큼, y축의 방향으로 -1만큼 평행이동한 것이다.

따라서 구하는 쌍곡선의 방정식은

$(x-1)^2-\frac{(y+1)^2}{3}=1$ 답 $(x-1)^2-\frac{(y+1)^2}{3}=1$

040 주어진 쌍곡선은 초점의 좌표가 $(4, 0)$, $(-4, 0)$이고 주축의 길이가 6인 쌍곡선 $\frac{x^2}{9}-\frac{y^2}{7}=1$을 x축의 방향으로 4만큼 평행이동한 것이므로

$\frac{(x-4)^2}{9}-\frac{y^2}{7}=1$

따라서 $a=4$, $b=0$, $c=9$, $d=7$이므로

$a+b+c+d=20$ 답 ④

041 $\frac{x^2}{4}-\frac{y^2}{5}=1$에서 $\sqrt{4+5}=3$이므로 두 초점의 좌표는

$(3, 0)$, $(-3, 0)$

주축의 길이는 $2\times2=4$

$\therefore |a|+2|b|+|c|+2|d|+e$

$=|3|+2|0|+|-3|+2|0|+4=10$ 답 ①

042 두 초점의 좌표를 $(0, c)$, $(0, -c)$라 하면

$2c=4b$, 즉 $c=2b$이고

$c^2=a^2+b^2$이므로 $a^2=3b^2$

따라서 $a=\sqrt{3}b$이고 $\frac{a}{b}=\sqrt{3}$ 답 $\sqrt{3}$

043 점근선의 방정식이 $y=3x$, $y=-3x$이고, 점 $(2, 3)$을 지나는 쌍곡선의 방정식을 $\frac{x^2}{a^2}-\frac{y^2}{b^2}=1$ $(a>0, b>0)$이라 하면

$\frac{b}{a}=3$ ······㉠

$\frac{2^2}{a^2}-\frac{3^2}{b^2}=1$ ······㉡

㉠, ㉡을 연립하여 풀면

$a^2=3$, $b^2=9a^2=27$

따라서 구하는 쌍곡선의 방정식은

$\frac{x^2}{3}-\frac{y^2}{27}=1$ 답 $\frac{x^2}{3}-\frac{y^2}{27}=1$

044 중심이 원점이고 쌍곡선의 두 초점이 x축 위에 있는 쌍곡선의 방정식을 $\frac{x^2}{a^2}-\frac{y^2}{b^2}=1$이라 할 수 있다.

두 초점 사이의 거리가 10이므로 초점의 좌표는 각각

$(5, 0)$, $(-5, 0)$

$\therefore a^2+b^2=25$ ······㉠

또한, 점근선이 x축의 양의 방향과 이루는 각 θ에 대하여

$\tan\theta=\pm2$이므로

$\frac{b}{a}=2$ $\therefore b=2a$ ······㉡

㉠, ㉡을 연립하여 풀면

$a=\sqrt{5}$

따라서 주축의 길이는

$2a=2\sqrt{5}$ 답 ②

045 두 쌍곡선의 점근선이 일치하므로

$\frac{a}{3}=\frac{12}{a}$, $a^2=36$

$\therefore a=6$ $(\because a>0)$

쌍곡선 $\frac{x^2}{3}-\frac{y^2}{6}=1$의 초점의 좌표는 각각

$(\sqrt{3+6}, 0)$, $(-\sqrt{3+6}, 0)$,

즉 $(3, 0)$, $(-3, 0)$

쌍곡선 $\frac{x^2}{6}-\frac{y^2}{12}=-1$의 초점의 좌표는

$(0, \sqrt{6+12})$, $(0, -\sqrt{6+12})$,

즉 $(0, 3\sqrt{2})$, $(0, -3\sqrt{2})$

따라서 구하는 사각형의 넓이는

$4\times\frac{1}{2}\times3\times3\sqrt{2}=18\sqrt{2}$ 답 ⑤

046 쌍곡선 $x^2-2y^2=4$에서 $\frac{x^2}{4}-\frac{y^2}{2}=1$의 점근선의 방정식은

$y=\pm\frac{\sqrt{2}}{2}x$, 즉 $x\pm\sqrt{2}y=0$

점 P의 좌표를 $P(x_1, y_1)$이라 하면

$\overline{PQ}\times\overline{PR}=\frac{|x_1+\sqrt{2}y_1|}{\sqrt{3}}\times\frac{|x_1-\sqrt{2}y_1|}{\sqrt{3}}$

$=\frac{|x_1{}^2-2y_1{}^2|}{3}$

그런데 점 $P(x_1, y_1)$은 쌍곡선 $x^2-2y^2=4$ 위의 점이므로

$x_1{}^2-2y_1{}^2=4$

$\therefore \overline{PQ}\times\overline{PR}=\frac{4}{3}$ 답 ②

047 주어진 쌍곡선 $\frac{(x-1)^2}{9}-\frac{(y+2)^2}{7}=1$은 쌍곡선 $\frac{x^2}{9}-\frac{y^2}{7}=1$을 x축의 방향으로 1만큼, y축의 방향으로 -2만큼 평행이동한 것이다.

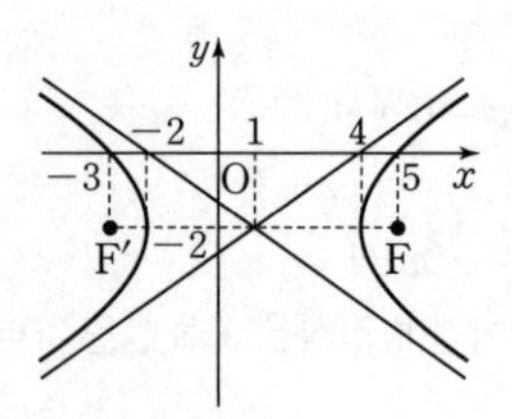

중심의 좌표: $(1, -2)$

꼭짓점의 좌표: $(4, -2)$, $(-2, -2)$

초점의 좌표: $(5, -2)$, $(-3, -2)$

주축의 길이: 6

점근선의 방정식: $y=\frac{\sqrt{7}}{3}x-\frac{\sqrt{7}}{3}-2$,

$y=-\frac{\sqrt{7}}{3}x+\frac{\sqrt{7}}{3}-2$ 답 ⑤

048 방정식 $3x^2-5y^2+12x+10y-8=0$을 변형하면

$3(x^2+4x+4)-5(y^2-2y+1)=15$

$\therefore \frac{(x+2)^2}{5}-\frac{(y-1)^2}{3}=1$ ······㉠

㉠은 쌍곡선 $\frac{x^2}{5}-\frac{y^2}{3}=1$을 x축의 방향으로 -2만큼, y축의 방향으로 1만큼 평행이동한 것이다.

따라서 $a^2=5$, $b^2=3$, $m=-2$, $n=1$이므로

$a^2+b^2+m+n=7$ 답 7

049 $x^2-2kx-y^2=0$의 양변에 k^2을 더하여 정리하면

$(x-k)^2-y^2=k^2$

$\dfrac{(x-k)^2}{k^2}-\dfrac{y^2}{k^2}=1$ ……㉠

㉠은 쌍곡선 $\dfrac{x^2}{k^2}-\dfrac{y^2}{k^2}=1$을 x축의 방향으로 k만큼 평행이동한 것이므로 두 쌍곡선의 두 초점 사이의 거리는 같다.

쌍곡선 $\dfrac{x^2}{k^2}-\dfrac{y^2}{k^2}=1$의 초점을 $F(c, 0)$, $F'(-c, 0)$ $(c>0)$이라 하면

$c^2=k^2+k^2=2k^2$

두 초점 사이의 거리는

$2c=6$이므로 $c=3$

$\therefore k^2=\dfrac{c^2}{2}=\dfrac{9}{2}$

답 ④

050 쌍곡선 $\dfrac{x^2}{4}-\dfrac{y^2}{5}=1$의 두 초점의 좌표를 $F(c, 0)$, $F'(-c, 0)$ $(c>0)$이라 하면

$c^2=4+5=9$ $\quad\therefore c=3$

따라서 두 점 F와 F′을 지름의 양 끝 점으로 하는 원의 방정식은 $x^2+y^2=3^2$이고 그림에서 삼각형 F′PF는 직각삼각형이다.

$\overline{PF'}=a$, $\overline{PF}=b$ $(a>b)$라 하면

피타고라스 정리에 의하여

$a^2+b^2=6^2$ ……㉠

쌍곡선의 정의에 의하여

$a-b=4$ ……㉡

㉠, ㉡을 연립하면

$a^2-4a-10=0$ $\quad\therefore a=2\pm\sqrt{14}$

따라서 선분 PF′의 길이는 $2+\sqrt{14}$이다.

답 $2+\sqrt{14}$

051 $\overline{PF'}=a$, $\overline{PF}=b$라 하면 타원의 정의에 의하여

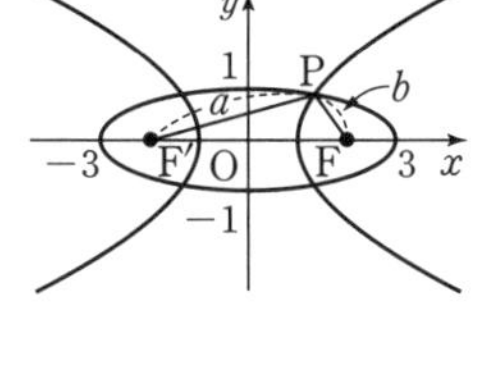

$a+b=2\times3=6$

또 쌍곡선의 주축의 길이는 $a-b$이고, 주어진 조건으로부터 $ab=5$이므로

$(a-b)^2=(a+b)^2-4ab=36-4\times5=16$

$a-b>0$이므로 $a-b=4$

답 4

052 쌍곡선 $x^2-\dfrac{y^2}{4}=1$에서 주축의 길이는 2이므로

$\overline{PF'}-\overline{PF}=2$ ……㉠

또한, $\overline{PF'}+\overline{PF}=6$ ……㉡

㉠, ㉡을 연립하여 풀면 $\overline{PF'}=4$, $\overline{PF}=2$

$\therefore \dfrac{\overline{PF'}}{\overline{PF}}=2$

답 ②

053 쌍곡선 $\dfrac{x^2}{9}-\dfrac{y^2}{7}=1$의 주축의 길이는 $2\times3=6$

쌍곡선의 정의에 의하여

$\overline{PF'}-\overline{PF}=6$, $\overline{QF'}-\overline{QF}=6$

$\therefore \overline{PF'}+\overline{QF'}=\overline{PF}+\overline{QF}+12$

$=2+5+12=19$

답 19

054 쌍곡선 $\dfrac{x^2}{3^2}-\dfrac{y^2}{4^2}=1$의 주축의 길이가 $2\times3=6$이므로

$|m-n|=6$, $(m-n)^2=36$

$m^2+n^2-2mn=36$, $m^2+n^2=36+2mn$

$\therefore m^2+n^2=36+20=56$

답 ⑤

055 $\overline{PF'}=2\overline{PF}$이므로 $\overline{PF}=k$, $\overline{PF'}=2k$라 하면 삼각형 PFF′이 $\angle FPF'=90°$인 직각삼각형이므로

$\overline{PF}^2+\overline{PF'}^2=\overline{FF'}^2$

$k^2+(2k)^2=10^2$

$5k^2=100$

$\therefore k=2\sqrt{5}$ $(\because k>0)$

한편, 쌍곡선의 두 꼭짓점 사이의 거리는 주축의 길이와 같고

$|\overline{PF}-\overline{PF'}|=$(주축의 길이)이므로

(주축의 길이)$=|k-2k|=k=2\sqrt{5}$

답 ①

056 쌍곡선 $\dfrac{x^2}{16}-\dfrac{y^2}{9}=1$에서 $\sqrt{16+9}=5$이므로 두 초점의 좌표는 $F(5, 0)$, $F'(-5, 0)$

$\therefore \overline{FF'}=5-(-5)=10$

$3\overline{PF}=5\overline{PF'}$에서 $\dfrac{\overline{PF}}{5}=\dfrac{\overline{PF'}}{3}=t$라 하면

$\overline{PF}=5t$, $\overline{PF'}=3t$

쌍곡선의 정의에 의하여

$|\overline{PF}-\overline{PF'}|=2\times4=8$

$|5t-3t|=8$

$2t=8$ $(\because t>0)$

$\therefore t=4$

$\therefore \overline{PF}=5t=20$, $\overline{PF'}=3t=12$

따라서 삼각형 PFF′의 둘레의 길이는

$\overline{PF}+\overline{PF'}+\overline{FF'}=20+12+10=42$

답 42

057 쌍곡선 $x^2-\dfrac{y^2}{3}=1$에서

$\sqrt{1+3}=2$이므로 두 초점의 좌표는

$C(-2, 0)$, $D(2, 0)$

주축의 길이가 2이므로 쌍곡선의 정의에 의하여

$\overline{AC}-\overline{AD}=2$, $\overline{BC}-\overline{BD}=2$

두 식을 변끼리 더하면

$(\overline{AC}+\overline{BC})-(\overline{AD}+\overline{BD})=4$ ……㉠

삼각형 ABC의 둘레의 길이가 26이므로

$(\overline{AC}+\overline{BC})+(\overline{AD}+\overline{BD})=26$ ……㉡

㉡−㉠을 하면 $2(\overline{AD}+\overline{BD})=22$

$\therefore \overline{AB}=11$

답 11

058 선분 PF, FF′, PF′의 길이가 이 순서대로 등차수열을 이루므로

$2\overline{FF'}=\overline{PF}+\overline{PF'}$ ……㉠

쌍곡선 $\dfrac{x^2}{9}-\dfrac{y^2}{16}=1$에서 $\sqrt{9+16}=5$이므로 두 초점의 좌표는

$F(5, 0)$, $F'(-5, 0)$

즉, $\overline{FF'}=10$

이것을 ㉠에 대입하면

$\overline{PF}+\overline{PF'}=20$ ……ⓛ

점 P는 제1사분면 위의 점이므로 $\overline{PF'}>\overline{PF}$이고, 쌍곡선의 정의에 의하여

$\overline{PF'}-\overline{PF}=6$ ……ⓒ

ⓛ+ⓒ을 하면 $2\overline{PF'}=26$

$\therefore \overline{PF'}=13$

답 13

059 쌍곡선 $\frac{x^2}{4}-\frac{y^2}{5}=1\ (x>0)$에서

$\sqrt{4+5}=3$이므로 두 초점의 좌표는 $C(-3, 0)$, $D(3, 0)$이고 주축의 길이는 $2\times2=4$이다.

또 직선 $y=m(x-3)$은 m의 값에 관계없이 쌍곡선의 초점 $D(3, 0)$을 지난다.

쌍곡선의 정의에 의하여

$\overline{AC}-\overline{AD}=4$, $\overline{BC}-\overline{BD}=4$

$\therefore \overline{AC}=\overline{AD}+4$, $\overline{BC}=\overline{BD}+4$

따라서 삼각형 ABC의 둘레의 길이는

$\overline{AB}+\overline{AC}+\overline{BC}=\overline{AB}+(\overline{AD}+4)+(\overline{BD}+4)$

$=2\overline{AB}+8$

$=2\times6+8$

$=20$

답 20

060 점 P가 나타내는 도형은 쌍곡선이고 두 점 F, F′은 이 쌍곡선의 초점이 되므로 점 P가 나타내는 도형의 방정식을

$\frac{x^2}{a^2}-\frac{y^2}{b^2}=1\ (a>0, b>0)$이라 하면

$2a=2\sqrt{3}$ $\therefore a=\sqrt{3}$

$a^2+b^2=2^2=4$ $\therefore b=1$

따라서 점 P가 나타내는 도형의 방정식은

$\frac{x^2}{3}-y^2=1$, 즉 $x^2-3y^2=3$

점 $Q(0, 1)$에서 쌍곡선 $x^2-3y^2=3$ 위의 점 $P(x, y)$에 이르는 거리는

$\overline{PQ}=\sqrt{x^2+(y-1)^2}$

$=\sqrt{3+3y^2+(y-1)^2}$

$=\sqrt{4y^2-2y+4}$

$=\sqrt{4\left(y-\frac{1}{4}\right)^2+\frac{15}{4}}$

따라서 $\overline{PQ}\ge\sqrt{\frac{15}{4}}=\frac{\sqrt{15}}{2}$이므로 선분 PQ의 길이의 최솟값은

$\frac{\sqrt{15}}{2}$이다.

답 ④

061 쌍곡선 $\frac{x^2}{5}-\frac{y^2}{20}=1$에서

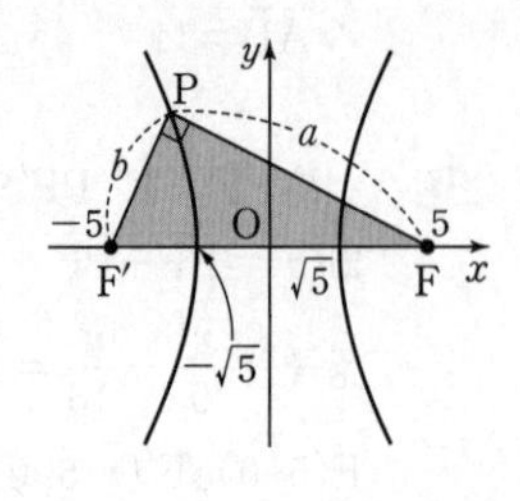

$\sqrt{5+20}=5$이므로 두 초점의 좌표는

$F(5, 0)$, $F'(-5, 0)$

$\therefore \overline{FF'}=10$

$\overline{PF}=a$, $\overline{PF'}=b\ (a>b>0)$라 하면

쌍곡선의 정의에 의하여 $a-b=2\sqrt{5}$

직각삼각형 PFF′에서 $a^2+b^2=10^2$

$\therefore ab=\frac{1}{2}\{(a^2+b^2)-(a-b)^2\}$

$=\frac{1}{2}(100-20)=40$

따라서 삼각형 PFF′의 넓이는

$\frac{1}{2}ab=\frac{1}{2}\times40=20$

답 ③

062 $x^2-y^2=2$, 즉 $\frac{x^2}{2}-\frac{y^2}{2}=1$에서 $\sqrt{2+2}=2$이므로 두 초점의 좌표는 $F(2, 0)$, $F'(-2, 0)$이고 두 점 A, B의 x좌표는 2이므로 y좌표는

$4-y^2=2$ $\therefore y=\pm\sqrt{2}$

따라서 $\overline{AB}=2\sqrt{2}$, $\overline{FF'}=4$이므로 삼각형 AF′B의 넓이는

$\frac{1}{2}\times4\times2\sqrt{2}=4\sqrt{2}$

답 ②

063 쌍곡선 $\frac{x^2}{3}-y^2=-1$에서 $\sqrt{3+1}=2$이므로 두 초점의 좌표는

$F(0, 2)$, $F'(0, -2)$

쌍곡선 $\frac{x^2}{3}-y^2=-1$과 직선 $y=2$의 교점의 x좌표는

$\frac{x^2}{3}-2^2=-1$, $x^2=9$

$\therefore x=-3$ 또는 $x=3$

즉, 네 점 A, B, C, D의 좌표는

$A(-3, 2)$, $B(3, 2)$, $C(-3, -2)$, $D(3, -2)$

따라서 $\overline{AB}=6$, $\overline{AC}=4$이므로 사각형 ACDB의 넓이는

$6\times4=24$

답 24

064 쌍곡선 $\frac{x^2}{9}-\frac{y^2}{16}=1$에서 $\sqrt{9+16}=5$이므로 두 초점의 좌표는

$(5, 0)$, $(-5, 0)$

쌍곡선과 원의 교점 중 제1사분면 위의 점을 P, $A(-5, 0)$, $B(5, 0)$, $\overline{PA}=a$, $\overline{PB}=b$라 하면 쌍곡선의 정의에 의하여

$a-b=6$

$\angle APB=90°$이므로 직각삼각형 PAB에서

$a^2+b^2=100$

$\therefore ab=\frac{1}{2}\{(a^2+b^2)-(a-b)^2\}$

$=\frac{1}{2}(100-36)=32$

따라서 삼각형 PAB의 넓이는

$\frac{1}{2}ab=\frac{1}{2}\times32=16$

답 ②

065 쌍곡선 $\frac{x^2}{a^2}-\frac{y^2}{b^2}=1$의 한 점근선의 방정식이 $y=3x$이므로

$\frac{b}{a}=3$

$\therefore b=3a$

즉, 쌍곡선의 방정식은 $\frac{x^2}{a^2}-\frac{y^2}{9a^2}=1$

$9x^2-y^2=9a^2$ ······㉠

㉠이 점 $(4, 6)$을 지나므로

$144-36=9a^2$

$\therefore a^2=12$

즉, 쌍곡선 $\frac{x^2}{12}-\frac{y^2}{108}=1$의 두 꼭짓점의 좌표는

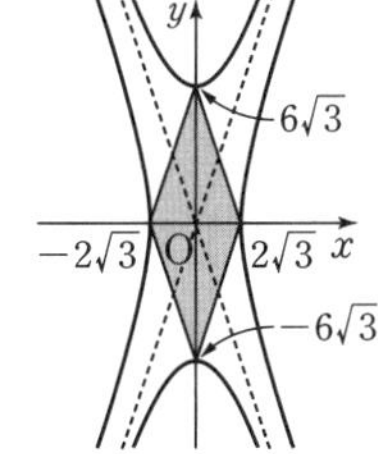

$(2\sqrt{3}, 0)$, $(-2\sqrt{3}, 0)$

쌍곡선 $\frac{x^2}{12}-\frac{y^2}{108}=-1$의 두 꼭짓점의 좌표는

$(0, 6\sqrt{3})$, $(0, -6\sqrt{3})$

따라서 네 꼭짓점을 이은 사각형은 마름모이므로 그 넓이는

$\frac{1}{2}\times4\sqrt{3}\times12\sqrt{3}=72$ 답 ⑤

066 직선 l은 선분 PF의 수직이등분선이므로

$\overline{XP}=\overline{XF}$

중심이 O인 원의 반지름의 길이를 r라 하면

$\overline{XF}-\overline{XO}=\overline{XP}-\overline{XO}=r$ (일정)

따라서 두 점 O, F에서 움직이는 점 X까지의 거리의 차 $|\overline{XF}-\overline{XO}|$가 일정하므로 점 X가 그리는 자취는 두 점 O, F를 초점으로 하는 쌍곡선이다. 답 ④

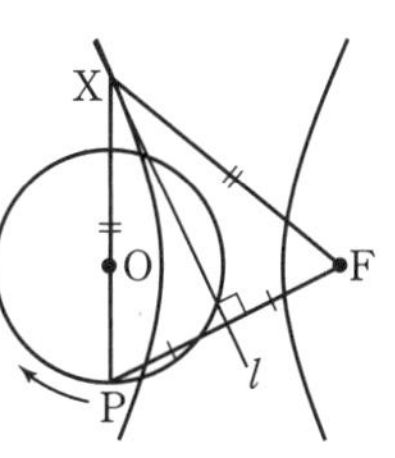

067 점 Q의 좌표는 $(0, y)$이므로

$\overline{AQ}=\sqrt{1^2+y^2}$, $\overline{PQ}=|x|$

$\overline{AQ}=\overline{PQ}$에서 $\overline{AQ}^2=\overline{PQ}^2$이므로

$1^2+y^2=x^2$

$\therefore x^2-y^2=1$

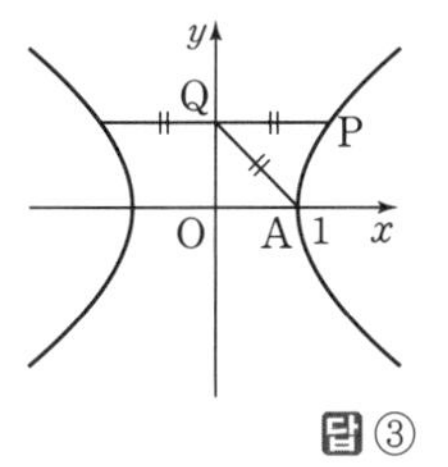

답 ③

068 쌍곡선 $x^2-y^2=1$ 위에 있는 점 P의 좌표를 $P(a, b)$, $\overline{AP}$의 중점의 좌표를 (x, y)라 하면

$x=\frac{a}{2}$, $y=\frac{2+b}{2}$

$\therefore a=2x, b=2y-2$ ······㉠

한편, 점 $P(a, b)$가 쌍곡선 $x^2-y^2=1$ 위에 있으므로

$a^2-b^2=1$ ······㉡

㉠을 ㉡에 대입하면

$(2x)^2-(2y-2)^2=1$

따라서 구하는 자취의 방정식은

$x^2-(y-1)^2=\frac{1}{4}$ 답 $x^2-(y-1)^2=\frac{1}{4}$

069 삼각형 AF′F는 직각삼각형이고

$\overline{F'F}=12$, $\overline{FA}=6$이므로

$\overline{F'A}=6\sqrt{5}$

쌍곡선의 방정식을 $\frac{x^2}{a^2}-\frac{y^2}{b^2}=1$이라 하면 점 P의 좌표는 $P(a, 0)$

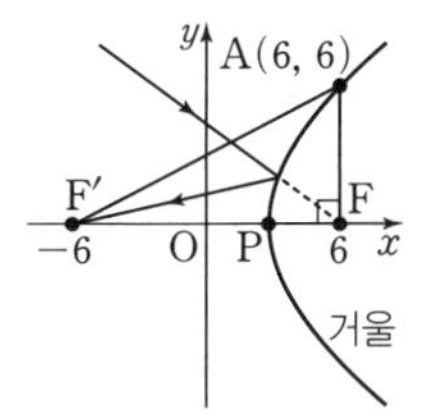

$\overline{F'A}-\overline{FA}=2a$이므로

$6\sqrt{5}-6=2a$

$\therefore a=3\sqrt{5}-3$

$\therefore \overline{F'P}=6+(3\sqrt{5}-3)$

$=3\sqrt{5}+3$ 답 $3\sqrt{5}+3$

070 조난 신호의 전파 속도가 50 km/초이고 두 관제 센터 A, B에서 신호를 받은 시각의 차가 2초이므로 배는 두 관제 센터 A, B로부터 거리의 차가 $2\times50=100$ (km)인 지점에 위치한다는 것을 알 수 있다.

두 관제 센터 A, B의 좌표를 각각 $(-100, 0)$, $(100, 0)$이라 하면

$2a=100$에서 $a=50$이므로

$b^2=c^2-a^2=100^2-50^2=7500$

따라서 구하는 쌍곡선의 방정식은

$\frac{x^2}{2500}-\frac{y^2}{7500}=1$이므로

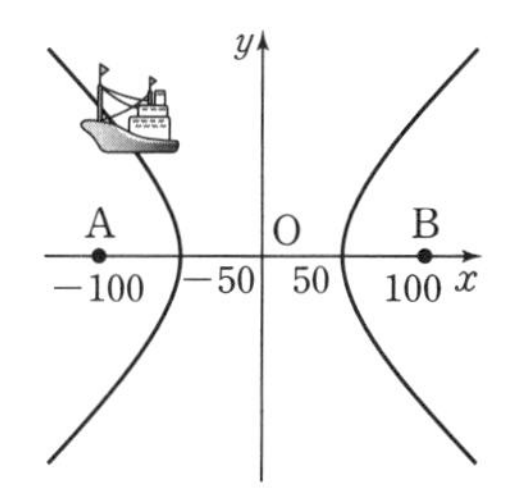

$a^2=2500$, $b^2=7500$

$\therefore b^2-a^2=7500-2500$

$=5000$ 답 5000

071 $2x^2+3y^2+4x-2y+1+k(x^2-5y^2)=0$에서

$(2+k)x^2+(3-5k)y^2+4x-2y+1=0$

이 이차곡선이 나타내는 도형이 포물선이 되려면

$2+k=0$ 또는 $3-5k=0$

$\therefore k=-2$ 또는 $k=\frac{3}{5}$

따라서 모든 실수 k의 값의 합은

$-2+\frac{3}{5}=-\frac{7}{5}$ 답 ①

072 $kx^2+3y^2+4k-1=0$에서

$kx^2+3y^2=1-4k$

이 이차곡선이 나타내는 도형이 타원이 되려면

$k>0$, $k\neq3$, $1-4k>0$

$\therefore 0<k<\frac{1}{4}$ 답 $0<k<\frac{1}{4}$

참고

$k<0$이면 주어진 방정식은 쌍곡선을 나타내고, $k=\frac{1}{4}$이면 점 $(0, 0)$을 나타낸다.

또 $k>\frac{1}{4}$이면 주어진 식을 만족시키는 실수 x, y가 존재하지 않는다.

073 $x^2+(k-2)y^2+4x+6y+4=0$에서

$x^2+4x+4+(k-2)\left\{y^2+\frac{6}{k-2}y+\left(\frac{3}{k-2}\right)^2\right\}=\frac{9}{k-2}$

$\therefore (x+2)^2+(k-2)\left(y+\frac{3}{k-2}\right)^2=\frac{9}{k-2}$

이 이차곡선이 쌍곡선이 되려면

$k-2<0$ $\quad\therefore k<2$ 답 $k<2$

04 이차곡선의 접선

본책 043~052쪽

001 $y^2=4x$에 $y=x$를 대입하면
$x^2=4x$, $x^2-4x=0$이므로
$D=4^2-4\times1\times0=16$
따라서 $D>0$이므로 서로 다른 두 점에서 만난다.
답 서로 다른 두 점에서 만난다.

002 $y^2=4x$에 $y=x+1$을 대입하면
$(x+1)^2=4x$, $x^2-2x+1=0$이므로
$D=2^2-4\times1\times1=0$
따라서 $D=0$이므로 접한다. 답 접한다.

003 $y^2=4x$에 $y=x+2$를 대입하면
$(x+2)^2=4x$, $x^2+4=0$이므로
$D=0^2-4\times1\times4=-16$
따라서 $D<0$이므로 만나지 않는다. 답 만나지 않는다.

[004-006] $y=x+k$에서 $x=y-k$
이것을 $y^2=12x$에 대입하면
$y^2=12(y-k)$ $\quad\therefore y^2-12y+12k=0$
이 이차방정식의 판별식을 D라 하면 $\frac{D}{4}=36-12k$

004 $\frac{D}{4}>0$이므로 $k<3$ 답 $k<3$

005 $\frac{D}{4}=0$이므로 $k=3$ 답 $k=3$

006 $\frac{D}{4}<0$이므로 $k>3$ 답 $k>3$

007 $y^2=4\times2\times x$에서 $p=2$이므로 구하는 접선의 방정식은
$y=2x+\frac{2}{2}=2x+1$ 답 $y=2x+1$

008 $y^2=4\times1\times x$에서 $p=1$이므로 구하는 접선의 방정식은
$y=-x+\frac{1}{-1}$ $\quad\therefore y=-x-1$ 답 $y=-x-1$

009 직선 $y=x+2$에 평행하므로 기울기 $m=1$
포물선 $y^2=4\times3\times x$에서 $p=3$
따라서 구하는 접선의 방정식은 $y=x+3$
답 $y=x+3$

010 직선 $y=2x+1$에 수직인 직선의 기울기는 $-\frac{1}{2}$이므로
접선의 방정식을 $y=-\frac{1}{2}x+k$라 하면 $x^2=4y$에서
$x^2=4\left(-\frac{1}{2}x+k\right)$, $x^2+2x-4k=0$
이 방정식의 판별식을 D라 하면
$\frac{D}{4}=1+4k=0$
$\therefore k=-\frac{1}{4}$
따라서 구하는 접선의 방정식은
$y=-\frac{1}{2}x-\frac{1}{4}$ 답 $y=-\frac{1}{2}x-\frac{1}{4}$

011 $p=\frac{1}{2}$이므로 점 $(2, 2)$에서의 접선의 방정식은
$2y=2\times\frac{1}{2}\times(x+2)$에서
$y=\frac{1}{2}x+1$ 답 $y=\frac{1}{2}x+1$

012 $p=-3$이므로 점 $(-3, 6)$에서의 접선의 방정식은
$6y=2\times(-3)\times(x-3)$
$\therefore y=-x+3$ 답 $y=-x+3$

013 $p=1$이므로 점 $(-6, 9)$에서의 접선의 방정식은
$-6x=2\times1\times(y+9)$에서
$y=-3x-9$ 답 $y=-3x-9$

014 $\frac{x^2}{6}+\frac{y^2}{3}=1$에 $y=x+1$을 대입하여 정리하면
$3x^2+4x-4=0$
이 이차방정식의 판별식을 D라 하면 $\frac{D}{4}=4+12=16>0$
이므로 타원과 직선은 서로 다른 두 점에서 만난다.
답 서로 다른 두 점에서 만난다.

015 $\frac{x^2}{6}+\frac{y^2}{3}=1$에 $y=x+3$을 대입하여 정리하면
$x^2+4x+4=0$
이 이차방정식의 판별식을 D라 하면 $\frac{D}{4}=4-4=0$
이므로 타원과 직선은 한 점에서 만난다.
답 한 점에서 만난다.

016 $\frac{x^2}{6}+\frac{y^2}{3}=1$에 $y=x+5$를 대입하여 정리하면
$3x^2+20x+44=0$
이 이차방정식의 판별식을 D라 하면
$\frac{D}{4}=100-132=-32<0$
이므로 타원과 직선은 만나지 않는다. 답 만나지 않는다.

[017-019] $y=mx-2$를 $x^2+4y^2=8$에 대입하면
$x^2+4(mx-2)^2=8$
$(1+4m^2)x^2-16mx+8=0$
이 방정식의 판별식을 D라 하면
$\frac{D}{4}=64m^2-8(1+4m^2)=32m^2-8$
$=8(4m^2-1)=8(2m+1)(2m-1)$

017 $\frac{D}{4}>0$에서 $m<-\frac{1}{2}$ 또는 $m>\frac{1}{2}$
답 $m<-\frac{1}{2}$ 또는 $m>\frac{1}{2}$

018 $\frac{D}{4}=0$에서 $m=-\frac{1}{2}$ 또는 $m=\frac{1}{2}$

답 $m=-\frac{1}{2}$ 또는 $m=\frac{1}{2}$

019 $\frac{D}{4}<0$에서 $-\frac{1}{2}<m<\frac{1}{2}$ 답 $-\frac{1}{2}<m<\frac{1}{2}$

020 $a^2=6$, $b^2=5$, $m=2$이므로 $y=2x\pm\sqrt{29}$

답 $y=2x\pm\sqrt{29}$

021 $a^2=3$, $b^2=4$, $m=-\sqrt{3}$이므로 $y=-\sqrt{3}x\pm\sqrt{13}$

답 $y=-\sqrt{3}x\pm\sqrt{13}$

022 직선 $x+y=3$에 평행하므로 $m=-1$

$3x^2+2y^2=18$의 양변을 18로 나누면 $\frac{x^2}{6}+\frac{y^2}{9}=1$에서

$a^2=6$, $b^2=9$이므로 $y=-x\pm\sqrt{15}$ 답 $y=-x\pm\sqrt{15}$

023 $\frac{2x}{6}+\frac{y}{3}=1$, $\frac{x}{3}+\frac{y}{3}=1$

$\therefore y=-x+3$ 답 $y=-x+3$

024 $\frac{0\times x}{3}+(-1)\times y=1$

$\therefore y=-1$ 답 $y=-1$

025 $3\times(-2)\times x+4\times1\times y=16$

$\therefore 3x-2y=-8$ 답 $3x-2y=-8$

026 $\frac{x^2}{8}-\frac{y^2}{4}=1$에 $y=x+1$을 대입하여 정리하면

$x^2+4x+10=0$

이 이차방정식의 판별식을 D라 하면

$\frac{D}{4}=4-10=-6<0$

이므로 쌍곡선과 직선은 만나지 않는다. 답 만나지 않는다.

027 $\frac{x^2}{8}-\frac{y^2}{4}=1$에 $y=x+2$를 대입하여 정리하면

$x^2+8x+16=0$

이 이차방정식의 판별식을 D라 하면

$\frac{D}{4}=16-16=0$

이므로 쌍곡선과 직선은 한 점에서 만난다.

답 한 점에서 만난다.

028 $\frac{x^2}{8}-\frac{y^2}{4}=1$에 $y=x+3$을 대입하여 정리하면

$x^2+12x+26=0$

이 이차방정식의 판별식을 D라 하면

$\frac{D}{4}=36-26=10>0$

이므로 쌍곡선과 직선은 서로 다른 두 점에서 만난다.

답 서로 다른 두 점에서 만난다.

[029-031] $\frac{x^2}{9}-\frac{y^2}{7}=1$에 $y=x+k$를 대입하여 정리하면

$2x^2+18kx+9k^2+63=0$

이 이차방정식의 판별식을 D라 하면

$\frac{D}{4}=81k^2-2(9k^2+63)=63(k^2-2)$

029 $\frac{D}{4}>0$이므로 $k<-\sqrt{2}$ 또는 $k>\sqrt{2}$

답 $k<-\sqrt{2}$ 또는 $k>\sqrt{2}$

030 $\frac{D}{4}=0$이므로 $k=-\sqrt{2}$ 또는 $k=\sqrt{2}$

답 $k=-\sqrt{2}$ 또는 $k=\sqrt{2}$

031 $\frac{D}{4}<0$이므로 $-\sqrt{2}<k<\sqrt{2}$ 답 $-\sqrt{2}<k<\sqrt{2}$

032 $a^2=3$, $b^2=2$, $m=2$이므로 구하는 접선의 방정식은

$y=2x\pm\sqrt{3\times2^2-2}=2x\pm\sqrt{10}$ 답 $y=2x\pm\sqrt{10}$

033 직선 $y=2x-1$에 평행한 직선의 기울기는 2, $a^2=4$, $b^2=1$이므로 구하는 접선의 방정식은

$y=2x\pm\sqrt{4\times2^2-1}=2x\pm\sqrt{15}$

답 $y=2x\pm\sqrt{15}$

034 직선 $x+y=0$에 평행한 직선의 기울기는 -1이다.

$7x^2-3y^2=-21$의 양변을 21로 나누면

$\frac{x^2}{3}-\frac{y^2}{7}=-1$에서

$a^2=3$, $b^2=7$이고 $b^2-m^2a^2=4$이므로

$y=-x\pm2$ 답 $y=-x\pm2$

035 $\frac{4x}{4}-\frac{3y}{3}=1$, $x-y=1$

$\therefore y=x-1$ 답 $y=x-1$

036 $2\times(-1)\times x-(-1)\times y=1$, $-2x+y=1$

$\therefore y=2x+1$ 답 $y=2x+1$

037 $\frac{-3x}{3}-2y=-1$, $x+2y=1$

$\therefore y=-\frac{1}{2}x+\frac{1}{2}$ 답 $y=-\frac{1}{2}x+\frac{1}{2}$

038 $y=m(x+1)$을 $x=4y^2$에 대입하면

$x=4m^2(x+1)^2$

$x=4m^2x^2+8m^2x+4m^2$

$4m^2x^2+(8m^2-1)x+4m^2=0$

이 이차방정식이 중근을 가지므로 판별식을 D라 하면

$D=(8m^2-1)^2-4\times4m^2\times4m^2=0$

$-16m^2+1=0$

$m^2=\frac{1}{16}$

$\therefore m=\pm\frac{1}{4}$ 답 ④

039 $y=x+k$를 $y^2=-x$에 대입하면
$(x+k)^2=-x$
$x^2+(2k+1)x+k^2=0$
이 이차방정식이 서로 다른 두 허근을 가져야 하므로 판별식을 D라 하면
$D=(2k+1)^2-4k^2<0$
$4k+1<0$
$\therefore k<-\frac{1}{4}$
따라서 k의 값이 될 수 없는 것은 ⑤이다. 답 ⑤

040 $y=2x+n$을 $y^2=-4x$에 대입하면
$(2x+n)^2=-4x$
$4x^2+4nx+n^2=-4x$
$4x^2+4(n+1)x+n^2=0$
이 이차방정식이 서로 다른 두 실근을 가지므로 판별식을 D라 하면
$\frac{D}{4}=4(n+1)^2-4n^2>0$
$8n+4>0$
$\therefore n>-\frac{1}{2}$ 답 ①

041 $y^2=-8x$에서 $p=-2$
직선 $y=3x+1$에 수직인 직선의 기울기는 $-\frac{1}{3}$이므로
포물선 $y^2=-8x$에 접하고 기울기가 $-\frac{1}{3}$인 접선의 방정식은
$y=-\frac{1}{3}x+\frac{-2}{-\frac{1}{3}}$
$=-\frac{1}{3}x+6$
따라서 구하는 y절편은 6이다. 답 6

042 $y^2=3x$에서 $p=\frac{3}{4}$
접선의 기울기가 $\tan 60°=\sqrt{3}$이므로 구하는 접선의 방정식은
$y=\sqrt{3}x+\frac{\frac{3}{4}}{\sqrt{3}}$
$=\sqrt{3}x+\frac{\sqrt{3}}{4}$
즉, 이 직선이 점 $(0, a)$를 지나므로
$a=\frac{\sqrt{3}}{4}$ 답 ③

043 포물선 $y^2=4x$ 위의 점 (x_1, y_1)에서 직선 $x-y+5=0$, 즉 $y=x+5$에 이르는 거리가 최소이면 점 (x_1, y_1)에서의 접선의 기울기는 1이다.
$p=1$이므로 구하는 접선의 방정식은
$y=x+\frac{1}{1}$
$=x+1$
즉, 포물선 $y^2=4x$ 위의 점과 직선 $x-y+5=0$의 최단 거리는 두 직선 $y=x+1$과 $x-y+5=0$ 사이의 거리와 같으므로
직선 $y=x+1$ 위의 점 $(1, 2)$와 직선 $x-y+5=0$ 사이의 거리는
$\frac{|1-2+5|}{\sqrt{1^2+(-1)^2}}=\frac{4}{\sqrt{2}}$
$=2\sqrt{2}$ 답 ①

044 포물선 $y^2=4x$ 위의 점 $\mathrm{A}(4, 4)$에서의 접선의 방정식은
$4y=2(x+4)$ ······㉠
또 점 $\mathrm{B}(1, -2)$에서의 접선의 방정식은
$-2y=2(x+1)$ ······㉡
㉠−㉡을 하면
$6y=6$
$\therefore y=1$ 답 ①

045 점 $(-4, a)$는 포물선 $x^2=-8y$ 위의 점이므로
$16=-8a$
$\therefore a=-2$
$x^2=-8y$에서 $x^2=4\times(-2)y$이므로 점 $(-4, -2)$에서의 접선의 방정식은
$-4x=2\times(-2)(y-2)$
$\therefore y=x+2$
$\therefore m+n=1+2$
$=3$ 답 ②

046 포물선 $y^2=12x=4\times3x$ 위의 점 $\mathrm{P}(3, 6)$에서의 접선의 방정식은
$6y=6(x+3)$
$\therefore y=x+3$
$y=0$일 때 $x=-3$이므로
$\mathrm{Q}(-3, 0)$
한편, 포물선의 초점은 $\mathrm{F}(3, 0)$이므로
$\overline{\mathrm{QF}}=3-(-3)$
$=6$ 답 ③

047 포물선 $y^2=4x$의 초점의 좌표는 $(1, 0)$이고, 점 $(1, 2)$에서의 접선 l의 방정식은
$2y=2(x+1)$
$\therefore x-y+1=0$
따라서 초점 $(1, 0)$과 접선 $x-y+1=0$ 사이의 거리는
$\frac{|1-0+1|}{\sqrt{1^2+(-1)^2}}=\frac{2}{\sqrt{2}}$
$=\sqrt{2}$ 답 $\sqrt{2}$

048 포물선 $y^2=4x$ 위의 점 $\mathrm{P}(4, 4)$에서의 접선의 방정식은
$4y=2(x+4)$
$\therefore y=\frac{1}{2}x+2$
또 준선의 방정식은 $x=-1$이므로
$y=\frac{1}{2}\times(-1)+2$
$=\frac{3}{2}$
$\therefore \mathrm{R}\left(-1, \frac{3}{2}\right)$

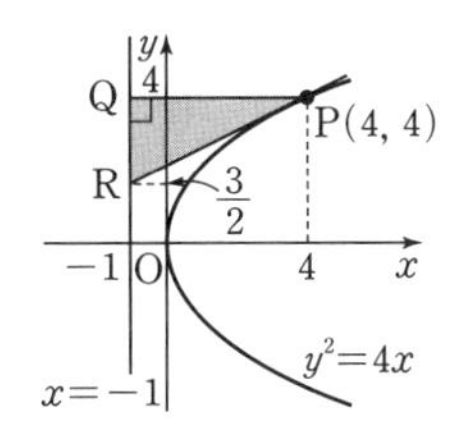

그런데 점 Q의 좌표는 $(-1, 4)$이고 삼각형 PQR는 직각삼각형이므로 구하는 삼각형의 넓이는

$$\frac{1}{2}\times\overline{QR}\times\overline{PQ}=\frac{1}{2}\times\left(4-\frac{3}{2}\right)\times5$$
$$=\frac{25}{4}$$

답 ②

049 포물선 $y^2=8x$ 위의 점 (x_1, y_1)에서의 접선의 방정식은
$y_1y=4(x+x_1)$
이 직선이 점 $(-1, 1)$을 지나므로
$y_1=4(-1+x_1)$
$\therefore y_1=4x_1-4$ ······㉠
또 점 (x_1, y_1)은 포물선 위의 점이므로
${y_1}^2=8x_1$ ······㉡
㉠을 ㉡에 대입하면
$(4x_1-4)^2=8x_1$
$2{x_1}^2-5x_1+2=0$
$(2x_1-1)(x_1-2)=0$
$\therefore x_1=\frac{1}{2}$ 또는 $x_1=2$
따라서 ㉠에서
$x_1=\frac{1}{2}, y_1=-2$ 또는 $x_1=2, y_1=4$
즉, 접점의 좌표가 $\left(\frac{1}{2}, -2\right)$, $(2, 4)$이므로 접선의 방정식은 각각
$y=-2x-1, y=x+2$
$\therefore abc=(-2)\times(-1)\times2$
$=4$

답 ①

050 접점의 좌표를 (x_1, y_1)이라 하면
$y^2=4\times3x$에서 $p=3$이므로
접선의 방정식은
$y_1y=6(x+x_1)$ ······㉠
이 직선이 점 $P(-1, 2)$를 지나므로
$2y_1=6(-1+x_1)$
$y_1=3x_1-3$ ······㉡
한편, 점 (x_1, y_1)은 포물선 $y^2=12x$ 위의 점이므로
${y_1}^2=12x_1$ ······㉢
㉡을 ㉢에 대입하면
$(3x_1-3)^2=12x_1$
$3{x_1}^2-10x_1+3=0$
$(x_1-3)(3x_1-1)=0$
$\therefore x_1=3$ 또는 $x_1=\frac{1}{3}$
$x_1=3$일 때, $y_1=6$
$x_1=\frac{1}{3}$일 때, $y_1=-2$
따라서 접점의 좌표는 $(3, 6)$, $\left(\frac{1}{3}, -2\right)$이므로
㉠에서 접선의 방정식은
$y=x+3$ 또는 $y=-3x-1$
$y=x+3$에서 y절편은 3이고, $y=-3x-1$에서 y절편은 -1이다.
따라서 구하는 삼각형의 넓이는
$\frac{1}{2}\times4\times1=2$

답 2

051 $y=x+4$를 $2x^2+y^2=6$에 대입하여 정리하면
$3x^2+8x+10=0$
이 이차방정식의 판별식을 D_1이라 하면
$\frac{D_1}{4}=16-30=-14<0$
이므로 타원과 만나지 않는다.
$\therefore m=0$
또한, $y=x-2$를 $2x^2+y^2=6$에 대입하여 정리하면
$3x^2-4x-2=0$
이 이차방정식의 판별식을 D_2라 하면
$\frac{D_2}{4}=4+6=10>0$
이므로 타원과 두 점에서 만난다.
$\therefore n=2$
$\therefore m+n=2$

답 2

052 $y=mx+3$을 $x^2+4y^2=4$에 대입하여 정리하면
$(4m^2+1)x^2+24mx+32=0$ ······㉠
직선과 타원이 만나지 않으므로 ㉠의 판별식을 D라 하면
$\frac{D}{4}=(12m)^2-32(4m^2+1)<0$
$\therefore m^2<2$
그런데 m은 정수이므로 m의 값은 $-1, 0, 1$이다.

답 $-1, 0, 1$

053 $x+y=k$라 하면 $y=-x+k$이므로 그림과 같이 타원과 직선이 서로 접할 때 k는 최댓값과 최솟값을 갖는다.
$y=-x+k$를 $\frac{x^2}{4}+y^2=1$에 대입하여 정리하면
$5x^2-8kx+4(k^2-1)=0$
이 이차방정식의 판별식을 D라 하면
$\frac{D}{4}=(-4k)^2-20(k^2-1)=0$
$4k^2-20=0$
$(k+\sqrt{5})(k-\sqrt{5})=0$
$\therefore k=-\sqrt{5}$ 또는 $k=\sqrt{5}$
따라서 $M=\sqrt{5}$, $m=-\sqrt{5}$이므로
$M-m=2\sqrt{5}$

답 ⑤

054 주어진 타원의 방정식을 정리하면
$\frac{x^2}{9}+\frac{y^2}{3}=1$

구하는 접선의 방정식은 $y=x$와 수직이므로 접선의 기울기는 -1이다.

즉, $m=-1$이므로

$y=-x\pm\sqrt{9\times1+3}$

$\therefore y=-x\pm2\sqrt{3}$

답 ②

055 $x^2+2y^2=2$를 변형하면

$\dfrac{x^2}{2}+y^2=1$ ……㉠

㉠에서 $a^2=2$, $b^2=1$이므로 기울기가 2인 접선의 방정식은

$y=2x\pm\sqrt{2\times4+1}$

$\therefore y=2x\pm3$ ……㉡

㉡과 y축과의 교점은 각각 A$(0, 3)$, B$(0, -3)$이므로

$\overline{\text{AB}}=6$

답 6

056 타원 위의 점 P(a, b)에서 직선 $y=x+7$에 이르는 거리가 최소이면 점 P(a, b)에서의 접선의 기울기는 1이다.

구하는 접선의 방정식은

$y=x\pm\sqrt{6\times1+3}$

$=x\pm3$

그림에서 타원 $\dfrac{x^2}{6}+\dfrac{y^2}{3}=1$ 위의 점과 직선 $y=x+7$ 사이의 최단 거리는 접선 $y=x+3$과 직선 $y=x+7$ 사이의 거리와 같다.

따라서 직선 $y=x+3$ 위의 점 $(0, 3)$과 직선 $x-y+7=0$ 사이의 거리는

$\dfrac{|0-3+7|}{\sqrt{1^2+(-1)^2}}=\dfrac{4}{\sqrt{2}}$

$=2\sqrt{2}$

답 ②

057 점 $(2, 1)$이 타원 $ax^2+5y^2=17$ 위의 점이므로

$4a+5=17$

$\therefore a=3$

타원 $3x^2+5y^2=17$ 위의 점 $(2, 1)$에서의 접선의 방정식은

$6x+5y=17$

$\therefore b=5$

$\therefore a+b=3+5$

$=8$

답 ④

058 타원 $4x^2+y^2=8$ 위의 점 $(1, -2)$에서의 접선의 방정식은

$4\times1\times x+(-2)\times y=8$

$\therefore y=2x-4$

이 접선에 수직인 직선의 기울기는 $-\dfrac{1}{2}$이므로 점 $(-4, 3)$을 지나고 기울기가 $-\dfrac{1}{2}$인 직선의 방정식은

$y-3=-\dfrac{1}{2}(x+4)$

$\therefore x+2y-2=0$

$\therefore a+b=1+2$

$=3$

답 ①

059 타원 $\dfrac{x^2}{12}+\dfrac{y^2}{16}=1$ 위의 점 $(3, 2)$에서의 접선의 방정식은

$\dfrac{3x}{12}+\dfrac{2y}{16}=1$

$\therefore \dfrac{x}{4}+\dfrac{y}{8}=1$

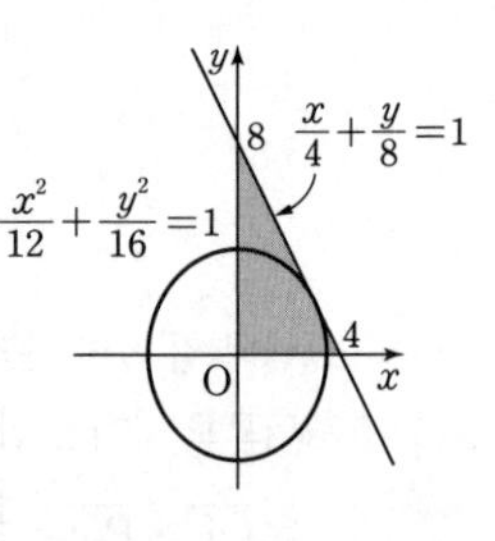

따라서 접선의 x절편은 4, y절편은 8이므로 구하는 삼각형의 넓이는

$\dfrac{1}{2}\times4\times8=16$

답 ③

060 타원 $\dfrac{x^2}{16}+\dfrac{y^2}{12}=1$ 위의 점 A$(2, 3)$에서의 접선의 방정식은

$\dfrac{2x}{16}+\dfrac{3y}{12}=1$

즉, $\dfrac{x}{8}+\dfrac{y}{4}=1$

점 B에서의 접선은 점 A에서의 접선과 x축에 대하여 대칭이므로 점 C의 좌표는 $(8, 0)$이다.

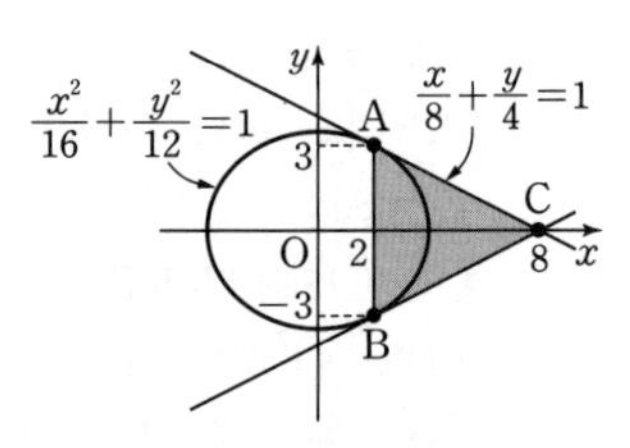

따라서 삼각형 ABC의 넓이는

$\dfrac{1}{2}\times6\times(8-2)=18$

답 18

061 타원 $\dfrac{x^2}{3}+\dfrac{y^2}{6}=1$ 위의 점 A$(1, 2)$에서의 접선 l의 방정식은

$\dfrac{x}{3}+\dfrac{2y}{6}=1$

$\therefore y=-x+3$

직선 l과 타원 위의 점 P 사이의 거리의 최댓값은 점 A를 원점에 대하여 대칭이동한 점 A$'(-1, -2)$와 직선 $l: x+y-3=0$ 사이의 거리이다.

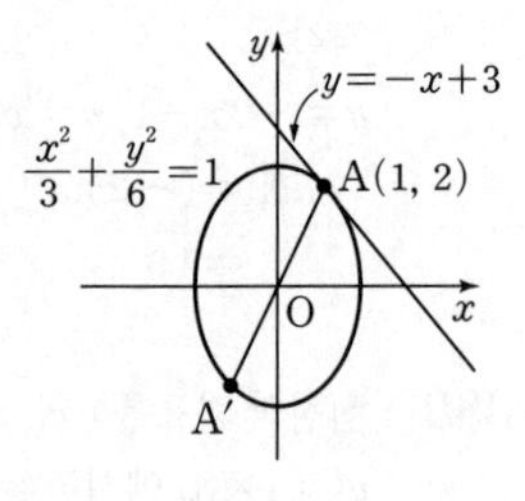

따라서 구하는 거리의 최댓값은

$\dfrac{|-1-2-3|}{\sqrt{1^2+1^2}}=3\sqrt{2}$

답 ③

062 타원 $3x^2+4y^2=16$ 위의 점 (x_1, y_1)에서의 접선의 방정식은

$3x_1x+4y_1y=16$

이 직선이 점 $(4, 2)$를 지나므로

$12x_1+8y_1=16$

$\therefore 3x_1+2y_1=4$ ……㉠

또 점 (x_1, y_1)은 타원 위의 점이므로

$3{x_1}^2+4{y_1}^2=16$ ……㉡

㉠에서 $2y_1=4-3x_1$을 ㉡에 대입하면

$3{x_1}^2+(4-3x_1)^2=16$

$12{x_1}^2-24x_1=0$

$x_1(x_1-2)=0$

$\therefore x_1=0$ 또는 $x_1=2$

따라서 ㉠에서 $x_1=2$, $y_1=-1$ 또는 $x_1=0$, $y_1=2$

즉, 접점의 좌표가 $(2, -1)$, $(0, 2)$이므로 접선의 방정식은 각각
$3x-2y=8$, $y=2$
$\therefore a+b+c=3+(-2)+2=3$ 답 ⑤

063 접점을 $P(x_1, y_1)$이라 하면 타원 $\frac{x^2}{4}+y^2=1$ 위의 점 $P(x_1, y_1)$에서의 접선의 방정식은
$\frac{x_1 x}{4}+y_1 y=1$
이 직선이 점 $(4, 0)$을 지나므로
$x_1=1$ ······㉠
한편, 점 $P(x_1, y_1)$은 타원 위의 점이므로
$\frac{x_1^2}{4}+y_1^2=1$ ······㉡
㉠을 ㉡에 대입하면
$y_1=\pm\frac{\sqrt{3}}{2}$
즉, 접점의 좌표는 $\left(1, -\frac{\sqrt{3}}{2}\right)$, $\left(1, \frac{\sqrt{3}}{2}\right)$이므로 접선의 방정식은 각각
$\frac{x}{4}-\frac{\sqrt{3}}{2}y=1$, $\frac{x}{4}+\frac{\sqrt{3}}{2}y=1$ ······㉢
따라서 ㉢이 y축과 만나는 점의 좌표는 각각
$A\left(0, -\frac{2}{\sqrt{3}}\right)$, $B\left(0, \frac{2}{\sqrt{3}}\right)$이므로
$\overline{AB}=\frac{2}{\sqrt{3}}-\left(-\frac{2}{\sqrt{3}}\right)$
$=\frac{4}{\sqrt{3}}$
$=\frac{4\sqrt{3}}{3}$ 답 ①

064 기울기가 2인 직선 $y=2x+k$(k는 상수)를 쌍곡선 $x^2-y^2=1$에 대입하여 정리하면
$3x^2+4kx+(k^2+1)=0$
이 이차방정식의 판별식을 D라 할 때, 쌍곡선과 직선이 서로 다른 두 점에서 만나려면 $D>0$이어야 하므로
$\frac{D}{4}=4k^2-3(k^2+1)>0$
$k^2-3>0$
$(k+\sqrt{3})(k-\sqrt{3})>0$
$\therefore k<-\sqrt{3}$ 또는 $k>\sqrt{3}$
따라서 쌍곡선 $x^2-y^2=1$과 서로 다른 두 점에서 만나는 직선의 방정식은 ①이다. 답 ①

065 직선 $y=x+n$을 쌍곡선 $\frac{x^2}{3}-\frac{y^2}{2}=1$에 대입하면
$\frac{x^2}{3}-\frac{(x+n)^2}{2}=1$
$2x^2-3(x+n)^2=6$
$x^2+6nx+3n^2+6=0$
이 이차방정식의 판별식을 D라 하면 쌍곡선과 직선이 접하므로
$\frac{D}{4}=9n^2-(3n^2+6)=0$
$6n^2-6=0$, $n^2=1$
$\therefore n=-1$ 또는 $n=1$
따라서 모든 실수 n의 값의 곱은
$(-1)\times1=-1$ 답 ②

066 $3x^2-y^2+6y=0$에서
$3x^2-(y-3)^2=-9$
$\therefore \frac{x^2}{3}-\frac{(y-3)^2}{9}=-1$
이 쌍곡선은 쌍곡선 $\frac{x^2}{3}-\frac{y^2}{9}=-1$을 y축의 방향으로 3만큼 평행이동한 것이다.

즉, 쌍곡선 $\frac{x^2}{3}-\frac{y^2}{9}=-1$의 점근선의 방정식은 $y=\pm\sqrt{3}x$이므로 이 쌍곡선의 점근선의 방정식은
$y=\pm\sqrt{3}x+3$
따라서 직선 $y=mx+3$이 쌍곡선 $\frac{x^2}{3}-\frac{y^2}{9}=-1$과 만나지 않는 m의 값의 범위는
$-\sqrt{3}\le m\le\sqrt{3}$ 답 ④

067 직선 $x+y-5=0$, 즉 $y=-x+5$와 수직이므로 접선의 기울기는 1이다.
쌍곡선 $7x^2-9y^2=63$, 즉 $\frac{x^2}{9}-\frac{y^2}{7}=1$에 접하고 기울기가 1인 접선의 방정식은
$y=x\pm\sqrt{9-7}$
$=x\pm\sqrt{2}$
두 직선 사이의 거리는 점 $(0, \sqrt{2})$와 직선 $y=x-\sqrt{2}$, 즉 $x-y-\sqrt{2}=0$ 사이의 거리와 같다.
따라서 두 직선 사이의 거리는
$\frac{|1\times0+(-1)\times\sqrt{2}-\sqrt{2}|}{\sqrt{1^2+(-1)^2}}=2$ 답 ①

068 쌍곡선 $\frac{x^2}{a}-\frac{y^2}{2}=1$에 접하고 기울기가 3인 직선의 방정식은
$y=3x\pm\sqrt{a\times3^2-2}$
$=3x\pm\sqrt{9a-2}$
$\sqrt{9a-2}=5$이어야 하므로
$9a-2=25$
$\therefore a=3$
따라서 쌍곡선의 두 초점의 좌표는 $(-\sqrt{5}, 0)$, $(\sqrt{5}, 0)$이므로 구하는 두 초점 사이의 거리는 $2\sqrt{5}$이다.
답 ④

069 쌍곡선 $9x^2-5y^2=45$, 즉 $\frac{x^2}{5}-\frac{y^2}{9}=1$에 접하면서 기울기가 3이고 y절편이 양수인 접선의 방정식은
$y=3x+\sqrt{5\times9-9}$
$=3x+6$
직선 $y=3x+6$의 x절편은 -2, y절편은 6이므로
구하는 부분의 넓이는
$\frac{1}{2}\times2\times6=6$ 답 6

070 쌍곡선 $2x^2-y^2=1$ 위의 점 $(-1, 1)$에서의 접선의 방정식은

$-2x-y=1$

$\therefore y=-2x-1$

이 접선에 수직인 직선의 기울기는 $\frac{1}{2}$이므로 점 $(2, 3)$을 지나고 기울기가 $\frac{1}{2}$인 직선의 방정식은

$y-3=\frac{1}{2}(x-2)$

$\therefore y=\frac{1}{2}x+2$

$\therefore a+b=\frac{1}{2}+2$

$=\frac{5}{2}$

답 $\frac{5}{2}$

071 점 $(2, 3)$은 쌍곡선 $5x^2-ay^2=2$ 위의 점이므로

$20-9a=2$

$\therefore a=2$

쌍곡선 $5x^2-2y^2=2$ 위의 점 $(2, 3)$에서의 접선의 방정식은

$10x-6y=2$

$\therefore 5x-3y=1$

$\therefore a+b+c=2+5+1=8$

답 ④

072 쌍곡선 $x^2-4y^2=-12$ 위의 점 $(2, 2)$에서의 접선의 방정식은

$2x-8y=-12$

$\therefore y=\frac{1}{4}x+\frac{3}{2}$

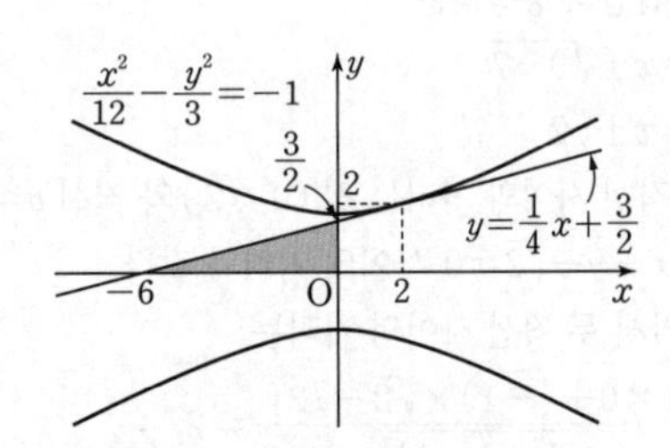

따라서 접선의 x절편은 -6, y절편은 $\frac{3}{2}$이므로 구하는 부분의 넓이는

$\frac{1}{2}\times 6\times\frac{3}{2}=\frac{9}{2}$

답 ④

073 쌍곡선 $x^2-4y^2=4$ 위의 점 (x_1, y_1)에서의 접선의 방정식은

$x_1x-4y_1y=4$

이 직선이 점 $(1, 0)$을 지나므로

$x_1=4$ ⋯⋯ ㉠

또 점 (x_1, y_1)은 쌍곡선 위의 점이므로

${x_1}^2-4{y_1}^2=4$ ⋯⋯ ㉡

㉠을 ㉡에 대입하면

${y_1}^2=3$

$\therefore y_1=-\sqrt{3}$ 또는 $y_1=\sqrt{3}$

$\therefore x_1=4, y_1=-\sqrt{3}$ 또는 $x_1=4, y_1=\sqrt{3}$

즉, 접점의 좌표가 $(4, -\sqrt{3})$, $(4, \sqrt{3})$이므로 접선의 방정식은 각각

$x+\sqrt{3}y=1$

$x-\sqrt{3}y=1$

$\therefore a+b+c+d=1+\sqrt{3}+1+(-\sqrt{3})$

$=2$

답 ②

074 접점을 (x_1, y_1)이라 하면 쌍곡선 $x^2-y^2=-4$ 위의 점 (x_1, y_1)에서의 접선의 방정식은

$x_1x-y_1y=-4$

이 직선이 점 $\mathrm{P}(1, 2)$를 지나므로

$x_1-2y_1=-4$ ⋯⋯ ㉠

한편, 점 (x_1, y_1)은 쌍곡선 위의 점이므로

${x_1}^2-{y_1}^2=-4$ ⋯⋯ ㉡

㉠, ㉡을 연립하여 풀면

$x_1=0, y_1=2$ 또는 $x_1=\frac{8}{3}, y_1=\frac{10}{3}$

즉, 접점의 좌표는

$(0, 2)$ 또는 $\left(\frac{8}{3}, \frac{10}{3}\right)$이므로

접선의 방정식은 각각

$y=2$,

$4x-5y=-6$

따라서 구하는 부분의 넓이는

$\frac{1}{2}\times\frac{4}{5}\times 1=\frac{2}{5}$

답 $\frac{2}{5}$

05 벡터의 연산

본책 055~062쪽

001 방향이 같은 벡터는 $\vec{c}$와 $\vec{f}$와 $\vec{i}$, $\vec{h}$와 $\vec{j}$이다.

답 $\vec{c}$와 $\vec{f}$와 $\vec{i}$, $\vec{h}$와 $\vec{j}$

002 $|\vec{c}|=|\vec{e}|=|\vec{i}|$, $|\vec{d}|=|\vec{h}|$, $|\vec{f}|=|\vec{g}|$이므로 크기가 같은 벡터는 $\vec{c}$와 $\vec{e}$와 $\vec{i}$, $\vec{d}$와 $\vec{h}$, $\vec{f}$와 $\vec{g}$이다.

답 $\vec{c}$와 $\vec{e}$와 $\vec{i}$, $\vec{d}$와 $\vec{h}$, $\vec{f}$와 $\vec{g}$

003 크기와 방향이 같은 벡터, 즉 서로 같은 벡터는 $\vec{c}$와 $\vec{i}$이다.

답 $\vec{c}$와 $\vec{i}$

004 크기가 같고 방향이 반대인 벡터는 $\vec{d}$와 $\vec{h}$, $\vec{f}$와 $\vec{g}$이다.

답 $\vec{d}$와 $\vec{h}$, $\vec{f}$와 $\vec{g}$

005 단위벡터, 즉 크기가 1인 벡터는 $\vec{b}$이다.

답 $\vec{b}$

006 $|\vec{a}|=2$이므로 크기가 $\sqrt{5}$인 벡터는 $\vec{d}$와 $\vec{h}$이다.

답 $\vec{d}$와 $\vec{h}$

007

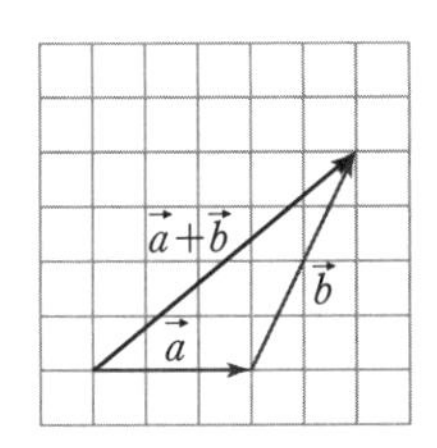

답 풀이 참조

008

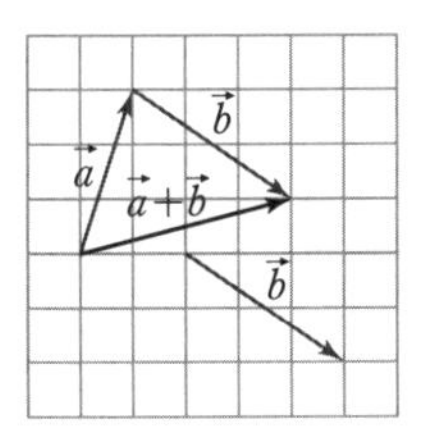

답 풀이 참조

009

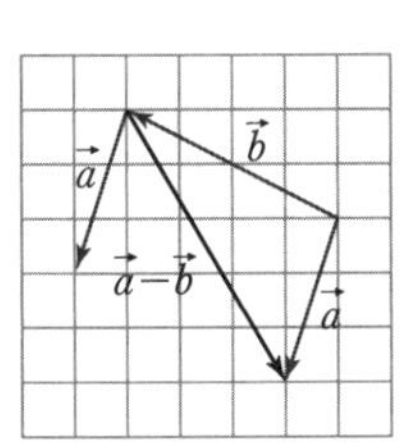

답 풀이 참조

010

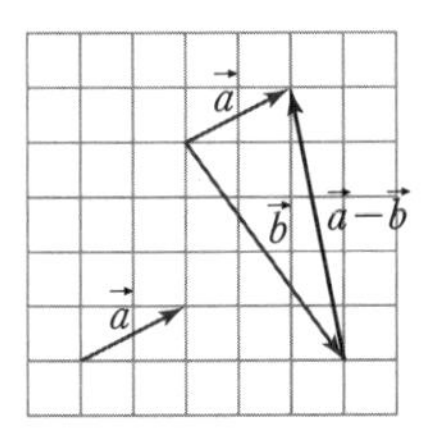

답 풀이 참조

011 $\overrightarrow{AB}+\overrightarrow{BC}=\overrightarrow{AC}$

답 $\overrightarrow{AC}$

012 $\overrightarrow{BC}+\overrightarrow{AB}+\overrightarrow{CD}=\overrightarrow{AB}+\overrightarrow{BC}+\overrightarrow{CD}$
$=\overrightarrow{AC}+\overrightarrow{CD}=\overrightarrow{AD}$

답 $\overrightarrow{AD}$

013 $\overrightarrow{OB}-\overrightarrow{OA}+\overrightarrow{BA}=\overrightarrow{AO}+\overrightarrow{OB}+\overrightarrow{BA}$
$=\overrightarrow{AB}+\overrightarrow{BA}=\vec{0}$

답 $\vec{0}$

014 $\overrightarrow{CB}=\overrightarrow{CO}+\overrightarrow{OB}=\overrightarrow{OA}+\overrightarrow{OB}=\vec{a}+\vec{b}$

답 $\vec{a}+\vec{b}$

015 $\overrightarrow{AB}=\overrightarrow{OB}-\overrightarrow{OA}=\vec{b}-\vec{a}$

답 $\vec{b}-\vec{a}$

016 $\overrightarrow{BC}=\overrightarrow{OC}-\overrightarrow{OB}=-\overrightarrow{OA}-\overrightarrow{OB}=-\vec{a}-\vec{b}$

답 $-\vec{a}-\vec{b}$

017 $2(\vec{a}-4\vec{b})+3(\vec{a}+2\vec{b})=2\vec{a}-8\vec{b}+3\vec{a}+6\vec{b}$
$=5\vec{a}-2\vec{b}$

답 $5\vec{a}-2\vec{b}$

018 $3(2\vec{a}-3\vec{b})+2(\vec{a}-2\vec{b})=6\vec{a}-9\vec{b}+2\vec{a}-4\vec{b}$
$=8\vec{a}-13\vec{b}$

답 $8\vec{a}-13\vec{b}$

019 $\frac{1}{2}(\vec{a}+2\vec{b}+3\vec{c})-\frac{3}{2}(\vec{a}-2\vec{b}+3\vec{c})$
$=\frac{1}{2}\vec{a}+\vec{b}+\frac{3}{2}\vec{c}-\frac{3}{2}\vec{a}+3\vec{b}-\frac{9}{2}\vec{c}$
$=-\vec{a}+4\vec{b}-3\vec{c}$

답 $-\vec{a}+4\vec{b}-3\vec{c}$

020 $\vec{a}+\vec{x}=2\vec{b}-2\vec{a}$에서
$\vec{x}=2\vec{b}-2\vec{a}-\vec{a}=-3\vec{a}+2\vec{b}$

답 $-3\vec{a}+2\vec{b}$

021 $4\vec{a}+\vec{b}-3\vec{x}=\vec{a}+4\vec{b}$에서
$-3\vec{x}=\vec{a}+4\vec{b}-4\vec{a}-\vec{b}$
$=-3\vec{a}+3\vec{b}$
$=-3(\vec{a}-\vec{b})$
$\therefore \vec{x}=\vec{a}-\vec{b}$

답 $\vec{a}-\vec{b}$

022 $3(\vec{a}-2\vec{x})=-3\vec{x}+\vec{b}$에서
$3\vec{a}-6\vec{x}=-3\vec{x}+\vec{b}$
$-6\vec{x}+3\vec{x}=-3\vec{a}+\vec{b}$
$-3\vec{x}=-3\vec{a}+\vec{b}$
$\therefore \vec{x}=\vec{a}-\frac{1}{3}\vec{b}$

답 $\vec{a}-\frac{1}{3}\vec{b}$

023 (1) $\overrightarrow{CE}=\overrightarrow{AC}=\vec{c}$
(2) $\overrightarrow{FG}=\overrightarrow{AN}=\vec{b}$
(3) $\overrightarrow{HK}=\overrightarrow{BA}=-\overrightarrow{AB}=-\vec{a}$
(4) $\overrightarrow{HL}=\overrightarrow{CA}=-\overrightarrow{AC}=-\vec{c}$

답 (1) $\vec{c}$ (2) $\vec{b}$ (3) $-\vec{a}$ (4) $-\vec{c}$

024 ㄱ. $\overrightarrow{AB}=\overrightarrow{FO}=\overrightarrow{OC}=\overrightarrow{ED}$ (거짓)
ㄴ. $-\overrightarrow{OA}=\overrightarrow{AO}=\overrightarrow{OD}$ (참)
ㄷ. $|\overrightarrow{BE}|=\overline{BE}=4$ (참)
ㄹ. $|\overrightarrow{AE}|$는 한 변의 길이가 2인 정삼각형의 높이의 2배이므로
$2\times\sqrt{3}=2\sqrt{3}$ (참)

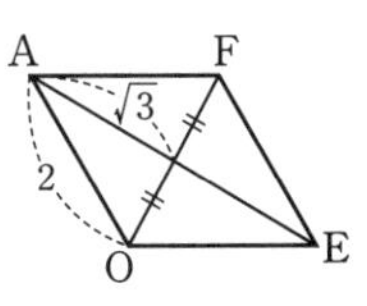

따라서 옳은 것은 ㄴ, ㄷ, ㄹ이다.

답 ⑤

025 $\overrightarrow{OP}$가 북풍 3 m/s이므로 남동풍의 방향은 제4사분면 위에 있다. 즉, $\overline{OC}=2\sqrt{2}$이므로 $\overrightarrow{OC}$가 남동풍 $2\sqrt{2}$ m/s를 나타낸다.

답 ③

026 $\overrightarrow{AD}=\overrightarrow{AB}+\overrightarrow{BD}$
$=\overrightarrow{AB}+\overrightarrow{CA}$
$=\overrightarrow{AB}-\overrightarrow{AC}$
$=\vec{a}-\vec{b}$

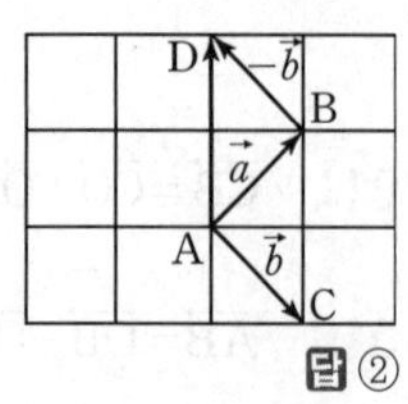

답 ②

다른 풀이
$\overrightarrow{AD}=\overrightarrow{CB}=\overrightarrow{AB}-\overrightarrow{AC}=\vec{a}-\vec{b}$

027 ① $\overrightarrow{AB}+\overrightarrow{BC}+\overrightarrow{CD}+\overrightarrow{DC}+\overrightarrow{DA}$
$=(\overrightarrow{AB}+\overrightarrow{BC})+(\overrightarrow{CD}+\overrightarrow{DC})+\overrightarrow{DA}$
$=\overrightarrow{AC}+\vec{0}+\overrightarrow{DA}$
$=\overrightarrow{DA}+\overrightarrow{AC}$
$=\overrightarrow{DC}$

② $\overrightarrow{BC}+\overrightarrow{BD}+\overrightarrow{CB}+\overrightarrow{DB}+\overrightarrow{AC}$
$=(\overrightarrow{BC}+\overrightarrow{CB})+(\overrightarrow{BD}+\overrightarrow{DB})+\overrightarrow{AC}$
$=\vec{0}+\vec{0}+\overrightarrow{AC}$
$=\overrightarrow{AC}$

③ $\overrightarrow{CA}+\overrightarrow{AB}+\overrightarrow{BD}+\overrightarrow{DE}+\overrightarrow{ED}$
$=(\overrightarrow{CA}+\overrightarrow{AB})+\overrightarrow{BD}+(\overrightarrow{DE}+\overrightarrow{ED})$
$=\overrightarrow{CB}+\overrightarrow{BD}+\vec{0}$
$=\overrightarrow{CD}$

④ $\overrightarrow{CD}+\overrightarrow{DA}+\overrightarrow{AB}+\overrightarrow{BD}+\overrightarrow{DB}$
$=(\overrightarrow{CD}+\overrightarrow{DA})+(\overrightarrow{AB}+\overrightarrow{BD})+\overrightarrow{DB}$
$=(\overrightarrow{CA}+\overrightarrow{AD})+\overrightarrow{DB}$
$=\overrightarrow{CD}+\overrightarrow{DB}$
$=\overrightarrow{CB}$

⑤ $\overrightarrow{CD}+\overrightarrow{DE}+\overrightarrow{CB}+\overrightarrow{BA}+\overrightarrow{AC}$
$=(\overrightarrow{CD}+\overrightarrow{DE})+(\overrightarrow{CB}+\overrightarrow{BA})+\overrightarrow{AC}$
$=\overrightarrow{CE}+(\overrightarrow{CA}+\overrightarrow{AC})$
$=\overrightarrow{CE}+\vec{0}$
$=\overrightarrow{CE}$

따라서 $\overrightarrow{CE}$와 같은 것은 ⑤이다.

답 ⑤

028 $\overrightarrow{AB}+\overrightarrow{CD}-\overrightarrow{CB}-\overrightarrow{AD}=\overrightarrow{AB}+\overrightarrow{CD}+\overrightarrow{BC}+\overrightarrow{DA}$
$=(\overrightarrow{AB}+\overrightarrow{BC})+(\overrightarrow{CD}+\overrightarrow{DA})$
$=\overrightarrow{AC}+\overrightarrow{CA}$
$=\vec{0}$

답 ①

029 ㄱ. $\overrightarrow{AB}-\overrightarrow{ED}=\overrightarrow{AB}+\overrightarrow{DE}$
$=\overrightarrow{AB}+\overrightarrow{BA}=\vec{0}$ (참)

ㄴ. $\overrightarrow{BC}-\overrightarrow{ED}=\overrightarrow{BC}+\overrightarrow{DE}$
$=\overrightarrow{BC}+\overrightarrow{CO}$
$=\overrightarrow{BO}=\overrightarrow{AF}$ (참)

ㄷ. $\overrightarrow{AC}-\overrightarrow{ED}-\overrightarrow{AO}=(\overrightarrow{AC}-\overrightarrow{AO})-\overrightarrow{ED}$
$=\overrightarrow{OC}-\overrightarrow{ED}$
$=\overrightarrow{ED}-\overrightarrow{ED}=\vec{0}$ (참)

따라서 ㄱ, ㄴ, ㄷ 모두 옳다.

답 ⑤

030 $\vec{a}+\vec{b}+\vec{c}=(\vec{a}+\vec{c})+\vec{b}=\vec{b}+\vec{b}=2\vec{b}$
$\overline{AB}=1$이므로
$\overline{AC}=\sqrt{2}$
$\therefore |\vec{a}+\vec{b}+\vec{c}|=2|\vec{b}|=2\overline{AC}=2\sqrt{2}$

답 ④

031 $|\overrightarrow{BP}-\overrightarrow{BC}|=|\overrightarrow{CP}|=\overline{CP}$
선분 CP의 길이는 점 P가 점 B 위에 있을 때 최소이므로 $|\overrightarrow{BP}-\overrightarrow{BC}|$의 최솟값은 5이다.

답 5

032 $2\vec{x}-\vec{y}=2\vec{a}+3\vec{b}$ ……㉠
$\vec{x}-2\vec{y}=3\vec{a}+\vec{b}$ ……㉡
㉠×2−㉡을 하면
$3\vec{x}=\vec{a}+5\vec{b}$ $\quad\therefore \vec{x}=\frac{1}{3}\vec{a}+\frac{5}{3}\vec{b}$
㉠−㉡×2를 하면
$3\vec{y}=-4\vec{a}+\vec{b}$ $\quad\therefore \vec{y}=-\frac{4}{3}\vec{a}+\frac{1}{3}\vec{b}$
$\therefore \vec{x}+\vec{y}=\left(\frac{1}{3}\vec{a}+\frac{5}{3}\vec{b}\right)+\left(-\frac{4}{3}\vec{a}+\frac{1}{3}\vec{b}\right)$
$=-\vec{a}+2\vec{b}$

답 ②

033 $2\vec{x}+3\vec{y}=2\vec{a}$ ……㉠
$2\vec{x}-\vec{y}=4\vec{a}$ ……㉡
㉠×2−㉡을 하면
$2\vec{x}+7\vec{y}=\vec{0}$ $\quad\therefore \vec{y}=-\frac{2}{7}\vec{x}$
$\therefore k=-\frac{2}{7}$

답 $-\frac{2}{7}$

034 $\vec{a}=3\vec{x}+2\vec{y}$ ……㉠
$\vec{b}=\vec{x}-\vec{y}$ ……㉡
㉠+㉡×2를 하면
$\vec{a}+2\vec{b}=5\vec{x}$ $\quad\therefore \vec{x}=\frac{1}{5}\vec{a}+\frac{2}{5}\vec{b}$
㉠−㉡×3을 하면
$\vec{a}-3\vec{b}=5\vec{y}$ $\quad\therefore \vec{y}=\frac{1}{5}\vec{a}-\frac{3}{5}\vec{b}$
$\therefore \vec{x}+4\vec{y}=\left(\frac{1}{5}\vec{a}+\frac{2}{5}\vec{b}\right)+4\left(\frac{1}{5}\vec{a}-\frac{3}{5}\vec{b}\right)$
$=\vec{a}-2\vec{b}$
따라서 $m=1$, $n=-2$이므로
$m-n=3$

답 3

035 $\overrightarrow{PQ}=\overrightarrow{OQ}-\overrightarrow{OP}$
$=(4\vec{a}+\vec{b})-(\vec{a}+2\vec{b})$
$=3\vec{a}-\vec{b}$

답 ④

036 그림과 같이 두 벡터 $\vec{a}$, $\vec{b}$를 정하면
$\vec{x}=2\vec{a}$
$\therefore \vec{a}=\frac{1}{2}\vec{x}$
$\vec{y}=-\vec{a}+2\vec{b}$
이 식에 $\vec{a}=\frac{1}{2}\vec{x}$를 대입하여 정리하면

$\vec{b}=\frac{1}{4}\vec{x}+\frac{1}{2}\vec{y}$

$\therefore \vec{z}=2\vec{a}+3\vec{b}$

$=\vec{x}+\frac{3}{4}\vec{x}+\frac{3}{2}\vec{y}$

$=\frac{7}{4}\vec{x}+\frac{3}{2}\vec{y}$

답 ②

037 그림과 같이 점 A를 기준으로 두 벡터 $\vec{a}$, $\vec{b}$를 정하면

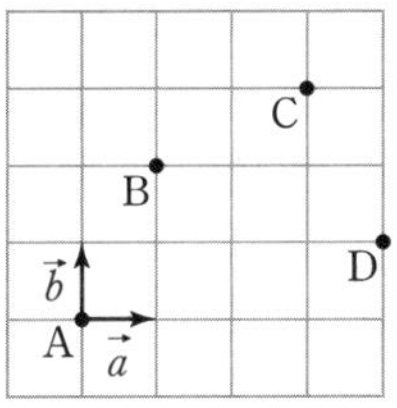

$\overrightarrow{AB}=\vec{a}+2\vec{b}$

$\overrightarrow{AC}=3\vec{a}+3\vec{b}$

$\overrightarrow{AD}=4\vec{a}+\vec{b}$

$\overrightarrow{AD}=m\overrightarrow{AB}+n\overrightarrow{AC}$에서

$4\vec{a}+\vec{b}=m(\vec{a}+2\vec{b})+n(3\vec{a}+3\vec{b})$

$=(m+3n)\vec{a}+(2m+3n)\vec{b}$

즉, $m+3n=4$, $2m+3n=1$이므로 두 식을 연립하여 풀면

$m=-3$, $n=\frac{7}{3}$

$\therefore mn=-7$

답 ⑤

038 $(3k+2l)\vec{a}+(k-l-2)\vec{b}=(k-l)\vec{a}+(l+5)\vec{b}$에서

$3k+2l=k-l$, $k-l-2=l+5$

$\therefore 2k+3l=0$, $k-2l=7$

위의 두 식을 연립하여 풀면

$k=3$, $l=-2$

$\therefore k+l=1$

답 ③

039 $\frac{1}{3}(8\vec{a}+\vec{b}+\vec{c})-\frac{2}{3}\left(\vec{a}+\frac{1}{2}\vec{b}+\frac{3}{2}\vec{c}\right)$

$=\frac{8}{3}\vec{a}+\frac{1}{3}\vec{b}+\frac{1}{3}\vec{c}-\frac{2}{3}\vec{a}-\frac{1}{3}\vec{b}-\vec{c}$

$=2\vec{a}-\frac{2}{3}\vec{c}$

$=2\vec{a}-2\vec{b}$ ($\because \vec{c}=3\vec{b}$)

$=2\vec{a}+k\vec{b}$

따라서 $k=-2$이므로

$k^2=4$

답 4

040 $\overrightarrow{AC}=\overrightarrow{OC}-\overrightarrow{OA}$

$=(2\vec{a}+m\vec{b})-\vec{a}$

$=\vec{a}+m\vec{b}$

$\overrightarrow{AB}=\overrightarrow{OB}-\overrightarrow{OA}$

$=(2\vec{a}+\vec{b})-\vec{a}$

$=\vec{a}+\vec{b}$

$\overrightarrow{AC}=\overrightarrow{AB}$이므로

$\vec{a}+m\vec{b}=\vec{a}+\vec{b}$

$\therefore m=1$

답 ②

다른 풀이

$\overrightarrow{AC}=\overrightarrow{AB}$에서

$\overrightarrow{OC}-\overrightarrow{OA}=\overrightarrow{OB}-\overrightarrow{OA}$

$\therefore \overrightarrow{OC}=\overrightarrow{OB}$

따라서 $2\vec{a}+m\vec{b}=2\vec{a}+\vec{b}$이므로

$m=1$

041 $\vec{p}$와 $\vec{q}$가 서로 평행하므로

$\vec{q}=t\vec{p}$ (단, $t\neq0$인 실수)

$k\vec{a}+3\vec{b}=t(2\vec{a}-\vec{b})$

$k\vec{a}+3\vec{b}=2t\vec{a}-t\vec{b}$

$\vec{a}$, $\vec{b}$는 서로 평행하지 않고 영벡터가 아니므로

$k=2t$, $3=-t$

$\therefore k=-6$

답 ①

042 $\overrightarrow{AB}=\overrightarrow{OB}-\overrightarrow{OA}$

$=(2\vec{a}+\vec{b})-(\vec{a}+3\vec{b})$

$=\vec{a}-2\vec{b}$

$\overrightarrow{AC}=\overrightarrow{OC}-\overrightarrow{OA}$

$=(3\vec{a}+k\vec{b})-(\vec{a}+3\vec{b})$

$=2\vec{a}+(k-3)\vec{b}$

두 벡터 $\overrightarrow{AB}$와 $\overrightarrow{AC}$가 서로 평행하므로

$\overrightarrow{AC}=t\overrightarrow{AB}$ (단, $t\neq0$인 실수)

$2\vec{a}+(k-3)\vec{b}=t(\vec{a}-2\vec{b})$

$2\vec{a}+(k-3)\vec{b}=t\vec{a}-2t\vec{b}$

$\vec{a}$, $\vec{b}$는 서로 평행하지 않고 영벡터가 아니므로

$2=t$, $k-3=-2t$

$\therefore k=-1$

답 -1

043 ㄱ. $\vec{a}-\vec{p}=\vec{a}-(5\vec{a}-4\vec{b})$

$=-4\vec{a}+4\vec{b}$

$=-4(\vec{a}-\vec{b})$

ㄴ. $\vec{a}+\vec{p}=\vec{a}+(5\vec{a}-4\vec{b})$

$=6\vec{a}-4\vec{b}$

$=2(3\vec{a}-2\vec{b})$

ㄷ. $\vec{b}-\vec{p}=\vec{b}-(5\vec{a}-4\vec{b})$

$=-5\vec{a}+5\vec{b}$

$=-5(\vec{a}-\vec{b})$

ㄹ. $\vec{b}+\vec{p}=\vec{b}+(5\vec{a}-4\vec{b})$

$=5\vec{a}-3\vec{b}$

이때,

$\vec{b}-\vec{p}=\frac{5}{4}(\vec{a}-\vec{p})$

이므로 두 벡터 $\vec{a}-\vec{p}$와 $\vec{b}-\vec{p}$는 서로 평행하다.

따라서 서로 평행한 벡터는 ㄱ, ㄷ이다.

답 ②

044 세 점 A, B, C가 한 직선 위에 있으려면

$\overrightarrow{AC}=t\overrightarrow{AB}$ (단, $t\neq0$인 실수)

$\overrightarrow{AC}=\overrightarrow{OC}-\overrightarrow{OA}$

$=(4\vec{a}+k\vec{b})-(2\vec{a}+\vec{b})$

$=2\vec{a}+(k-1)\vec{b}$

$\overrightarrow{AB}=\overrightarrow{OB}-\overrightarrow{OA}$

$=(\vec{a}-\vec{b})-(2\vec{a}+\vec{b})$

$=-\vec{a}-2\vec{b}$

즉, $2\vec{a}+(k-1)\vec{b}=t(-\vec{a}-2\vec{b})$이므로

$2\vec{a}+(k-1)\vec{b}=-t\vec{a}-2t\vec{b}$

$\vec{a}$, $\vec{b}$는 서로 평행하지 않고 영벡터가 아니므로

$2=-t$, $k-1=-2t$

$\therefore k=5$

답 ⑤

045 세 점 A, B, P가 한 직선 위의 점이면

$\overrightarrow{AP}=k\overrightarrow{AB}$ ($k\neq0$인 실수)를 만족시킨다.

$\overrightarrow{AB}=\overrightarrow{OB}-\overrightarrow{OA}=\vec{b}-\vec{a}$

(i) $\overrightarrow{AC}=\overrightarrow{OC}-\overrightarrow{OA}$

$=(\vec{a}-2\vec{b})-\vec{a}$

$=-2\vec{b}$

이므로 세 점 A, B, C는 한 직선 위의 점이 아니다.

(ii) $\overrightarrow{AD}=\overrightarrow{OD}-\overrightarrow{OA}$

$=(3\vec{a}-2\vec{b})-\vec{a}$

$=2\vec{a}-2\vec{b}$

$=-2(\vec{b}-\vec{a})$

$=-2\overrightarrow{AB}$

이므로 세 점 A, B, D는 한 직선 위의 점이다.

(iii) $\overrightarrow{AE}=\overrightarrow{OE}-\overrightarrow{OA}$

$=\left(\frac{1}{k+1}\vec{a}+\frac{k}{k+1}\vec{b}\right)-\vec{a}$

$=\frac{-k}{k+1}\vec{a}+\frac{k}{k+1}\vec{b}$

$=\frac{k}{k+1}(\vec{b}-\vec{a})$

$=\frac{k}{k+1}\overrightarrow{AB}$

이므로 세 점 A, B, E는 한 직선 위의 점이다.

(iv) $\overrightarrow{AF}=\overrightarrow{OF}-\overrightarrow{OA}$

$=\left(\frac{1}{5}\vec{a}-\frac{6}{5}\vec{b}\right)-\vec{a}$

$=-\frac{4}{5}\vec{a}-\frac{6}{5}\vec{b}$

이므로 세 점 A, B, F는 한 직선 위의 점이 아니다.

(i)~(iv)에서 직선 AB 위의 점인 것은 D, E이다.

답 D, E

다른 풀이

$\overrightarrow{OP}=m\overrightarrow{OA}+n\overrightarrow{OB}$에서 $m+n=1$이면 세 점 P, A, B는 한 직선 위에 있다.

따라서 두 점 D, E가 직선 AB 위의 점이다.

참고

세 점 A, B, P가 한 직선 위에 있으면

$\overrightarrow{AP}=k\overrightarrow{AB}$ (단, $k\neq0$인 실수)

$\overrightarrow{OP}-\overrightarrow{OA}=k(\overrightarrow{OB}-\overrightarrow{OA})$

$\overrightarrow{OP}=(1-k)\overrightarrow{OA}+k\overrightarrow{OB}$

$1-k=m$, $k=n$으로 놓으면

$\overrightarrow{OP}=m\overrightarrow{OA}+n\overrightarrow{OB}$ ($\because m+n=1$)

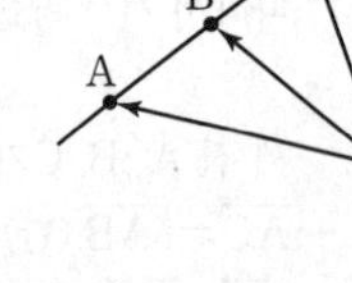

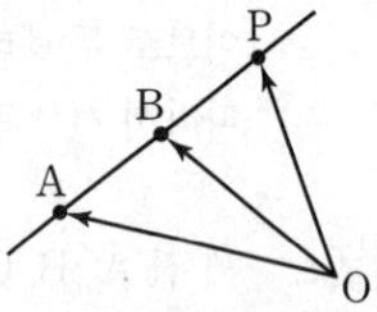

046 $\overrightarrow{AP}=k\overrightarrow{AC}$

$=\frac{1}{2}k\overrightarrow{AB}+\frac{4}{5}k\overrightarrow{AD}$

세 점 B, P, D는 한 직선 위의 점이므로

$\frac{1}{2}k+\frac{4}{5}k=1$

$\frac{13}{10}k=1$

$\therefore k=\frac{10}{13}$

답 $\frac{10}{13}$

047 그림과 같이 두 점 P, Q를 잡으면

$\overrightarrow{OP}=\vec{a}+\vec{b}$

$\overrightarrow{OQ}=\frac{3}{2}\overrightarrow{OP}=\frac{3}{2}(\vec{a}+\vec{b})$

한편, $\overrightarrow{QC}=\overrightarrow{OA}=\vec{a}$이므로

$\overrightarrow{OC}=\overrightarrow{OQ}+\overrightarrow{QC}$

$=\frac{3}{2}(\vec{a}+\vec{b})+\vec{a}$

$=\frac{5}{2}\vec{a}+\frac{3}{2}\vec{b}$

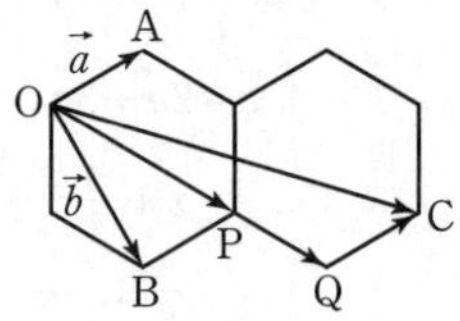

답 ⑤

048 $\overrightarrow{AP_1}=\overrightarrow{AO}+\overrightarrow{OP_1}$

$\overrightarrow{AP_3}=\overrightarrow{AO}+\overrightarrow{OP_3}$

$\overrightarrow{AP_5}=\overrightarrow{AO}+\overrightarrow{OP_5}$

$\overrightarrow{AP_7}=\overrightarrow{AO}+\overrightarrow{OP_7}$

이므로

$\overrightarrow{AP_1}+\overrightarrow{AP_3}+\overrightarrow{AP_5}+\overrightarrow{AP_7}$

$=4\overrightarrow{AO}+\overrightarrow{OP_1}+\overrightarrow{OP_3}+\overrightarrow{OP_5}+\overrightarrow{OP_7}$

$=4\overrightarrow{AO}+\vec{0}$

$=4\overrightarrow{AO}$

$\therefore k=4$

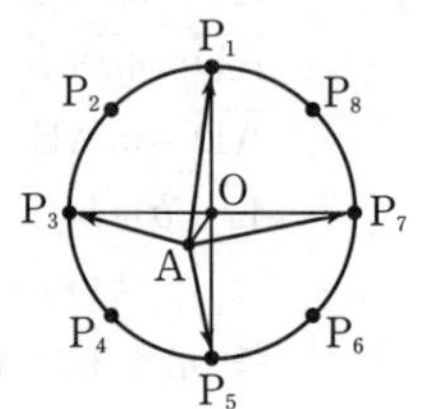

답 4

049 점 D는 선분 AB를 3 : 1로 내분하는 점이므로

$\overline{AD}=\frac{3}{4}\overline{AB}=\frac{3}{4}\overline{OA}$

직각삼각형 OAD에서

$\overline{OD}=\sqrt{\overline{OA}^2+\overline{AD}^2}$

$=\sqrt{\overline{OA}^2+\left(\frac{3}{4}\overline{OA}\right)^2}$

$=\sqrt{\overline{OA}^2+\frac{9}{16}\overline{OA}^2}$

$=\sqrt{\frac{25}{16}\overline{OA}^2}$

$=\frac{5}{4}\overline{OA}$

즉, $\overline{OA}=\frac{4}{5}\overline{OD}$이므로

$\overline{OE}=\overline{OA}=\frac{4}{5}\overline{OD}$

$\overrightarrow{OD}=\overrightarrow{OA}+\overrightarrow{AD}$

$=\overrightarrow{OA}+\frac{3}{4}\overrightarrow{AB}$

$=\vec{a}+\frac{3}{4}\vec{b}$

이므로

$\overrightarrow{OE}=\frac{4}{5}\overrightarrow{OD}$

$=\frac{4}{5}\left(\vec{a}+\frac{3}{4}\vec{b}\right)$

$=\frac{4}{5}\vec{a}+\frac{3}{5}\vec{b}$

따라서 $k=\frac{4}{5}$, $l=\frac{3}{5}$이므로

$k-l=\frac{4}{5}-\frac{3}{5}=\frac{1}{5}$

답 $\frac{1}{5}$

050 그림에서 $\overrightarrow{AB}=\vec{a}$, $\overrightarrow{AD}=\vec{b}$로 놓으면

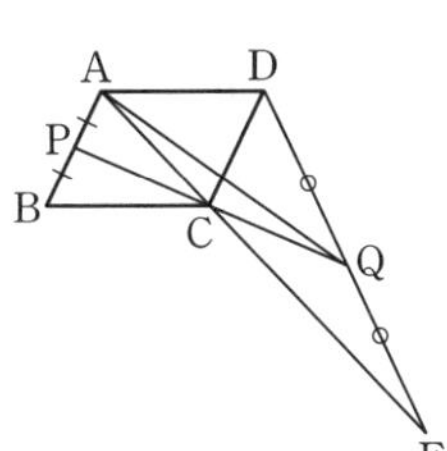
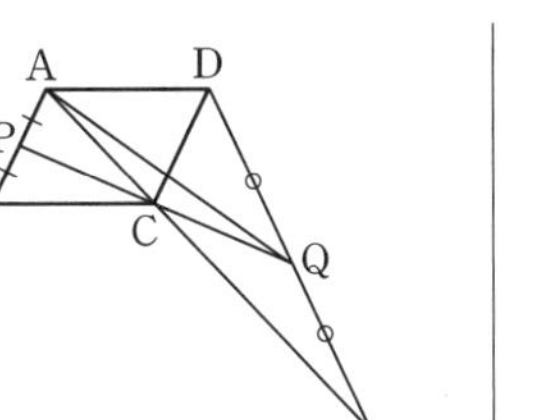

$\overrightarrow{AC}=\vec{a}+\vec{b}$

$\overrightarrow{AE}=3(\vec{a}+\vec{b})$

$\overrightarrow{AP}=\frac{1}{2}\vec{a}$

$\therefore \overrightarrow{PC}=\overrightarrow{AC}-\overrightarrow{AP}$

$=(\vec{a}+\vec{b})-\frac{1}{2}\vec{a}$

$=\frac{1}{2}\vec{a}+\vec{b}$ ······㉠

$\overrightarrow{AQ}=\frac{1}{2}(\overrightarrow{AE}+\overrightarrow{AD})$

$=\frac{1}{2}\{3(\vec{a}+\vec{b})+\vec{b}\}$

$=\frac{1}{2}(3\vec{a}+4\vec{b})$

$\therefore \overrightarrow{PQ}=\overrightarrow{AQ}-\overrightarrow{AP}$

$=\frac{1}{2}(3\vec{a}+4\vec{b})-\frac{1}{2}\vec{a}$

$=\vec{a}+2\vec{b}$ ······㉡

㉠, ㉡에서

$\overrightarrow{PC}=\frac{1}{2}\overrightarrow{PQ}$

$\therefore k=\frac{1}{2}$

답 ③

051 $\overrightarrow{OB}=\frac{\overrightarrow{OA}}{|\overrightarrow{OA}|}$는 $\overrightarrow{OA}$와 방향이 같은 단위벡터이므로 점 B는 중심이 원점이고 반지름의 길이가 1인 원과 직선 OA의 교점이다.

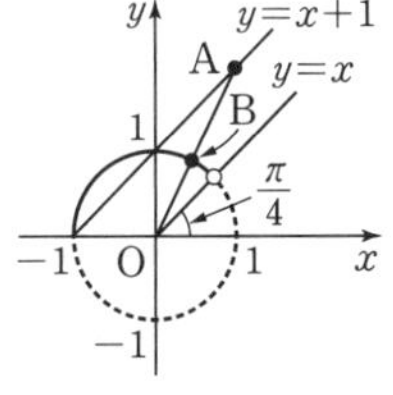

직선 $y=x$가 x축의 양의 방향과 이루는 각의 크기가 $\frac{\pi}{4}$이므로 점 B가 나타내는 도형의 길이는

$1\times\frac{3}{4}\pi=\frac{3}{4}\pi$

답 ③

052 그림에서

$\overrightarrow{OP}+\overrightarrow{OF}=\overrightarrow{OP}+\overrightarrow{F'O}$

$=\overrightarrow{F'P}$

이므로

$|\overrightarrow{OP}+\overrightarrow{OF}|=|\overrightarrow{F'P}|=\overline{F'P}=1$

한편, $\overline{F'P}+\overline{PF}=4$이므로

$\overline{PF}=4-\overline{F'P}$

$=4-1=3$

따라서 $k=3$이므로

$5k=15$

답 15

053 두 벡터 $\overrightarrow{OA}+\overrightarrow{OB}$, $\overrightarrow{OA}-\overrightarrow{OB}$는 각각 두 선분 OA와 OB를 이웃하는 두 변으로 하는 평행사변형의 대각선이고, 두 대각선이 서로 수직으로 만나는 경우 이 평행사변형은 마름모이다.

따라서 $|\overrightarrow{OA}|=|\overrightarrow{OB}|$이므로

$|\overrightarrow{OB}|=3$

답 ③

054 $\overrightarrow{FE}=\overrightarrow{BC}$, $\overrightarrow{FD}=\overrightarrow{AC}$이므로

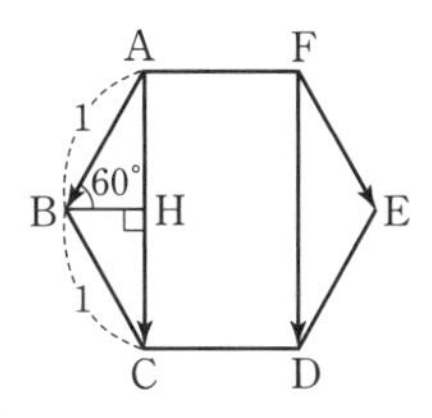

$\overrightarrow{AB}+\overrightarrow{FE}+\overrightarrow{FD}$

$=\overrightarrow{AB}+\overrightarrow{BC}+\overrightarrow{AC}$

$=\overrightarrow{AC}+\overrightarrow{AC}$

$=2\overrightarrow{AC}$

점 B에서 선분 AC에 내린 수선의 발을 H라 하면 삼각형 ABH에서

$\overline{AH}=1\times\sin 60^\circ=\frac{\sqrt{3}}{2}$

$\therefore |\overrightarrow{AC}|=2\overline{AH}=\sqrt{3}$

$\therefore |\overrightarrow{AB}+\overrightarrow{FE}+\overrightarrow{FD}|=2|\overrightarrow{AC}|=2\sqrt{3}$

답 ④

055 $\overrightarrow{AB}+\overrightarrow{AC}+\overrightarrow{AD}+\overrightarrow{AE}+\overrightarrow{AF}+\overrightarrow{AG}+\overrightarrow{AH}$

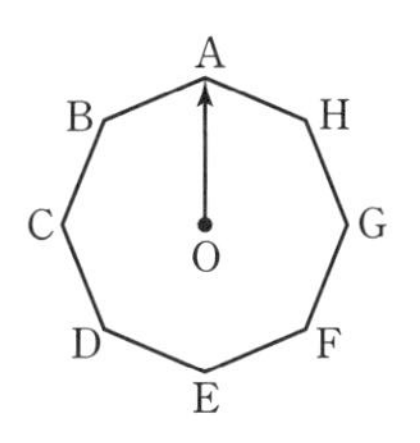

$=(\overrightarrow{OB}-\overrightarrow{OA})+(\overrightarrow{OC}-\overrightarrow{OA})+(\overrightarrow{OD}-\overrightarrow{OA})+(\overrightarrow{OE}-\overrightarrow{OA})+(\overrightarrow{OF}-\overrightarrow{OA})+(\overrightarrow{OG}-\overrightarrow{OA})+(\overrightarrow{OH}-\overrightarrow{OA})$

$=\overrightarrow{OE}-7\overrightarrow{OA}$

$=-8\overrightarrow{OA}$

따라서 구하는 벡터의 크기는

$|-8\overrightarrow{OA}|=8|\overrightarrow{OA}|=8$

답 8

056 $\angle AOB=\angle BOC=\angle COA$이므로

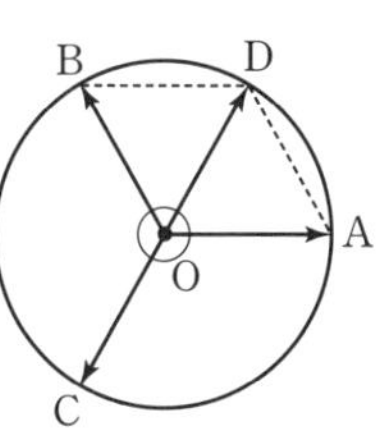

$\angle AOB=120^\circ$

$\overrightarrow{OA}+\overrightarrow{OB}=\overrightarrow{OD}$를 만족시키는 점 D에 대하여

$\angle AOD=\angle BOD=60^\circ$이므로

$|\overrightarrow{OD}|=|\overrightarrow{OA}|$

즉, 두 벡터 $\overrightarrow{OC}$, $\overrightarrow{OD}$는 크기가 같고 방향이 반대인 벡터이므로

$\overrightarrow{OD}=-\overrightarrow{OC}$

따라서 $\overrightarrow{OA}+\overrightarrow{OB}-\overrightarrow{OC}=-2\overrightarrow{OC}$이므로

$|\overrightarrow{OA}+\overrightarrow{OB}-\overrightarrow{OC}|=|-2\overrightarrow{OC}|$

$=2|\overrightarrow{OC}|=2$

답 2

057 $|\overrightarrow{OP}|=x$, $|\overrightarrow{OQ}|=y$라 하면

$|\overrightarrow{OA}|=1$이므로

$\overrightarrow{OP}=x\overrightarrow{OA}$

$=\frac{1}{2}(\overrightarrow{OB}+\overrightarrow{OE})$

$\therefore \overrightarrow{OB}+\overrightarrow{OE}=2x\overrightarrow{OA}$

$\overrightarrow{OQ}=-y\overrightarrow{OA}$

$=\frac{1}{2}(\overrightarrow{OC}+\overrightarrow{OD})$

$\therefore \overrightarrow{OC}+\overrightarrow{OD}=-2y\overrightarrow{OA}$

그런데 $\overrightarrow{OA}+\overrightarrow{OB}+\overrightarrow{OC}+\overrightarrow{OD}+\overrightarrow{OE}=\vec{0}$이므로

$\overrightarrow{OA}+2x\overrightarrow{OA}-2y\overrightarrow{OA}=\vec{0}$

$(2x-2y+1)\overrightarrow{OA}=\vec{0}$

즉, $2x-2y+1=0$이므로

$y-x=\frac{1}{2}$

$\therefore |\overrightarrow{OQ}|-|\overrightarrow{OP}|=y-x=\frac{1}{2}$

답 ③

058 그림과 같이 점 O_1을 원점, 직선 O_1P를 x축으로 하는 좌표평면을 생각하면 세 점 O_2, O_3, P의 좌표는 각각
$O_2(2, 0)$, $O_3(1, \sqrt{3})$, $P(3, 0)$이다.

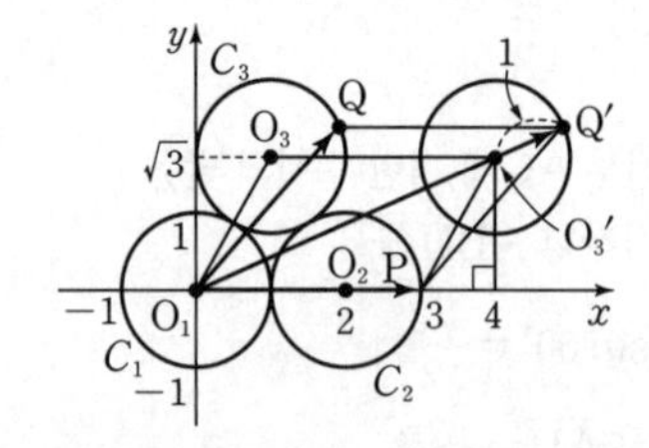

점 O_3을 x축의 방향으로 3만큼 평행이동한 점을 O_3'이라 하면
점 O_3'의 좌표는 $(4, \sqrt{3})$이다.
점 Q를 x축의 방향으로 3만큼 평행이동한 점을 Q'이라 하면
$\overrightarrow{O_1P}+\overrightarrow{O_1Q}=\overrightarrow{O_1P}+\overrightarrow{PQ'}=\overrightarrow{O_1Q'}$
따라서 $|\overrightarrow{O_1P}+\overrightarrow{O_1Q}|$의 최댓값은
$|\overrightarrow{O_1Q'}|=|\overrightarrow{O_1O_3'}|+1=\sqrt{4^2+(\sqrt{3})^2}+1=\sqrt{19}+1$ 답 ③

06 평면벡터의 성분

본책 065~072쪽

[001-003] $\overrightarrow{OA}=\vec{a}$, $\overrightarrow{OB}=\vec{b}$, $\overrightarrow{OC}=2\vec{a}-\vec{b}$

001 $\overrightarrow{AB}=\overrightarrow{OB}-\overrightarrow{OA}=\vec{b}-\vec{a}$ 답 $\vec{b}-\vec{a}$

002 $\overrightarrow{BC}=\overrightarrow{OC}-\overrightarrow{OB}=(2\vec{a}-\vec{b})-\vec{b}=2(\vec{a}-\vec{b})$ 답 $2(\vec{a}-\vec{b})$

003 $\overrightarrow{CA}=\overrightarrow{OA}-\overrightarrow{OC}=\vec{a}-(2\vec{a}-\vec{b})=\vec{b}-\vec{a}$ 답 $\vec{b}-\vec{a}$

004 선분 AB를 2 : 1로 내분하는 점 P의 위치벡터를 $\vec{p}$라 하면
$\vec{p}=\dfrac{2\vec{b}+\vec{a}}{2+1}=\dfrac{1}{3}\vec{a}+\dfrac{2}{3}\vec{b}$ 답 $\dfrac{1}{3}\vec{a}+\dfrac{2}{3}\vec{b}$

005 선분 AB를 2 : 1로 외분하는 점 Q의 위치벡터를 $\vec{q}$라 하면
$\vec{q}=\dfrac{2\vec{b}-\vec{a}}{2-1}=-\vec{a}+2\vec{b}$ 답 $-\vec{a}+2\vec{b}$

006 선분 PQ의 중점 M의 위치벡터를 $\vec{m}$이라 하면

$$\vec{m}=\frac{\vec{p}+\vec{q}}{2}=\frac{\frac{1}{3}\vec{a}+\frac{2}{3}\vec{b}-\vec{a}+2\vec{b}}{2}=\frac{\vec{a}+2\vec{b}-3\vec{a}+6\vec{b}}{6}=\frac{-2\vec{a}+8\vec{b}}{6}=-\frac{1}{3}\vec{a}+\frac{4}{3}\vec{b}$$

답 $-\dfrac{1}{3}\vec{a}+\dfrac{4}{3}\vec{b}$

007 벡터 $\vec{a}=3\vec{e_1}+2\vec{e_2}$를 성분으로 나타내면
$\vec{a}=(3, 2)$ 답 $\vec{a}=(3, 2)$

008 벡터 $\vec{b}=-\vec{e_1}+4\vec{e_2}$를 성분으로 나타내면
$\vec{b}=(-1, 4)$ 답 $\vec{b}=(-1, 4)$

009 벡터 $\vec{c}=(4, 2)$를 $\vec{e_1}$, $\vec{e_2}$로 나타내면
$\vec{c}=4\vec{e_1}+2\vec{e_2}$ 답 $\vec{c}=4\vec{e_1}+2\vec{e_2}$

010 벡터 $\vec{d}=(5, -1)$을 $\vec{e_1}$, $\vec{e_2}$로 나타내면
$\vec{d}=5\vec{e_1}-\vec{e_2}$ 답 $\vec{d}=5\vec{e_1}-\vec{e_2}$

011 $\vec{a}=(6, -8)$일 때,
$|\vec{a}|=\sqrt{6^2+(-8)^2}=\sqrt{100}=10$ 답 10

012 $\vec{b}=(0, -2)$일 때,
$|\vec{b}|=\sqrt{0^2+(-2)^2}=\sqrt{4}=2$ 답 2

013 벡터 $\vec{c}=-3\vec{e_1}+4\vec{e_2}$를 성분으로 나타내면
$\vec{c}=(-3, 4)$이므로
$|\vec{c}|=\sqrt{(-3)^2+4^2}=\sqrt{25}=5$ 답 5

014 벡터 $\vec{d}=4\vec{e_1}-2\vec{e_2}$를 성분으로 나타내면

$\vec{d}=(4, -2)$이므로

$|\vec{d}|=\sqrt{4^2+(-2)^2}=\sqrt{20}=2\sqrt{5}$ 답 $2\sqrt{5}$

015 $\vec{a}+\vec{b}=(2, 1)+(1, -3)=(3, -2)$

이므로 벡터 $\vec{a}+\vec{b}$의 크기는

$\sqrt{3^2+(-2)^2}=\sqrt{13}$ 답 $(3, -2)$, $\sqrt{13}$

016 $\vec{a}-\vec{b}=(2, 1)-(1, -3)=(1, 4)$

이므로 벡터 $\vec{a}-\vec{b}$의 크기는

$\sqrt{1^2+4^2}=\sqrt{17}$ 답 $(1, 4)$, $\sqrt{17}$

017 $-3\vec{a}=-3(2, 1)=(-6, -3)$

이므로 벡터 $-3\vec{a}$의 크기는

$\sqrt{(-6)^2+(-3)^2}=\sqrt{45}=3\sqrt{5}$ 답 $(-6, -3)$, $3\sqrt{5}$

018 $2\vec{a}-\vec{b}=2(2, 1)-(1, -3)$

$=(4, 2)-(1, -3)$

$=(3, 5)$

이므로 벡터 $2\vec{a}-\vec{b}$의 크기는

$\sqrt{3^2+5^2}=\sqrt{34}$ 답 $(3, 5)$, $\sqrt{34}$

019 $2(\vec{a}-2\vec{b})=2\vec{a}-4\vec{b}$

$=2(2, 1)-4(1, -3)$

$=(4, 2)-(4, -12)$

$=(0, 14)$

이므로 벡터 $2(\vec{a}-2\vec{b})$의 크기는

$\sqrt{0^2+14^2}=14$ 답 $(0, 14)$, 14

020 $2(\vec{a}+2\vec{b})-3(2\vec{a}+\vec{b})=2\vec{a}+4\vec{b}-6\vec{a}-3\vec{b}$

$=-4\vec{a}+\vec{b}$

$=-4(2, 1)+(1, -3)$

$=(-8, -4)+(1, -3)$

$=(-7, -7)$

이므로 벡터 $2(\vec{a}+2\vec{b})-3(2\vec{a}+\vec{b})$의 크기는

$\sqrt{(-7)^2+(-7)^2}=\sqrt{98}=7\sqrt{2}$ 답 $(-7, -7)$, $7\sqrt{2}$

[021-022] $\vec{a}=(-1, 3)$, $\vec{b}=(2, 1)$

$k\vec{a}+l\vec{b}=k(-1, 3)+l(2, 1)$

$=(-k, 3k)+(2l, l)$

$=(-k+2l, 3k+l)$

021 $\vec{c}=(-4, 5)$

$=(-k+2l, 3k+l)$

두 벡터가 같을 조건에서

$-k+2l=-4$, $3k+l=5$

두 식을 연립하여 풀면

$k=2$, $l=-1$

$\therefore \vec{c}=2\vec{a}-\vec{b}$ 답 $\vec{c}=2\vec{a}-\vec{b}$

022 $\vec{d}=(7, 0)$

$=(-k+2l, 3k+l)$

두 벡터가 같을 조건에서

$-k+2l=7$, $3k+l=0$

두 식을 연립하여 풀면

$k=-1$, $l=3$

$\therefore \vec{d}=-\vec{a}+3\vec{b}$ 답 $\vec{d}=-\vec{a}+3\vec{b}$

023 $\overrightarrow{OA}=(2, -1)$, $\overrightarrow{OB}=(3, 2)$이므로

$\overrightarrow{AB}=\overrightarrow{OB}-\overrightarrow{OA}$

$=(3, 2)-(2, -1)$

$=(1, 3)$

따라서 벡터 $\overrightarrow{AB}$의 크기는

$\sqrt{1^2+3^2}=\sqrt{10}$ 답 $(1, 3)$, $\sqrt{10}$

024 $\overrightarrow{OA}=(-3, -2)$, $\overrightarrow{OB}=(1, -5)$이므로

$\overrightarrow{AB}=\overrightarrow{OB}-\overrightarrow{OA}$

$=(1, -5)-(-3, -2)$

$=(4, -3)$

따라서 벡터 $\overrightarrow{AB}$의 크기는

$\sqrt{4^2+(-3)^2}=\sqrt{25}=5$ 답 $(4, -3)$, 5

025 $\overrightarrow{BA}-\overrightarrow{CA}=\overrightarrow{BA}+\overrightarrow{AC}=\overrightarrow{BC}$

$=\overrightarrow{OC}-\overrightarrow{OB}$

$=(2\vec{b}-\vec{a})-\vec{b}$

$=\vec{b}-\vec{a}$ 답 $\vec{b}-\vec{a}$

026 $3\overrightarrow{AC}+\overrightarrow{BC}=3(\overrightarrow{OC}-\overrightarrow{OA})+\overrightarrow{OC}-\overrightarrow{OB}$

$=-3\overrightarrow{OA}-\overrightarrow{OB}+4\overrightarrow{OC}$

$=-3\vec{a}-\vec{b}+4\vec{c}$

따라서 $x=-3$, $y=-1$, $z=4$이므로

$xyz=12$ 답 ①

027 $|\overrightarrow{AB}|=|\overrightarrow{OB}-\overrightarrow{OA}|=|\vec{b}-\vec{a}|$

$\vec{p}=\frac{3}{4}\vec{a}+\frac{1}{4}\vec{b}$이므로

$|\vec{p}-\vec{a}|=\left|-\frac{1}{4}\vec{a}+\frac{1}{4}\vec{b}\right|=\frac{1}{4}|\vec{b}-\vec{a}|$

$=\frac{1}{4}|\overrightarrow{AB}|=4$

$\therefore |\overrightarrow{AB}|=16$ 답 ③

028 $\vec{p}=\frac{2\vec{b}+3\vec{a}}{2+3}=\frac{3}{5}\vec{a}+\frac{2}{5}\vec{b}$

$\vec{q}=\frac{2\vec{b}-3\vec{a}}{2-3}=3\vec{a}-2\vec{b}$ 답 $\vec{p}=\frac{3}{5}\vec{a}+\frac{2}{5}\vec{b}$, $\vec{q}=3\vec{a}-2\vec{b}$

029 $7\overrightarrow{OP}=4\overrightarrow{OB}+3\overrightarrow{OA}$에서

$\overrightarrow{OP}=\frac{4\overrightarrow{OB}+3\overrightarrow{OA}}{4+3}$

즉, 점 P는 선분 AB를 4 : 3으로 내분하는 점이다.

한편, $\overline{AB}=\sqrt{6^2+8^2}=10$이므로

$|\overrightarrow{AP}|=\frac{4}{7}|\overrightarrow{AB}|=\frac{40}{7}$ 답 $\frac{40}{7}$

030 $\overrightarrow{OC}=\frac{3}{5}\overrightarrow{OA}$이므로

$$\overrightarrow{OP}=\frac{3\overrightarrow{OC}+\overrightarrow{OB}}{3+1}=\frac{3}{4}\overrightarrow{OC}+\frac{1}{4}\overrightarrow{OB}$$
$$=\frac{3}{4}\times\frac{3}{5}\overrightarrow{OA}+\frac{1}{4}\overrightarrow{OB}$$
$$=\frac{9}{20}\overrightarrow{OA}+\frac{1}{4}\overrightarrow{OB}$$

따라서 $a=\frac{9}{20}$, $b=\frac{1}{4}$이므로 $a-b=\frac{1}{5}$ 답 ⑤

031 평행사변형 ABCD에서

$\overrightarrow{AC}=\overrightarrow{AB}+\overrightarrow{AD}$ ······㉠

변 BC의 중점이 M이므로

$$\overrightarrow{AM}=\frac{\overrightarrow{AB}+\overrightarrow{AC}}{2}=\frac{1}{2}\overrightarrow{AB}+\frac{1}{2}\overrightarrow{AC}$$

$\therefore \overrightarrow{AB}=2\overrightarrow{AM}-\overrightarrow{AC}$ ······㉡

변 CD를 2 : 1로 내분하는 점이 N이므로

$$\overrightarrow{AN}=\frac{2\overrightarrow{AD}+\overrightarrow{AC}}{2+1}=\frac{2}{3}\overrightarrow{AD}+\frac{1}{3}\overrightarrow{AC}$$

$\therefore \overrightarrow{AD}=\frac{3}{2}\overrightarrow{AN}-\frac{1}{2}\overrightarrow{AC}$ ······㉢

㉡, ㉢을 ㉠에 대입하여 정리하면

$$\overrightarrow{AC}=\frac{4}{5}\overrightarrow{AM}+\frac{3}{5}\overrightarrow{AN}$$

따라서 $x=\frac{4}{5}$, $y=\frac{3}{5}$이므로 $x+y=\frac{7}{5}$ 답 $\frac{7}{5}$

032 점 P_1은 선분 AB를 1 : 3으로 내분하는 점이므로

$$\overrightarrow{OP_1}=\frac{\vec{b}+3\vec{a}}{1+3}=\frac{3}{4}\vec{a}+\frac{1}{4}\vec{b}$$

점 P_2는 선분 AB의 중점이므로

$$\overrightarrow{OP_2}=\frac{\vec{a}+\vec{b}}{2}=\frac{1}{2}\vec{a}+\frac{1}{2}\vec{b}$$

점 P_3은 선분 AB를 3 : 1로 내분하는 점이므로

$$\overrightarrow{OP_3}=\frac{3\vec{b}+\vec{a}}{3+1}=\frac{1}{4}\vec{a}+\frac{3}{4}\vec{b}$$

$$\therefore \overrightarrow{OP_1}+\overrightarrow{OP_2}+\overrightarrow{OP_3}$$
$$=\left(\frac{3}{4}+\frac{1}{2}+\frac{1}{4}\right)\vec{a}+\left(\frac{1}{4}+\frac{1}{2}+\frac{3}{4}\right)\vec{b}$$
$$=\frac{3}{2}\vec{a}+\frac{3}{2}\vec{b}$$

따라서 $m=\frac{3}{2}$, $n=\frac{3}{2}$이므로

$m+n=3$ 답 3

033 $\overrightarrow{OP}$가 $\angle AOB$의 이등분선이므로

$\overline{OA}:\overline{OB}=\overline{AP}:\overline{BP}=3:1$

즉, 점 P는 $\overline{AB}$를 3 : 1로 내분하는 점이므로

$$\overrightarrow{OP}=\frac{3\overrightarrow{OB}+\overrightarrow{OA}}{3+1}=\frac{1}{4}\overrightarrow{OA}+\frac{3}{4}\overrightarrow{OB}$$

따라서 $a=\frac{1}{4}$, $b=\frac{3}{4}$이므로 $ab=\frac{3}{16}$ 답 ②

034 $\overrightarrow{GA}=\frac{2}{3}\overrightarrow{DA}=\frac{2}{3}\left(\overrightarrow{CA}-\frac{1}{2}\overrightarrow{CB}\right)=\frac{2}{3}\vec{a}-\frac{1}{3}\vec{b}$

$\overrightarrow{GB}=\frac{2}{3}\overrightarrow{EB}=\frac{2}{3}\left(\overrightarrow{CB}-\frac{1}{2}\overrightarrow{CA}\right)=\frac{2}{3}\vec{b}-\frac{1}{3}\vec{a}$

$\overrightarrow{GC}=-\frac{2}{3}\overrightarrow{CF}=-\frac{2}{3}\left(\frac{\overrightarrow{CB}+\overrightarrow{CA}}{2}\right)=-\frac{1}{3}\vec{a}-\frac{1}{3}\vec{b}$

$\therefore \overrightarrow{GA}+\overrightarrow{GB}+\overrightarrow{GC}=\vec{0}$ 답 ①

다른 풀이

$\overrightarrow{GA}=\overrightarrow{OA}-\overrightarrow{OG}$, $\overrightarrow{GB}=\overrightarrow{OB}-\overrightarrow{OG}$, $\overrightarrow{GC}=\overrightarrow{OC}-\overrightarrow{OG}$이므로

$\overrightarrow{GA}+\overrightarrow{GB}+\overrightarrow{GC}=\overrightarrow{OA}+\overrightarrow{OB}+\overrightarrow{OC}-3\overrightarrow{OG}$

그런데 $\overrightarrow{OG}=\frac{\overrightarrow{OA}+\overrightarrow{OB}+\overrightarrow{OC}}{3}$이므로

$\overrightarrow{GA}+\overrightarrow{GB}+\overrightarrow{GC}=3\overrightarrow{OG}-3\overrightarrow{OG}=\vec{0}$

035 ㄱ. $\overrightarrow{AP}=\frac{1}{2}\overrightarrow{AB}=\frac{1}{2}(\overrightarrow{CB}-\overrightarrow{CA})$

$=-\frac{1}{2}\vec{a}+\frac{1}{2}\vec{b}$ (참)

ㄴ. 점 G는 삼각형 ABC의 무게중심이므로

$\overrightarrow{GP}=\frac{1}{3}\overrightarrow{CP}$

$=\frac{1}{3}\left(\frac{\overrightarrow{CA}+\overrightarrow{CB}}{2}\right)$

$=\frac{1}{6}\vec{a}+\frac{1}{6}\vec{b}$ (거짓)

ㄷ. $\overrightarrow{BG}=\frac{2}{3}\overrightarrow{BR}=\frac{2}{3}(\overrightarrow{CR}-\overrightarrow{CB})$

$=\frac{2}{3}\left(\frac{1}{2}\overrightarrow{CA}-\overrightarrow{CB}\right)$

$=\frac{1}{3}\vec{a}-\frac{2}{3}\vec{b}$ (참)

따라서 옳은 것은 ㄱ, ㄷ이다. 답 ③

036 $\overrightarrow{AE}=\overrightarrow{AD}+\overrightarrow{DE}=\vec{b}+\frac{1}{2}\vec{a}$이므로

$\overrightarrow{AG}=\frac{1}{3}(\overrightarrow{AB}+\overrightarrow{AE}+\overrightarrow{AF})$

$=\frac{1}{3}\left(\vec{a}+\frac{1}{2}\vec{a}+\vec{b}+\frac{1}{2}\vec{b}\right)$

$=\frac{1}{2}\vec{a}+\frac{1}{2}\vec{b}$ 답 $\frac{1}{2}\vec{a}+\frac{1}{2}\vec{b}$

037 $3\overrightarrow{OA}+2\overrightarrow{OB}-5\overrightarrow{OP}=\vec{0}$에서

$5\overrightarrow{OP}=3\overrightarrow{OA}+2\overrightarrow{OB}$

$\therefore \overrightarrow{OP}=\frac{2\overrightarrow{OB}+3\overrightarrow{OA}}{2+3}$

따라서 점 P는 선분 AB를 2 : 3으로 내분하는 점이다.

$\therefore \overline{AP}:\overline{PB}=2:3$ 답 2 : 3

038 $\overrightarrow{BC}=\overrightarrow{BP}+\overrightarrow{PC}$이므로

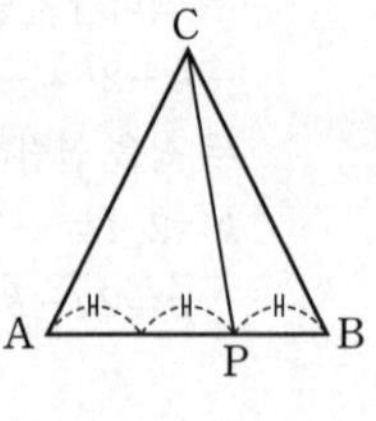

$2\overrightarrow{PA}+3\overrightarrow{PB}+\overrightarrow{PC}=\overrightarrow{BP}+\overrightarrow{PC}$

$2\overrightarrow{PA}+3\overrightarrow{PB}=\overrightarrow{BP}$

$2\overrightarrow{PA}=\overrightarrow{BP}-3\overrightarrow{PB}$

$=-\overrightarrow{PB}-3\overrightarrow{PB}$

$=-4\overrightarrow{PB}$

$\therefore \overrightarrow{PA}=-2\overrightarrow{PB}$

따라서 점 P는 선분 AB를 2 : 1로 내분하는 점이므로

$\triangle CAP:\triangle CBP=2:1$

$\therefore \triangle CBP=\frac{1}{3}\triangle ABC=\frac{1}{3}\times 9=3$ 답 ①

039

ㄱ. $\overrightarrow{AP}+2\overrightarrow{BP}+3\overrightarrow{CP}=\vec{0}$에서
$3\overrightarrow{CP}=-\overrightarrow{AP}-2\overrightarrow{BP}=\overrightarrow{PA}+2\overrightarrow{PB}$

$\therefore \overrightarrow{CP}=\dfrac{\overrightarrow{PA}+2\overrightarrow{PB}}{1+2}=\overrightarrow{PF}$

즉, 점 F는 $\overline{AB}$를 $2:1$로 내분하는 점이므로
$\overline{AF}:\overline{FB}=2:1$ (참)

ㄴ. $\overrightarrow{AP}+2\overrightarrow{BP}+3\overrightarrow{CP}=\vec{0}$에서
$2\overrightarrow{BP}=-\overrightarrow{AP}-3\overrightarrow{CP}=\overrightarrow{PA}+3\overrightarrow{PC}$

즉, $\overrightarrow{BP}=2\times\dfrac{\overrightarrow{PA}+3\overrightarrow{PC}}{1+3}=2\overrightarrow{PE}$이므로

$\overline{BP}:\overline{PE}=2:1$ (거짓)

ㄷ. $\overrightarrow{AP}+2\overrightarrow{BP}+3\overrightarrow{CP}=\vec{0}$에서
$\overrightarrow{AP}=-2\overrightarrow{BP}-3\overrightarrow{CP}=2\overrightarrow{PB}+3\overrightarrow{PC}$

$=5\times\dfrac{2\overrightarrow{PB}+3\overrightarrow{PC}}{2+3}=5\overrightarrow{PD}$

즉, 점 D는 변 BC를 $3:2$로 내분하는 점이고 점 P는 선분 AD를 $5:1$로 내분하는 점이므로
$\overline{BD}:\overline{DC}=3:2$, $\overline{AP}:\overline{PD}=5:1$
따라서 $\triangle ADB:\triangle ADC=\triangle PDB:\triangle PDC=3:2$이므로 $\triangle PAB:\triangle PCA=3:2$ (참)

따라서 옳은 것은 ㄱ, ㄷ이다. 답 ④

040 ㄱ. $m\ge 0$, $n\ge 0$,
$m+n=1$이므로

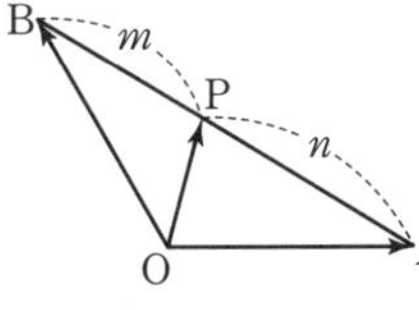

$\overrightarrow{OP}=m\overrightarrow{OA}+n\overrightarrow{OB}$

$=\dfrac{m\overrightarrow{OA}+n\overrightarrow{OB}}{m+n}$

즉, $\overrightarrow{OP}$는 선분 AB를 $n:m$으로 내분하는 점 P의 위치벡터이므로 점 P는 선분 AB 위의 점이다.
따라서 점 P가 그리는 도형은 선분 AB이다. (참)

ㄴ. $\overrightarrow{OP}=m\overrightarrow{OA}+n\overrightarrow{OB}$

$=m\overrightarrow{OA}+2n\left(\dfrac{1}{2}\overrightarrow{OB}\right)$

$=\dfrac{m\overrightarrow{OA}+2n\left(\dfrac{1}{2}\overrightarrow{OB}\right)}{m+2n}$

이므로 그림에서 선분 OB의 중점을 B′이라 할 때, 점 P가 그리는 도형은 선분 AB′이고, 이 길이는 선분 AB의 길이보다 짧다. (거짓)

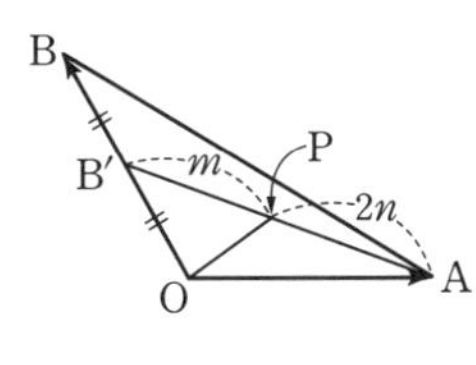

ㄷ. $m+2n\le 1$, $m\ge 0$, $2n\ge 0$
이므로 그림에서 점 P가 그리는 영역은 삼각형 OAB′과 그 내부이다.
즉, 점 P가 그리는 영역은 삼각형 OAB와 그 내부에 포함된다. (거짓)

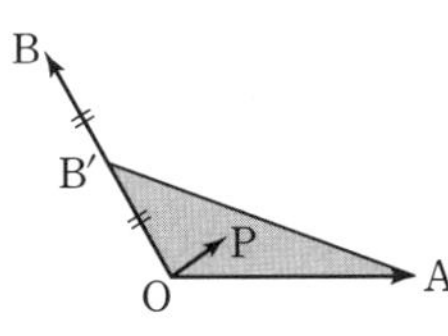

따라서 옳은 것은 ㄱ뿐이다. 답 ①

041 그림에서 점 P는 어두운 부분에 존재하므로 점 P가 존재하는 영역의 넓이는 직사각형 ABCD의 넓이의 $\dfrac{1}{4}$이다.

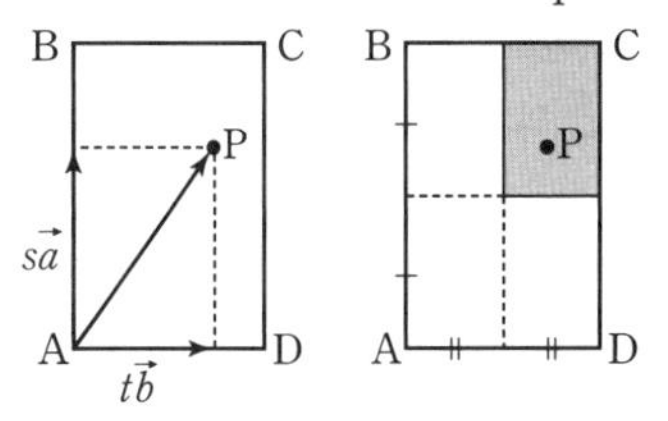

따라서 구하는 넓이는 $12\times\dfrac{1}{4}=3$ 답 3

042 $0\le s\le 1$, $0\le t\le 1$일 때,
벡터 $\overrightarrow{OP}=s\overrightarrow{OA}+t\overrightarrow{OB}$의 종점 P는 두 벡터 $\overrightarrow{OA}$, $\overrightarrow{OB}$를 이웃하는 변으로 하는 평행사변형의 둘레 및 내부에 존재한다.

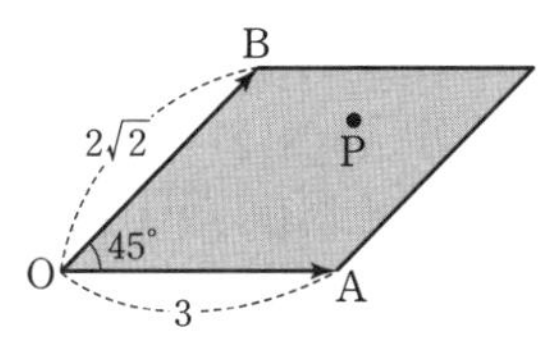

따라서 구하는 영역의 넓이 S는
$S=2\triangle OAB$

$=2\times\dfrac{1}{2}\times 3\times 2\sqrt{2}\sin 45°=6$ 답 6

043 $2(\vec{a}-\vec{b}+\vec{c})-3(\vec{a}+\vec{b}-2\vec{c})$
$=2\vec{a}-2\vec{b}+2\vec{c}-3\vec{a}-3\vec{b}+6\vec{c}$
$=-\vec{a}-5\vec{b}+8\vec{c}$
$=-(1, 2)-5(2, 4)+8(4, -1)$
$=(21, -30)$
$\therefore x+y=21+(-30)=-9$ 답 -9

044 $2(\vec{a}-\vec{b})+3\vec{b}=2\vec{a}-2\vec{b}+3\vec{b}$

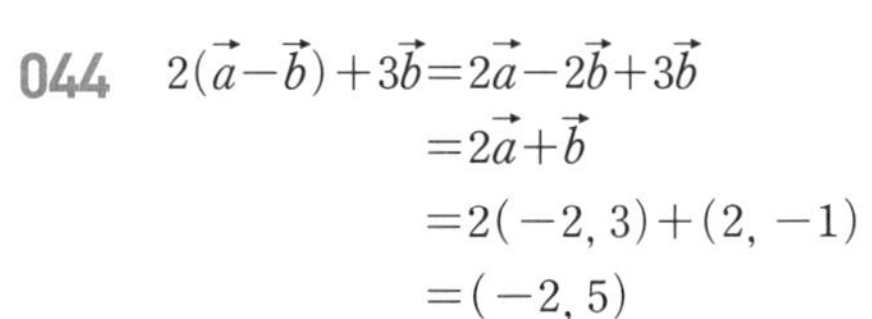

$=2\vec{a}+\vec{b}$
$=2(-2, 3)+(2, -1)$
$=(-2, 5)$
따라서 벡터 $2(\vec{a}-\vec{b})+3\vec{b}$의 크기는
$\sqrt{(-2)^2+5^2}=\sqrt{29}$ 답 ④

045 $\vec{a}+2\vec{x}=2(\vec{a}-\vec{b})$에서 $2\vec{x}=\vec{a}-2\vec{b}$

$\therefore \vec{x}=\dfrac{1}{2}\vec{a}-\vec{b}=\dfrac{1}{2}(-2, 2)-(-3, 4)$

$=(2, -3)$

$\therefore |\vec{x}|=\sqrt{2^2+(-3)^2}=\sqrt{13}$ 답 ②

046 $\vec{x}+\vec{y}=\vec{a}$ ……㉠
$\vec{x}-3\vec{y}=\vec{b}$ ……㉡
㉠, ㉡을 연립하여 풀면

$\vec{x}=\dfrac{3\vec{a}+\vec{b}}{4}$, $\vec{y}=\dfrac{\vec{a}-\vec{b}}{4}$

$\therefore \vec{x}-\vec{y}=\dfrac{\vec{a}+\vec{b}}{2}$

$=\dfrac{1}{2}\{(1, -2)+(3, 4)\}$

$=(2, 1)$

$\therefore |\vec{x}-\vec{y}|=\sqrt{2^2+1^2}=\sqrt{5}$ 답 ②

047 $\vec{c}=t\vec{a}+\vec{b}$

$=t(1, 1)+(1, -1)$

$=(t+1, t-1)$

$\therefore |\vec{c}|=\sqrt{(t+1)^2+(t-1)^2}$

$=\sqrt{2t^2+2}$

따라서 $|\vec{c}|$의 최솟값은 $t=0$일 때 $\sqrt{2}$이다. 답 ②

048 $\vec{a}+\vec{b}=(3, -1)$ ……㉠

$\vec{b}+\vec{c}=(1, 1)$ ……㉡

$\vec{c}+\vec{a}=(2, 4)$ ……㉢

㉠+㉡+㉢을 하면

$2(\vec{a}+\vec{b}+\vec{c})=(6, 4)$

$\therefore \vec{a}+\vec{b}+\vec{c}=(3, 2)$ ……㉣

㉣−㉡을 하면

$\vec{a}=(3, 2)-(1, 1)=(2, 1)$

$\therefore |\vec{a}|=\sqrt{2^2+1^2}=\sqrt{5}$

㉣−㉢을 하면

$\vec{b}=(3, 2)-(2, 4)=(1, -2)$

$\therefore |\vec{b}|=\sqrt{1^2+(-2)^2}=\sqrt{5}$

㉣−㉠을 하면

$\vec{c}=(3, 2)-(3, -1)=(0, 3)$

$\therefore |\vec{c}|=\sqrt{0^2+3^2}=3$

즉, $\dfrac{|\vec{c}|}{|\vec{a}||\vec{b}|}=\dfrac{3}{\sqrt{5}\sqrt{5}}=\dfrac{3}{5}$이므로

$p=5, q=3$

$\therefore p+q=8$ 답 8

049 점 D의 좌표를 (x, y)라 하면

$\overrightarrow{AB}=\overrightarrow{OB}-\overrightarrow{OA}$

$=(-2, 1)-(2, 3)$

$=(-4, -2)$

$\overrightarrow{CD}=\overrightarrow{OD}-\overrightarrow{OC}$

$=(x, y)-(3, -1)$

$=(x-3, y+1)$

$\overrightarrow{AB}=\overrightarrow{CD}$이므로

$x-3=-4$,

$y+1=-2$

$\therefore x=-1, y=-3$

따라서 점 D의 좌표는 $(-1, -3)$이다. 답 $(-1, -3)$

050 $\overrightarrow{PA}+\overrightarrow{PB}+\overrightarrow{PC}$

$=(\overrightarrow{OA}-\overrightarrow{OP})+(\overrightarrow{OB}-\overrightarrow{OP})+(\overrightarrow{OC}-\overrightarrow{OP})$

이므로

$\overrightarrow{OA}+\overrightarrow{OB}+\overrightarrow{OC}-3\overrightarrow{OP}=\vec{0}$

$\therefore 3\overrightarrow{OP}=\overrightarrow{OA}+\overrightarrow{OB}+\overrightarrow{OC}$

$=(2, 1)+(3, 4)+(1, 4)$

$=(6, 9)$

$=3(a, b)$

즉, $3a=6$, $3b=9$이므로

$a=2, b=3$

따라서 $\overrightarrow{AP}=(2, 3)-(2, 1)=(0, 2)$이므로

$|\overrightarrow{AP}|=\sqrt{0^2+2^2}=2$ 답 ①

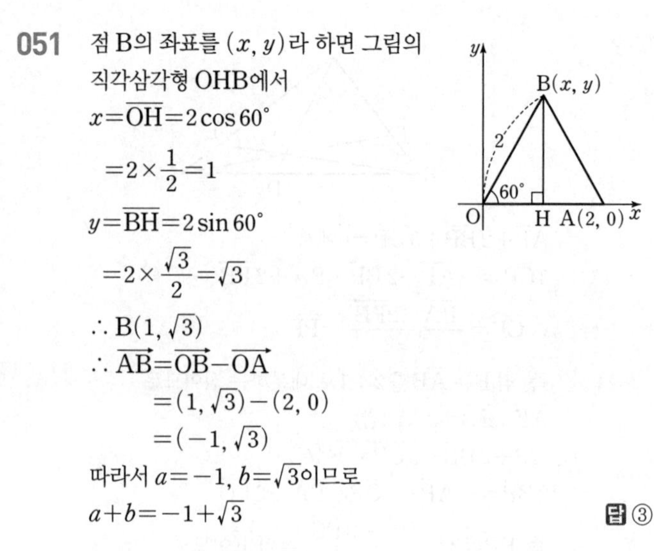

051 점 B의 좌표를 (x, y)라 하면 그림의 직각삼각형 OHB에서

$x=\overline{OH}=2\cos 60^\circ$

$=2\times\dfrac{1}{2}=1$

$y=\overline{BH}=2\sin 60^\circ$

$=2\times\dfrac{\sqrt{3}}{2}=\sqrt{3}$

$\therefore B(1, \sqrt{3})$

$\therefore \overrightarrow{AB}=\overrightarrow{OB}-\overrightarrow{OA}$

$=(1, \sqrt{3})-(2, 0)$

$=(-1, \sqrt{3})$

따라서 $a=-1$, $b=\sqrt{3}$이므로

$a+b=-1+\sqrt{3}$ 답 ③

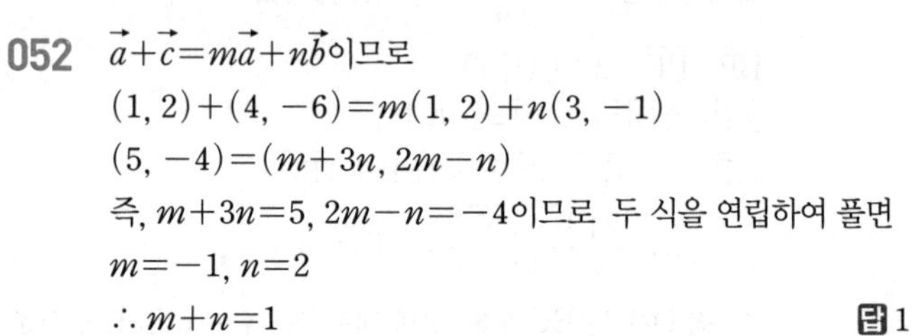

052 $\vec{a}+\vec{c}=m\vec{a}+n\vec{b}$이므로

$(1, 2)+(4, -6)=m(1, 2)+n(3, -1)$

$(5, -4)=(m+3n, 2m-n)$

즉, $m+3n=5$, $2m-n=-4$이므로 두 식을 연립하여 풀면

$m=-1, n=2$

$\therefore m+n=1$ 답 1

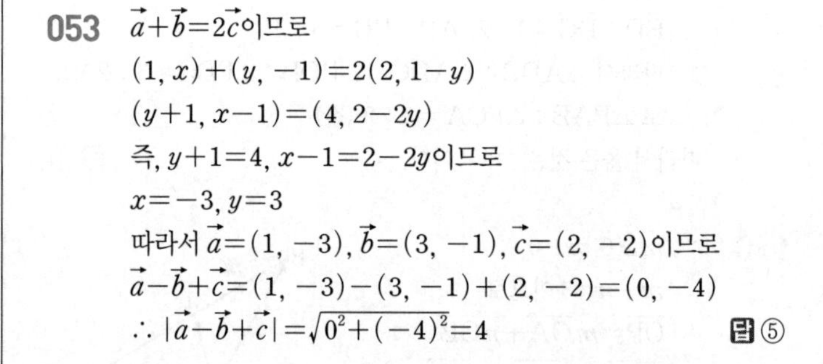

053 $\vec{a}+\vec{b}=2\vec{c}$이므로

$(1, x)+(y, -1)=2(2, 1-y)$

$(y+1, x-1)=(4, 2-2y)$

즉, $y+1=4$, $x-1=2-2y$이므로

$x=-3, y=3$

따라서 $\vec{a}=(1, -3)$, $\vec{b}=(3, -1)$, $\vec{c}=(2, -2)$이므로

$\vec{a}-\vec{b}+\vec{c}=(1, -3)-(3, -1)+(2, -2)=(0, -4)$

$\therefore |\vec{a}-\vec{b}+\vec{c}|=\sqrt{0^2+(-4)^2}=4$ 답 ⑤

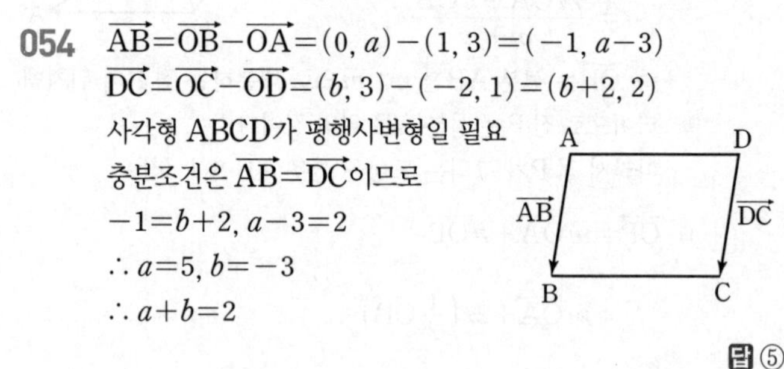

054 $\overrightarrow{AB}=\overrightarrow{OB}-\overrightarrow{OA}=(0, a)-(1, 3)=(-1, a-3)$

$\overrightarrow{DC}=\overrightarrow{OC}-\overrightarrow{OD}=(b, 3)-(-2, 1)=(b+2, 2)$

사각형 ABCD가 평행사변형일 필요충분조건은 $\overrightarrow{AB}=\overrightarrow{DC}$이므로

$-1=b+2$, $a-3=2$

$\therefore a=5, b=-3$

$\therefore a+b=2$

답 ⑤

055 $\vec{a}\,/\!/\,\vec{b}$이므로 $\vec{b}=t\vec{a}$ (단, $t\neq0$인 실수)

$(2x+1, -6)=t(2, 3)$

$=(2t, 3t)$

즉, $2x+1=2t$, $-6=3t$이므로

$t=-2, x=-\dfrac{5}{2}$ 답 ①

056 $\vec{a}+m\vec{b}=(1, 2)+m(-1, 3)$

$=(1-m, 2+3m)$

$\vec{c}-\vec{a}=(3, 5)-(1, 2)$

$=(2, 3)$

$\vec{a}+m\vec{b}$와 $\vec{c}-\vec{a}$가 평행하므로

$\vec{a}+m\vec{b}=k(\vec{c}-\vec{a})$ (단, $k\neq0$인 실수)

$(1-m, 2+3m)=k(2, 3)$
$=(2k, 3k)$
즉, $1-m=2k$, $2+3m=3k$이므로 두 식을 연립하여 풀면
$k=\frac{5}{9}$, $m=-\frac{1}{9}$ 답 $-\frac{1}{9}$

057 세 점 $A(1, 2)$, $B(2, 3)$, $C(4, x)$가 한 직선 위에 있으므로
$\overrightarrow{AC}=t\overrightarrow{AB}$ (단, $t\neq0$인 실수)
$\overrightarrow{OC}-\overrightarrow{OA}=t(\overrightarrow{OB}-\overrightarrow{OA})$
$(4, x)-(1, 2)=t\{(2, 3)-(1, 2)\}$
$(3, x-2)=t(1, 1)$
$=(t, t)$
따라서 $t=3$, $x-2=t$이므로 $x=5$ 답 ⑤

058 점 P의 좌표를 (x, y)라 하면
$\overrightarrow{OP}-\overrightarrow{OA}=(x, y)-(2, 0)=(x-2, y)$
$\overrightarrow{OP}-\overrightarrow{OB}=(x, y)-(-1, 0)=(x+1, y)$
$|\overrightarrow{OP}-\overrightarrow{OA}|=2|\overrightarrow{OP}-\overrightarrow{OB}|$에서
$|\overrightarrow{OP}-\overrightarrow{OA}|^2=4|\overrightarrow{OP}-\overrightarrow{OB}|^2$
$(x-2)^2+y^2=4(x+1)^2+4y^2$
$3x^2+12x+3y^2=0$, $x^2+4x+y^2=0$
$\therefore (x+2)^2+y^2=4$
따라서 점 $P(x, y)$는 중심이 $(-2, 0)$이고 반지름의 길이가 2인 원 위의 점이므로 구하는 넓이는
$\pi\times2^2=4\pi$ 답 4π

059 점 P에서 점 A에 이르는 거리와 점 P에서 점 B에 이르는 거리의 합이 일정하므로 점 P가 나타내는 도형은 두 점 A, B가 초점, 장축의 길이가 10, 중심의 좌표가 $(-1, 1)$인 타원이다.
따라서 점 P가 나타내는 도형의 방정식은
$\frac{(x+1)^2}{25}+\frac{(y-1)^2}{21}=1$ 답 $\frac{(x+1)^2}{25}+\frac{(y-1)^2}{21}=1$

060 $\overrightarrow{OA}=\vec{a}$, $\overrightarrow{OB}=\vec{b}$인 두 점 A, B를 잡으면
$A(2, 3)$, $B(-1, 4)$
$l=1-k$이고 $l\geq0$에서 $0\leq k\leq1$
$\therefore \overrightarrow{OP}=k\vec{a}+l\vec{b}=k\vec{a}+(1-k)\vec{b}$
$=k(\vec{a}-\vec{b})+\vec{b}$
$=k(\overrightarrow{OA}-\overrightarrow{OB})+\overrightarrow{OB}$
$=\overrightarrow{OB}+k\overrightarrow{BA}$
$0\leq k\leq1$이므로 $\overrightarrow{OP}$는 $\overrightarrow{OB}$로부터 $\overrightarrow{OA}$까지 움직인다.
즉, 점 P는 선분 AB 위를 움직인다. (단, $k=0$일 때 $\overrightarrow{OP}=\overrightarrow{OB}$, $k=1$일 때 $\overrightarrow{OP}=\overrightarrow{OA}$)
따라서 점 P의 전체의 집합이 나타내는 도형의 길이는 선분 AB의 길이와 같으므로
$\overline{AB}=\sqrt{(-1-2)^2+(4-3)^2}=\sqrt{10}$ 답 ②

07 평면벡터의 내적

본책 075~084쪽

001 두 평면벡터 $\vec{a}$, $\vec{b}$가 이루는 각의 크기가 $0°$이므로
$\vec{a}\cdot\vec{b}=|\vec{a}||\vec{b}|\cos0°=2\times3\times1=6$ 답 6

002 두 평면벡터 $\vec{a}$, $\vec{b}$가 이루는 각의 크기가 $30°$이므로
$\vec{a}\cdot\vec{b}=|\vec{a}||\vec{b}|\cos30°=2\times3\times\frac{\sqrt{3}}{2}=3\sqrt{3}$ 답 $3\sqrt{3}$

003 두 평면벡터 $\vec{a}$, $\vec{b}$가 이루는 각의 크기가 $60°$이므로
$\vec{a}\cdot\vec{b}=|\vec{a}||\vec{b}|\cos60°=2\times3\times\frac{1}{2}=3$ 답 3

004 두 평면벡터 $\vec{a}$, $\vec{b}$가 이루는 각의 크기가 $\frac{\pi}{4}$이므로
$\vec{a}\cdot\vec{b}=|\vec{a}||\vec{b}|\cos\frac{\pi}{4}=2\times3\times\frac{\sqrt{2}}{2}=3\sqrt{2}$ 답 $3\sqrt{2}$

005 두 평면벡터 $\vec{a}$, $\vec{b}$가 이루는 각의 크기가 $\frac{\pi}{2}$이므로
$\vec{a}\cdot\vec{b}=|\vec{a}||\vec{b}|\cos\frac{\pi}{2}=2\times3\times0=0$ 답 0

006 두 평면벡터 $\vec{a}$, $\vec{b}$가 이루는 각의 크기가 $\frac{2}{3}\pi$이므로
$\vec{a}\cdot\vec{b}=|\vec{a}||\vec{b}|\cos\frac{2}{3}\pi=2\times3\times\left(-\frac{1}{2}\right)=-3$ 답 -3

007 $\vec{a}\cdot\vec{b}=1\times3+2\times(-1)=1$ 답 1

008 $\vec{a}\cdot\vec{b}=2\times4+3\times(-2)=2$ 답 2

009 $\vec{a}\cdot\vec{b}=2\times8+(-7)\times3=-5$ 답 -5

010 $\vec{a}\cdot\vec{b}=3\times4+2\times(-6)=0$ 답 0

011 $\vec{a}\cdot\vec{b}=0\times9+10\times(-1)=-10$ 답 -10

012 $\vec{a}\cdot\vec{b}=7\times2+(-1)\times10=4$ 답 4

013 $\vec{a}\cdot\vec{b}=2\times5+(-1)\times5=5$ 답 5

014 $\vec{a}+\vec{b}=(7, 4)$이므로
$\vec{a}\cdot(\vec{a}+\vec{b})=2\times7+(-1)\times4=10$ 답 10

015 $\vec{a}-\vec{b}=(-3, -6)$이므로
$\vec{a}\cdot(\vec{a}-\vec{b})=2\times(-3)+(-1)\times(-6)=0$ 답 0

016 $\vec{a}-\vec{b}=(-3, -6)$이므로
$\vec{b}\cdot(\vec{a}-\vec{b})=5\times(-3)+5\times(-6)=-45$ 답 -45

017 $\vec{a}+\vec{b}=(7, 4)$, $\vec{a}-\vec{b}=(-3, -6)$이므로
$(\vec{a}+\vec{b})\cdot(\vec{a}-\vec{b})=7\times(-3)+4\times(-6)=-45$ 답 -45

018 $\vec{a}\cdot\vec{b}=|\vec{a}||\vec{b}|\cos\frac{\pi}{3}=2\times1\times\frac{1}{2}=1$ 답 1

019 $|\vec{a}+\vec{b}|^2=|\vec{a}|^2+2\vec{a}\cdot\vec{b}+|\vec{b}|^2$에서
$|\vec{a}+\vec{b}|^2=2^2+2\times1+1^2=7$
$\therefore |\vec{a}+\vec{b}|=\sqrt{7}$ 답 $\sqrt{7}$

020 $|\vec{a}-\vec{b}|^2=|\vec{a}|^2-2\vec{a}\cdot\vec{b}+|\vec{b}|^2$에서
$|\vec{a}-\vec{b}|^2=2^2-2\times1+1^2=3$
$\therefore |\vec{a}-\vec{b}|=\sqrt{3}$ 답 $\sqrt{3}$

021 $|2\vec{a}+\vec{b}|^2=4|\vec{a}|^2+4\vec{a}\cdot\vec{b}+|\vec{b}|^2$에서
$|2\vec{a}+\vec{b}|^2=4\times2^2+4\times1+1^2=21$
$\therefore |2\vec{a}+\vec{b}|=\sqrt{21}$ 답 $\sqrt{21}$

022 $(\vec{a}+\vec{b})\cdot(\vec{a}-\vec{b})=|\vec{a}|^2-|\vec{b}|^2$에서
$(\vec{a}+\vec{b})\cdot(\vec{a}-\vec{b})=2^2-1^2=3$ 답 3

023 두 평면벡터 $\vec{a}=(-1, 2)$, $\vec{b}=(1, 3)$이 이루는 각의 크기를 θ라 하면

$$\cos\theta=\frac{(-1)\times1+2\times3}{\sqrt{(-1)^2+2^2}\sqrt{1^2+3^2}}=\frac{5}{\sqrt{5}\sqrt{10}}=\frac{1}{\sqrt{2}}$$

$0\le\theta\le\pi$이므로
$\theta=\frac{\pi}{4}$ 답 $\frac{\pi}{4}$

024 두 평면벡터 $\vec{a}=(2, 1)$, $\vec{b}=(-2, 4)$가 이루는 각의 크기를 θ라 하면

$$\cos\theta=\frac{2\times(-2)+1\times4}{\sqrt{2^2+1^2}\sqrt{(-2)^2+4^2}}=0$$

$0\le\theta\le\pi$이므로
$\theta=\frac{\pi}{2}$ 답 $\frac{\pi}{2}$

025 두 평면벡터 $\vec{a}=(1, 0)$, $\vec{b}=(2, 2\sqrt{3})$이 이루는 각의 크기를 θ라 하면

$$\cos\theta=\frac{1\times2+0\times2\sqrt{3}}{\sqrt{1^2+0^2}\sqrt{2^2+(2\sqrt{3})^2}}=\frac{2}{\sqrt{1}\sqrt{16}}=\frac{1}{2}$$

$0\le\theta\le\pi$이므로
$\theta=\frac{\pi}{3}$ 답 $\frac{\pi}{3}$

026 두 평면벡터 $\vec{a}=(-1, 3)$, $\vec{b}=(2, -1)$이 이루는 각의 크기를 θ라 하면

$$\cos\theta=\frac{(-1)\times2+3\times(-1)}{\sqrt{(-1)^2+3^2}\sqrt{2^2+(-1)^2}}=\frac{-5}{\sqrt{10}\sqrt{5}}=-\frac{1}{\sqrt{2}}$$

$0\le\theta\le\pi$이므로
$\theta=\frac{3}{4}\pi$ 답 $\frac{3}{4}\pi$

027 두 평면벡터 $\vec{a}=(0, 1)$, $\vec{b}=(-2\sqrt{3}, -2)$가 이루는 각의 크기를 θ라 하면

$$\cos\theta=\frac{0\times(-2\sqrt{3})+1\times(-2)}{\sqrt{0^2+1^2}\sqrt{(-2\sqrt{3})^2+(-2)^2}}=\frac{-2}{\sqrt{1}\sqrt{16}}=-\frac{1}{2}$$

$0\le\theta\le\pi$이므로
$\theta=\frac{2}{3}\pi$ 답 $\frac{2}{3}\pi$

028 두 평면벡터 $\vec{a}=(\sqrt{2}, -2\sqrt{2})$, $\vec{b}=(3, 9)$가 이루는 각의 크기를 θ라 하면

$$\cos\theta=\frac{\sqrt{2}\times3+(-2\sqrt{2})\times9}{\sqrt{(\sqrt{2})^2+(-2\sqrt{2})^2}\sqrt{3^2+9^2}}=\frac{-15\sqrt{2}}{\sqrt{10}\sqrt{90}}=-\frac{\sqrt{2}}{2}$$

$0\le\theta\le\pi$이므로
$\theta=\frac{3}{4}\pi$ 답 $\frac{3}{4}\pi$

029 $\vec{a}\cdot\vec{b}=(-3)\times2+2\times3=0$
$\vec{b}\cdot\vec{c}=2\times6+3\times(-4)=0$
이므로 $\vec{a}$와 $\vec{b}$, $\vec{b}$와 $\vec{c}$는 서로 수직이다. 답 $\vec{a}$와 $\vec{b}$, $\vec{b}$와 $\vec{c}$

030 $\vec{a}\cdot\vec{c}=(-3)\times6+2\times(-4)=-26$
$|\vec{a}||\vec{c}|=\sqrt{(-3)^2+2^2}\sqrt{6^2+(-4)^2}=26$
따라서 $\vec{a}\cdot\vec{c}=-|\vec{a}||\vec{c}|$이므로 두 벡터 $\vec{a}$와 $\vec{c}$는 서로 평행하다. 답 $\vec{a}$와 $\vec{c}$

031 두 평면벡터 $\vec{a}$, $\vec{b}$가 수직이 되려면
$\vec{a}\cdot\vec{b}=0$이어야 하므로
$1\times(-6)+3\times k=0$
$3k-6=0$
$\therefore k=2$ 답 2

032 두 평면벡터 $\vec{a}$, $\vec{b}$가 평행하려면
$\vec{a}\cdot\vec{b}=\pm|\vec{a}||\vec{b}|$이어야 하므로
$3k-6=\pm\sqrt{1^2+3^2}\sqrt{(-6)^2+k^2}$
$(3k-6)^2=10(k^2+36)$
$9k^2-36k+36=10k^2+360$
$k^2+36k+324=0$
$(k+18)^2=0$
$\therefore k=-18$ 답 -18

033 $\angle AOB=\theta$로 놓으면
$\overrightarrow{OA}\cdot\overrightarrow{OB}=|\overrightarrow{OA}||\overrightarrow{OB}|\cos\theta$
$=|\overrightarrow{OB}||\overrightarrow{OA}|\cos\theta$
$=|\overrightarrow{OB}||\overrightarrow{OH}|$ 답 ③

034 $|\overrightarrow{AB}|=4$, $|\overrightarrow{AC}|=\sqrt{3^2+4^2}=5$이고
두 벡터 $\overrightarrow{AB}$와 $\overrightarrow{AC}$가 이루는 각의 크기를 θ라 하면
$\cos\theta=\frac{4}{5}$

$\therefore \overrightarrow{AB}\cdot\overrightarrow{AC}=|\overrightarrow{AB}||\overrightarrow{AC}|\cos\theta$

$=4\times5\times\dfrac{4}{5}$

$=16$ 답 16

035 $\overrightarrow{AC}+\overrightarrow{CB}=\overrightarrow{AB}$이므로

$\overrightarrow{AB}\cdot(\overrightarrow{AC}+\overrightarrow{CB})=\overrightarrow{AB}\cdot\overrightarrow{AB}=|\overrightarrow{AB}|^2=1$ 답 ④

036 정삼각형 ABC의 한 변의 길이를 a라 하면

ㄱ. $\overrightarrow{AB}\cdot\overrightarrow{AC}=|\overrightarrow{AB}||\overrightarrow{AC}|\cos60^\circ$

$=a^2\cos60^\circ=\dfrac{a^2}{2}$

ㄴ. $\overrightarrow{AB}\cdot\overrightarrow{BC}=|\overrightarrow{AB}||\overrightarrow{BC}|\cos120^\circ$

$=a^2\cos120^\circ=-\dfrac{a^2}{2}$

ㄷ. $\overrightarrow{AB}\cdot\overrightarrow{AM}=|\overrightarrow{AB}||\overrightarrow{AM}|\cos30^\circ$

$=a\times\dfrac{\sqrt{3}}{2}a\times\cos30^\circ=\dfrac{3}{4}a^2$

따라서 ㄷ>ㄱ>ㄴ이다. 답 ③

037 반원에 대한 원주각의 크기는 90°이므로

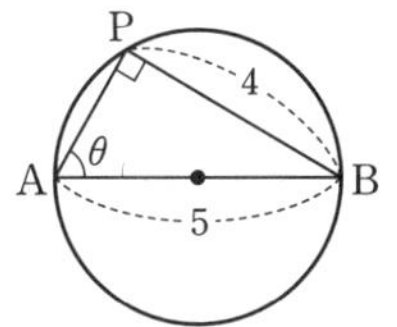

$\angle P=90^\circ$

$\therefore |\overrightarrow{AP}|=\sqrt{5^2-4^2}=3$

$\angle PAB=\theta$라 하면 $\cos\theta=\dfrac{3}{5}$

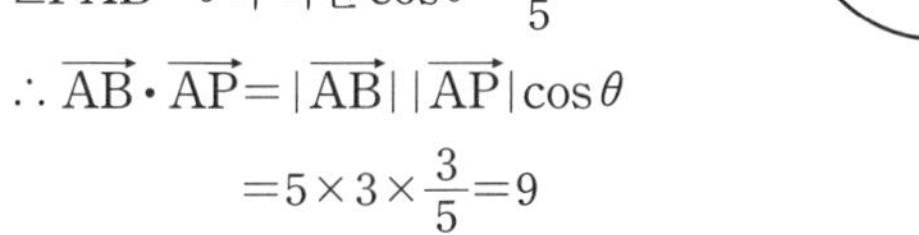

$\therefore \overrightarrow{AB}\cdot\overrightarrow{AP}=|\overrightarrow{AB}||\overrightarrow{AP}|\cos\theta$

$=5\times3\times\dfrac{3}{5}=9$ 답 9

038 그림과 같이 벡터 $\overrightarrow{BC}$를 평행이동하여 시점을 같게 하면 $\overrightarrow{AB}$와 $\overrightarrow{BC}$가 이루는 각의 크기는 120°이다.

$\overrightarrow{AB}\cdot\overrightarrow{AC}+\overrightarrow{AB}\cdot\overrightarrow{BC}$

$=\overrightarrow{AB}\cdot\overrightarrow{AC}+\overrightarrow{AB}\cdot\overrightarrow{AC'}$

$=a\times a\times\cos60^\circ+a\times a\times\cos120^\circ$

$=\dfrac{a^2}{2}-\dfrac{a^2}{2}=0$ 답 ③

039 정육각형의 한 내각의 크기는 120°이므로

$\angle ABE=\angle CBE=60^\circ$ ……㉠

삼각형 BCD에서 $\overline{BC}=\overline{CD}$이고

$\angle BCD=120^\circ$이므로

$\angle CBD=\dfrac{1}{2}(180^\circ-120^\circ)=30^\circ$ ……㉡

㉠, ㉡에서

$\angle EBD=\angle CBE-\angle CBD=30^\circ$

또 $\angle BED=60^\circ$이므로 $\angle BDE=90^\circ$

즉, $\overline{BE}=2$이고,

$\overline{BD}=\sqrt{\overline{BE}^2-\overline{DE}^2}=\sqrt{4-1}=\sqrt{3}$

이므로

$\overrightarrow{BD}\cdot\overrightarrow{BE}=|\overrightarrow{BD}||\overrightarrow{BE}|\cos30^\circ$

$=\sqrt{3}\times2\times\dfrac{\sqrt{3}}{2}=3$  답 3

040 꼭짓점 D에서 변 BC에 내린 수선의 발을 H라 하고 두 벡터 $\overrightarrow{AB}$와 $\overrightarrow{DC}$가 이루는 각의 크기를 θ라 하면 두 벡터 $\overrightarrow{DH}$와 $\overrightarrow{DC}$가 이루는 각의 크기는 θ이다.

$\overline{AB}=\overline{DH}=\sqrt{25-4}=\sqrt{21}$

이므로

$\overrightarrow{AB}\cdot\overrightarrow{DC}=|\overrightarrow{AB}||\overrightarrow{DC}|\cos\theta$

$=\sqrt{21}\times5\times\dfrac{\sqrt{21}}{5}=21$ 답 21

041 점 A에서 $\overline{OB}$에 내린 수선의 발을 H라 하면 G_1은 삼각형 OBC의 무게중심이므로 $\overline{CH}$를 $2:1$로 내분하는 점이다.

$|\overrightarrow{AG_1}|=\dfrac{4}{3}\overline{AH}=\dfrac{4}{3}\overline{AB}\sin60^\circ$

$=\dfrac{4}{3}\times2\sqrt{3}\sin60^\circ$

$=4$

같은 방법으로 $|\overrightarrow{AG_2}|=4$

그런데 $\angle G_1AG_2=60^\circ$이므로

$\overrightarrow{AG_1}\cdot\overrightarrow{AG_2}=|\overrightarrow{AG_1}||\overrightarrow{AG_2}|\cos60^\circ$

$=4\times4\times\dfrac{1}{2}$

$=8$  답 8

042 $2\vec{a}-\vec{b}=2(1,-2)-(3,2)$

$=(-1,-6)$

$\vec{a}\cdot(2\vec{a}-\vec{b})=(1,-2)\cdot(-1,-6)$

$=(-1)+12$

$=11$ 답 11

043 $\vec{a}+\vec{b}=(x,-2)+(x,1-x)$

$=(2x,-1-x)$

이므로

$\vec{a}\cdot(\vec{a}+\vec{b})=(x,-2)\cdot(2x,-1-x)$

$=2x^2-2(-1-x)$

$=2x^2+2x+2=2$

$x^2+x=0$

$x(x+1)=0$

$\therefore x=-1$ 또는 $x=0$ 답 ①

044 원점 O에 대하여

$\overrightarrow{AB}=\overrightarrow{OB}-\overrightarrow{OA}$

$=(1-2,-2-1)$

$=(-1,-3)$

$\overrightarrow{BC}=\overrightarrow{OC}-\overrightarrow{OB}$

$=(a-1,4+2)$

$=(a-1,6)$

$\overrightarrow{AB}\cdot\overrightarrow{BC}=(-1)\times(a-1)+(-3)\times6$

$=-a-17$

$\overrightarrow{AB}\cdot\overrightarrow{BC}=-4$이므로

$-a-17=-4$

$\therefore a=-13$  답 ③

045 $\vec{b}\cdot\vec{b}=1+x^2=10$

$x^2=9$

$\therefore x=3\ (\because x>0)$

$\vec{a}\cdot\vec{b}=2x+xy=6+3y=12$

$\therefore y=2$

$\therefore x+y=5$

답 5

046 $\overrightarrow{AO}=-\overrightarrow{OA}=-(3, 4)=(-3, -4)$

$\overrightarrow{AB}=\overrightarrow{OB}-\overrightarrow{OA}=(4, 0)-(3, 4)=(1, -4)$

$\overrightarrow{BO}=-\overrightarrow{OB}=-(4, 0)=(-4, 0)$

이므로

$a=\overrightarrow{AO}\cdot\overrightarrow{AB}=(-3, -4)\cdot(1, -4)=13$

$b=\overrightarrow{AB}\cdot\overrightarrow{BO}=(1, -4)\cdot(-4, 0)=-4$

$c=\overrightarrow{OA}\cdot\overrightarrow{OB}=(3, 4)\cdot(4, 0)=12$

$\therefore b<c<a$

답 ③

047 두 벡터 $t\vec{a}+\vec{b}$, $\vec{a}-t\vec{b}$를 각각 성분으로 나타내면

$t\vec{a}+\vec{b}=t(-1, 1)+(3, -1)$

$=(-t+3, t-1)$

$\vec{a}-t\vec{b}=(-1, 1)-t(3, -1)$

$=(-1-3t, 1+t)$

$\therefore f(t)=(t\vec{a}+\vec{b})\cdot(\vec{a}-t\vec{b})$

$=(-t+3, t-1)\cdot(-1-3t, 1+t)$

$=(-t+3)(-1-3t)+(t-1)(1+t)$

$=4t^2-8t-4$

$=4(t-1)^2-8$

따라서 $f(t)$의 최솟값은 $t=1$일 때 -8이다.

답 -8

048 점 E를 원점, $\overline{BC}$를 x축, $\overline{AE}$를 y축으로 하는 좌표평면에 삼각형 ABC를 나타내면 그림과 같다.

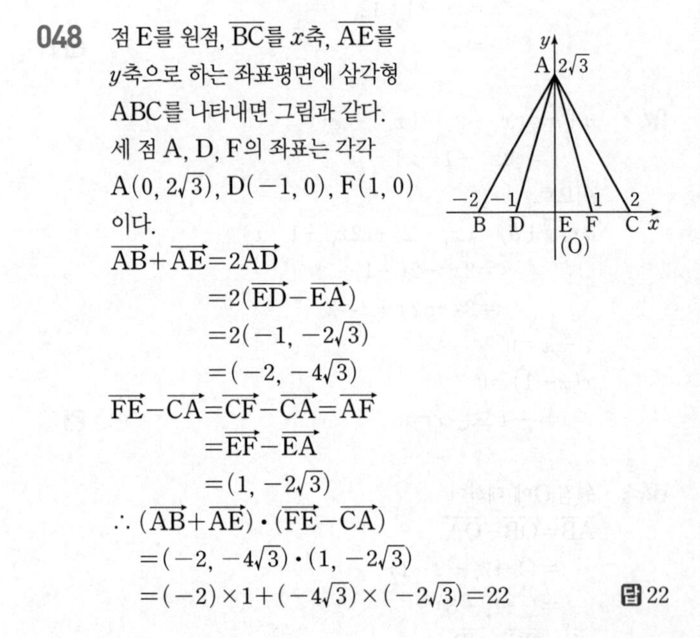

세 점 A, D, F의 좌표는 각각 $A(0, 2\sqrt{3})$, $D(-1, 0)$, $F(1, 0)$이다.

$\overrightarrow{AB}+\overrightarrow{AE}=2\overrightarrow{AD}$

$=2(\overrightarrow{ED}-\overrightarrow{EA})$

$=2(-1, -2\sqrt{3})$

$=(-2, -4\sqrt{3})$

$\overrightarrow{FE}-\overrightarrow{CA}=\overrightarrow{CF}-\overrightarrow{CA}=\overrightarrow{AF}$

$=\overrightarrow{EF}-\overrightarrow{EA}$

$=(1, -2\sqrt{3})$

$\therefore (\overrightarrow{AB}+\overrightarrow{AE})\cdot(\overrightarrow{FE}-\overrightarrow{CA})$

$=(-2, -4\sqrt{3})\cdot(1, -2\sqrt{3})$

$=(-2)\times1+(-4\sqrt{3})\times(-2\sqrt{3})=22$

답 22

049 $x^2+y^2=5$, $y=2x+2$에서

$x^2+(2x+2)^2=5$

$\therefore 5x^2+8x-1=0$

이 이차방정식의 두 근을 α, β라 하면 근과 계수의 관계에서

$\alpha+\beta=-\dfrac{8}{5}$, $\alpha\beta=-\dfrac{1}{5}$

$A(\alpha, 2\alpha+2)$, $B(\beta, 2\beta+2)$라 하면

$\overrightarrow{OA}\cdot\overrightarrow{OB}=\alpha\beta+4(\alpha+1)(\beta+1)$

$=5\alpha\beta+4(\alpha+\beta)+4$

$=5\times\left(-\dfrac{1}{5}\right)+4\times\left(-\dfrac{8}{5}\right)+4$

$=-\dfrac{17}{5}$

답 $-\dfrac{17}{5}$

050 곡선 $y=\dfrac{1}{x}$ 위의 점 P를 $P\left(\alpha, \dfrac{1}{\alpha}\right)$ $(\alpha>0)$이라 하면

$\overrightarrow{PA}=\left(2-\alpha, -\dfrac{1}{\alpha}\right)$, $\overrightarrow{PB}=\left(-\alpha, 2-\dfrac{1}{\alpha}\right)$이므로

$\overrightarrow{PA}\cdot\overrightarrow{PB}=-2\alpha+\alpha^2-\dfrac{2}{\alpha}+\dfrac{1}{\alpha^2}$

$=\left(\alpha+\dfrac{1}{\alpha}\right)^2-2\left(\alpha+\dfrac{1}{\alpha}\right)-2$

$\alpha+\dfrac{1}{\alpha}=t$ $(t>0)$라 하면 산술평균과 기하평균의 관계에서

$t=\alpha+\dfrac{1}{\alpha}\geq2\sqrt{\alpha\times\dfrac{1}{\alpha}}=2$ $\left(\text{단, 등호는 } \alpha=\dfrac{1}{\alpha}\text{일 때 성립한다.}\right)$

$\overrightarrow{PA}\cdot\overrightarrow{PB}=t^2-2t-2$

$=(t-1)^2-3\ (t\geq2)$

따라서 $\overrightarrow{PA}\cdot\overrightarrow{PB}$의 최솟값은 $t=2$일 때 -2이다.

답 ③

051 $|\vec{a}+\vec{b}|=1$의 양변을 제곱하면

$|\vec{a}|^2+2\vec{a}\cdot\vec{b}+|\vec{b}|^2=1$

$(\sqrt{3})^2+2\vec{a}\cdot\vec{b}+2^2=1$

$\therefore \vec{a}\cdot\vec{b}=-3$

$\therefore (\vec{a}-\vec{b})\cdot(\vec{a}+2\vec{b})=|\vec{a}|^2+\vec{a}\cdot\vec{b}-2|\vec{b}|^2$

$=(\sqrt{3})^2-3-2\times2^2$

$=-8$

답 -8

052 $|\vec{a}|=2$, $|\vec{b}|=\sqrt{2}$이고 두 벡터 $\vec{a}$, $\vec{b}$가 이루는 각의 크기가 $\dfrac{\pi}{4}$이므로

$\vec{a}\cdot\vec{b}=2\times\sqrt{2}\times\cos\dfrac{\pi}{4}=2$

$|\vec{a}+2\vec{b}|^2=|\vec{a}|^2+4\vec{a}\cdot\vec{b}+4|\vec{b}|^2$

$=2^2+4\times2+4\times(\sqrt{2})^2=20$

$\therefore |\vec{a}+2\vec{b}|=2\sqrt{5}$

답 $2\sqrt{5}$

053 $|2\vec{a}+\vec{b}|=3$의 양변을 제곱하면

$4|\vec{a}|^2+4\vec{a}\cdot\vec{b}+|\vec{b}|^2=9$ ······㉠

$|2\vec{a}-\vec{b}|=1$의 양변을 제곱하면

$4|\vec{a}|^2-4\vec{a}\cdot\vec{b}+|\vec{b}|^2=1$ ······㉡

㉠$-$㉡을 하면

$8\vec{a}\cdot\vec{b}=8$ $\quad\therefore \vec{a}\cdot\vec{b}=1$

답 ③

054 $|\vec{a}+\vec{b}|=2$의 양변을 제곱하면

$|\vec{a}|^2+2\vec{a}\cdot\vec{b}+|\vec{b}|^2=4$ ······㉠

$|\vec{a}-\vec{b}|=3$의 양변을 제곱하면

$|\vec{a}|^2-2\vec{a}\cdot\vec{b}+|\vec{b}|^2=9$ ······㉡

㉠$+$㉡을 하면

$2(|\vec{a}|^2+|\vec{b}|^2)=13$

$\therefore |\vec{a}|^2+|\vec{b}|^2=\dfrac{13}{2}$

$\therefore |\vec{a}+2\vec{b}|^2+|2\vec{a}-\vec{b}|^2$

$=|\vec{a}|^2+4\vec{a}\cdot\vec{b}+4|\vec{b}|^2+4|\vec{a}|^2-4\vec{a}\cdot\vec{b}+|\vec{b}|^2$

$=5(|\vec{a}|^2+|\vec{b}|^2)$

$=5\times\frac{13}{2}$

$=\frac{65}{2}$ 답 ③

055 $|\vec{a}-3\vec{b}|=\sqrt{13}$의 양변을 제곱하면

$|\vec{a}|^2-6\vec{a}\cdot\vec{b}+9|\vec{b}|^2=13$

$|\vec{b}|=1$이고 $\vec{a}$와 $\vec{b}$가 이루는 각의 크기가 $60°$이므로

$|\vec{a}|^2-6|\vec{a}|\times1\times\cos 60°-4=0$

$|\vec{a}|^2-3|\vec{a}|-4=0$

$(|\vec{a}|-4)(|\vec{a}|+1)=0$

$\therefore |\vec{a}|=4$ ($\because |\vec{a}|\ge0$) 답 ④

056 $|\vec{a}-\vec{b}|=2\sqrt{5}$의 양변을 제곱하면

$|\vec{a}|^2-2\vec{a}\cdot\vec{b}+|\vec{b}|^2=20$

$16-2\vec{a}\cdot\vec{b}+2=20$

$\therefore \vec{a}\cdot\vec{b}=-1$

$|\vec{a}+t\vec{b}|^2=|\vec{a}|^2+2t\vec{a}\cdot\vec{b}+t^2|\vec{b}|^2$

$=2t^2-2t+16$

에서

$|\vec{a}+t\vec{b}|=\sqrt{2t^2-2t+16}$

$=\sqrt{2\left(t-\frac{1}{2}\right)^2+\frac{31}{2}}$

따라서 $|\vec{a}+t\vec{b}|$는 $t=\frac{1}{2}$일 때, 최솟값을 갖는다. 답 $\frac{1}{2}$

057 $|\vec{a}|=1$, $|\vec{b}|=1$이고 $\vec{a}$와 $\vec{b}$가 이루는 각의 크기가 $60°$이므로

$\vec{a}\cdot\vec{b}=|\vec{a}||\vec{b}|\cos 60°$

$=1\times1\times\frac{1}{2}=\frac{1}{2}$

$|2\vec{a}-\vec{b}|^2=4|\vec{a}|^2-4\vec{a}\cdot\vec{b}+|\vec{b}|^2$

$=4-4\times\frac{1}{2}+1=3$

$\therefore |2\vec{a}-\vec{b}|=\sqrt{3}$ 답 ③

058 $\overrightarrow{OP}\cdot\overrightarrow{AB}=\overrightarrow{OP}\cdot(\overrightarrow{OB}-\overrightarrow{OA})$

$=\overrightarrow{OP}\cdot\overrightarrow{OB}-\overrightarrow{OP}\cdot\overrightarrow{OA}$

$\overrightarrow{OP}\cdot\overrightarrow{OB}=|\overrightarrow{OB}||\overrightarrow{OP}|\cos(\angle BOP)$

$=|\overrightarrow{OB}||\overrightarrow{OB}|=4$

마찬가지로

$\overrightarrow{OP}\cdot\overrightarrow{OA}=|\overrightarrow{OA}||\overrightarrow{OP}|\cos(\angle POA)$

$=|\overrightarrow{OA}||\overrightarrow{OA}|=1$

$\therefore \overrightarrow{OP}\cdot\overrightarrow{AB}=\overrightarrow{OP}\cdot\overrightarrow{OB}-\overrightarrow{OP}\cdot\overrightarrow{OA}$

$=4-1=3$ 답 3

059 그림과 같이 $\overrightarrow{AB}=\vec{a}$, $\overrightarrow{AC}=\vec{b}$로 놓으면 $|\vec{a}|=|\vec{b}|=1$이므로

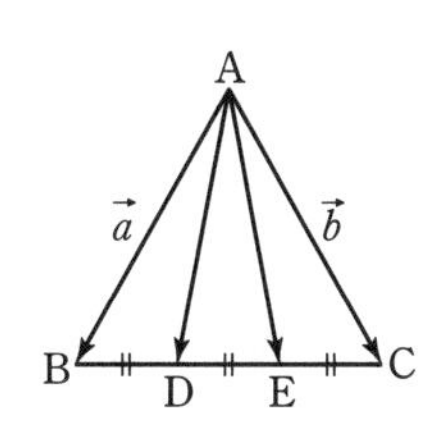

$\vec{a}\cdot\vec{b}=|\vec{a}||\vec{b}|\cos 60°=\frac{1}{2}$

또 점 D는 선분 BC를 1 : 2로 내분하는 점이므로

$\overrightarrow{AD}=\frac{2\vec{a}+\vec{b}}{3}$

점 E는 선분 BC를 2 : 1로 내분하는 점이므로

$\overrightarrow{AE}=\frac{\vec{a}+2\vec{b}}{3}$

$\therefore \overrightarrow{AD}\cdot\overrightarrow{AE}=\frac{1}{9}(2\vec{a}+\vec{b})\cdot(\vec{a}+2\vec{b})$

$=\frac{1}{9}(2|\vec{a}|^2+5\vec{a}\cdot\vec{b}+2|\vec{b}|^2)$

$=\frac{1}{9}\left(2+\frac{5}{2}+2\right)$

$=\frac{13}{18}$ 답 ④

060 $|\vec{a}-\vec{b}|=\sqrt{7}$의 양변을 제곱하면

$|\vec{a}|^2-2\vec{a}\cdot\vec{b}+|\vec{b}|^2=7$

$|\vec{a}|^2-2|\vec{a}||\vec{b}|\cos\theta+|\vec{b}|^2=7$

$|\vec{a}|=2$, $|\vec{b}|=3$이므로

$4-12\cos\theta+9=7$

$\therefore \cos\theta=\frac{1}{2}$

따라서 구하는 각의 크기 θ는

$\theta=\frac{\pi}{3}$ 답 $\frac{\pi}{3}$

061 $\vec{a}+\vec{b}+\vec{c}=\vec{0}$에서 $\vec{a}+\vec{b}=-\vec{c}$

$|\vec{a}+\vec{b}|=|-\vec{c}|$

양변을 제곱하면

$|\vec{a}+\vec{b}|^2=|\vec{c}|^2$

$|\vec{a}|^2+2\vec{a}\cdot\vec{b}+|\vec{b}|^2=|\vec{c}|^2$

$|\vec{a}|=6$, $|\vec{b}|=10$, $|\vec{c}|=14$이므로

$6^2+2\vec{a}\cdot\vec{b}+10^2=14^2$

$\therefore \vec{a}\cdot\vec{b}=30$

$\therefore \cos\theta=\frac{\vec{a}\cdot\vec{b}}{|\vec{a}||\vec{b}|}$

$=\frac{30}{6\times10}$

$=\frac{1}{2}$ 답 ④

062 $\vec{a}-\vec{b}=(3, 2)-(-1, -2)=(4, 4)$

$\vec{b}-\vec{c}=(-1, -2)-(2, -3)=(-3, 1)$

이므로

$\cos\theta=\frac{(\vec{a}-\vec{b})\cdot(\vec{b}-\vec{c})}{|\vec{a}-\vec{b}||\vec{b}-\vec{c}|}$

$=\frac{4\times(-3)+4\times1}{\sqrt{4^2+4^2}\sqrt{(-3)^2+1^2}}$

$=\frac{-8}{4\sqrt{2}\sqrt{10}}$

$=-\frac{\sqrt{5}}{5}$ 답 ①

063 $2\vec{a}-\vec{b}=2(1, 0)-(x, 1)$

$=(2-x, -1)$

$\vec{c}=(2, -1)$

이므로

$$\cos 45^\circ = \frac{(2\vec{a}-\vec{b})\cdot\vec{c}}{|2\vec{a}-\vec{b}||\vec{c}|}$$
$$= \frac{(2-x)\times 2+(-1)\times(-1)}{\sqrt{(2-x)^2+(-1)^2}\sqrt{2^2+(-1)^2}}$$
$$= \frac{-2x+5}{\sqrt{x^2-4x+5}\sqrt{5}}$$
$$= \frac{1}{\sqrt{2}}$$

양변을 제곱하여 정리하면

$2(-2x+5)^2=5(x^2-4x+5)$

$3x^2-20x+25=0$

$(x-5)(3x-5)=0$

$\therefore x=5$ 또는 $x=\frac{5}{3}$

따라서 정수 x의 값은 5이다. 답 ⑤

064 $2\overrightarrow{OA}+3\overrightarrow{OB}+4\overrightarrow{OC}=\vec{0}$에서

$2\overrightarrow{OA}+3\overrightarrow{OB}=-4\overrightarrow{OC}$

$|2\overrightarrow{OA}+3\overrightarrow{OB}|=|-4\overrightarrow{OC}|$

양변을 제곱하면

$4|\overrightarrow{OA}|^2+12\overrightarrow{OA}\cdot\overrightarrow{OB}+9|\overrightarrow{OB}|^2=16|\overrightarrow{OC}|^2$

한편, $\overline{OA}$, $\overline{OB}$, $\overline{OC}$가 원의 반지름이므로

$|\overrightarrow{OA}|=|\overrightarrow{OB}|=|\overrightarrow{OC}|=1$

즉, $4+12\overrightarrow{OA}\cdot\overrightarrow{OB}+9=16$이므로

$\overrightarrow{OA}\cdot\overrightarrow{OB}=\frac{1}{4}$

$\therefore \cos\theta=\frac{\overrightarrow{OA}\cdot\overrightarrow{OB}}{|\overrightarrow{OA}||\overrightarrow{OB}|}=\frac{1}{4}$ 답 ④

065 $\angle BOA=\theta$라 하면

$\overrightarrow{OA}\cdot\overrightarrow{OB}=|\overrightarrow{OA}||\overrightarrow{OB}|\cos\theta$에서

$10=5\times 4\times\cos\theta$

$\therefore \cos\theta=\frac{1}{2}$

$\sin\theta=\sqrt{1-\cos^2\theta}=\frac{\sqrt{3}}{2}$이므로

삼각형 OAB의 넓이는

$\frac{1}{2}\times\overline{OA}\times\overline{OB}\times\sin\theta=\frac{1}{2}\times 5\times 4\times\frac{\sqrt{3}}{2}$

$=5\sqrt{3}$ 답 ⑤

066 두 벡터 $\vec{a}+k\vec{b}$와 $\vec{b}-\vec{c}$가 서로 평행하므로

$\vec{a}+k\vec{b}=t(\vec{b}-\vec{c})$ (단, $t\neq 0$인 실수이다.)

$\vec{a}+k\vec{b}=(3, 6)+(k, -2k)$

$=(3+k, 6-2k)$

$\vec{b}-\vec{c}=(1, -2)-(2, 2)=(-1, -4)$

이므로

$(3+k, 6-2k)=t(-1, -4)$

$3+k=-t$, $6-2k=-4t$

두 식을 연립하여 풀면

$t=-2$, $k=-1$ 답 ②

067 두 벡터 $99\vec{a}$, $\vec{a}+\vec{b}$가 서로 수직일 때, 두 벡터 $\vec{a}$, $\vec{a}+\vec{b}$도 서로 수직이므로

$\vec{a}\cdot(\vec{a}+\vec{b})=(3, -1)\cdot(3+x, -x)$

$=3(3+x)+(-1)\times(-x)$

$=9+4x=0$

$\therefore x=-\frac{9}{4}$ 답 ①

068 $\vec{a}\,/\!/\,\vec{c}$이므로

$\vec{c}=t\vec{a}=(2t, 6t)$ (단, $t\neq 0$인 실수이다.)

$\vec{b}=(1, 1)$이므로

$\vec{b}\cdot\vec{c}=2t+6t=8t=16$

$\therefore t=2$

$\therefore \vec{c}=(4, 12)$

$\therefore |\vec{c}|=\sqrt{4^2+12^2}$

$=\sqrt{160}=4\sqrt{10}$ 답 $4\sqrt{10}$

069 $(\vec{a}+\vec{b})\perp(5\vec{a}-2\vec{b})$이므로

$(\vec{a}+\vec{b})\cdot(5\vec{a}-2\vec{b})=0$

$5|\vec{a}|^2+3\vec{a}\cdot\vec{b}-2|\vec{b}|^2=0$

주어진 조건에서 $|\vec{b}|=2|\vec{a}|$이므로

$5|\vec{a}|^2+3\vec{a}\cdot\vec{b}-8|\vec{a}|^2=0$

$\therefore \vec{a}\cdot\vec{b}=|\vec{a}|^2$

따라서 두 벡터 $\vec{a}$와 $\vec{b}$가 이루는 각의 크기를 θ라 하면

$$\cos\theta=\frac{\vec{a}\cdot\vec{b}}{|\vec{a}||\vec{b}|}$$
$$=\frac{|\vec{a}|^2}{|\vec{a}|\times 2|\vec{a}|}=\frac{1}{2}$$

$\therefore \theta=60^\circ$ 답 ③

070 점 H가 직선 $y=\frac{1}{2}x$ 위의 점이므로 $\overrightarrow{OH}=(4t, 2t)$라 하면

$\overrightarrow{HP}=\overrightarrow{OP}-\overrightarrow{OH}=(2-4t, 2-2t)$

$\overrightarrow{HP}\cdot\overrightarrow{OQ}=0$이므로

$(2-4t, 2-2t)\cdot(4, 2)=0$

$4(2-4t)+2(2-2t)=0$

$-20t+12=0$

$\therefore t=\frac{3}{5}$

따라서 벡터 $\overrightarrow{OH}$를 성분으로 나타내면

$\overrightarrow{OH}=\left(\frac{12}{5}, \frac{6}{5}\right)$ 답 ④

071 $\vec{a}+t\vec{b}=(1, -3)+t(-1, 1)=(1-t, -3+t)$에서

$|\vec{a}+t\vec{b}|=\sqrt{(1-t)^2+(-3+t)^2}$

$=\sqrt{2t^2-8t+10}$

$=\sqrt{2(t-2)^2+2}$

이므로 $t=2$일 때, $|\vec{a}+t\vec{b}|$의 값은 최소이다.

$\therefore t_1=2$

또 $(\vec{a}+t\vec{b})\perp\vec{b}$일 때 $(\vec{a}+t\vec{b})\cdot\vec{b}=0$이므로

$(1-t, -3+t)\cdot(-1, 1)=-(1-t)+(-3+t)$

$=2t-4$

$=0$

에서 $t=2$, 즉 $t_2=2$

$\therefore t_1+t_2=4$ 답 4

072 $(\overrightarrow{AB}-\overrightarrow{BC})\cdot\overrightarrow{AC}=(\overrightarrow{AB}-\overrightarrow{BC})\cdot(\overrightarrow{AB}+\overrightarrow{BC})$
$=|\overrightarrow{AB}|^2-|\overrightarrow{BC}|^2$
$=0$
에서 $|\overrightarrow{AB}|^2=|\overrightarrow{BC}|^2$
즉, $|\overrightarrow{AB}|=|\overrightarrow{BC}|$
따라서 구하는 삼각형 ABC는 $\overline{AB}=\overline{BC}$인 이등변삼각형이다.
답 ②

073 $\overrightarrow{PA}\cdot\overrightarrow{PB}=0$이므로
$\overrightarrow{PA}\perp\overrightarrow{PB}$
$\therefore \angle APB=90^\circ$
즉, 점 P는 선분 AB를 지름으로 하는 원 위의 점이다.
$\overline{AB}=\sqrt{(5+1)^2+(6+2)^2}=10$
이므로 점 P가 나타내는 도형은 반지름의 길이가 5인 원이다.
따라서 넓이 S는
$S=\pi\times5^2=25\pi$
$\therefore \frac{S}{\pi}=\frac{25\pi}{\pi}=25$
답 25

08 평면벡터의 도형의 방정식

본책 087~094쪽

001 직선 $\frac{x-1}{3}=\frac{y}{4}$의 방향벡터 $\vec{u}$는
$\vec{u}=(3, 4)$
답 $\vec{u}=(3, 4)$

002 직선 $\frac{-x+1}{2}=2y$, 즉 $\frac{x-1}{-2}=\frac{y}{\frac{1}{2}}$의 방향벡터 $\vec{u}$는
$\vec{u}=\left(-2, \frac{1}{2}\right)$
답 $\vec{u}=\left(-2, \frac{1}{2}\right)$

003 주어진 방정식을 t에 대하여 풀면
$t=\frac{x-1}{3}=\frac{y+2}{2}$
이므로 이 직선의 방향벡터 $\vec{u}$는
$\vec{u}=(3, 2)$
답 $\vec{u}=(3, 2)$

004 직선 위의 한 점을 $P(x, y)$라 하면
$\overrightarrow{AP}=t\vec{u}$
즉, $(x-2, y+1)=t(2, 5)$이므로
$x=2+2t,\ y=-1+5t$
답 $x=2+2t,\ y=-1+5t$

005 직선 위의 한 점을 $P(x, y)$라 하면
$\overrightarrow{BP}=t\vec{u}$
즉, $(x-4, y-2)=t(5, -3)$이므로
$x=4+5t,\ y=2-3t$
답 $x=4+5t,\ y=2-3t$

006 직선 위의 한 점을 $P(x, y)$라 하면
$\overrightarrow{CP}=t\vec{u}$
즉, $(x+2, y-3)=t(-3, 4)$이므로
$x=-2-3t,\ y=3+4t$
답 $x=-2-3t,\ y=3+4t$

007 점 $(1, 4)$를 지나고 방향벡터가 $\vec{u}=(3, 2)$인 직선의 방정식은
$\frac{x-1}{3}=\frac{y-4}{2}$
답 $\frac{x-1}{3}=\frac{y-4}{2}$

008 점 $(-1, 3)$을 지나고 벡터 $\vec{u}=(6, -1)$에 평행한 직선의 방정식은
$\frac{x+1}{6}=\frac{y-3}{-1}$
$\therefore \frac{x+1}{6}=-y+3$
답 $\frac{x+1}{6}=-y+3$

009 점 $(1, -2)$를 지나고 방향벡터가 $\vec{u}=(0, 2)$인 직선의 방정식은
$x=1$
답 $x=1$

010 점 $(3, -7)$을 지나고 방향벡터가 $\vec{u}=(4, 0)$인 직선의 방정식은
$y=-7$
답 $y=-7$

011 두 점 $A(2, 1)$, $B(4, 3)$을 지나는 직선의 방향벡터는
$\overrightarrow{AB}=(4-2, 3-1)=(2, 2)$

이므로 두 점 A, B를 지나는 직선의 방정식은

$\frac{x-2}{2}=\frac{y-1}{2}$ $\left(\text{또는 } \frac{x-4}{2}=\frac{y-3}{2}\right)$

답 $\frac{x-2}{2}=\frac{y-1}{2}$ $\left(\text{또는 } \frac{x-4}{2}=\frac{y-3}{2}\right)$

012 두 점 A(3, 1), B(−1, 4)를 지나는 직선의 방향벡터는

$\overrightarrow{AB}=(-1-3, 4-1)=(-4, 3)$

이므로 두 점 A, B를 지나는 직선의 방정식은

$\frac{x-3}{-4}=\frac{y-1}{3}$ $\left(\text{또는 } \frac{x+1}{-4}=\frac{y-4}{3}\right)$

답 $\frac{x-3}{-4}=\frac{y-1}{3}$ $\left(\text{또는 } \frac{x+1}{-4}=\frac{y-4}{3}\right)$

013 두 점 A(−1, 1), B(3, 5)를 지나는 직선의 방향벡터는

$\overrightarrow{AB}=(3+1, 5-1)=(4, 4)$

이므로 두 점 A, B를 지나는 직선의 방정식은

$\frac{x+1}{4}=\frac{y-1}{4}$ $\left(\text{또는 } \frac{x-3}{4}=\frac{y-5}{4}\right)$

답 $\frac{x+1}{4}=\frac{y-1}{4}$ $\left(\text{또는 } \frac{x-3}{4}=\frac{y-5}{4}\right)$

014 두 점 A(−3, 1), B(−3, −4)를 지나는 직선의 방향벡터는

$\overrightarrow{AB}=(-3+3, -4-1)=(0, -5)$

이므로 두 점 A, B를 지나는 직선은 y축에 평행한 직선이다.

$\therefore x=-3$ 답 $x=-3$

015 두 점 A(4, 2), B(−2, 2)를 지나는 직선의 방향벡터는

$\overrightarrow{AB}=(-2-4, 2-2)=(-6, 0)$

이므로 두 점 A, B를 지나는 직선은 x축에 평행한 직선이다.

$\therefore y=2$ 답 $y=2$

016 점 (−2, 1)을 지나고 법선벡터가 $\vec{n}=(1, -1)$인 직선의 방정식은

$(x+2)-(y-1)=0$

$\therefore x-y+3=0$ 답 $x-y+3=0$

017 점 (5, −4)를 지나고 법선벡터가 $\vec{n}=(-3, -4)$인 직선의 방정식은

$-3(x-5)-4(y+4)=0$

$-3x+15-4y-16=0$

$\therefore 3x+4y+1=0$ 답 $3x+4y+1=0$

018 두 직선 l: $\frac{x+3}{2}=\frac{y-5}{4}$, m: $\frac{x-5}{3}=y-3$의 방향벡터는 각각

$\overrightarrow{u_1}=(2, 4)$, $\overrightarrow{u_2}=(3, 1)$

이므로 두 직선이 이루는 각의 크기를 θ $\left(0\le\theta\le\frac{\pi}{2}\right)$라 하면

$$\cos\theta=\frac{|2\times3+4\times1|}{\sqrt{2^2+4^2}\sqrt{3^2+1^2}}=\frac{10}{\sqrt{20}\sqrt{10}}=\frac{1}{\sqrt{2}}$$

$\therefore \theta=\frac{\pi}{4}$ 답 $\frac{\pi}{4}$

019 두 직선 l: $\frac{x-1}{3}=\frac{y-2}{-2}$, m: $x+3=\frac{1-y}{5}$의 방향벡터는 각각

$\overrightarrow{u_1}=(3, -2)$, $\overrightarrow{u_2}=(1, -5)$

이므로 두 직선이 이루는 각의 크기를 θ $\left(0\le\theta\le\frac{\pi}{2}\right)$라 하면

$$\cos\theta=\frac{|3\times1+(-2)\times(-5)|}{\sqrt{3^2+(-2)^2}\sqrt{1^2+(-5)^2}}=\frac{13}{\sqrt{13}\sqrt{26}}=\frac{1}{\sqrt{2}}$$

$\therefore \theta=\frac{\pi}{4}$ 답 $\frac{\pi}{4}$

020 두 직선 l: $\frac{x+2}{6}=\frac{y-4}{3}$, m: $\frac{x+5}{-2}=\frac{y-2}{4}$의 방향벡터는 각각

$\overrightarrow{u_1}=(6, 3)$, $\overrightarrow{u_2}=(-2, 4)$

이므로 두 직선이 이루는 각의 크기를 θ $\left(0\le\theta\le\frac{\pi}{2}\right)$라 하면

$$\cos\theta=\frac{|6\times(-2)+3\times4|}{\sqrt{6^2+3^2}\sqrt{(-2)^2+4^2}}=0$$

$\therefore \theta=\frac{\pi}{2}$ 답 $\frac{\pi}{2}$

021 두 직선 l: $x-4=\frac{y+1}{-\sqrt{3}}$, m: $\frac{x}{-3}=\frac{y+2}{\sqrt{3}}$의 방향벡터는 각각

$\overrightarrow{u_1}=(1, -\sqrt{3})$, $\overrightarrow{u_2}=(-3, \sqrt{3})$

이므로 두 직선이 이루는 각의 크기를 θ $\left(0\le\theta\le\frac{\pi}{2}\right)$라 하면

$$\cos\theta=\frac{|1\times(-3)+(-\sqrt{3})\times\sqrt{3}|}{\sqrt{1^2+(-\sqrt{3})^2}\sqrt{(-3)^2+(\sqrt{3})^2}}=\frac{6}{\sqrt{4}\sqrt{12}}=\frac{\sqrt{3}}{2}$$

$\therefore \theta=\frac{\pi}{6}$ 답 $\frac{\pi}{6}$

022 원 위의 한 점을 P(x, y)라 하고 두 점 A, P의 위치벡터를 각각 $\vec{a}$, $\vec{p}$라 하면 원의 반지름의 길이가 2이므로

$|\vec{p}-\vec{a}|=2$

즉, $\sqrt{(x-2)^2+(y+1)^2}=2$이므로

$(x-2)^2+(y+1)^2=4$ 답 $(x-2)^2+(y+1)^2=4$

023 원 위의 한 점을 P(x, y)라 하고 점 P의 위치벡터를 $\vec{p}$라 하면 원의 반지름의 길이가 3이므로

$|\vec{p}-\vec{a}|=3$

즉, $\sqrt{(x+2)^2+(y-4)^2}=3$이므로

$(x+2)^2+(y-4)^2=9$ 답 $(x+2)^2+(y-4)^2=9$

024 두 점 $A(1, -1)$, $B(5, 3)$의 위치벡터를 각각 $\vec{a}$, $\vec{b}$라 하고 원 위의 한 점을 $P(x, y)$라 하면

$\overrightarrow{AP}=(x-1, y+1)$

$\overrightarrow{BP}=(x-5, y-3)$

두 점 A, B가 원의 지름의 양 끝 점이므로 $\overrightarrow{AP}\perp\overrightarrow{BP}$

$\overrightarrow{AP}\cdot\overrightarrow{BP}=(x-1, y+1)\cdot(x-5, y-3)$

$=(x-1)(x-5)+(y+1)(y-3)$

$=x^2-6x+5+y^2-2y-3=0$

$(x^2-6x+9)+(y^2-2y+1)=8$

$\therefore (x-3)^2+(y-1)^2=8$ 답 $(x-3)^2+(y-1)^2=8$

025 $\vec{u}=\vec{a}-2\vec{b}$

$=(3, 5)-2(-1, 2)$

$=(5, 1)$

즉, 점 $(3, 2)$를 지나고 방향벡터가 $\vec{u}=(5, 1)$인 직선의 방정식은

$\frac{x-3}{5}=y-2$

$x-5y+7=0$

$\therefore p+q=-5+7=2$ 답 ①

026 직선 g의 방향벡터는 $(2, 3)$이므로

점 $(1, -2)$를 지나고 방향벡터가 $(2, 3)$인 직선의 방정식은

$\frac{x-1}{2}=\frac{y+2}{3}$

이 직선이 점 $(a, 4)$를 지나므로

$\frac{a-1}{2}=\frac{4+2}{3}$

$\therefore a=5$ 답 5

027 직선 $\begin{cases} x=3t-1 \\ y=2t+3 \end{cases}$의 방향벡터는 $(3, 2)$이므로

점 $(2, 6)$을 지나고 방향벡터가 $(3, 2)$인 직선의 방정식은

$\frac{x-2}{3}=\frac{y-6}{2}$ 답 $\frac{x-2}{3}=\frac{y-6}{2}$

028 점 $A(a, 5)$를 지나고 방향벡터가 $\vec{u}=(p, q)$인 직선의 방정식은

$\frac{x-a}{p}=\frac{y-5}{q}$

이 직선이 $\frac{x-6}{3}=\frac{y-5}{6}$와 같으므로

$a=6, p=3, q=6$

$\therefore a+\frac{q}{p}=6+\frac{6}{3}=8$ 답 ③

029 점 $A(2, 3)$을 원점에 대하여 대칭이동한 점 B의 좌표는 $B(-2, -3)$

즉, 점 $B(-2, -3)$을 지나고 방향벡터가 $\vec{u}=(1, 5)$인 직선의 방정식은

$\frac{x+2}{1}=\frac{y+3}{5}$

$\therefore 5x-y+7=0$

따라서 직선 $5x-y+7=0$과 점 $A(2, 3)$ 사이의 거리는

$\frac{|5\times2-3+7|}{\sqrt{5^2+(-1)^2}}=\frac{14}{\sqrt{26}}=\frac{7\sqrt{26}}{13}$ 답 $\frac{7\sqrt{26}}{13}$

030 타원 $\frac{x^2}{35}+\frac{y^2}{10}=1$의 초점의 좌표는

$F(\sqrt{35-10}, 0)$, 즉 $F(5, 0)$

$F'(-\sqrt{35-10}, 0)$, 즉 $F'(-5, 0)$

이므로

$\overrightarrow{FF'}=(-10, 0)$

따라서 점 $(2, 4)$를 지나고 방향벡터가 $(-10, 0)$인 직선의 방정식은

$y=4$ 답 ④

031 두 점 $A(1, -1)$, $B(2, 3)$을 지나는 직선의 방향벡터는

$\overrightarrow{AB}=(2, 3)-(1, -1)=(1, 4)$

이므로 점 $(2, 1)$을 지나고 방향벡터가 $(1, 4)$인 직선의 방정식은

$\frac{x-2}{1}=\frac{y-1}{4}$

$\therefore x-2=\frac{y-1}{4}$ 답 $x-2=\frac{y-1}{4}$

032 두 점 $A(1, 3)$, $B(3, 2)$를 지나는 직선의 방향벡터는

$\overrightarrow{AB}=(3, 2)-(1, 3)=(2, -1)$

이므로 두 점을 지나는 직선의 방정식은

$\frac{x-1}{2}=\frac{y-3}{-1}$

이 직선이 점 $(5, a)$를 지나므로

$\frac{5-1}{2}=-a+3$

$\therefore a=1$ 답 ③

033 삼각형 ABC의 무게중심의 좌표는

$G\left(\frac{1-2+2}{3}, \frac{3+1-3}{3}\right)$, 즉 $G\left(\frac{1}{3}, \frac{1}{3}\right)$

두 점 $A(1, 3)$, $G\left(\frac{1}{3}, \frac{1}{3}\right)$을 지나는 직선의 방향벡터는

$\overrightarrow{AG}=\left(\frac{1}{3}, \frac{1}{3}\right)-(1, 3)=\left(-\frac{2}{3}, -\frac{8}{3}\right)$

이므로 두 점을 지나는 직선의 방정식은

$\frac{x-1}{-\frac{2}{3}}=\frac{y-3}{-\frac{8}{3}}$

$\therefore x-1=\frac{y-3}{4}$ 답 $x-1=\frac{y-3}{4}$

034 직선 $\frac{x-2}{3}=\frac{y+3}{2}$의 방향벡터는 $(3, 2)$이므로 구하는 직선의 법선벡터는 $(3, 2)$이다.

즉, 점 $(2, -3)$을 지나고 법선벡터가 $(3, 2)$인 직선 l의 방정식은

$3(x-2)+2(y+3)=0$

$\therefore 3x+2y=0$ 답 $3x+2y=0$

035 직선 $2(x+1)=-(y-5)$, 즉 $x+1=\frac{y-5}{-2}$의 방향벡터는 $(1,\ -2)$이므로 구하는 직선의 법선벡터는 $(1,\ -2)$이다.
즉, 점 $\mathrm{A}(2,\ -1)$을 지나고 법선벡터가 $(1,\ -2)$인 직선의 방정식은
$(x-2)-2(y+1)=0$
$\therefore x-2y-4=0$ ……㉠
㉠이 점 $(a,\ -1)$을 지나므로
$a+2-4=0$ $\quad\therefore a=2$
㉠이 점 $(12,\ b)$를 지나므로
$12-2b-4=0$ $\quad\therefore b=4$
$\therefore ab=2\times4=8$

답 ③

036 점 $(2,\ 1)$을 지나고 법선벡터가 $\vec{n}=(1,\ 3)$인 직선의 방정식은
$(x-2)+3(y-1)=0$
$\therefore x+3y-5=0$ ……㉠
점 $(-2,\ 3)$을 지나고 방향벡터가 $\vec{u}=(2,\ -1)$인 직선의 방정식은
$\frac{x+2}{2}=\frac{y-3}{-1}$
$\therefore x+2y-4=0$ ……㉡
㉠, ㉡을 연립하여 풀면
$x=2,\ y=1$
따라서 $a=2,\ b=1$이므로
$a+b=3$

답 3

037 직선 $\frac{x-1}{2}=-(y-3)$의 방향벡터를 $\vec{u}$라 하면
$\vec{u}=(2,\ -1)$
즉, 두 점 A, H를 지나는 직선의 법선벡터가 $(2,\ -1)$이므로 구하는 직선의 방정식은
$2(x-1)-(y-2)=0$
$\therefore 2x-y=0$

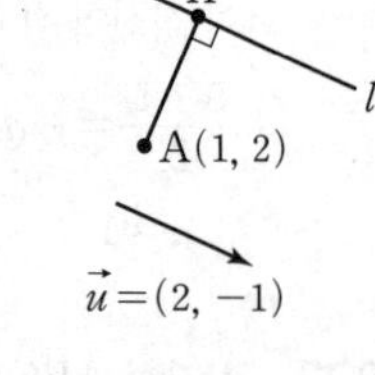

답 $2x-y=0$

038 두 직선 $l:\begin{cases}x=t+2\\ y=2t-1\end{cases}$, $m:\begin{cases}x=s\\ y=3s-4\end{cases}$의 교점은
$\begin{cases}t+2=s & \cdots\cdots ㉠\\ 2t-1=3s-4 & \cdots\cdots ㉡\end{cases}$
㉠, ㉡을 연립하여 풀면
$t=-3,\ s=-1$
즉, 두 직선의 교점의 좌표는 $(-1,\ -7)$이다.
직선 $\frac{x+1}{2}=\frac{y-2}{3}$의 방향벡터는 $(2,\ 3)$이므로
점 $(-1,\ -7)$을 지나고 법선벡터가 $(2,\ 3)$인 직선의 방정식은
$2(x+1)+3(y+7)=0$
$\therefore 2x+3y+23=0$

답 $2x+3y+23=0$

039 두 점 $\mathrm{A}(1,\ 1)$, $\mathrm{B}(2,\ -3)$을 지나는 직선의 방향벡터는
$\overrightarrow{\mathrm{AB}}=(2,\ -3)-(1,\ 1)=(1,\ -4)$
즉, 점 $\mathrm{P}(-3,\ 1)$을 지나고 법선벡터가 $(1,\ -4)$인 직선의 방정식은
$(x+3)-4(y-1)=0$
$\therefore x-4y+7=0$
이 직선의 x절편은 -7, y절편은 $\frac{7}{4}$이므로 이 직선과 x축, y축으로 둘러싸인 부분의 넓이 S는
$S=\frac{1}{2}\times7\times\frac{7}{4}=\frac{49}{8}$
$\therefore 8S=49$

답 49

040 두 직선 $g_1,\ g_2$의 방향벡터를 각각 $\vec{u_1},\ \vec{u_2}$라 하면
$\vec{u_1}=(2,\ 1),\ \vec{u_2}=(-2,\ 1)$
$$\therefore \cos\theta=\frac{|\vec{u_1}\cdot\vec{u_2}|}{|\vec{u_1}||\vec{u_2}|}=\frac{|2\times(-2)+1\times1|}{\sqrt{2^2+1^2}\sqrt{(-2)^2+1^2}}=\frac{3}{\sqrt{5}\sqrt{5}}=\frac{3}{5}$$
$$\therefore \sin\theta=\sqrt{1-\cos^2\theta}=\sqrt{1-\left(\frac{3}{5}\right)^2}=\frac{4}{5}\left(\because 0\le\theta\le\frac{\pi}{2}\right)$$

답 $\frac{4}{5}$

참고
$\sin^2\theta+\cos^2\theta=1$

041 두 직선 $g_1,\ g_2$의 방향벡터를 각각 $\vec{u_1},\ \vec{u_2}$라 하면
$\vec{u_1}=(m,\ 1),\ \vec{u_2}=(2,\ -1)$
두 직선이 이루는 각의 크기가 $\frac{\pi}{4}$이므로
$$\cos\frac{\pi}{4}=\frac{|\vec{u_1}\cdot\vec{u_2}|}{|\vec{u_1}||\vec{u_2}|}=\frac{|m\times2+1\times(-1)|}{\sqrt{m^2+1^2}\sqrt{2^2+(-1)^2}}=\frac{|2m-1|}{\sqrt{m^2+1}\sqrt{5}}=\frac{\sqrt{2}}{2}$$
$\sqrt{10}\sqrt{m^2+1}=|4m-2|$
양변을 제곱하여 정리하면
$3m^2-8m-3=0$
$(3m+1)(m-3)=0$
$\therefore m=3\ (\because m>0)$

답 ③

042 두 점 $\mathrm{A}(3,\ -2)$, $\mathrm{B}(6,\ -1)$을 지나는 직선의 방향벡터를 $\vec{u_1}$이라 하면
$\vec{u_1}=\overrightarrow{\mathrm{AB}}=(3,\ 1)$
두 점 $\mathrm{C}(5,\ 3)$, $\mathrm{D}(7,\ 2)$를 지나는 직선의 방향벡터를 $\vec{u_2}$라 하면
$\vec{u_2}=\overrightarrow{\mathrm{CD}}=(2,\ -1)$
두 직선이 이루는 예각의 크기를 θ라 하면
$$\cos\theta=\frac{|\vec{u_1}\cdot\vec{u_2}|}{|\vec{u_1}||\vec{u_2}|}=\frac{|3\times2+1\times(-1)|}{\sqrt{3^2+1^2}\sqrt{2^2+(-1)^2}}=\frac{5}{\sqrt{10}\sqrt{5}}=\frac{\sqrt{2}}{2}$$
$\therefore \theta=\frac{\pi}{4}$

답 $\frac{\pi}{4}$

043 주어진 두 직선의 방향벡터를 각각 $\vec{u_1}$, $\vec{u_2}$라 하면
$\vec{u_1}=(-k,\ -6)$, $\vec{u_2}=(1,\ k-1)$
두 직선이 서로 평행해야 하므로
$\vec{u_1}\,/\!/\,\vec{u_2}$에서 $\dfrac{-k}{1}=\dfrac{-6}{k-1}$
$k^2-k-6=0$, $(k+2)(k-3)=0$
$\therefore k=-2$ 또는 $k=3$
따라서 모든 실수 k의 값의 곱은 -6이다.

답 -6

044 주어진 두 직선의 방향벡터를 각각 $\vec{u_1}$, $\vec{u_2}$라 하면
$\vec{u_1}=(k-4,\ -1)$, $\vec{u_2}=(3,\ k)$
두 직선이 서로 수직이어야 하므로
$\vec{u_1}\perp\vec{u_2}$에서 $\vec{u_1}\cdot\vec{u_2}=0$
$3(k-4)-k=0$
$2k-12=0$
$\therefore k=6$

답 ③

045 두 점 A, B를 지나는 직선의 방향벡터를 $\vec{u_1}$이라 하면
$\vec{u_1}=\overrightarrow{AB}=(4-a,\ a-5)$
직선 $x+1=\dfrac{y-2}{2}$의 방향벡터를 $\vec{u_2}$라 하면
$\vec{u_2}=(1,\ 2)$
두 직선이 서로 수직이므로
$\vec{u_1}\perp\vec{u_2}$에서 $\vec{u_1}\cdot\vec{u_2}=0$
$(4-a)+2(a-5)=0$
$a-6=0$
$\therefore a=6$

답 ④

046 두 직선 l, m의 방향벡터를 각각 $\vec{u_1}$, $\vec{u_2}$라 하면
$\vec{u_1}=(10,\ k)$, $\vec{u_2}=(2,\ 5)$
두 직선이 서로 평행일 때
$\vec{u_1}\,/\!/\,\vec{u_2}$에서 $\dfrac{10}{2}=\dfrac{k}{5}$
$2k=50$
즉, $k=25$이므로 $a=25$
두 직선이 서로 수직일 때
$\vec{u_1}\perp\vec{u_2}$에서 $\vec{u_1}\cdot\vec{u_2}=0$
$20+5k=0$
즉, $k=-4$이므로 $b=-4$
$\therefore a+b=25+(-4)=21$

답 ④

047 세 직선 l, m, n의 방향벡터를 각각 $\vec{u_1}$, $\vec{u_2}$, $\vec{u_3}$이라 하면
$\vec{u_1}=(3,\ 2)$, $\vec{u_2}=(6,\ -a)$, $\vec{u_3}=(2,\ -b)$
$l\,/\!/\,m$이므로
$\vec{u_1}\,/\!/\,\vec{u_2}$에서 $\dfrac{3}{6}=\dfrac{2}{-a}$
$12=-3a$
$\therefore a=-4$
또 $l\perp n$이므로
$\vec{u_1}\perp\vec{u_3}$에서 $\vec{u_1}\cdot\vec{u_3}=0$
$6-2b=0$
$\therefore b=3$
$\therefore a+b=-4+3=-1$

답 -1

048 점 $\mathrm{H}(a,\ b)$는 직선 l 위의 점이므로
$\dfrac{a+1}{2}=\dfrac{b-4}{3}$
$3a-2b+11=0$ ……㉠
직선 l의 방향벡터를 $\vec{u}$라 하면
$\vec{u}=(2,\ 3)$
$\overrightarrow{AH}$가 직선 l에 수직이므로
$\overrightarrow{AH}\perp\vec{u}$에서 $\overrightarrow{AH}\cdot\vec{u}=0$
$(a,\ b+1)\cdot(2,\ 3)=0$
$2a+3b+3=0$ ……㉡
㉠, ㉡을 연립하여 풀면
$a=-3$, $b=1$
$\therefore a+b=-3+1=-2$

답 ②

049 $\overrightarrow{BC}=\overrightarrow{OC}-\overrightarrow{OB}$
$=\vec{c}-\vec{b}$
즉, $\overrightarrow{OP}=\overrightarrow{OA}+t\overrightarrow{BC}$ (t는 실수)이므로
$\vec{p}=\vec{a}+t(\vec{c}-\vec{b})$

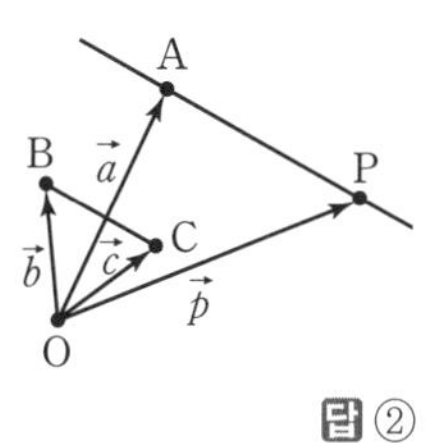

답 ②

참고
직선 BC의 방향벡터를 $\overrightarrow{CB}$로 놓으면
$\vec{p}=\vec{a}+t(\vec{b}-\vec{c})$

050 $\overline{AB}$를 $2:1$로 내분하는 점을 C라 하면
$\overrightarrow{OC}=\dfrac{2\overrightarrow{OB}+\overrightarrow{OA}}{2+1}=\dfrac{2\vec{b}+\vec{a}}{3}$

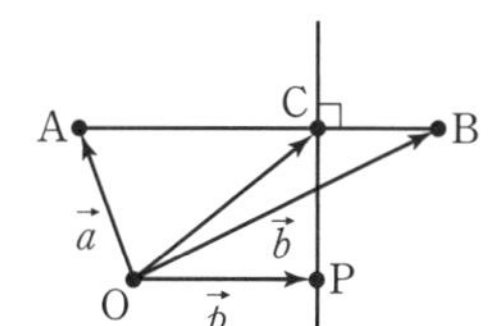

한편, $\overrightarrow{CP}\perp\overrightarrow{AB}$이므로
$\overrightarrow{CP}\cdot\overrightarrow{AB}=0$
$\overrightarrow{CP}=\overrightarrow{OP}-\overrightarrow{OC}$
$=\vec{p}-\dfrac{2\vec{b}+\vec{a}}{3}$
$=\vec{p}-\dfrac{1}{3}\vec{a}-\dfrac{2}{3}\vec{b}$,
$\overrightarrow{AB}=\overrightarrow{OB}-\overrightarrow{OA}=\vec{b}-\vec{a}$
이므로
$\left(\vec{p}-\dfrac{1}{3}\vec{a}-\dfrac{2}{3}\vec{b}\right)\cdot(\vec{b}-\vec{a})=0$

답 ③

051 삼각형 OAB의 무게중심이 G이므로
$\overrightarrow{OG}=\dfrac{1}{3}(\overrightarrow{OA}+\overrightarrow{OB})=\dfrac{1}{3}(\vec{a}+\vec{b})$
한편, $\overrightarrow{GP}\perp\overrightarrow{AB}$이므로 $\overrightarrow{GP}\cdot\overrightarrow{AB}=0$
$\overrightarrow{GP}=\overrightarrow{OP}-\overrightarrow{OG}$
$=\vec{p}-\dfrac{1}{3}(\vec{a}+\vec{b})=\vec{p}-\dfrac{1}{3}\vec{a}-\dfrac{1}{3}\vec{b}$,
$\overrightarrow{AB}=\overrightarrow{OB}-\overrightarrow{OA}=\vec{b}-\vec{a}$이므로
$\left(\vec{p}-\dfrac{1}{3}\vec{a}-\dfrac{1}{3}\vec{b}\right)\cdot(\vec{b}-\vec{a})=0$
$\therefore (3\vec{p}-\vec{a}-\vec{b})\cdot(\vec{b}-\vec{a})=0$

답 ④

052 점 P의 좌표를 $\mathrm{P}(x,\ y)$라 하면

$|\overrightarrow{AP}|=\sqrt{(x-2)^2+(y-1)^2}=4$이므로

$(x-2)^2+(y-1)^2=16$ 답 ②

053 점 P의 좌표를 $P(x, y)$라 하면

$\vec{p}=(x, y)$, $\vec{a}=(-1, 4)$이므로

$\vec{p}-\vec{a}=(x+1, y-4)$

$(\vec{p}-\vec{a})\cdot(\vec{p}-\vec{a})=9$이므로

$(x+1, y-4)\cdot(x+1, y-4)=9$

$\therefore (x+1)^2+(y-4)^2=9$

따라서 점 P가 나타내는 도형은 중심이 $(-1, 4)$이고 반지름의 길이가 3인 원이다.

$\therefore m+n+r=-1+4+3=6$ 답 6

054 점 P의 좌표를 $P(x, y)$라 하면

$\overrightarrow{AP}=(x-2, y+1)$, $\overrightarrow{BP}=(x-8, y-7)$이므로

$\overrightarrow{AP}\cdot\overrightarrow{BP}=0$에서

$(x-2)(x-8)+(y+1)(y-7)=0$

$x^2-10x+16+y^2-6y-7=0$

$\therefore (x-5)^2+(y-3)^2=25$

즉, 점 P가 나타내는 도형은 중심이 $(5, 3)$이고 반지름의 길이가 5인 원이므로 구하는 넓이는 25π이다. 답 ③

다른 풀이

$\overrightarrow{AP}\cdot\overrightarrow{BP}=0$에서 $\angle APB=90°$이므로 점 P가 나타내는 도형은 두 점 A, B를 지름의 양 끝 점으로 하는 원이다.

$|\overrightarrow{AB}|=\sqrt{(8-2)^2+(7+1)^2}=10$

따라서 반지름의 길이는 5이므로 구하는 도형의 넓이는 25π이다.

055 점 P의 좌표를 $P(x, y)$라 하면 $\vec{p}=(x, y)$이므로

$\vec{p}-\vec{a}=(x, y-2)$, $\vec{p}-\vec{b}=(x-6, y+4)$

$(\vec{p}-\vec{a})\cdot(\vec{p}-\vec{b})=0$이므로

$(x, y-2)\cdot(x-6, y+4)=0$

$x(x-6)+(y-2)(y+4)=0$

$x^2+y^2-6x+2y-8=0$

따라서 $A=-6$, $B=2$, $C=-8$이므로

$A+B+C=-12$ 답 ①

056 원 위의 임의의 점을 $P(x, y)$라 하면 두 점 A, B가 원의 지름의 양 끝 점이므로

$\overrightarrow{AP}\perp\overrightarrow{BP}$ $\quad\therefore \overrightarrow{AP}\cdot\overrightarrow{BP}=0$

$\overrightarrow{AP}=(x, y+2)$,

$\overrightarrow{BP}=(x-8, y-4)$이므로

$(x, y+2)\cdot(x-8, y-4)=0$

$x(x-8)+(y+2)(y-4)=0$

$x^2-8x+y^2-2y-8=0$

$\therefore (x-4)^2+(y-1)^2=25$ 답 $(x-4)^2+(y-1)^2=25$

057 $\overrightarrow{PA}=(4-x, 1-y)$, $\overrightarrow{PB}=(2-x, 3-y)$이므로

$\overrightarrow{PA}+\overrightarrow{PB}=(6-2x, 4-2y)$

$|\overrightarrow{PA}+\overrightarrow{PB}|=6$에서

$\sqrt{(6-2x)^2+(4-2y)^2}=6$

양변을 제곱하면

$(2x-6)^2+(2y-4)^2=36$

$\therefore (x-3)^2+(y-2)^2=9$

즉, 점 P가 나타내는 도형은 중심이 $(3, 2)$이고 반지름의 길이가 3인 원이므로 원점과 원의 중심 사이의 거리는

$\sqrt{3^2+2^2}=\sqrt{13}$

따라서 원점에서 원에 이르는 거리의 최댓값은 $3+\sqrt{13}$이다. 답 ③

058 $\dfrac{2\overrightarrow{PA}+\overrightarrow{PB}}{3}=\overrightarrow{PC}$라 하면 점 C는 $\overline{AB}$를 $1:2$로 내분하는 점이다.

즉, $|2\overrightarrow{PA}+\overrightarrow{PB}|=|3\overrightarrow{PC}|=3|\overrightarrow{PC}|=12$에서

$|\overrightarrow{PC}|=4$

따라서 점 P가 나타내는 도형은 점 C를 중심으로 하고 반지름의 길이가 4인 원이다. 답 ④

참고

$m\overrightarrow{PA}+n\overrightarrow{PB}=(m+n)\dfrac{m\overrightarrow{PA}+n\overrightarrow{PB}}{m+n}$

이므로 $\overline{AB}$를 $n:m$으로 내분하는 점의 상수배로 표현할 수 있다.

059 점 A의 좌표를 $A(x, y)$라 하면 $|\vec{p}|=|\vec{q}|=1$이므로

$\overrightarrow{OA}\cdot\vec{p}=(x, y)\cdot(1, 0)=x=1$

$\overrightarrow{OA}\cdot\vec{q}=(x, y)\cdot(0, 1)=y=1$

$\therefore A(1, 1)$

또한, $|\overrightarrow{OB}-\overrightarrow{OA}|=|\overrightarrow{AB}|=\sqrt{2}$이므로 점 B가 나타내는 도형은 중심이 $(1, 1)$이고 반지름의 길이가 $\sqrt{2}$인 원이다.

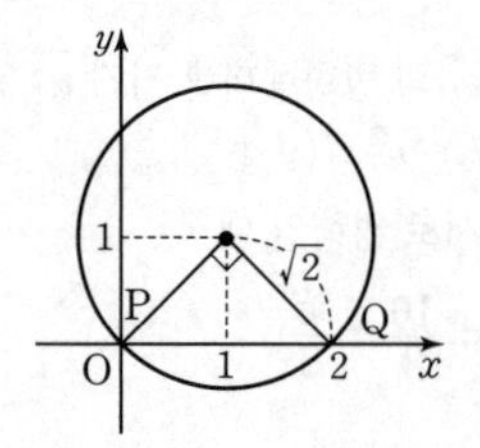

따라서 원 $(x-1)^2+(y-1)^2=2$와 x축이 만나는 두 점 P, Q 사이의 거리는

$\overline{PQ}=2$ 답 2

060 $|\vec{p}-\vec{c}|=5$에서

$\sqrt{(x-1)^2+(y+3)^2}=5$이므로

$(x-1)^2+(y+3)^2=25$

즉, 점 P가 나타내는 도형은 중심이 $C(1, -3)$이고 반지름의 길이가 5인 원이다.

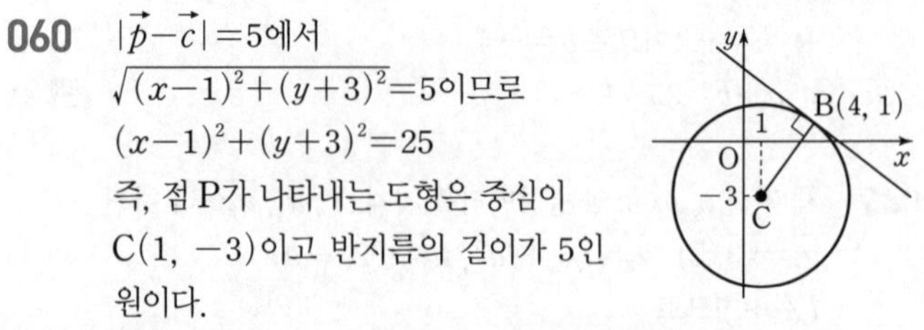

$\overrightarrow{CB}=(3, 4)$이므로 점 $B(4, 1)$을 지나고 법선벡터가 $(3, 4)$인 접선의 방정식은

$3(x-4)+4(y-1)=0$

$\therefore 3x+4y-16=0$ 답 $3x+4y-16=0$

09 공간도형

본책 097~108쪽

001 한 평면에 있지 않은 네 개의 점을 A, B, C, D라 하면 네 점 중에서 세 점에 의하여 결정되는 평면은 평면 ABC, 평면 ABD, 평면 ACD, 평면 BCD의 4개이다. 답 4

002 ㄱ. 세 점 B, D, F는 한 직선 위에 있지 않는 서로 다른 세 점이므로 한 평면을 결정할 수 있다.
ㄴ. 점 A와 직선 EF는 한 직선과 그 위에 있지 않은 한 점이므로 한 평면을 결정할 수 있다.
ㄷ. 두 직선 AD와 BC는 꼬인 위치에 있으므로 한 평면을 결정할 수 없다.
ㄹ. 직선 AC와 직선 CE는 한 점에서 만나는 두 직선이므로 한 평면을 결정할 수 있다.
따라서 한 평면을 결정할 수 있는 것은 ㄱ, ㄴ, ㄹ이다.
답 ㄱ, ㄴ, ㄹ

003 직선 AB와 한 점에서 만나는 직선은 직선 AD, 직선 BC, 직선 AE, 직선 BF이다.
답 직선 AD, 직선 BC, 직선 AE, 직선 BF

004 직선 AB와 평행한 직선은 직선 DC, 직선 EF, 직선 HG이다.
답 직선 DC, 직선 EF, 직선 HG

005 직선 AB와 만나지도 않고 평행하지도 않은 직선은 직선 CG, 직선 DH, 직선 FG, 직선 EH이다.
답 직선 CG, 직선 DH, 직선 FG, 직선 EH

006 직선 AE와 꼬인 위치에 있는 직선은 직선 BC, 직선 FG, 직선 CD, 직선 GH이다.
답 직선 BC, 직선 FG, 직선 CD, 직선 GH

007 평면 ABC에 포함되는 직선은 직선 AB, 직선 BC, 직선 AC이다. 답 직선 AB, 직선 BC, 직선 AC

008 평면 ABC와 한 점에서 만나는 직선은 직선 AD, 직선 AE, 직선 BE, 직선 CD이다.
답 직선 AD, 직선 AE, 직선 BE, 직선 CD

009 평면 ABC와 평행한 직선은 직선 DE이다. 답 직선 DE

010 직선 CD를 포함하는 평면은 평면 ACD, 평면 BCDE이다.
답 평면 ACD, 평면 BCDE

011 직선 CD와 한 점에서 만나는 평면은 평면 ABC, 평면 ADE이다. 답 평면 ABC, 평면 ADE

012 직선 CD와 평행한 평면은 평면 ABE이다. 답 평면 ABE

013 평면 BHIC와 평행한 평면은 평면 FLKE이다.
답 평면 FLKE

014 평면 BHIC와 만나는 평면은 평면 ABCDEF, 평면 GHIJKL, 평면 AGHB, 평면 CIJD이다.
답 평면 ABCDEF, 평면 GHIJKL, 평면 AGHB, 평면 CIJD

015 평면 BHIC와 평면 CIJD의 교선은 직선 CI이다. 답 직선 CI

016 세 점 E, F, H로 만들어지는 평면 중 하나는 평면 EFHI이다. 따라서 평면 ABCDEF와 평면 EFHI의 교선은 직선 EF이다. 답 직선 EF

017 세 점 B, J, K로 만들어지는 평면 중 하나는 평면 ABJK이다. 따라서 평면 GHIJKL과 평면 ABJK의 교선은 직선 JK이다.
답 직선 JK

018 직선 BD에 수직인 직선은 직선 AE, 직선 BF, 직선 CG, 직선 DH이다. 답 직선 AE, 직선 BF, 직선 CG, 직선 DH

019 평면 BFGC에 수직인 직선은 직선 AB, 직선 DC, 직선 EF, 직선 HG이다. 답 직선 AB, 직선 DC, 직선 EF, 직선 HG

020 평면 ABD에 수직인 직선은 직선 AE, 직선 BF, 직선 CG, 직선 DH이다. 답 직선 AE, 직선 BF, 직선 CG, 직선 DH

021 $\overline{EF} /\!/ \overline{AB}$이므로 직선 AD와 직선 EF가 이루는 각의 크기는 직선 AD와 직선 AB가 이루는 각의 크기와 같다.
따라서 구하는 각의 크기는 $90°$이다. 답 $90°$

022 $\overline{CG} /\!/ \overline{AE}$이므로 직선 AD와 직선 CG가 이루는 각의 크기는 직선 AD와 직선 AE가 이루는 각의 크기와 같다.
따라서 구하는 각의 크기는 $90°$이다. 답 $90°$

023 $\overline{DH} /\!/ \overline{CG}$이므로 직선 AC와 직선 DH가 이루는 각의 크기는 직선 AC와 직선 CG가 이루는 각의 크기와 같다.
따라서 구하는 각의 크기는 $90°$이다. 답 $90°$

024 $\overline{GH} /\!/ \overline{CD}$이므로 직선 AC와 직선 GH가 이루는 각의 크기는 직선 AC와 직선 CD가 이루는 각의 크기와 같다.
따라서 구하는 각의 크기는 $45°$이다. 답 $45°$

025 $\overline{CH} /\!/ \overline{BE}$이므로 직선 AF와 직선 CH가 이루는 각의 크기는 직선 AF와 직선 BE가 이루는 각의 크기와 같다.
따라서 구하는 각의 크기는 $90°$이다. 답 $90°$

026 삼각형 ABC가 정삼각형이므로 직선 AB와 직선 BC가 이루는 각의 크기는 $60°$이다. 답 $60°$

027 $\overline{CD} /\!/ \overline{BE}$이므로 직선 AB와 직선 CD가 이루는 각의 크기는 직선 AB와 직선 BE가 이루는 각의 크기와 같다.
삼각형 ABE가 정삼각형이므로 구하는 각의 크기는 $60°$이다.
답 $60°$

028 $\overline{FC} /\!/ \overline{EA}$이므로 직선 AB와 직선 FC가 이루는 각의 크기는 직선 AB와 직선 EA가 이루는 각의 크기와 같다.
삼각형 ABE가 정삼각형이므로 구하는 각의 크기는 $60°$이다.
답 $60°$

029 사각형 ABFD는 마름모이므로 $\overline{AB} /\!/ \overline{FD}$이다.
따라서 직선 AB와 직선 FD가 이루는 각의 크기는 $0°$이다.
답 $0°$

030 $\overline{PO} \perp \alpha$이므로 선분 PO는 평면 α 위의 임의의 직선과도 수직이다.
직선 l은 평면 α에 포함되므로
$\overline{PO}$ $\boxed{\perp}$ l
또 $\overline{OH} \perp$ $\boxed{l}$ 이므로 직선 $\boxed{l}$ 은 선분 PO와 선분 OH를 포함하는 평면 PHO와 수직이다.
선분 PH는 평면 $\boxed{\text{PHO}}$ 에 포함되고, 직선 l은 평면 $\boxed{\text{PHO}}$ 위에 있는 모든 직선과 수직이므로
$\overline{PH}$ $\boxed{\perp}$ l
답 $\perp$, l, l, PHO, PHO, $\perp$

031 $\overline{OC} \perp \overline{OA}$, $\overline{OC} \perp \overline{OB}$이므로
$\overline{OC} \perp$ (평면 OAB)
또 $\overline{CH} \perp \overline{AB}$이므로 삼수선의 정리에 의하여
$\overline{OH} \perp \overline{AB}$
직각삼각형 OAB에서
$\overline{AB} = \sqrt{2^2+2^2} = 2\sqrt{2}$이고,
$\frac{1}{2} \times \overline{OA} \times \overline{OB} = \frac{1}{2} \times \overline{AB} \times \overline{OH}$이므로
$\frac{1}{2} \times 2 \times 2 = \frac{1}{2} \times 2\sqrt{2} \times \overline{OH}$
$\therefore \overline{OH} = \sqrt{2}$
답 $\sqrt{2}$

032 $\overline{CO} \perp$ (평면 OAB)이므로 선분 CO는 평면 OAB 위의 임의의 직선과도 수직이다. 선분 OH는 평면 OAB에 포함되므로
$\overline{CO} \perp \overline{OH}$
따라서 삼각형 COH는 직각삼각형이므로
$\overline{CH} = \sqrt{\overline{CO}^2 + \overline{OH}^2} = \sqrt{2^2 + (\sqrt{2})^2} = \sqrt{6}$
답 $\sqrt{6}$

033 선분 AC의 평면 BFGC 위로의 정사영은 선분 BC이다.
답 선분 BC

034 선분 AF의 평면 DHGC 위로의 정사영은 선분 DG이다.
답 선분 DG

035 선분 DC의 평면 AEHD 위로의 정사영은 점 D이다.
답 점 D

036 선분 DF의 평면 EFGH 위로의 정사영은 선분 HF이다.
답 선분 HF

037 삼각형 AFC의 평면 EFGH 위로의 정사영은 삼각형 EFG이다.
답 삼각형 EFG

038 $\overline{A'B'} = \overline{AB}\cos\theta = 6\cos 30° = 6 \times \frac{\sqrt{3}}{2} = 3\sqrt{3}$
답 $3\sqrt{3}$

039 $\overline{A'B'} = \overline{AB}\cos\theta$에서 $\cos\theta = \frac{\overline{A'B'}}{\overline{AB}} = \frac{3}{9} = \frac{1}{3}$
답 $\frac{1}{3}$

040 $S' = S\cos\theta = 6\cos\frac{\pi}{3} = 6 \times \frac{1}{2} = 3$
답 3

041 $S' = S\cos\theta$에서 $\cos\theta = \frac{S'}{S} = \frac{10}{10\sqrt{2}} = \frac{\sqrt{2}}{2}$
답 $\frac{\sqrt{2}}{2}$

042 ㄱ. 공간에서 서로 다른 세 점은 한 직선 위에 있을 수 있으므로 한 평면을 결정할 수 없다.
ㄴ. 한 직선 l과 그 위에 있지 않은 두 점은 두 점이 이루는 직선이 직선 l과 꼬인 위치에 있을 수 있으므로 한 평면을 결정할 수 없다.
ㄷ. 공간에서 서로 수직인 두 직선은 만나지 않으면서 수직일 수 있으므로 한 평면을 결정할 수 없다.
ㄹ. 공간에서 서로 평행한 두 직선은 한 평면을 결정한다.
따라서 한 평면을 결정하는 것은 ㄹ뿐이다.
답 ②

043 (i) 세 점 C, E, G로 만들 수 있는 평면은
평면 CEG
(ii) 모서리 AB와 세 점 C, E, G로 만들 수 있는 평면은
평면 ABC, 평면 ABE, 평면 ABG
(iii) 모서리 BF와 세 점 C, E, G로 만들 수 있는 평면은
평면 BCF, 평면 BEF, 평면 BGF
(iv) 두 모서리 AB, BF로 만들 수 있는 평면은
평면 ABF
네 점 A, B, F, G는 한 평면 위에 있는 점이므로 평면 ABG, 평면 BGF, 평면 ABF는 모두 같은 평면이다.
따라서 구하는 서로 다른 평면의 개수는
$1+3+3+1-2=6$
답 ①

044 서로 다른 평면의 개수가 가장 많으려면 어느 세 점도 한 직선 위에 있지 않아야 한다. 또 어느 세 직선도 한 평면 위에 있지 않아야 한다.

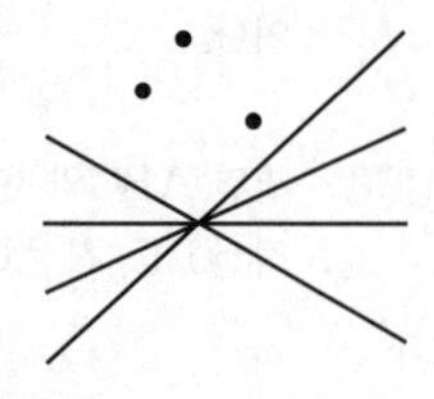

(i) 점만으로 결정되는 평면의 개수: ${}_3C_3=1$
(ii) 직선만으로 결정되는 평면의 개수: ${}_4C_2=6$
(iii) 점과 직선으로 결정되는 평면의 개수: ${}_3C_1 \times {}_4C_1 = 12$
(i), (ii), (iii)에서 만들 수 있는 서로 다른 평면의 최대 개수는
$1+6+12=19$
답 ④

045 직선 AG와 만나지 않고 평행하지도 않은 모서리가 꼬인 위치에 있는 모서리이므로 모서리 BC, 모서리 CD, 모서리 EH, 모서리 EF, 모서리 BF, 모서리 DH의 6개이다.
답 ④

046 모서리 FI와 평행한 위치에 있는 모서리는 모서리 BE, 모서리 CD, 모서리 GH이므로 $a=3$
모서리 BC와 꼬인 위치에 있는 모서리는 모서리 BC와 만나지

않고 평행하지도 않은 모서리이므로 모서리 AE, 모서리 AD, 모서리 DH, 모서리 EI, 모서리 FI, 모서리 GH이다.

$\therefore b=6$

$\therefore a+b=3+6=9$ 답 9

047 ㄱ. 네 점 P, Q, S, U에 대하여 세 점 P, Q, S를 지나는 평면이 점 U를 포함하지 않으므로 직선 PQ와 직선 SU는 꼬인 위치에 있다.

ㄴ. $\overline{PQ}/\!/\overline{BC}$, $\overline{UT}/\!/\overline{BC}$이므로 $\overline{PQ}/\!/\overline{UT}$

또 $\overline{PQ}=\overline{UT}=\frac{1}{2}\overline{BC}$이므로 □PQTU는 평행사변형이다.

즉, 직선 PT와 직선 QU는 한 점에서 만난다.

ㄷ. 네 점 T, U, R, S에 대하여 세 점 S, T, U를 지나는 평면이 점 R를 포함하지 않으므로 직선 TU와 직선 RS는 꼬인 위치에 있다.

따라서 서로 만나는 직선끼리 짝지은 것은 ㄴ뿐이다. 답 ①

048 ㄱ. $l/\!/m$, $l\perp n$이면 $m\perp n$ (참)

ㄴ. [반례] 면 α를 면 ABCD, 면 β를 면 BFGC, 모서리 l을 모서리 BF라 하면 $\alpha\perp\beta$, $l\perp\alpha$이지만, 모서리 l은 면 β에 포함된다. (거짓)

ㄷ. [반례] 모서리 l을 모서리 EF, 면 α를 면 ABCD, 모서리 m을 모서리 BC, 면 β를 면 EFGH라 하면 $l/\!/\alpha$, $m/\!/\beta$이지만 $l\perp m$ (거짓)

따라서 옳은 것은 ㄱ뿐이다. 답 ①

049 ㄱ, ㄴ. △ABC, △DBC는 모두 정삼각형이고, 점 M이 $\overline{BC}$의 중점이므로 $\overline{BC}\perp\overline{AM}$, $\overline{BC}\perp\overline{DM}$이다. (참)

ㄷ. ㄱ, ㄴ에서 $\overline{BC}\perp\overline{AM}$, $\overline{BC}\perp\overline{DM}$이므로

$\overline{BC}\perp$(평면 AMD)

$\therefore \overline{BC}\perp\overline{AD}$ (참)

따라서 ㄱ, ㄴ, ㄷ 모두 옳다. 답 ⑤

050 정사각형 BCDE의 한 변의 길이가 6이므로 대각선 BD의 길이는

$\overline{BD}=\sqrt{6^2+6^2}=6\sqrt{2}$ ……㉠

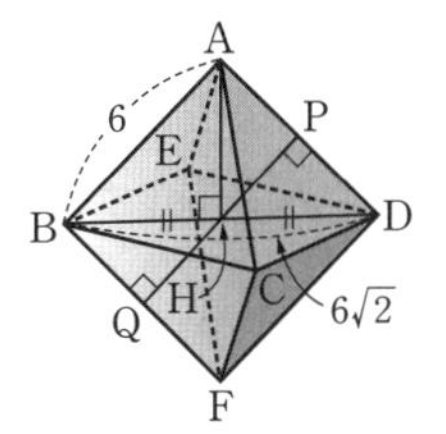

꼭짓점 A에서 평면 BCDE에 내린 수선의 발을 H라 하면 선분 AH는 선분 BD를 수직이등분한다.

즉, 삼각형 ABH는 직각삼각형이므로

$\overline{AH}=\sqrt{\overline{AB}^2-\overline{BH}^2}=\sqrt{6^2-(3\sqrt{2})^2}=3\sqrt{2}$

$\therefore \overline{AF}=2\overline{AH}=6\sqrt{2}$ ……㉡

한편, 사각형 ABFD는 $\overline{AB}=\overline{BF}=\overline{FD}=\overline{AD}$이고, ㉠, ㉡에서 두 대각선 AF, BD의 길이가 같으므로 한 변의 길이가 6인 정사각형이다.

그런데 $\overline{PQ}\perp\overline{AD}$, $\overline{PQ}\perp\overline{BF}$에서 선분 PQ의 길이는 정사각형 ABFD의 한 변의 길이와 같으므로

$\overline{PQ}=6$ 답 6

051 $\overline{HF}/\!/\overline{DB}$이므로 두 직선 AC와 HF가 이루는 각의 크기는 두 직선 AC와 DB가 이루는 각의 크기 90°와 같다.

$\therefore \alpha=90°$

$\overline{FG}/\!/\overline{BC}$이므로 두 직선 AC와 FG가 이루는 각의 크기는 두 직선 AC와 BC가 이루는 각의 크기 45°와 같다.

$\therefore \beta=45°$

$\therefore \alpha+\beta=90°+45°=135°$ 답 ③

052 ① $\overline{FG}/\!/\overline{BC}$이므로 두 선분 AB와 FG가 이루는 각의 크기는 두 선분 AB와 BC가 이루는 각의 크기 90°와 같다.

$\therefore \cos\theta=\cos 90°=0$

② $\overline{DH}/\!/\overline{AE}$이므로 두 선분 AB와 DH가 이루는 각의 크기는 두 선분 AB와 AE가 이루는 각의 크기 90°와 같다.

$\therefore \cos\theta=\cos 90°=0$

③ $\overline{FH}/\!/\overline{BD}$이므로 두 선분 AB와 FH가 이루는 각의 크기는 두 선분 AB와 BD가 이루는 각의 크기 45°와 같다.

$\therefore \cos\theta=\cos 45°=\frac{\sqrt{2}}{2}$

④ $\overline{AB}\perp\overline{AH}$이므로 삼각형 ABH는 직각삼각형이다.

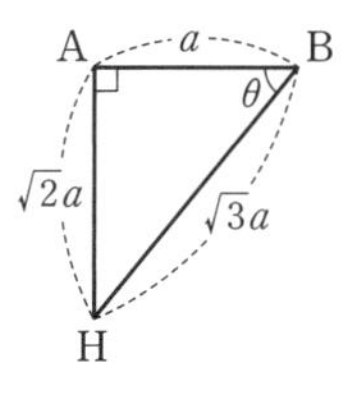

$\overline{AB}=a$라 하면 $\overline{AH}=\sqrt{2}a$, $\overline{BH}=\sqrt{3}a$이므로

$\cos\theta=\frac{a}{\sqrt{3}a}=\frac{\sqrt{3}}{3}$

⑤ $\overline{AB}/\!/\overline{CD}$이므로 두 선분 AB와 CF가 이루는 각의 크기는 두 선분 CD와 CF가 이루는 각의 크기 90°와 같다.

$\therefore \cos\theta=\cos 90°=0$

따라서 $\cos\theta$의 값이 가장 큰 것은 ③이다. 답 ③

053 선분 AD의 중점을 L이라 하면 삼각형의 중점 연결 정리에 의하여

$\overline{ML}/\!/\overline{BD}$, $\overline{ML}=\frac{1}{2}\overline{BD}$

$\overline{LN}/\!/\overline{AC}$, $\overline{NL}=\frac{1}{2}\overline{AC}$

한편, $\overline{AC}\perp\overline{BD}$, $\overline{BD}=\overline{AC}$이므로

삼각형 LMN은 직각이등변삼각형이다.

즉, 두 직선 MN과 AC가 이루는 각의 크기는 두 직선 MN과 LN이 이루는 각의 크기 45°와 같다.

$\therefore \cos\theta=\cos 45°=\frac{\sqrt{2}}{2}$ 답 $\frac{\sqrt{2}}{2}$

054 점 A에서 평면 EFGH에 내린 수선의 발은 E이므로

$\theta=\angle AGE$

$\overline{EG}=\sqrt{1^2+1^2}=\sqrt{2}$, $\overline{AG}=\sqrt{2^2+(\sqrt{2})^2}=\sqrt{6}$

이므로

$\cos\theta=\frac{\overline{EG}}{\overline{AG}}=\frac{\sqrt{2}}{\sqrt{6}}=\frac{\sqrt{3}}{3}$ 답 ③

055 그림과 같이 점 A에서 평면 BCDE에 내린 수선의 발을 H라 하면 직선 AB와 평면 BCDE가 이루는 각의 크기 θ는 $\angle ABH$의 크기와 같다.

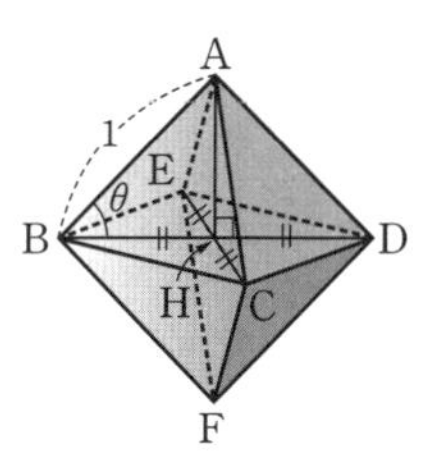

점 H는 정사각형 BCDE의 두 대각선의 교점이므로

$\overline{BH}=\frac{1}{2}\overline{BD}=\frac{\sqrt{2}}{2}$

$\therefore \cos\theta = \dfrac{\overline{BH}}{\overline{AB}} = \dfrac{\sqrt{2}}{2}$ 답 ④

056 $\overline{PO} \perp \alpha$, $\overline{OQ} \perp \overline{AB}$이므로 삼수선의 정리에 의하여

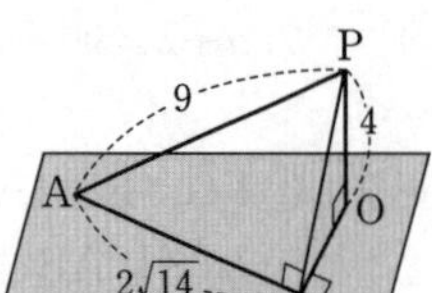
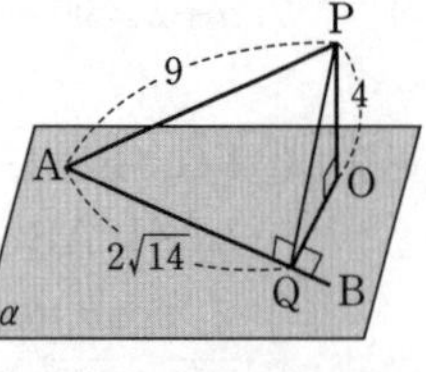

$\overline{PQ} \perp \overline{AB}$

직각삼각형 PAQ에서

$\overline{PQ} = \sqrt{\overline{AP}^2 - \overline{AQ}^2}$

$= \sqrt{9^2 - (2\sqrt{14})^2}$

$= \sqrt{81 - 56} = 5$

또 직각삼각형 PQO에서

$\overline{OQ} = \sqrt{\overline{PQ}^2 - \overline{OP}^2} = \sqrt{5^2 - 4^2} = 3$ 답 3

057 $\overline{AD} \perp$ (평면 DEF), $\overline{AP} \perp \overline{EF}$이므로 삼수선의 정리에 의하여

$\overline{DP} \perp \overline{EF}$

직각삼각형 DEF에서

$\overline{EF} = \sqrt{1^2 + 2^2} = \sqrt{5}$이고,

$\dfrac{1}{2} \times \overline{EF} \times \overline{DP} = \dfrac{1}{2} \times \overline{DE} \times \overline{DF}$이므로

$\dfrac{1}{2} \times \sqrt{5} \times \overline{DP} = \dfrac{1}{2} \times 1 \times 2$

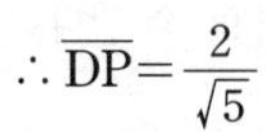

$\therefore \overline{DP} = \dfrac{2}{\sqrt{5}}$

따라서 구하는 삼각기둥의 높이는 직각삼각형 ADP에서

$\overline{AD} = \sqrt{\left(\sqrt{\dfrac{14}{5}}\right)^2 - \left(\dfrac{2}{\sqrt{5}}\right)^2} = \sqrt{2}$ 답 ②

058 $\overline{AE} \perp \overline{BC}$, $\overline{DE} \perp \overline{BC}$이므로 꼭짓점 A에서 밑면 BCD에 내린 수선의 발을 H라 하면 점 H는 $\overline{DE}$ 위에 있고, 삼수선의 정리에 의하여

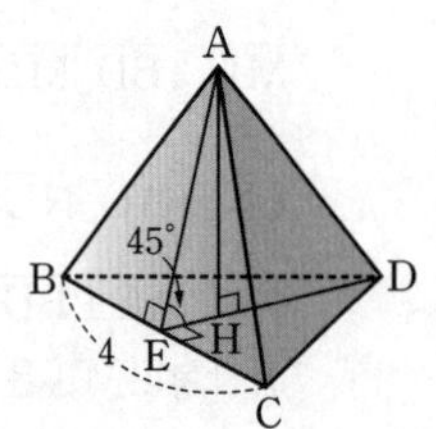

$\overline{AH} \perp$ (평면 BCD)

삼각형 ABC의 넓이가 20이므로

$\dfrac{1}{2} \times 4 \times \overline{AE} = 20$

$\therefore \overline{AE} = 10$

직각삼각형 AEH에서

$\sin 45^\circ = \dfrac{\overline{AH}}{\overline{AE}}$

$\therefore \overline{AH} = \overline{AE} \sin 45^\circ = 10 \times \dfrac{\sqrt{2}}{2} = 5\sqrt{2}$ 답 $5\sqrt{2}$

059 $\overline{CG} \perp$ (평면 EFGH), $\overline{CM} \perp \overline{HF}$이므로 삼수선의 정리에 의하여

$\overline{GM} \perp \overline{HF}$

직각삼각형 GHF에서 $\overline{HF} = \sqrt{2^2 + 4^2} = 2\sqrt{5}$이고,

$\dfrac{1}{2} \times \overline{HG} \times \overline{GF} = \dfrac{1}{2} \times \overline{HF} \times \overline{GM}$이므로

$\dfrac{1}{2} \times 4 \times 2 = \dfrac{1}{2} \times 2\sqrt{5} \times \overline{GM}$

$\therefore \overline{GM} = \dfrac{4}{\sqrt{5}}$

따라서 직각삼각형 CMG에서

$\overline{CM} = \sqrt{\left(\dfrac{4}{\sqrt{5}}\right)^2 + 2^2} = \dfrac{6}{\sqrt{5}} = \dfrac{6\sqrt{5}}{5}$ 답 ④

060 $\overline{OC} \perp \overline{OA}$, $\overline{OC} \perp \overline{OB}$이므로

$\overline{OC} \perp$ (평면 OAB)

점 C에서 선분 AB에 내린 수선의 발을 H라 하면 $\overline{CH} \perp \overline{AB}$이므로 삼수선의 정리에 의하여

$\overline{OH} \perp \overline{AB}$

직각삼각형 OAB에서

$\overline{AB} = \sqrt{6^2 + 8^2} = 10$이고,

$\dfrac{1}{2} \times \overline{OA} \times \overline{OB} = \dfrac{1}{2} \times \overline{AB} \times \overline{OH}$이므로

$\dfrac{1}{2} \times 8 \times 6 = \dfrac{1}{2} \times 10 \times \overline{OH}$

$\therefore \overline{OH} = \dfrac{24}{5}$

직각삼각형 COH에서

$\overline{CH} = \sqrt{6^2 + \left(\dfrac{24}{5}\right)^2} = \dfrac{6\sqrt{41}}{5}$

따라서 삼각형 ABC의 넓이는

$\dfrac{1}{2} \times 10 \times \dfrac{6\sqrt{41}}{5} = 6\sqrt{41}$ 답 $6\sqrt{41}$

061 $\overline{PQ} \perp \alpha$이고, 점 P에서 선분 AB에 내린 수선의 발을 H라 하면 $\overline{PH} \perp \overline{AB}$이므로 삼수선의 정리에 의하여

$\overline{QH} \perp \overline{AB}$

직각삼각형 PQA에서

$\overline{QA} = \overline{PA} \cos 30^\circ = \dfrac{\sqrt{3}}{2} \overline{PA}$

직각삼각형 QHA에서

$\overline{HA} = \overline{QA} \cos 60^\circ = \dfrac{1}{2} \overline{QA} = \dfrac{\sqrt{3}}{4} \overline{PA}$

$\therefore \cos(\angle PAB) = \dfrac{\overline{HA}}{\overline{PA}} = \dfrac{\frac{\sqrt{3}}{4}\overline{PA}}{\overline{PA}} = \dfrac{\sqrt{3}}{4}$ 답 ①

062

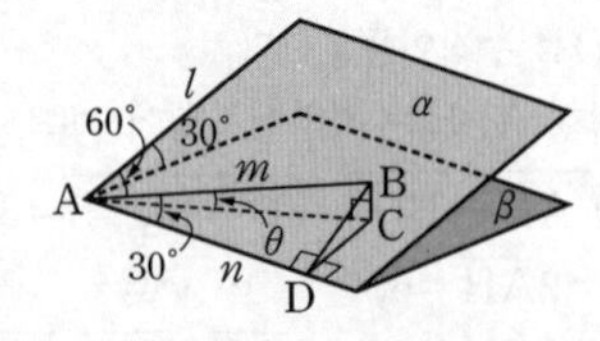

그림과 같이 두 직선 l, m이 만나는 점을 A, 직선 m 위의 임의의 점 B에서 평면 β에 내린 수선의 발을 C라 하고, 두 평면 α, β의 교선을 n, 점 B에서 직선 n에 내린 수선의 발을 D라 하면 $\overline{BC} \perp \beta$, $\overline{BD} \perp n$이므로 삼수선의 정리에 의하여

$\overline{CD} \perp n$

또한, $l \perp n$이고 두 직선 l, m이 이루는 각의 크기가 60°이므로

$\angle BAD = 30^\circ$

$\overline{AB} = a$라 하면 직각삼각형 ABD에서

$\overline{BD} = a \sin 30^\circ = \dfrac{a}{2}$

$\angle BDC=30°$이므로 직각삼각형 BCD에서

$\overline{BC}=\frac{a}{2}\sin 30°=\frac{a}{4}$

따라서 $\angle BAC=\theta$이므로 직각삼각형 ABC에서

$\sin\theta=\frac{\overline{BC}}{\overline{AB}}=\frac{1}{4}$ 답 $\frac{1}{4}$

063 세 점 B′, P, Q를 포함하는 평면을 α라 하면 $\overline{BB'}\perp\alpha$, $\overline{OB'}\perp\overline{PQ}$이므로 삼수선의 정리에 의하여

$\overline{BO}\perp\overline{PQ}$

즉, 부채꼴 OBP의 중심각의 크기는 90°이다.

$\therefore \widehat{BP}=2\times\frac{\pi}{2}=\pi$ 답 π

064 점 A에서 평면 α에 내린 수선의 발을 H라 하면 $\overline{AH}\perp\alpha$, $\overline{AB}\perp\overline{BC}$이므로 삼수선의 정리에 의하여

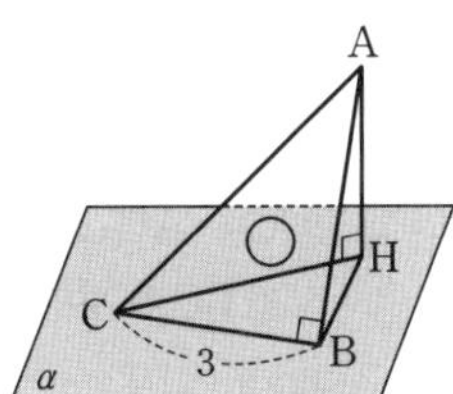

$\overline{HB}\perp\overline{BC}$

$\overline{HB}=x$라 하면

$\overline{HC}=\sqrt{x^2+9}$

선분 BC가 그리는 도형의 넓이 S는 선분 HC가 그리는 도형의 넓이에서 선분 HB가 그리는 도형의 넓이를 뺀 값과 같으므로

$S=\pi(\sqrt{x^2+9})^2-\pi x^2=9\pi$

$\therefore \frac{S}{\pi}=\frac{9\pi}{\pi}=9$ 답 9

065 두 평면 ABCD와 ABGH의 교선은 $\overline{AB}$이고 $\overline{BC}\perp\overline{AB}$, $\overline{BG}\perp\overline{AB}$이므로 두 평면 ABCD와 ABGH가 이루는 각의 크기는

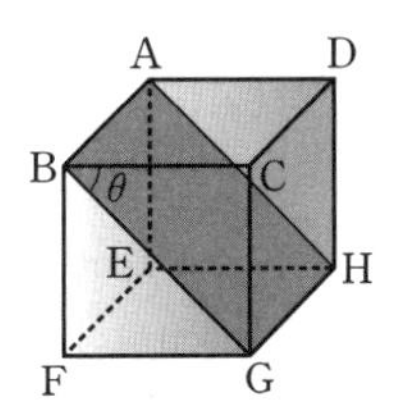

$\angle CBG$

삼각형 CBG가 직각이등변삼각형이므로

$\angle CBG=45°$ 답 ②

066 그림과 같이 점 D에서 선분 EG에 내린 수선의 발을 P라 하면

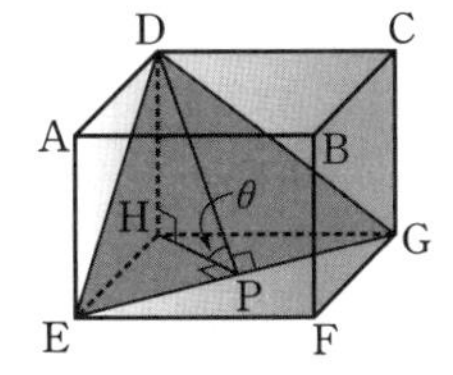

$\overline{DH}\perp$(평면 EFGH), $\overline{DP}\perp\overline{EG}$

이므로 삼수선의 정리에 의하여

$\overline{HP}\perp\overline{EG}$

즉, 평면 HEG와 평면 DEG가 이루는 각의 크기는

$\theta=\angle DPH$

직각삼각형 HEG에서

$\overline{EG}=\sqrt{3^2+4^2}=5$이고,

$\frac{1}{2}\times\overline{EG}\times\overline{HP}=\frac{1}{2}\times\overline{HE}\times\overline{HG}$이므로

$\frac{1}{2}\times5\times\overline{HP}=\frac{1}{2}\times3\times4$

$\therefore \overline{HP}=\frac{12}{5}$

직각삼각형 DHP에서

$\overline{DP}=\sqrt{3^2+\left(\frac{12}{5}\right)^2}=\frac{3\sqrt{41}}{5}$

$\therefore \cos\theta=\frac{\overline{HP}}{\overline{DP}}=\frac{\frac{12}{5}}{\frac{3\sqrt{41}}{5}}=\frac{4}{\sqrt{41}}=\frac{4\sqrt{41}}{41}$ 답 $\frac{4\sqrt{41}}{41}$

067 모서리 BC의 중점을 N이라 하면 $\overline{MN}\perp\overline{BC}$, $\overline{DN}\perp\overline{BC}$이므로 평면 BCM과 평면 BCD가 이루는 각의 크기는

$\theta=\angle MND$

정사면체의 한 모서리의 길이를 a라 하면

$\overline{BM}=\frac{\sqrt{3}}{2}a$, $\overline{BN}=\frac{1}{2}a$이므로

$\overline{MN}=\sqrt{\left(\frac{\sqrt{3}}{2}a\right)^2-\left(\frac{1}{2}a\right)^2}=\frac{\sqrt{2}}{2}a$

$\therefore \cos\theta=\frac{\overline{MN}}{\overline{ND}}=\frac{\frac{\sqrt{2}}{2}a}{\frac{\sqrt{3}}{2}a}=\frac{\sqrt{6}}{3}$ 답 ⑤

068 $\overline{BC}=\overline{CD}$, $\angle BCD=60°$이므로 삼각형 BCD는 정삼각형이다.

주어진 정사각형의 한 변의 길이를 a라 하면

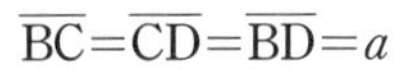

$\overline{BC}=\overline{CD}=\overline{BD}=a$

선분 AC의 중점을 M이라 하면

$\overline{BM}\perp\overline{AC}$, $\overline{DM}\perp\overline{AC}$이므로 두 평면 ABC와 ACD가 이루는 각의 크기는

$\angle BMD$

$\triangle BMD$에서 $\overline{BM}=\overline{MD}=\frac{\sqrt{2}}{2}a$이므로

$\overline{BM}^2+\overline{MD}^2=\overline{BD}^2$

$\therefore \angle BMD=90°$

따라서 구하는 각의 크기는 90°이다. 답 ⑤

069 그림과 같이 모서리 BC의 중점을 M이라 하면

$\overline{AM}\perp\overline{BC}$, $\overline{DM}\perp\overline{BC}$이므로 평면 ABC와 평면 BCD가 이루는 각의 크기는

$\theta=\angle AMD$

$\overline{AM}=\sqrt{7^2-3^2}=2\sqrt{10}$

$\overline{MD}=\sqrt{5^2-3^2}=4$

이고, $\overline{AD}=4$이므로 삼각형 AMD는 $\overline{AD}=\overline{MD}$인 이등변삼각형이다.

점 D에서 선분 AM에 내린 수선의 발을 H라 하면

$\overline{MH}=\overline{AH}=\frac{1}{2}\overline{AM}=\sqrt{10}$

$\therefore \cos\theta=\frac{\overline{MH}}{\overline{MD}}=\frac{\sqrt{10}}{4}$ 답 $\frac{\sqrt{10}}{4}$

070

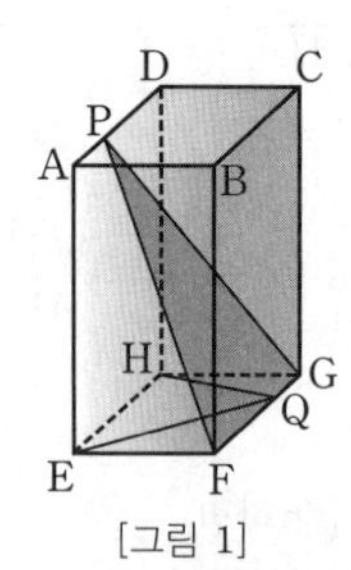

[그림 1]

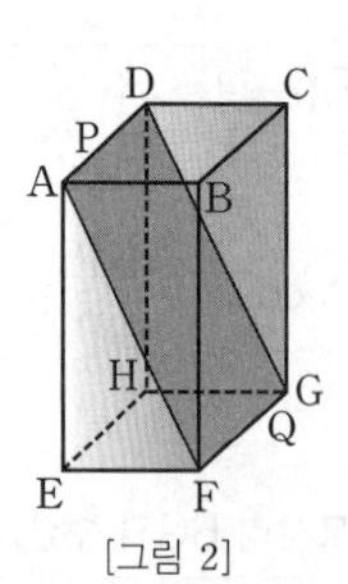

[그림 2]

[그림 1]에서 두 삼각형 PFG와 EHQ가 이루는 각의 크기는 [그림 2]에서 두 평면 AFGD와 EFGH가 이루는 각의 크기와 같다.

그런데 $\overline{AF}\perp\overline{FG}$, $\overline{EF}\perp\overline{FG}$이므로 두 평면 AFGD와 EFGH가 이루는 각의 크기는

$\theta=\angle AFE$

직각삼각형 AFE에서

$\overline{AE}:\overline{EF}=2:1$

이므로 $\overline{AE}=2a$, $\overline{EF}=a$라 하면

$\overline{AF}=\sqrt{(2a)^2+a^2}$

$=\sqrt{5}a$

$\therefore \cos\theta=\dfrac{\overline{EF}}{\overline{AF}}=\dfrac{a}{\sqrt{5}a}=\dfrac{\sqrt{5}}{5}$

답 ⑤

071 꼭짓점 A에서 평면 BCD에 내린 수선의 발을 H라 하면 점 H는 삼각형 BCD의 무게중심이고 모서리 AD의 평면 BCD 위로의 정사영은 선분 HD이다.

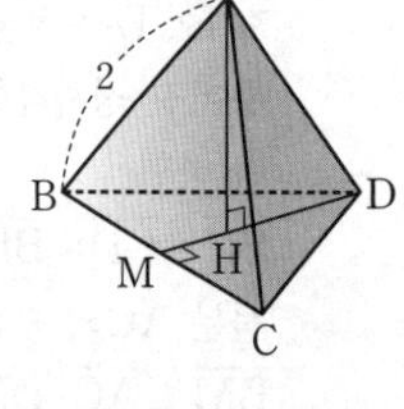

따라서 구하는 정사영의 길이는

$\overline{HD}=\dfrac{\sqrt{3}}{2}\times2\times\dfrac{2}{3}=\dfrac{2\sqrt{3}}{3}$

답 ②

072 선분 AC의 평면 AEHD 위로의 정사영은 선분 AD이므로

$a=2$

선분 AF의 평면 DHGC 위로의 정사영은 선분 DG이므로

$b=2\sqrt{2}$

선분 DF의 평면 EFGH 위로의 정사영은 선분 HF이므로

$c=2\sqrt{2}$

$\therefore a<b=c$

답 ②

073 변 BC가 평면 α와 평행하므로

$\overline{B'C'}=\overline{BC}=2$

즉, 삼각형 A′B′C′은 한 변의 길이가 2인 정삼각형이다.

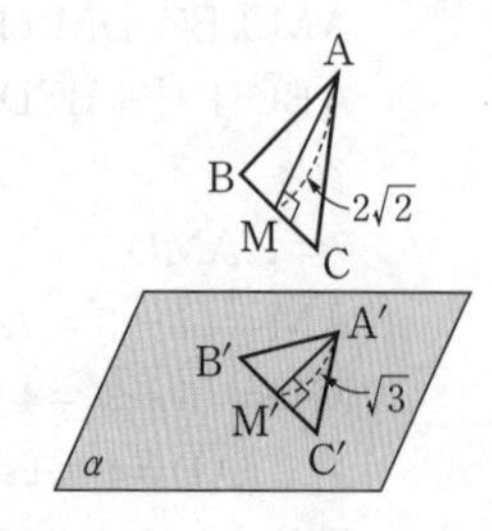

한편, 변 BC의 중점을 M, 변 B′C′의 중점을 M′이라 하면 선분 AM의 정사영은 선분 A′M′이고, 삼각형 ABC와 평면 α가 이루는 각의 크기는 선분 AM과 선분 A′M′이 이루는 각의 크기와 같다.

$\overline{AM}=2\sqrt{2}$, $\overline{A'M'}=\sqrt{3}$이고

$\overline{A'M'}=\overline{AM}\cos\theta$에서

$\cos\theta=\dfrac{\overline{A'M'}}{\overline{AM}}=\dfrac{\sqrt{3}}{2\sqrt{2}}=\dfrac{\sqrt{6}}{4}$

답 ①

074

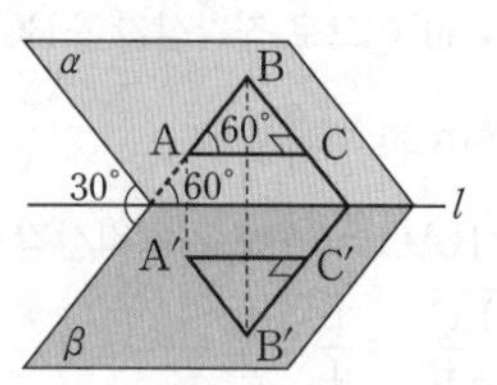

그림과 같이 선분 AB의 평면 β 위로의 정사영을 선분 A′B′이라 하고, 점 B에서 점 A를 지나고 직선 l과 평행한 직선에 내린 수선의 발을 C, 점 C의 평면 β 위로의 정사영을 C′이라 하면 직각삼각형 ABC의 평면 β 위로의 정사영은 직각삼각형 A′B′C′이다.

$\angle BAC=60^\circ$이므로 직각삼각형 ABC에서

$\overline{AC}=\overline{AB}\times\cos60^\circ=10\times\dfrac{1}{2}=5$

$\overline{BC}=\overline{AB}\times\sin60^\circ=10\times\dfrac{\sqrt{3}}{2}=5\sqrt{3}$

한편, 직선 AC와 평면 β가 이루는 각의 크기는 0°이므로

$\overline{A'C'}=\overline{AC}\cos0^\circ=5\times1=5$

직선 BC와 평면 β가 이루는 각의 크기는 30°이므로

$\overline{B'C'}=\overline{BC}\cos30^\circ=5\sqrt{3}\times\dfrac{\sqrt{3}}{2}=\dfrac{15}{2}$

즉, 직각삼각형 A′B′C′에서

$\overline{A'B'}=\sqrt{5^2+\left(\dfrac{15}{2}\right)^2}=\sqrt{\dfrac{325}{4}}$

따라서 $k=\sqrt{\dfrac{325}{4}}$이므로

$4k^2=325$

답 325

075 그림과 같이 선분 FF′을 x축, 그 중점이 원점에 오도록 좌표평면 위에 나타내고, 장축, 단축의 길이를 각각 $2a$, $2b$라 하면 장축의 밑면 위로의 정사영이 밑면의 지름이고, 단축의 길이는 밑면의 지름의 길이와 같으므로

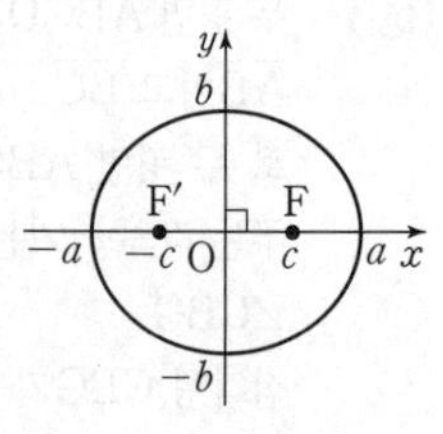

$2a\cos30^\circ=2\sqrt{3}$, $2b=2\sqrt{3}$

$\therefore a=2$, $b=\sqrt{3}$

$c^2=a^2-b^2=2^2-(\sqrt{3})^2=1$

$\therefore c=-1$ 또는 $c=1$

따라서 $F'(-1, 0)$, $F(1, 0)$이므로

$\overline{FF'}=2$

답 ⑤

076 삼각형 ABC의 넓이를 S, 삼각형 ABC의 평면 α 위로의 정사영의 넓이를 S'이라 하면

$S'=S\cos\theta=\dfrac{\sqrt{3}}{4}\times4^2\times\cos45^\circ=2\sqrt{6}$

답 ③

077 그림에서 삼각형 ABC는 직각삼각형이므로

$\overline{AB}=\sqrt{6^2+8^2}=10$

잘린 단면과 밑면이 이루는 각의 크기를 θ라 하면

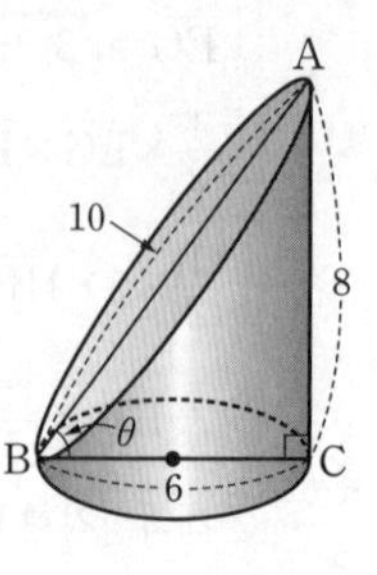

$\cos\theta=\dfrac{6}{10}=\dfrac{3}{5}$

잘린 단면의 밑면을 포함하는 평면 위

로의 정사영이 밑면이므로 잘린 단면의 넓이를 S라 하면

$S\cos\theta=\pi\times 3^2$

$\therefore S=\dfrac{9\pi}{\cos\theta}=\dfrac{9\pi}{\frac{3}{5}}=15\pi$ 　　답 15π

078 모서리 GH의 중점을 N이라 하면 삼각형 AFM의 밑면 EFGH 위로의 정사영은 삼각형 EFN이다.

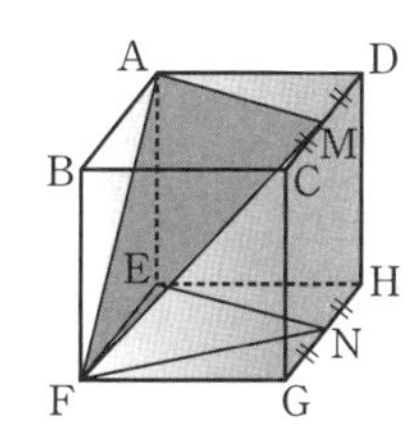

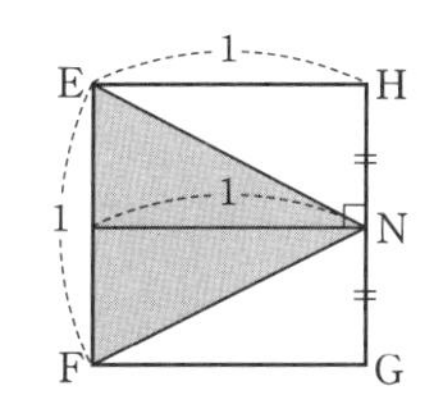

따라서 구하는 넓이는 삼각형 EFN의 넓이이므로

$\dfrac{1}{2}\times1\times1=\dfrac{1}{2}$ 　　답 ①

079 선분 EG의 중점을 I라 하면 삼각형 PFC의 평면 EFGH 위로의 정사영은 삼각형 IFG이다.

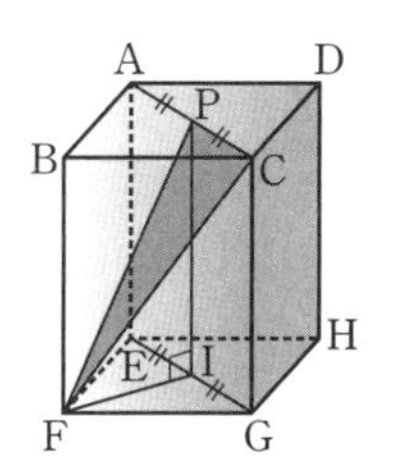

$\triangle IFG=\dfrac{S}{4}$이므로

$\triangle PFC\times\cos 60^\circ=\dfrac{S}{4}$

$\therefore \triangle PFC=\dfrac{S}{4}\times2=\dfrac{S}{2}$ 　　답 ④

080 평면 HEG와 평면 MEG가 이루는 각의 크기를 θ라 하면 삼각형 MEG의 평면 HEG 위로의 정사영이 삼각형 HEG이므로

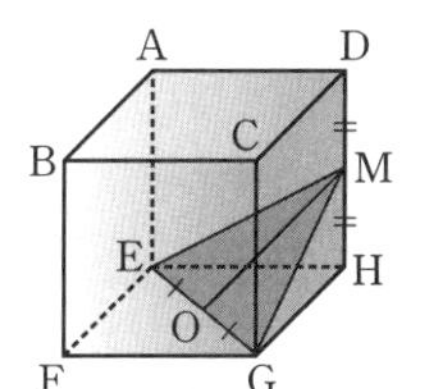

$\triangle HEG=\triangle MEG\cos\theta$

$\triangle HEG=\dfrac{1}{2}\times2\times2=2$이고,

선분 EG의 중점을 O라 하면

$\overline{OG}=\dfrac{1}{2}\times2\sqrt{2}=\sqrt{2}$, $\overline{MG}=\sqrt{2^2+1^2}=\sqrt{5}$이므로

$\overline{MO}=\sqrt{(\sqrt{5})^2-(\sqrt{2})^2}=\sqrt{3}$

$\therefore \triangle MEG=\dfrac{1}{2}\overline{EG}\times\overline{MO}=\dfrac{1}{2}\times2\sqrt{2}\times\sqrt{3}=\sqrt{6}$

즉, $2=\sqrt{6}\cos\theta$이므로

$\cos\theta=\dfrac{2}{\sqrt{6}}=\dfrac{\sqrt{6}}{3}$

따라서 삼각형 HEG의 평면 MEG 위로의 정사영의 넓이 S는

$S=\triangle HEG\cos\theta=2\times\dfrac{\sqrt{6}}{3}=\dfrac{2\sqrt{6}}{3}$ 　　답 ③

참고

$\overline{MO}\cos\theta=\overline{HO}$에서 $\cos\theta=\dfrac{\sqrt{2}}{\sqrt{3}}=\dfrac{\sqrt{6}}{3}$

081 넓이가 S_1, S_2인 단면의 밑면을 포함하는 평면 위로의 정사영은 모두 밑면이므로

$S_1\cos 60^\circ=S_2\cos 30^\circ$에서

$24\times\dfrac{1}{2}=S_2\times\dfrac{\sqrt{3}}{2}$

$\therefore S_2=\dfrac{24}{\sqrt{3}}=8\sqrt{3}$ 　　답 ④

082 구와 입체도형이 접하는 점들을 연결하면 구와 반지름의 길이가 같은 원이 된다.

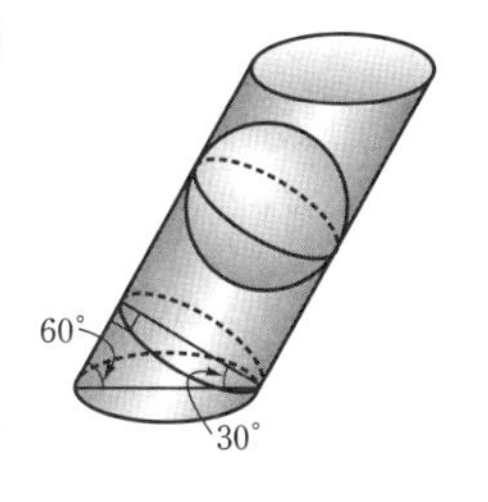

이 원을 밑면과 만나도록 평행이동시키면 이 원과 밑면이 이루는 각의 크기가 30°이고, 이 원을 포함하는 평면에 밑면인 타원을 정사영시키면 이 원이 되므로 원의 넓이는

$24\sqrt{3}\pi\times\cos 30^\circ=24\sqrt{3}\pi\times\dfrac{\sqrt{3}}{2}=36\pi$

구의 반지름의 길이를 r라 하면

$\pi r^2=36\pi$ 　　$\therefore r=6$ 　　답 ⑤

083 정육면체의 한 모서리의 길이는 $6\sqrt{2}$이므로 삼각형 PQR의 넓이는

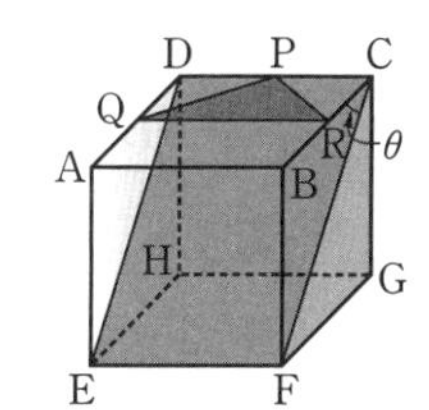

$\dfrac{1}{2}\times6\sqrt{2}\times3\sqrt{2}=18$

그런데 평면 ABCD와 평면 EFCD가 이루는 각의 크기를 θ라 하면

$\theta=\angle BCF=\dfrac{\pi}{4}$

따라서 삼각형 PQR의 평면 EFCD 위로의 정사영의 넓이는

$18\times\cos\dfrac{\pi}{4}=18\times\dfrac{\sqrt{2}}{2}=9\sqrt{2}$

$\therefore a=9$ 　　답 9

084 점 O에서 평면 ABC에 내린 수선의 발을 H라 하면 점 H는 삼각형 ABC의 무게중심이고, 모서리 AB의 중점을 M이라 하면

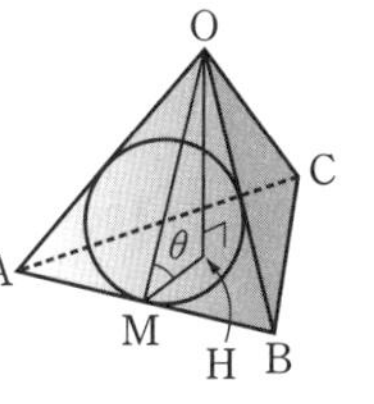

$\overline{OM}=\dfrac{\sqrt{3}}{2}\times6=3\sqrt{3}$

$\overline{MH}=3\sqrt{3}\times\dfrac{1}{3}=\sqrt{3}$

즉, 평면 OAB와 평면 ABC가 이루는 각의 크기를 θ라 하면

$\cos\theta=\dfrac{\overline{MH}}{\overline{OM}}=\dfrac{\sqrt{3}}{3\sqrt{3}}=\dfrac{1}{3}$

한편, 정삼각형에 내접하는 원의 중심은 정삼각형의 무게중심과 일치하므로 원의 반지름의 길이는 $\sqrt{3}$이다.

구하는 넓이는 삼각형 OAB에서 그림의 어두운 부분의 평면 ABC 위로의 정사영의 넓이의 3배와 같다.

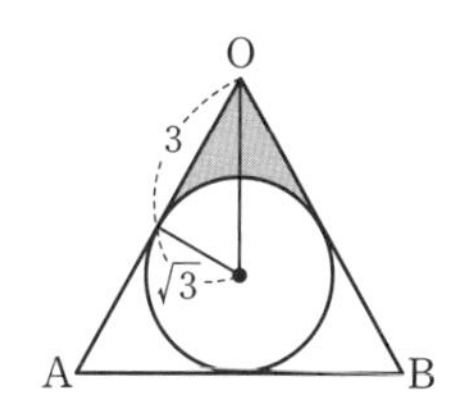

어두운 부분의 넓이는

$\left(\dfrac{\sqrt{3}}{4}\times6^2-3\pi\right)\times\dfrac{1}{3}=3\sqrt{3}-\pi$

따라서 구하는 넓이는

$S=(3\sqrt{3}-\pi)\times\dfrac{1}{3}\times3=3\sqrt{3}-\pi$

$\therefore (S+\pi)^2=(3\sqrt{3})^2=27$ 　　답 27

085 삼각형 ACF의 평면 EFGH 위로의 정사영은 삼각형 EGF이다.

$\triangle EGF=\frac{1}{2}\times4\times2=4$

한편, 삼각형 ACF는

$\overline{AF}=\overline{AC}=\sqrt{4^2+2^2}=2\sqrt{5}$, $\overline{CF}=\sqrt{2^2+2^2}=2\sqrt{2}$

인 이등변삼각형이므로 꼭짓점 A에서 선분 CF에 내린 수선의 길이는

$\sqrt{(2\sqrt{5})^2-(\sqrt{2})^2}=3\sqrt{2}$

$\therefore \triangle ACF=\frac{1}{2}\times2\sqrt{2}\times3\sqrt{2}=6$

$\therefore \cos\theta=\frac{\triangle EGF}{\triangle ACF}=\frac{4}{6}=\frac{2}{3}$ 답 $\frac{2}{3}$

086 꼭짓점 P에서 평면 ABCD에 내린 수선의 발을 P′이라 하면 삼각형 PAB의 평면 ABCD 위로의 정사영은 삼각형 P′AB이다.

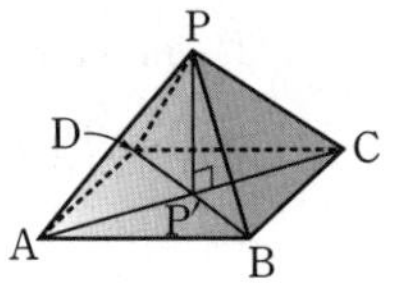

$\triangle PAB=\frac{\sqrt{3}}{4}\times6^2=9\sqrt{3}$

$\triangle P'AB=\frac{1}{4}\times6\times6=9$

또 평면 PAB와 평면 ABCD가 이루는 각의 크기를 α라 하면

$\cos\alpha=\frac{\triangle P'AB}{\triangle PAB}=\frac{9}{9\sqrt{3}}=\frac{1}{\sqrt{3}}$

즉, 평면 PAB와 평면 AEFB가 이루는 각의 크기 θ는

$\theta=\alpha+\frac{\pi}{2}$이므로

$$\begin{aligned}\cos\theta&=\cos\left(\alpha+\frac{\pi}{2}\right)\\&=-\sin\alpha=-\sqrt{1-\cos^2\alpha}\\&=-\sqrt{1-\left(\frac{1}{\sqrt{3}}\right)^2}\\&=-\sqrt{\frac{2}{3}}=-\frac{\sqrt{6}}{3}\end{aligned}$$

$\therefore 3\cos\theta=3\times\left(-\frac{\sqrt{6}}{3}\right)=-\sqrt{6}$ 답 $-\sqrt{6}$

087 삼각형 ABD의 평면 BCD 위로의 정사영이 삼각형 A′BD이므로 그림에서

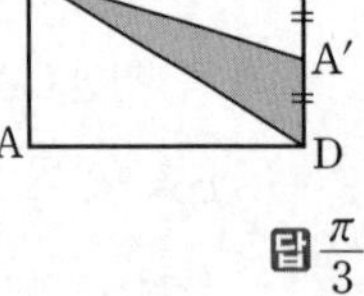

$\cos\theta=\frac{\triangle A'BD}{\triangle ABD}=\frac{1}{2}$

$\therefore \theta=\frac{\pi}{3}$ 답 $\frac{\pi}{3}$

10 공간좌표

본책 111~122쪽

001 답 B$(1, 3, 0)$, C$(1, 3, 2)$, D$(1, 0, 2)$

002 답

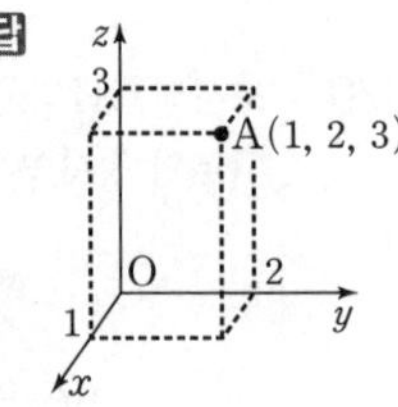

003 답

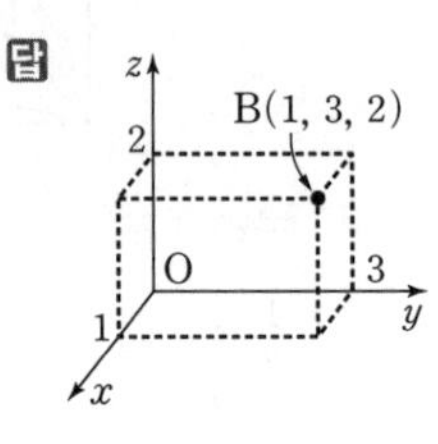

004 답

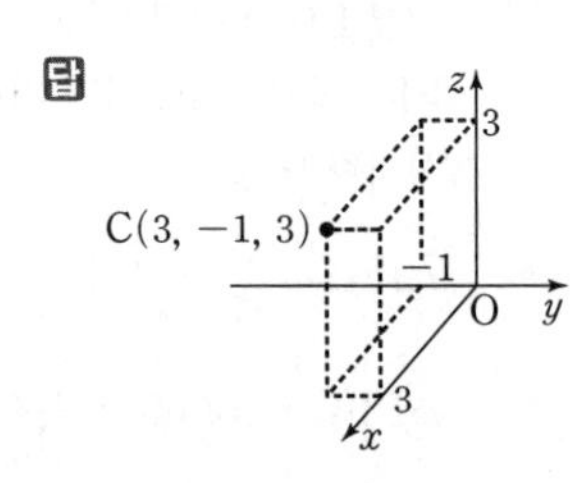

005 답

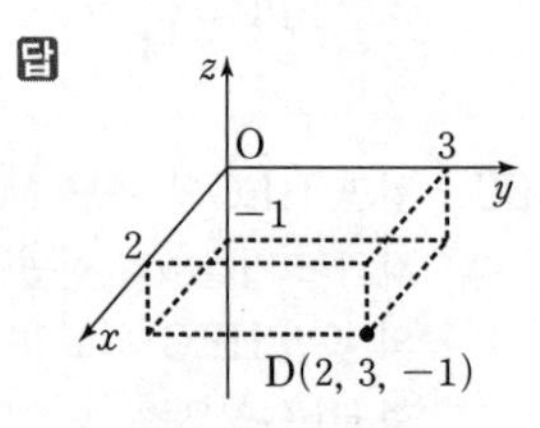

006 점 P$(2, 3, 4)$를 x축에 대하여 대칭이동한 점의 좌표는 $(2, -3, -4)$ 답 $(2, -3, -4)$

007 점 P$(2, 3, 4)$를 y축에 대하여 대칭이동한 점의 좌표는 $(-2, 3, -4)$ 답 $(-2, 3, -4)$

008 점 P$(2, 3, 4)$를 z축에 대하여 대칭이동한 점의 좌표는 $(-2, -3, 4)$ 답 $(-2, -3, 4)$

009 점 P$(2, 3, 4)$를 원점에 대하여 대칭이동한 점의 좌표는 $(-2, -3, -4)$ 답 $(-2, -3, -4)$

010 점 P$(2, 3, 4)$를 xy평면에 대하여 대칭이동한 점의 좌표는 $(2, 3, -4)$ 답 $(2, 3, -4)$

011 점 P$(2, 3, 4)$를 yz평면에 대하여 대칭이동한 점의 좌표는 $(-2, 3, 4)$ 답 $(-2, 3, 4)$

012 점 P$(2, 3, 4)$를 zx평면에 대하여 대칭이동한 점의 좌표는 $(2, -3, 4)$ 답 $(2, -3, 4)$

013 두 점 $\mathrm{A}(1, -1, 2)$, $\mathrm{B}(3, 0, 1)$ 사이의 거리는

$\overline{\mathrm{AB}}=\sqrt{(3-1)^2+(0+1)^2+(1-2)^2}$

$=\sqrt{2^2+1^2+(-1)^2}=\sqrt{6}$

답 $\sqrt{6}$

014 두 점 $\mathrm{A}(2, -1, 1)$, $\mathrm{B}(-3, 3, -2)$ 사이의 거리는

$\overline{\mathrm{AB}}=\sqrt{(-3-2)^2+(3+1)^2+(-2-1)^2}$

$=\sqrt{(-5)^2+4^2+(-3)^2}$

$=\sqrt{50}=5\sqrt{2}$

답 $5\sqrt{2}$

015 두 점 $\mathrm{A}(0, -3, 2)$, $\mathrm{B}(1, 1, 2)$ 사이의 거리는

$\overline{\mathrm{AB}}=\sqrt{(1-0)^2+(1+3)^2+(2-2)^2}$

$=\sqrt{1^2+4^2+0^2}=\sqrt{17}$

답 $\sqrt{17}$

016 두 점 $\mathrm{A}(2, 3, 5)$, $\mathrm{B}(1, 2, -3)$ 사이의 거리는

$\overline{\mathrm{AB}}=\sqrt{(1-2)^2+(2-3)^2+(-3-5)^2}$

$=\sqrt{(-1)^2+(-1)^2+(-8)^2}=\sqrt{66}$

답 $\sqrt{66}$

017 원점 $\mathrm{O}(0, 0, 0)$과 점 $\mathrm{A}(1, 2, 3)$ 사이의 거리는

$\overline{\mathrm{OA}}=\sqrt{1^2+2^2+3^2}=\sqrt{14}$

답 $\sqrt{14}$

018 원점 $\mathrm{O}(0, 0, 0)$과 점 $\mathrm{A}(2, -1, -2)$ 사이의 거리는

$\overline{\mathrm{OA}}=\sqrt{2^2+(-1)^2+(-2)^2}=\sqrt{9}=3$

답 3

019 두 점 $\mathrm{A}(-1, 3, -1)$, $\mathrm{B}(2, 0, 2)$에 대하여 선분 AB를 $2:1$로 내분하는 점의 좌표는

$\left(\frac{2\times2+1\times(-1)}{2+1}, \frac{2\times0+1\times3}{2+1}, \frac{2\times2+1\times(-1)}{2+1}\right)$

$\therefore (1, 1, 1)$

답 $(1, 1, 1)$

020 두 점 $\mathrm{A}(-1, 3, -1)$, $\mathrm{B}(2, 0, 2)$에 대하여 선분 AB를 $2:1$로 외분하는 점의 좌표는

$\left(\frac{2\times2-1\times(-1)}{2-1}, \frac{2\times0-1\times3}{2-1}, \frac{2\times2-1\times(-1)}{2-1}\right)$

$\therefore (5, -3, 5)$

답 $(5, -3, 5)$

021 두 점 $\mathrm{A}(-1, 3, -1)$, $\mathrm{B}(2, 0, 2)$에 대하여 선분 AB의 중점의 좌표는

$\left(\frac{-1+2}{2}, \frac{3+0}{2}, \frac{-1+2}{2}\right)$

$\therefore \left(\frac{1}{2}, \frac{3}{2}, \frac{1}{2}\right)$

답 $\left(\frac{1}{2}, \frac{3}{2}, \frac{1}{2}\right)$

022 두 점 $\mathrm{A}(-1, 3, -1)$, $\mathrm{C}(5, -3, -4)$에 대하여 선분 AC를 $2:3$으로 내분하는 점의 좌표는

$\left(\frac{2\times5+3\times(-1)}{2+3}, \frac{2\times(-3)+3\times3}{2+3}, \frac{2\times(-4)+3\times(-1)}{2+3}\right)$

$\therefore \left(\frac{7}{5}, \frac{3}{5}, -\frac{11}{5}\right)$

답 $\left(\frac{7}{5}, \frac{3}{5}, -\frac{11}{5}\right)$

023 두 점 $\mathrm{A}(-1, 3, -1)$, $\mathrm{C}(5, -3, -4)$에 대하여 선분 AC를 $2:3$으로 외분하는 점의 좌표는

$\left(\frac{2\times5-3\times(-1)}{2-3}, \frac{2\times(-3)-3\times3}{2-3}, \frac{2\times(-4)-3\times(-1)}{2-3}\right)$

$\therefore (-13, 15, 5)$

답 $(-13, 15, 5)$

024 세 점 $\mathrm{A}(-1, 3, -1)$, $\mathrm{B}(2, 0, 2)$, $\mathrm{C}(5, -3, -4)$를 꼭짓점으로 하는 삼각형 ABC의 무게중심의 좌표는

$\left(\frac{-1+2+5}{3}, \frac{3+0-3}{3}, \frac{-1+2-4}{3}\right)$

$\therefore (2, 0, -1)$

답 $(2, 0, -1)$

025 구 $(x-1)^2+(y-2)^2+(z-1)^2=4$에서

중심의 좌표는 $(1, 2, 1)$이고 반지름의 길이는 $\sqrt{4}=2$이다.

답 중심의 좌표: $(1, 2, 1)$, 반지름의 길이: 2

026 구 $(x-4)^2+(y+7)^2+(z+1)^2=49$에서

중심의 좌표는 $(4, -7, -1)$이고 반지름의 길이는 $\sqrt{49}=7$이다.

답 중심의 좌표: $(4, -7, -1)$, 반지름의 길이: 7

027 구 $(x+1)^2+(y-1)^2+(z-2)^2=14$에서

중심의 좌표는 $(-1, 1, 2)$이고 반지름의 길이는 $\sqrt{14}$이다.

답 중심의 좌표: $(-1, 1, 2)$, 반지름의 길이: $\sqrt{14}$

028 중심이 $(1, 2, 3)$이고 반지름의 길이가 2인 구의 방정식은

$(x-1)^2+(y-2)^2+(z-3)^2=4$

답 $(x-1)^2+(y-2)^2+(z-3)^2=4$

029 중심이 $(2, -5, 1)$이고 반지름의 길이가 4인 구의 방정식은

$(x-2)^2+(y+5)^2+(z-1)^2=16$

답 $(x-2)^2+(y+5)^2+(z-1)^2=16$

030 중심이 원점이고 반지름의 길이가 3인 구의 방정식은

$x^2+y^2+z^2=9$

답 $x^2+y^2+z^2=9$

031 중심이 (a, b, c)이고 xy평면에 접하는 구의 방정식은

$(x-a)^2+(y-b)^2+(z-c)^2=c^2$이므로

중심이 $(-1, 3, 4)$이고 xy평면에 접하는 구의 방정식은

$(x+1)^2+(y-3)^2+(z-4)^2=16$

답 $(x+1)^2+(y-3)^2+(z-4)^2=16$

032 중심이 (a, b, c)이고 yz평면에 접하는 구의 방정식은

$(x-a)^2+(y-b)^2+(z-c)^2=a^2$이므로

중심이 $(-1, 3, 4)$이고 yz평면에 접하는 구의 방정식은

$(x+1)^2+(y-3)^2+(z-4)^2=1$

답 $(x+1)^2+(y-3)^2+(z-4)^2=1$

033 중심이 (a, b, c)이고 zx평면에 접하는 구의 방정식은

$(x-a)^2+(y-b)^2+(z-c)^2=b^2$이므로

중심이 $(-1, 3, 4)$이고 zx평면에 접하는 구의 방정식은

$(x+1)^2+(y-3)^2+(z-4)^2=9$

답 $(x+1)^2+(y-3)^2+(z-4)^2=9$

034 중심이 (a, b, c)이고 x축에 접하는 구의 방정식은
$(x-a)^2+(y-b)^2+(z-c)^2=b^2+c^2$이므로
중심이 $(-1, 3, 4)$이고 x축에 접하는 구의 방정식은
$(x+1)^2+(y-3)^2+(z-4)^2=9+16$
$\therefore (x+1)^2+(y-3)^2+(z-4)^2=25$
답 $(x+1)^2+(y-3)^2+(z-4)^2=25$

035 중심이 (a, b, c)이고 y축에 접하는 구의 방정식은
$(x-a)^2+(y-b)^2+(z-c)^2=a^2+c^2$이므로
중심이 $(-1, 3, 4)$이고 y축에 접하는 구의 방정식은
$(x+1)^2+(y-3)^2+(z-4)^2=1+16$
$\therefore (x+1)^2+(y-3)^2+(z-4)^2=17$
답 $(x+1)^2+(y-3)^2+(z-4)^2=17$

036 중심이 (a, b, c)이고 z축에 접하는 구의 방정식은
$(x-a)^2+(y-b)^2+(z-c)^2=a^2+b^2$이므로
중심이 $(-1, 3, 4)$이고 z축에 접하는 구의 방정식은
$(x+1)^2+(y-3)^2+(z-4)^2=1+9$
$\therefore (x+1)^2+(y-3)^2+(z-4)^2=10$
답 $(x+1)^2+(y-3)^2+(z-4)^2=10$

037 방정식 $x^2+y^2+z^2-2x-4y=0$을 변형하면
$x^2-2x+1+y^2-4y+4+z^2=1+4$
$\therefore (x-1)^2+(y-2)^2+z^2=5$
답 $(x-1)^2+(y-2)^2+z^2=5$

038 방정식 $x^2+y^2+z^2+4y+8z-16=0$을 변형하면
$x^2+y^2+4y+4+z^2+8z+16=16+4+16$
$\therefore x^2+(y+2)^2+(z+4)^2=36$
답 $x^2+(y+2)^2+(z+4)^2=36$

039 방정식 $x^2+y^2+z^2+2x-4y-2z=0$을 변형하면
$x^2+2x+1+y^2-4y+4+z^2-2z+1=1+4+1$
$\therefore (x+1)^2+(y-2)^2+(z-1)^2=6$
답 $(x+1)^2+(y-2)^2+(z-1)^2=6$

040 방정식 $x^2+y^2+z^2-4x+6y-2z-2=0$을 변형하면
$x^2-4x+4+y^2+6y+9+z^2-2z+1=2+4+9+1$
$\therefore (x-2)^2+(y+3)^2+(z-1)^2=16$
답 $(x-2)^2+(y+3)^2+(z-1)^2=16$

041 방정식 $x^2+y^2+z^2-12x=0$을 변형하면
$x^2-12x+36+y^2+z^2=36$
$\therefore (x-6)^2+y^2+z^2=36$
따라서 주어진 방정식은 중심의 좌표가 $(6, 0, 0)$이고 반지름의 길이가 6인 구의 방정식이다.
답 중심의 좌표: $(6, 0, 0)$, 반지름의 길이: 6

042 방정식 $x^2+y^2+z^2-6x+2y+9=0$을 변형하면
$x^2-6x+9+y^2+2y+1+z^2=-9+9+1$
$\therefore (x-3)^2+(y+1)^2+z^2=1$
따라서 주어진 방정식은 중심의 좌표가 $(3, -1, 0)$이고 반지름의 길이가 1인 구의 방정식이다.
답 중심의 좌표: $(3, -1, 0)$, 반지름의 길이: 1

043 방정식 $x^2+y^2+z^2-2x+6y-6z-6=0$을 변형하면
$x^2-2x+1+y^2+6y+9+z^2-6z+9=6+1+9+9$
$\therefore (x-1)^2+(y+3)^2+(z-3)^2=25$
따라서 주어진 방정식은 중심의 좌표가 $(1, -3, 3)$이고 반지름의 길이가 5인 구의 방정식이다.
답 중심의 좌표: $(1, -3, 3)$, 반지름의 길이: 5

044 방정식 $x^2+y^2+z^2+4x+6y-2z+5=0$을 변형하면
$x^2+4x+4+y^2+6y+9+z^2-2z+1=-5+4+9+1$
$\therefore (x+2)^2+(y+3)^2+(z-1)^2=9$
따라서 주어진 방정식은 중심의 좌표가 $(-2, -3, 1)$이고 반지름의 길이가 3인 구의 방정식이다.
답 중심의 좌표: $(-2, -3, 1)$, 반지름의 길이: 3

045 방정식 $x^2+y^2+z^2+6x-8y+2z+1=0$을 변형하면
$x^2+6x+9+y^2-8y+16+z^2+2z+1=-1+9+16+1$
$\therefore (x+3)^2+(y-4)^2+(z+1)^2=25$
따라서 주어진 방정식은 중심의 좌표가 $(-3, 4, -1)$이고 반지름의 길이가 5인 구의 방정식이다.
답 중심의 좌표: $(-3, 4, -1)$, 반지름의 길이: 5

046 방정식 $x^2+y^2+z^2-2x+10y-6z+3=0$을 변형하면
$x^2-2x+1+y^2+10y+25+z^2-6z+9=-3+1+25+9$
$\therefore (x-1)^2+(y+5)^2+(z-3)^2=32$
따라서 주어진 방정식은 중심의 좌표가 $(1, -5, 3)$이고 반지름의 길이가 $4\sqrt{2}$인 구의 방정식이다.
답 중심의 좌표: $(1, -5, 3)$, 반지름의 길이: $4\sqrt{2}$

047 ㄱ. 점 $\mathrm{P}(2, -1, 4)$를 y축에 대하여 대칭이동한 점 Q의 좌표는 $(-2, -1, -4)$이다. (참)
ㄴ. 점 $\mathrm{P}(2, -1, 4)$를 zx평면에 대하여 대칭이동한 점 R의 좌표는 $(2, 1, 4)$이다. (거짓)
ㄷ. 점 $\mathrm{P}(2, -1, 4)$에서 z축에 내린 수선의 발 H의 좌표는 $(0, 0, 4)$이다. (거짓)
따라서 옳은 것은 ㄱ뿐이다.
답 ①

048 주어진 직육면체를 좌표공간에 나타내면 그림과 같다.

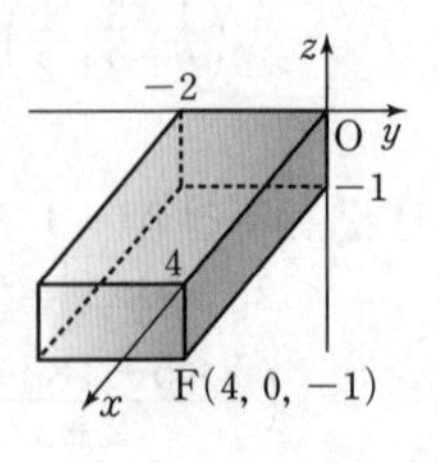

점 F의 좌표는 $\mathrm{F}(4, 0, -1)$이므로
점 F의 yz평면에 대한 대칭점 P의 좌표는
$\mathrm{P}(-4, 0, -1)$
따라서 $a=-4, b=0, c=-1$이므로
$a+b+c=-5$
답 -5

049 점 $\mathrm{P}(a, 2, b)$를 y축에 대하여 대칭이동한 점 Q의 좌표는 $\mathrm{Q}(-a, 2, -b)$이고, 점 Q를 zx평면에 대하여 대칭이동하면 $(-a, -2, -b)$가 되므로
$-a=-5, -2=c, -b=2$

$\therefore a=5, b=-2, c=-2$

$\therefore a+b+c=1$ 답 1

050 좌표공간에 두 점 O, P를 대각선의 양 끝 점으로 하고, x축, y축, z축 위에 세 모서리가 놓여 있는 직육면체를 그리면 그림과 같다.

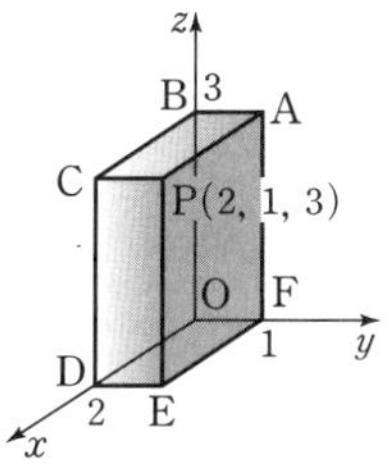

각 꼭짓점의 좌표는

A(0, 1, 3), B(0, 0, 3), C(2, 0, 3), D(2, 0, 0), E(2, 1, 0), F(0, 1, 0)

이므로 꼭짓점의 좌표가 아닌 것은 ④이다. 답 ④

051 점 B(10, 9, 4)에서

x좌표가 10이므로 점 A의 x좌표는 10,

y좌표가 9이고 $\overline{AB}=6$이므로 점 A의 y좌표는 3,

z좌표가 4이므로 점 A의 z좌표는 4이다.

$\therefore$ A(10, 3, 4)

$\therefore a=10, b=3, c=4$

점 A(10, 3, 4)에서

x좌표가 10이고 $\overline{AD}=8$이므로 점 H의 x좌표는 2,

y좌표가 3이므로 점 H의 y좌표는 3,

z좌표가 4이고 $\overline{AE}=3$이므로 점 H의 z좌표는 1이다.

$\therefore$ H(2, 3, 1)

$\therefore d=2, e=3, f=1$

$\therefore a+b+c+d+e+f=23$ 답 23

052 점 P(3, 4, 5)에서

x축에 내린 수선의 발 A의 좌표는 A(3, 0, 0),

y축에 내린 수선의 발 B의 좌표는 B(0, 4, 0),

xy평면에 내린 수선의 발 C의 좌표는 C(3, 4, 0)이다.

즉, 네 점 P, A, B, C를 좌표공간에 나타내면 그림과 같다.

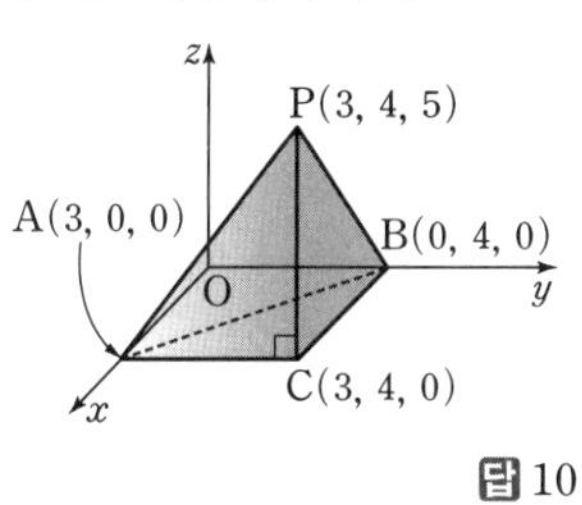

따라서 구하는 사면체의 부피는

$\frac{1}{3}\times\left(\frac{1}{2}\times3\times4\right)\times5=10$ 답 10

053 $\overline{AB}=\sqrt{(-1+2)^2+(2-a)^2+(1+1)^2}=3$이므로

$(2-a)^2+5=9,\ a^2-4a=0$

$a(a-4)=0$

$\therefore a=4\ (\because a>0)$ 답 ②

054 $\overline{BH}=\sqrt{(1-3)^2+(0-5)^2+(3-6)^2}=\sqrt{38}$이고,

직육면체이므로 $\overline{EC}=\overline{BH}$

$\therefore \overline{EC}=\sqrt{38}$ 답 ④

055 $\overline{AB}=\sqrt{(2-1)^2+(3-2)^2+(-1-1)^2}=\sqrt{6}$

$\overline{BC}=\sqrt{(0-2)^2+(4-3)^2+(0+1)^2}=\sqrt{6}$

$\overline{CA}=\sqrt{(1-0)^2+(2-4)^2+(1-0)^2}=\sqrt{6}$

따라서 $\overline{AB}=\overline{BC}=\overline{CA}$이므로 삼각형 ABC는 정삼각형이다.

답 ②

056 두 점 A(2, −1, 1), B(0, 2, −2)에서 같은 거리에 있는 x축, y축 위의 점을 각각 P(x, 0, 0), Q(0, y, 0)이라 하면

$\overline{AP}^2=\overline{BP}^2$에서

$(x-2)^2+1^2+(-1)^2=x^2+(-2)^2+2^2$

$4x=-2\qquad \therefore x=-\frac{1}{2}$

$\overline{AQ}^2=\overline{BQ}^2$에서

$(-2)^2+(y+1)^2+(-1)^2=(y-2)^2+2^2$

$6y=2\qquad \therefore y=\frac{1}{3}$

즉, 두 점 $P\left(-\frac{1}{2}, 0, 0\right)$, $Q\left(0, \frac{1}{3}, 0\right)$에 대하여

$\overline{PQ}=\sqrt{\left(\frac{1}{2}\right)^2+\left(\frac{1}{3}\right)^2}=\frac{\sqrt{13}}{6}$

$\therefore k=13$ 답 13

057 두 점 A(4, 5, 3), B(8, 10, 6)에서 zx평면에 내린 수선의 발을 각각 A′, B′이라 하면

A′(4, 0, 3), B′(8, 0, 6)

$\overline{AB}=\sqrt{(8-4)^2+(10-5)^2+(6-3)^2}=5\sqrt{2}$

$\overline{A'B'}=\sqrt{(8-4)^2+(6-3)^2}=5$

선분 AB의 zx평면 위로의 정사영이 선분 A′B′이므로

$\overline{A'B'}=\overline{AB}\cos\theta$에서

$5=5\sqrt{2}\cos\theta$

$\therefore \cos\theta=\frac{5}{5\sqrt{2}}=\frac{\sqrt{2}}{2}$ 답 $\frac{\sqrt{2}}{2}$

058 점 P(3, 4, 6)의 xy평면에 대한 대칭점 Q와 z축에 대한 대칭점 R의 좌표는 각각

Q(3, 4, −6), R(−3, −4, 6)

이므로 세 점 P, Q, R를 좌표공간에 나타내면 그림과 같다.

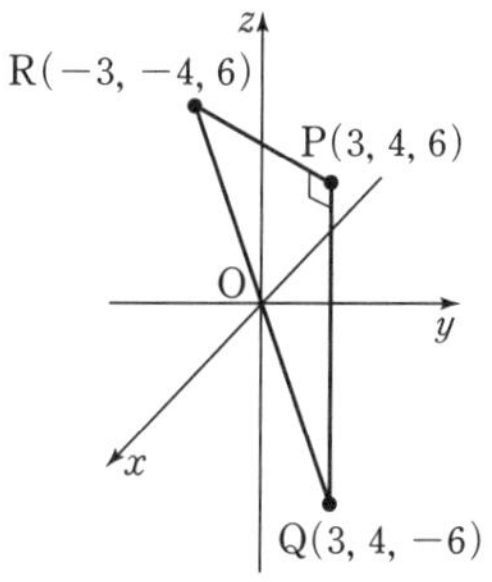

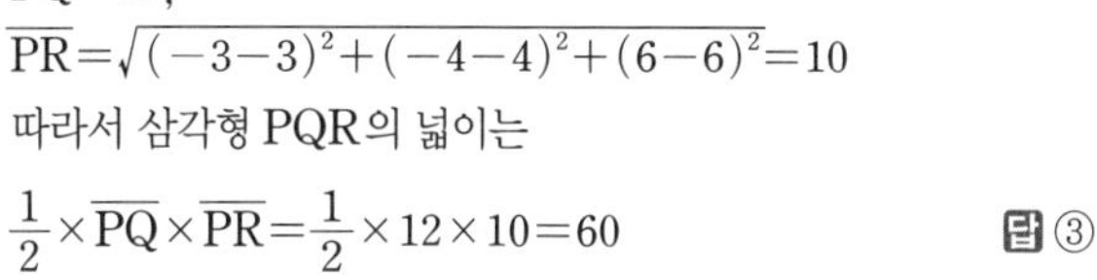

즉, 삼각형 PQR는 ∠RPQ=90°인 직각삼각형이다.

$\overline{PQ}=12$,

$\overline{PR}=\sqrt{(-3-3)^2+(-4-4)^2+(6-6)^2}=10$

따라서 삼각형 PQR의 넓이는

$\frac{1}{2}\times\overline{PQ}\times\overline{PR}=\frac{1}{2}\times12\times10=60$ 답 ③

059 점 P에서 x축에 내린 수선의 발 Q(a, 0, 0)에 대하여

$\overline{PQ}=\sqrt{(a-a)^2+(b-0)^2+(c-0)^2}$

$=\sqrt{b^2+c^2}=\sqrt{20}$

$\therefore b^2+c^2=20\qquad \cdots\cdots$ ㉠

점 P에서 y축에 내린 수선의 발 R(0, b, 0)에 대하여

$\overline{PR}=\sqrt{(a-0)^2+(b-b)^2+(c-0)^2}$

$=\sqrt{a^2+c^2}=5$

$\therefore a^2+c^2=25\qquad \cdots\cdots$ ㉡

또한, 점 P에서 z축에 내린 수선의 발 H의 좌표가 H(0, 0, −4)이므로

$c=-4$

$c=-4$를 ㉠, ㉡에 대입하면

$a=3,\ b=-2\ (\because a>0,\ b<0)$
$\therefore$ P$(3,\ -2,\ -4)$ 답 ②

060 $\overline{PQ}^2=(t+1)^2+(-t)^2+(2t+1)^2$
$=6t^2+6t+2$
$=6\left(t+\frac{1}{2}\right)^2+\frac{1}{2}$
따라서 $t=-\frac{1}{2}$일 때, 선분 PQ의 길이의 최솟값은
$\sqrt{\frac{1}{2}}=\frac{\sqrt{2}}{2}$ 답 ②

061 점 B에서 xy평면에 내린 수선의 발을 H, 선분 AH와 원 C와의 교점을 P라 하면 구하는 거리의 최솟값은 선분 BP의 길이와 같다.

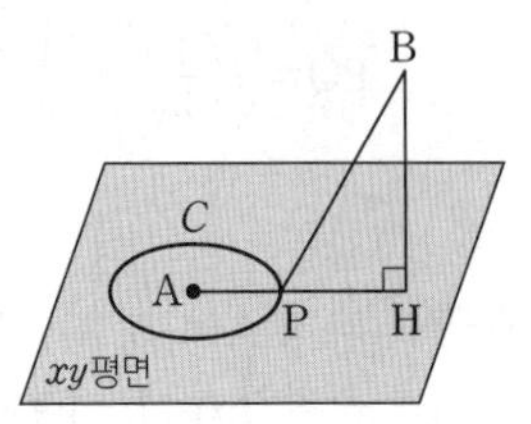

H$(6,\ 8,\ 0)$, A$(3,\ 4,\ 0)$이므로
$\overline{AH}=\sqrt{(6-3)^2+(8-4)^2}=5$
$\therefore \overline{PH}=5-2=3$
$\overline{BH}=4$이므로 직각삼각형 BPH에서
$\overline{BP}=\sqrt{3^2+4^2}=5$ 답 ④

062 점 A$(1,\ 1,\ 3)$을 xy평면에 대하여 대칭이동한 점을 A′이라 하면
A′$(1,\ 1,\ -3)$
$\overline{AP}+\overline{PB}=\overline{A'P}+\overline{PB}\geq\overline{A'B}$
이므로 $\overline{AP}+\overline{PB}$의 최솟값은 선분 A′B의 길이와 같다.

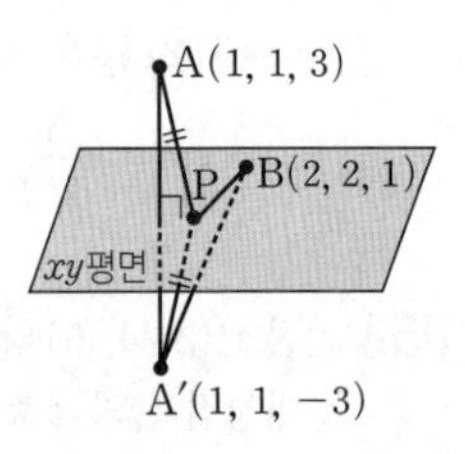

따라서 구하는 최솟값은
$\overline{A'B}=\sqrt{(2-1)^2+(2-1)^2+(1+3)^2}$
$=\sqrt{18}=3\sqrt{2}$ 답 ⑤

063 점 A$(2,\ 3,\ 4)$를 yz평면에 대하여 대칭이동한 점을 A′이라 하면
A′$(-2,\ 3,\ 4)$
$\overline{AP}+\overline{PB}=\overline{A'P}+\overline{PB}\geq\overline{A'B}$이므로
$\overline{A'B}=5\sqrt{5}$
$\sqrt{(3+2)^2+(-3-3)^2+(a-4)^2}=5\sqrt{5}$
$a^2-8a-48=0$
$(a-12)(a+4)=0$
$\therefore a=12\ (\because a>0)$ 답 12

064 두 점 A, B의 z좌표와 y좌표의 부호가 각각 같으므로 xy평면, zx평면에 대하여 두 점 A, B는 각각 같은 영역에 존재한다.

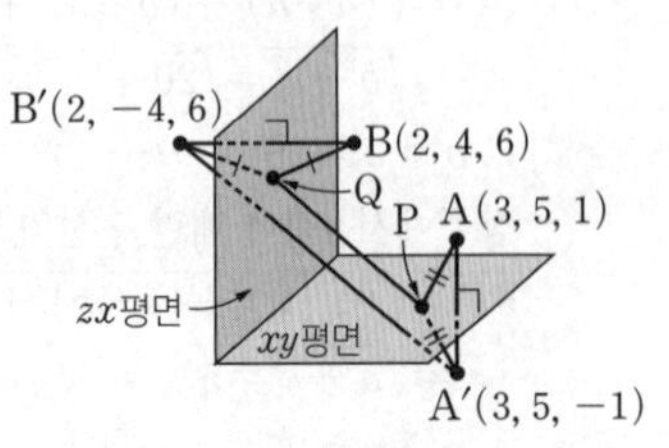

점 A를 xy평면에 대하여 대칭이동한 점을 A′이라 하면
A′$(3,\ 5,\ -1)$
점 B를 zx평면에 대하여 대칭이동한 점을 B′이라 하면
B′$(2,\ -4,\ 6)$
xy평면 위의 점 P, zx평면 위의 점 Q에 대하여
$\overline{AP}+\overline{PQ}+\overline{QB}=\overline{A'P}+\overline{PQ}+\overline{QB'}\geq\overline{A'B'}$
따라서 구하는 $\overline{AP}+\overline{PQ}+\overline{QB}$의 최솟값은
$\overline{A'B'}=\sqrt{(2-3)^2+(-4-5)^2+(6+1)^2}=\sqrt{131}$
$\therefore k=131$ 답 131

065 $\overline{AB}$를 $2:3$으로 내분하는 점 P의 좌표는
P$\left(\frac{2\times4+3\times(-1)}{2+3},\ \frac{2\times1+3\times1}{2+3},\ \frac{2\times5+3\times10}{2+3}\right)$
$\therefore$ P$(1,\ 1,\ 8)$
$\overline{AB}$를 $2:3$으로 외분하는 점 Q의 좌표는
Q$\left(\frac{2\times4-3\times(-1)}{2-3},\ \frac{2\times1-3\times1}{2-3},\ \frac{2\times5-3\times10}{2-3}\right)$
$\therefore$ Q$(-11,\ 1,\ 20)$
$\therefore \overline{PQ}=\sqrt{(-11-1)^2+(1-1)^2+(20-8)^2}=12\sqrt{2}$
답 $12\sqrt{2}$

066 선분 AB를 $1:2$로 내분하는 점이 y축 위에 있으므로 내분점의 z좌표는 0이다.
즉, $\frac{1\times4+2\times(a-1)}{1+2}=0$에서
$a=-1$
또 선분 AB를 $2:1$로 외분하는 점이 zx평면 위에 있으므로 외분점의 y좌표는 0이다.
즉, $\frac{2\times b-1\times a}{2-1}=0$에서
$b=\frac{1}{2}a=-\frac{1}{2}$
$\therefore a=-1,\ b=-\frac{1}{2}$ 답 $a=-1,\ b=-\frac{1}{2}$

067 두 점 A, B에서 xy평면에 내린 수선의 발을 각각 C, D라 하면
C$(-2,\ 4,\ 0)$,
D$(2,\ 4,\ 0)$

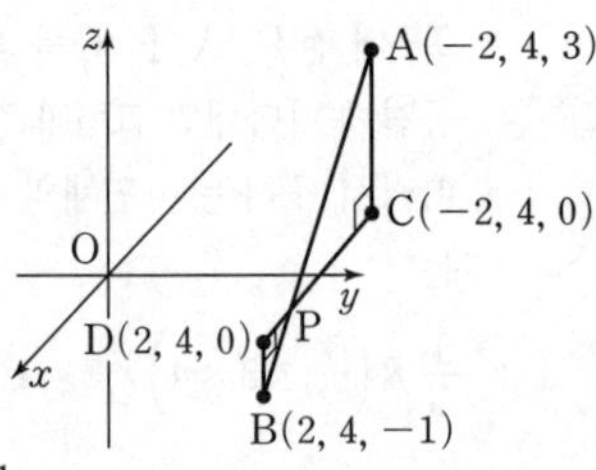

$\triangle$ACP$\backsim\triangle$BDP이므로
$\overline{AP}:\overline{BP}=\overline{AC}:\overline{BD}=3:1$
즉, 점 P는 선분 AB를 $3:1$로 내분하는 점이므로
P$\left(\frac{3\times2+1\times(-2)}{3+1},\ \frac{3\times4+1\times4}{3+1},\ \frac{3\times(-1)+1\times3}{3+1}\right)$
$\therefore$ P$(1,\ 4,\ 0)$ 답 ①

068 사각형 OABC가 평행사변형이 되려면 대각선 OB의 중점과 대각선 AC의 중점이 일치해야 한다.
점 B의 좌표를 $(x,\ y,\ z)$라 하면 대각선 OB의 중점의 좌표는
$\left(\frac{x}{2},\ \frac{y}{2},\ \frac{z}{2}\right)$
대각선 AC의 중점의 좌표는
$\left(\frac{2+4}{2},\ \frac{-1+5}{2},\ \frac{5-3}{2}\right)$, 즉 $(3,\ 2,\ 1)$
$\therefore x=6,\ y=4,\ z=2$
$\therefore$ B$(6,\ 4,\ 2)$ 답 B$(6,\ 4,\ 2)$

069 두 점 A$(2,\ -3,\ 5)$, B$(3,\ 4,\ 2)$에 대하여 선분 AB를 $a:b$로 내분하는 점이 zx평면 위에 있으므로 내분점의 y좌표는 0이다.

즉, $\dfrac{4a-3b}{a+b}=0$에서 $4a=3b$

$\therefore a:b=3:4$

$\therefore a+b=7$ 답 7

070 점 A는 선분 OP를 $3:1$로 외분하는 점이므로

A$\left(\dfrac{3\times4}{3-1},\ \dfrac{3\times4}{3-1},\ \dfrac{3\times2}{3-1}\right)$, 즉 A$(6,\ 6,\ 3)$

$\therefore \overline{OA}=\sqrt{6^2+6^2+3^2}=\sqrt{81}=9$

따라서 지상 O지점에서 산 정상 A지점까지의 거리는

$9\times100=900$ (m) 답 ④

071 삼각형 ABC의 세 꼭짓점의 좌표가 A$(0,\ 2,\ a)$, B$(1,\ b,\ 2)$, C$(c,\ -3,\ 1)$이므로 무게중심 G의 좌표는

G$\left(\dfrac{0+1+c}{3},\ \dfrac{2+b-3}{3},\ \dfrac{a+2+1}{3}\right)$

즉, $\dfrac{1+c}{3}=1$, $\dfrac{b-1}{3}=-2$, $\dfrac{a+3}{3}=0$이므로

$a=-3$, $b=-5$, $c=2$

$\therefore a+b+c=-6$ 답 ⑤

072 한 직선 위에 있는 세 점 A, B, C에 대하여 $\overline{AB}$를 $2:1$로 외분하는 점이 점 C이므로 $\overline{AC}$의 중점이 점 B이다. 그림과 같이 삼각형 ACD의 무게중심을 G$(x,\ y,\ z)$라 하면, 점 G는 $\overline{DB}$를 $2:1$로 내분하는 점이므로

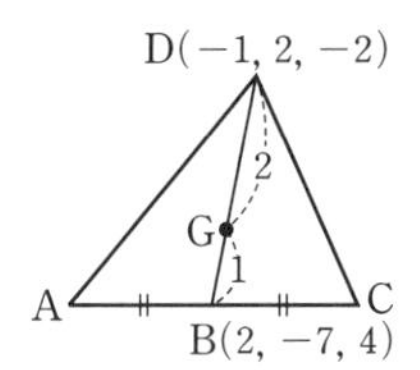

$x=\dfrac{2\times2+1\times(-1)}{2+1}=1$

$y=\dfrac{2\times(-7)+1\times2}{2+1}=-4$

$z=\dfrac{2\times4+1\times(-2)}{2+1}=2$

따라서 삼각형 ACD의 무게중심의 좌표는 $(1,\ -4,\ 2)$이다. 답 ①

073 삼각형 ABC의 무게중심의 좌표는 $\left(\dfrac{2n}{3},\ \dfrac{n}{3},\ \dfrac{2n}{3}\right)$이므로

$l_n=\sqrt{\left(\dfrac{2n}{3}\right)^2+\left(\dfrac{n}{3}\right)^2+\left(\dfrac{2n}{3}\right)^2}=n$

$\therefore \displaystyle\sum_{k=1}^{10} l_k=\sum_{k=1}^{10} k=\dfrac{10\times11}{2}=55$ 답 55

074 구의 반지름의 길이를 r라 하면

$r=\sqrt{(3-0)^2+(-2-2)^2+(1-1)^2}=5$

따라서 구하는 구의 방정식은

$(x-3)^2+(y+2)^2+(z-1)^2=25$

답 $(x-3)^2+(y+2)^2+(z-1)^2=25$

075 구의 중심을 C라 하면 점 C는 선분 AB의 중점이므로

C$\left(\dfrac{1+5}{2},\ \dfrac{0+2}{2},\ \dfrac{-2-2}{2}\right)$, 즉 C$(3,\ 1,\ -2)$

$\therefore a=3,\ b=1,\ c=-2$

또 반지름의 길이 r는 선분 AC의 길이와 같으므로

$r=\overline{AC}=\sqrt{(3-1)^2+(1-0)^2+(-2+2)^2}=\sqrt{5}$

$\therefore a+b+c+r^2=3+1+(-2)+5=7$ 답 ①

076 중심이 C$(3,\ 2,\ -1)$이고 반지름의 길이가 3인 구의 방정식은

$(x-3)^2+(y-2)^2+(z+1)^2=9$

x축 위의 점은 y좌표와 z좌표가 모두 0이므로 구의 방정식에 $y=0$, $z=0$을 대입하면

$(x-3)^2+(0-2)^2+(0+1)^2=9$

$x^2-6x+5=0$

$(x-1)(x-5)=0$

$\therefore x=1$ 또는 $x=5$

$\therefore \overline{AB}=5-1=4$

점 C에서 선분 AB에 내린 수선의 발을 H라 하면 $\overline{AH}=2$이므로

$\overline{CH}=\sqrt{3^2-2^2}=\sqrt{5}$

따라서 삼각형 CAB의 넓이는

$\dfrac{1}{2}\times4\times\sqrt{5}=2\sqrt{5}$ 답 ①

077 $x^2+y^2+z^2+2x-2y-4z-10=0$에서

$(x+1)^2+(y-1)^2+(z-2)^2=16$

따라서 구의 중심의 좌표는 $(-1,\ 1,\ 2)$이므로 중심에서 원점까지의 거리는

$\sqrt{(-1)^2+1^2+2^2}=\sqrt{6}$ 답 $\sqrt{6}$

078 구하는 구의 방정식을

$x^2+y^2+z^2+Ax+By+Cz+D=0$

$(A^2+B^2+C^2-4D>0)$

이라 하면 네 점 O, P, Q, R를 지나므로

$D=0$,

$4+2A+D=0$,

$8+2B+2C+D=0$,

$8-2A+2C+D=0$

네 식을 연립하여 풀면

$A=-2$, $B=2$, $C=-6$, $D=0$

$\therefore x^2+y^2+z^2-2x+2y-6z=0$

따라서 $(x-1)^2+(y+1)^2+(z-3)^2=11$이므로

$a+b+c+r^2=1-1+3+11=14$ 답 ③

079 y축 위의 점은 x좌표와 z좌표가 모두 0이므로 주어진 구의 방정식에 $x=0$, $z=0$을 대입하면

$y^2-7y+k=0$ ······ ㉠

주어진 구와 y축이 만나는 두 점 사이의 거리가 3이므로 y에 대한 이차방정식 ㉠의 두 근의 차가 3이다.

따라서 ㉠의 두 근을 α, $\alpha+3$이라 하면 근과 계수의 관계에 의하여

$\alpha+(\alpha+3)=7$, $\alpha(\alpha+3)=k$

$\therefore \alpha=2$, $k=10$ 답 ②

080 구의 중심을 C라 하면 C$(3,\ -1,\ -3)$

점 C에서 x축에 내린 수선의 발을 H라 하면 H$(3,\ 0,\ 0)$

구가 x축에 접하면 구의 반지름의 길이 r는 선분 CH의 길이와 같으므로

$r=\overline{CH}=\sqrt{(3-3)^2+(-1-0)^2+(-3-0)^2}=\sqrt{10}$

$\therefore r^2=10$ 답 10

081 $x^2+y^2+z^2-2ax+2y-4z+5=0$에서

$(x-a)^2+(y+1)^2+(z-2)^2=a^2$

구의 중심 $C(a, -1, 2)$에서 xy평면에 내린 수선의 발을 C'이라고 하면

$C'(a, -1, 0)$

주어진 구가 xy평면에 접하므로 선분 CC'의 길이와 구의 반지름의 길이가 같다.

$\therefore a=2$ ($\because a>0$) 답 2

082 점 $P(1, 1, 2)$의 좌표가 모두 양수이고, 구하는 구가 xy평면, yz평면, zx평면에 모두 접하므로 반지름의 길이를 r라 하면 구의 중심에서 xy평면, yz평면, zx평면까지의 거리가 모두 반지름의 길이 r와 같다.

즉, 구의 방정식은

$(x-r)^2+(y-r)^2+(z-r)^2=r^2$

이고, 이 구가 점 $P(1, 1, 2)$를 지나므로

$(1-r)^2+(1-r)^2+(2-r)^2=r^2$

$r^2-4r+3=0$, $(r-1)(r-3)=0$

$\therefore r=1$ 또는 $r=3$

따라서 두 구의 중심의 좌표는 각각 $(1, 1, 1)$, $(3, 3, 3)$이므로 두 구의 중심 사이의 거리는

$\sqrt{3(3-1)^2}=2\sqrt{3}$ 답 ④

참고

- x축, y축, z축에 동시에 접하는 구의 방정식
  ➡ $(x\pm a)^2+(y\pm a)^2+(z\pm a)^2=(\sqrt{2}a)^2$
- xy평면, yz평면, zx평면에 동시에 접하는 구의 방정식
  ➡ $(x\pm a)^2+(y\pm a)^2+(z\pm a)^2=a^2$

083 xy평면 위의 점은 z좌표가 0이므로 주어진 구의 방정식에 $z=0$을 대입하면

$x^2+y^2-8y+7=0$

$\therefore x^2+(y-4)^2=9$

즉, 주어진 구를 xy평면으로 자른 단면은 반지름의 길이가 3인 원이다.

따라서 구하는 단면의 넓이는

$\pi\times3^2=9\pi$ 답 ③

084 구하는 구의 반지름의 길이를 r라 하면 구의 방정식은

$(x-2)^2+(y+4)^2+z^2=r^2$

yz평면 위의 점은 x좌표가 0이므로 $x=0$을 대입하면

$2^2+(y+4)^2+z^2=r^2$

$\therefore (y+4)^2+z^2=r^2-4$

즉, 주어진 구를 yz평면으로 자른 단면은 반지름의 길이가 $\sqrt{r^2-4}$인 원이고, 이 원의 넓이가 12π이므로

$(r^2-4)\pi=12\pi$

$r^2=16$ $\therefore r=4$

따라서 구하는 구의 반지름의 길이는 4이다. 답 4

085 구 $(x-2)^2+(y-3)^2+(z-4)^2=25$의 중심을 C라 하면

$C(2, 3, 4)$

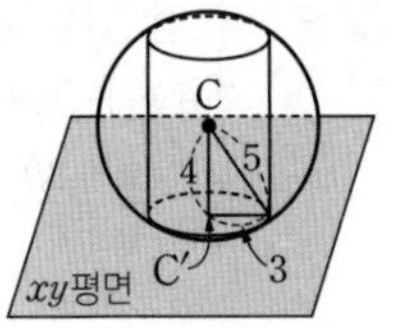

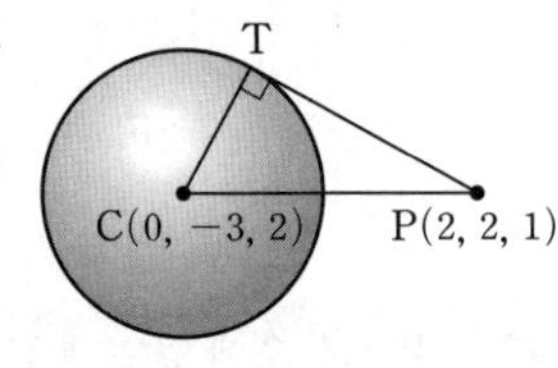

주어진 구가 xy평면과 만나서 생긴 단면이 원기둥의 밑면이므로 주어진 구의 방정식에 $z=0$을 대입하면

$(x-2)^2+(y-3)^2+16=25$

$\therefore (x-2)^2+(y-3)^2=9$

즉, 이 원의 중심을 C'이라 하면 $C'(2, 3, 0)$이고, 반지름의 길이는 3이다.

따라서 그림과 같이 원기둥의 높이는 $2\overline{CC'}=8$이므로 구하는 원기둥의 부피는

$\pi\times3^2\times8=72\pi$ 답 ⑤

086 $x^2+y^2+z^2+6y-4z-1=0$에서

$x^2+(y+3)^2+(z-2)^2=14$

이므로 구의 중심을 C라 하면 $C(0, -3, 2)$이고, 반지름의 길이는 $\sqrt{14}$이다.

그림과 같이 점 P에서 구에 그은 접선의 접점을 T라 하면

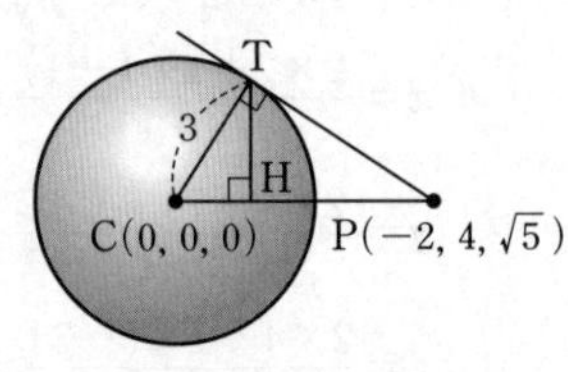

$\overline{PC}=\sqrt{2^2+5^2+(-1)^2}=\sqrt{30}$

$\overline{CT}=\sqrt{14}$

삼각형 CPT는 직각삼각형이므로

$\overline{PT}=\sqrt{\overline{PC}^2-\overline{CT}^2}=\sqrt{16}=4$ 답 ④

087 구 $x^2+y^2+z^2=9$의 중심을 C라 하면 $C(0, 0, 0)$이고, 반지름의 길이는 3이다.

그림과 같이 점 P에서 구에 그은 접선의 접점을 T라 하면

$\overline{PC}=\sqrt{(-2)^2+4^2+(\sqrt{5})^2}$

$=5$

$\overline{CT}=3$

삼각형 CPT는 직각삼각형이므로

$\overline{PT}=\sqrt{\overline{PC}^2-\overline{CT}^2}=\sqrt{5^2-3^2}=\sqrt{16}=4$

한편, 점 T에서 선분 CP에 내린 수선의 발을 H라 하면

$\frac{1}{2}\times\overline{PT}\times\overline{CT}=\frac{1}{2}\times\overline{PC}\times\overline{TH}$

$\therefore \overline{TH}=\frac{12}{5}$

따라서 접점이 나타내는 도형은 중심이 H이고 반지름의 길이가 $\frac{12}{5}$인 원이므로 그 넓이는

$\pi\left(\frac{12}{5}\right)^2=\frac{144}{25}\pi$ 답 ②

088 그림과 같이 점 A에서 원의 접선 BD에 내린 수선의 발을 C라 하면

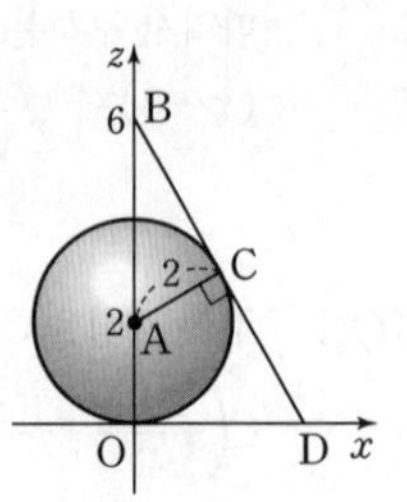

$\overline{BC}=\sqrt{4^2-2^2}=2\sqrt{3}$

$\triangle BCA\backsim\triangle BOD$이므로

$\overline{BC}:\overline{BO}=\overline{CA}:\overline{OD}$

$2\sqrt{3}:6=2:\overline{OD}$

$\therefore \overline{OD}=2\sqrt{3}$

따라서 구하는 구의 그림자는 반지름의 길이가 $2\sqrt{3}$인 원이므로 그 넓이는

$\pi(2\sqrt{3})^2=12\pi$ 답 ⑤

다른 풀이

삼각형 ABC에서

$\angle ACB=90^\circ$, $\overline{AB}=4$, $\overline{AC}=2$

이므로

$\angle ABC=30^\circ$

$\therefore \overline{OD}=\overline{OB}\tan 30^\circ$

$=6\times\frac{\sqrt{3}}{3}=2\sqrt{3}$

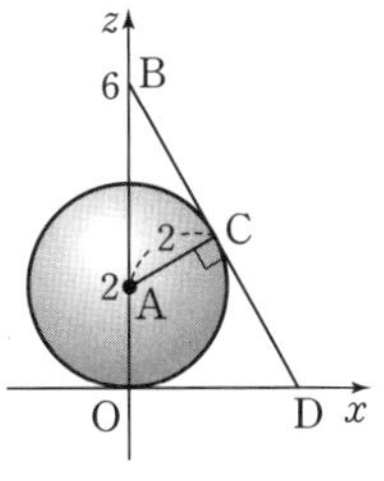

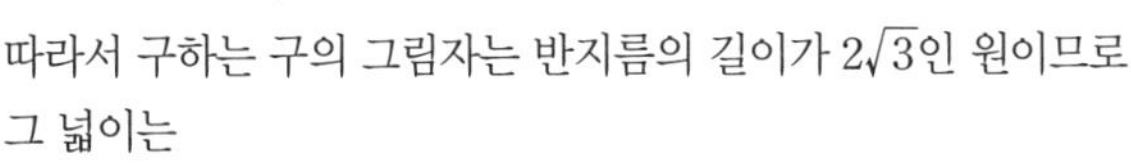

따라서 구하는 구의 그림자는 반지름의 길이가 $2\sqrt{3}$인 원이므로 그 넓이는

$\pi(2\sqrt{3})^2=12\pi$

089 $x^2+y^2+z^2-2x-4y-6z+13=0$에서

$(x-1)^2+(y-2)^2+(z-3)^2=1$

구의 중심과 원점 사이의 거리를 d라고 하면 구 위의 점과 원점 사이의 거리의 최댓값은 $d+r$, 최솟값은 $d-r$이다.

최댓값과 최솟값의 차는 $2r$, 즉 구의 지름의 길이와 같다.

따라서 주어진 구의 반지름의 길이가 1이므로 지름의 길이는 2이다. 답 ②

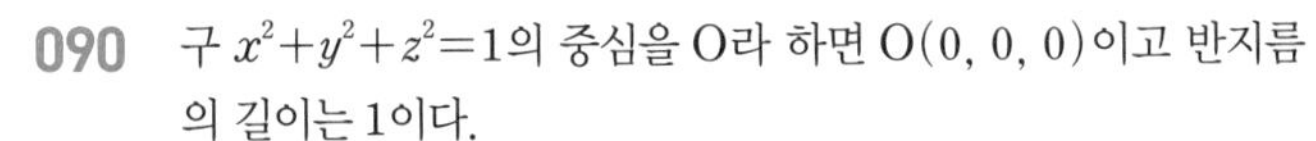

090 구 $x^2+y^2+z^2=1$의 중심을 O라 하면 O(0, 0, 0)이고 반지름의 길이는 1이다.

구 $(x-2)^2+(y-3)^2+(z-6)^2=4$의 중심을 C라 하면 C(2, 3, 6)이고 반지름의 길이는 2이다.

$\overline{OC}=\sqrt{2^2+3^2+6^2}=7$

선분 PQ의 길이가 최소가 되는 경우는 두 점 P, Q가 그림과 같이 선분 OC 위에 있을 때이다.

따라서 구하는 최솟값은

$7-(1+2)=4$

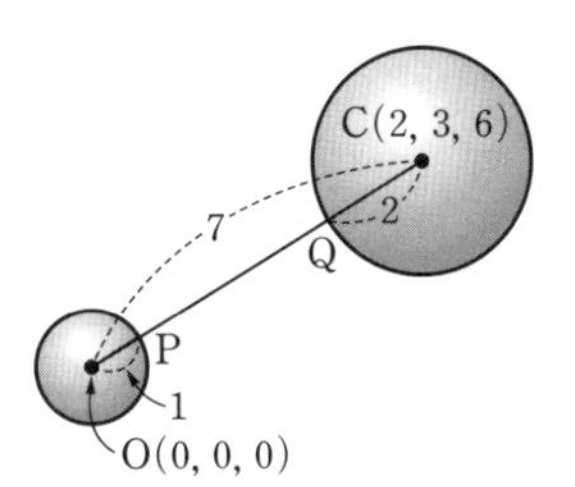

답 ③

091 $x^2+y^2+z^2-2x+4y-6z-2=0$에서

$(x-1)^2+(y+2)^2+(z-3)^2=16$

점 C에서 직선 l에 내린 수선의 발을 H라 하면

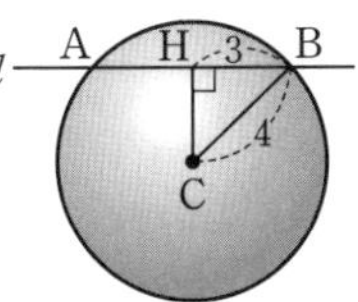

$\overline{AH}=\overline{BH}=\frac{1}{2}\overline{AB}=3$

구의 중심 C에서 직선 l까지의 거리는 선분 CH의 길이와 같으므로

$\overline{CH}=\sqrt{\overline{CB}^2-\overline{BH}^2}$

$=\sqrt{4^2-3^2}=\sqrt{7}$ 답 $\sqrt{7}$

092 구 $(x-1)^2+(y-3)^2+(z+1)^2=5$와 xy평면과의 교선인 원 C의 방정식은

$(x-1)^2+(y-3)^2=4$

이므로 원 C의 중심을 A라 하면 A(1, 3, 0)이고 반지름의 길이는 2이다.

한편, 점 P에서 xy평면에 내린 수선의 발을 Q라 하면 Q(5, 6, 0)이다.

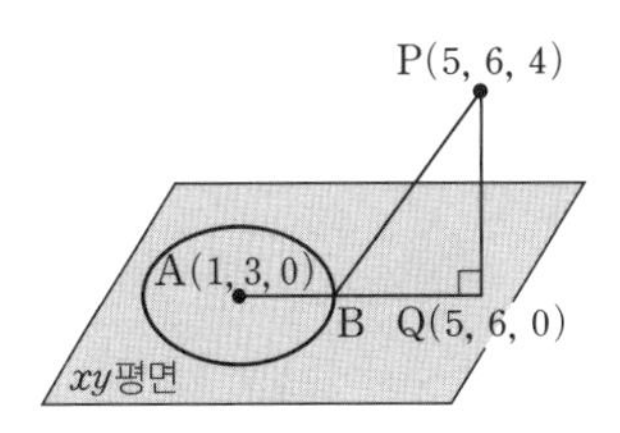

선분 AQ와 원 C의 교점을 B라 하면 선분 PB의 길이가 구하는 최단 거리이다.

$\overline{AQ}=\sqrt{(5-1)^2+(6-3)^2}=5$

$\overline{BQ}=\overline{AQ}-2=5-2=3$

$\overline{PQ}=4$

$\therefore \overline{PB}=\sqrt{\overline{BQ}^2+\overline{PQ}^2}=\sqrt{3^2+4^2}=5$ 답 ⑤

093 두 구의 중심의 좌표가 각각 (5, −1, −6), (−1, 3, 6)이고 반지름의 길이가 각각 r, 6이다.

두 구가 서로 외접하므로 두 구의 중심 사이의 거리는 반지름의 길이의 합과 같다.

$\sqrt{(-1-5)^2+(3+1)^2+(6+6)^2}=r+6$

$\sqrt{196}=r+6$, $14=r+6$

$\therefore r=8$ 답 ⑤

094 두 구의 중심의 좌표가 각각 (1, 2, 3), (−2, 0, −3)이고 반지름의 길이가 각각 3, a이므로 두 구의 중심 사이의 거리 d는

$d=\sqrt{(-2-1)^2+(0-2)^2+(-3-3)^2}=7$

두 구가 서로 만나려면

$|a-3|\le 7\le a+3$

$|a-3|\le 7$에서 $-7\le a-3\le 7$

$\therefore -4\le a\le 10$ ······ ㉠

$7\le a+3$에서 $a\ge 4$ ······ ㉡

㉠, ㉡에서 $4\le a\le 10$

따라서 구하는 정수 a의 개수는 4, 5, 6, 7, 8, 9, 10의 7이다.

답 ②

memo

memo

memo

아름다운 샘 BOOK LIST

개념기본서 수학의 기본을 다지는 최고의 수학 개념기본서

❖ 수학의 샘

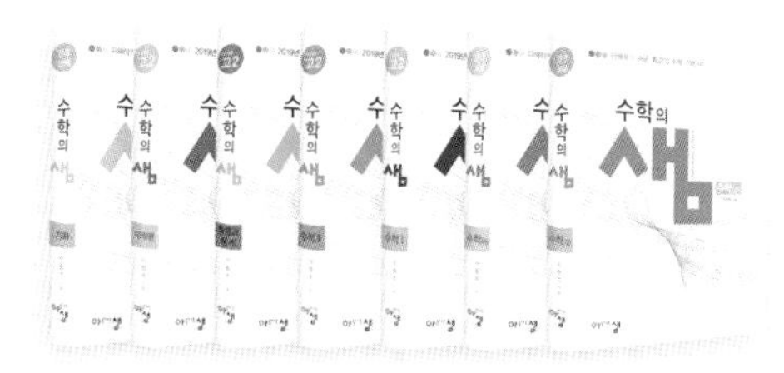

- 수학(상)
- 수학(하)
- 수학 I
- 수학 II
- 확률과 통계
- 미적분
- 기하

문제기본서 {기본, 유형}, {유형, 심화}로 구성된 수준별 문제기본서

❖ 아샘 Hi Math

- 수학(상)
- 수학(하)
- 수학 I
- 수학 II
- 확률과 통계
- 미적분
- 기하

❖ 아샘 Hi High

- 수학(상)
- 수학(하)
- 수학 I
- 수학 II
- 확률과 통계
- 미적분

예비 고1 교재 고교 수학의 기본을 다지는 참 쉬운 기본서

❖ 그래 할 수 있어

- 수학(상)
- 수학(하)

단기 특강 교재 유형을 다지는 단기특강 교재

❖ 10&2

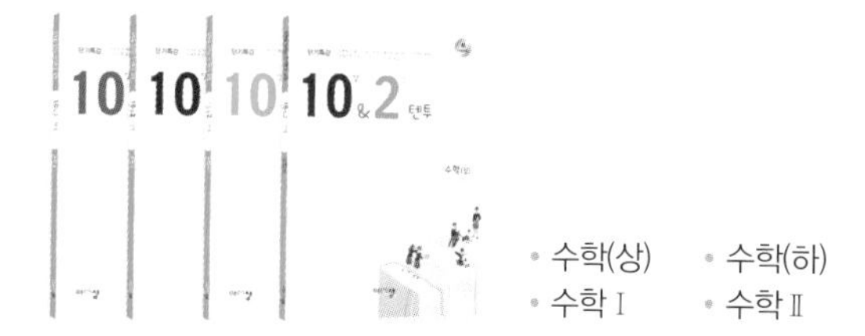

- 수학(상)
- 수학(하)
- 수학 I
- 수학 II

수능 기출유형 문제집 수능 대비하는 수준별·유형별 문제집

❖ 짱 쉬운 유형 / 짱 확장판

- 수학 I
- 수학 II
- 확률과 통계
- 미적분
- 기하

- 수학 I
- 수학 II
- 확률과 통계

❖ 짱 중요한 유형

- 수학 I
- 수학 II
- 확률과 통계
- 미적분
- 기하

❖ 짱 어려운 유형

- 수학 I
- 수학 II
- 확률과 통계
- 미적분
- 기하

수능 실전모의고사 수능 대비 파이널 실전모의고사

❖ 짱 Final 실전모의고사

- 수학 영역

중간·기말고사 교재 학교 시험 대비 실전모의고사

❖ 아샘 내신 FINAL (고1 수학, 고2 수학 I, 고2 수학 II)

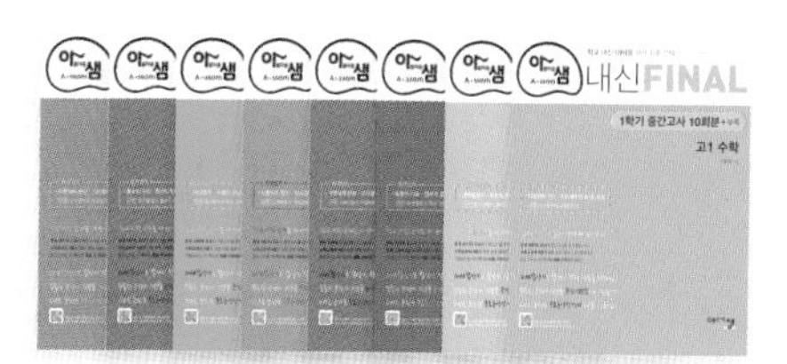

- 1학기 중간고사
- 1학기 기말고사
- 2학기 중간고사
- 2학기 기말고사

아름다운 샘
A~ssam
기본기를 다지는
문제기본서 하이 매쓰
Hi Math
기하

Hi
M
ath